UYGARLIK VE DELİLİK

Andrew Scull San Diego'daki California Üniversitesi'nde seçkin bir sosyoloji ve bilim araştırmaları profesörüdür. Daha önce Pennsylvania ve Princeton üniversitelerinde ders vermiştir. Çok sayıda yayını arasında *Museums of Madness*, *Social Order/Mental_Disorder*, *The Most Solitary of Afflictions: Madness and Society in Britain, 1700-1900*, *Masters of Bedlam*, *Madhouse: A Tragic Tale of Megalomania and Modem Medicine* ve *Madness: A Very Short Introduction* sayılabilir. Ayrıca *TLS*, *Lancet* ve *Brain* önde gelen dergilerde çıkmış birçok makalesi ve kitap eleştirisi vardır. Başka kurumların yanı sıra, Guggenheim Vakfı'nın ve Amerikan Bilim Dernekleri Konseyi'nin üyesidir; 1992-93'te Tıp Sosyal Tarihi Derneği'nin başkanlığını yapmıştır.

Nurettin Elhüseyni (Silvan/Diyarbakır, 1954). Darüşşafaka Lisesi ve Ankara Üniversitesi Siyasal Bilgiler Fakültesi mezunu. AnaBritannica'da yazı kurulu üyesi ve çeşitli yayın kuruluşlarında editör olarak çalıştı. Halen serbest çevirmenlik ve araştırmacılık yapıyor. Çevirdiği kitaplardan bazıları: *Demokrasi Neye Yarar?* (YKY, 2010); *Solan Akdeniz: 1550-1870 / Coğrafi-Tarihsel Bir Yaklaşım*, Faruk Tabak (YKY, 2010); *Gezgin Şölen: Gıda Küreselleşmesinin On Bin Yılı*, Kenneth F. Kiple (YKY, 2010); *Canavarlar - Garip Yaratıklar Kitabı*, Christopher Dell (YKY, 2010); *İmparatorluk: Britanya'nın Modern Dünyayı Biçimlendirişi*, Niall Ferguson (YKY, 2011); *1000 Muhteşem Resim* (YKY, 2012); *Uygarlık: Batı ve Ötekiler*, Niall Ferguson (YKY, 2012); *Kırım: Son Haçlı Seferi*, Orlando Figes (YKY, 2012); *Sarayın İmgeleri: Osmanlı Sarayının Gözüyle Resimli Tarih*, Emine Fetvacı (YKY, 2013); *Ölümsüzlük Kurulu*, John Gray (YKY, 2013); *Yirminci Yüzyıl Üzerine Düşünceler*, Tony Judt (YKY, 2013); *Haberini Alayım, Yeter: Gerçek Bir Gulag Aşk Hikâyesi*, Orlando Figes (YKY, 2013); *Stalingrad*, Antony Beevor (YKY, 2014); *Fikirler Tarihi: Ateşten Freud'a*, Peter Watson (YKY, 2014); *Tarihi İcat Eden Adam: Herodotos'la Seyahatler*, Justin Marozzi (YKY, 2015); *18. Yüzyılda Avrupa'da Türk Modası: Turquerie*, Haydn Williams (YKY, 2015); *Sıfır Yılı [1945'in Tarihi]*, Ian Buruma (YKY, 2015); *Armut Dibine Düşmeyince*, Andrew Solomon (YKY, 2016); *Romanovlar 1613-1918*, Simon Sebag Montefiore (YKY, 2018).

ANDREW SCULL

Uygarlık ve Delilik

Kitabı Mukaddes'ten Freud'a, Tımarhaneden Modern Tıbba Akıl Hastalığının Kültürel Tarihi

44'ü renkli 128 görsel malzemeyle

Çeviren
Nurettin Elhüseyni

YAPI KREDİ YAYINLARI

Yapı Kredi Yayınları - 4703
Tarih: 106

Uygarlık ve Delilik - Kitabı Mukaddes'ten Freud'a, Tımarhaneden Modern Tıbba
Akıl Hastalığının Kültürel Tarihi / Andrew Scull
Özgün adı: **Madness in Civilization - A Cultural History of Insanity from the Bible to Freud, from the Madhause to Modern Medicine**
Çeviren: **Nurettin Elhüseyni**

Kitap editörü: **Derya Önder**
Düzelti: **Korkut Tankuter**

Kapak tasarımı: **Morgan Guegan**
Sayfa tasarımı: **Mehmet Ulusel**
Grafik uygulama: **Akgül Yıldız**

Ön sayfa:
"Delilik", *The Anatomy and Philosophy of Expression, as Connected with the Fine Arts*, Sir Charles Bell (1844).

Baskı: Asya Basım Yayın Sanayi Tic. Ltd. Şti
15 Temmuz Mah. Gülbahar Cad. No: 62/B Güneşli - Bağcılar / İstanbul
Telefon: (0 212) 693 00 08
Sertifika No: 52508

Çeviriye temel alınan baskı: Thames & Hudson, Londra, 2015
1. baskı: İstanbul, Eylül 2016
6. baskı: İstanbul, Mayıs 2023
ISBN 978-975-08-3727-2

Yapı Kredi Kültür Sanat Yayıncılık Ticaret ve Sanayi A.Ş.
İstiklal Caddesi No: 161 Beyoğlu 34433 İstanbul
Telefon: (0212) 252 47 00 Faks: (0212) 293 07 23
https://www.ykykultur.com.tr
e-posta: **ykykultur@ykykultur.com.tr**
facebook.com/**yapikrediyayinlari**
twitter.com/**YKYHaber**
instagram.com/**yapikrediyayinlari**

Yapı Kredi Kültür Sanat Yayıncılık
PEN International Publishers Circle üyesidir.

Nancy'ye,
doğmuş ve doğacak torunlarımıza

Benim için haklı olarak söylenebileceği üzere, bu kitapta başka insanların çiçeklerinden bir buket derlerken, kendi adıma sadece onları bir arada tutan ipi sağladım.

Montaigne

Uygarlık ve Delilik Üzerine Övgüler

"Andrew Scull'ın delilik tarihi konusundaki yetkin ustalığı öteden beri kabul edilir. Bu sürükleyici kitapta, aklın akılsızlığı nasıl anladığının ve ele aldığının köklü geçmişini sunuyor bize. Çarpıcı ve görkemli bir dizi görüntünün yardımıyla, bizi antik Yunan, erken Hıristiyanlık ve İslam dönemlerinin ardından bilim, sekülerleşme ve Freud yoluyla günümüzün beyin bilimlerine ve farmakopelerine getiriyor. İyi niyetlerle dolu ve hırsın damgasını vurduğu bir hikâye bu. Bilgelik ışıltıları hastalardan çok daha delice tedavilerle savaşıyor. İki bin yılı bulan bu yolculuğun sonunda vardığımız kimyasal akıl hastanesinin tuğlalı ve harçlı emsalinden daha iyi olup olmadığı belirsiz. Hepimizi ilgilendiren bir konuda, içerdiği ayrıntılarla ve tutkuyla harikulade, en halis şekliyle tarih var karşımızda."

Lisa Appignanesi, *Mad, Bad and Sad: A History of Women and the Mind Doctors from 1800 to the Present* ve *Trials of Passion: Crimes in the Name of Love and Madness* kitaplarının yazarı

"Scull'ın alışılmış şevkiyle ve derin bilgisiyle, büyüleyici ve güzel bir üslupta yazdığı harika bir kitap. *Uygarlık ve Delilik* antikçağ ve ortaçağ toplumlarının psikozla nasıl başa çıktığını irdeliyor ve beyin görüntülemede, psikotropik ilaçlarda sağlanan gelişmeye rağmen, modern psikiyatri için onlardan öğrenilecek çok şey bulunduğunu gösteriyor."

Sylvia Nasar, *A Beautiful Mind* kitabının yazarı

"Delilik diye nitelendirdiğimiz davranışları anlamaya ve denetim altına almaya dönük insan çabalarının merak uyandırıcı, bilgiye dayalı ve müthiş şekilde düşündürücü bir tarihi. Scull'ın olağandışı bir bilgi ve kolay anlaşılırlık bileşimiyle yazdığı bu hayranlık uyandırıcı kitabı, 'en münzevi ıstıraba' ilgi duyan herkese öneririm."

Charles Rosenberg, Harvard Üniversitesi Bilim Tarihi Profesörü, *Our Present Complaint: American Medicine, Then and Now* kitabının yazarı

"Andrew Scull herhalde delilikle ilgili en bilgili ve kesinlikle en rahat okunabilir tarihçimizdir. *Uygarlık ve Delilik* adlı yeni kitabında, konunun hem keskin görüşlü hem de eleştirel bir panoramik görüntüsünü sunuyor. Canlı dille yazılmış, bolca kültürel ve klinik göndermeyle donatılmış harika bir trajik hikâye."

Patrick McGrath, *Asylum* kitabının yazarı

"Bu kitap Andrew Scull'ın İngilizce konuşulan dünyada psikiyatrinin önde gelen tarihçisi olduğunu başarıyla gözler önüne seriyor. Scull antikçağdan günümüze uzanan geniş bir tabloda, deliliğin tarih boyunca ve dünya genelinde toplumlar için ne anlama geldiğini irdeliyor. Ateşli olduğu kadar da mizah dolu bir anlatımı var; keskin bir gözle araya iğneleyici bir alıntı ya da etkileyici bir hikâye katıyor ve okuru büyülenmiş halde tutuyor. Mesleğinin ustası birinin kaleminden çıkmış bir kitap bu."

William Bynum, Londra University College Tıp Tarihi Onursal Profesörü, *Companion Encyclopedia of the History of Medicine* kitabının editörü

"Cesurca uzmanlığın bir ürünü, delilik konusunda antik din, tıp ve mitten günümüzün nörolojisine ve psikofarmakolojisine kadar değişen teorilere ve tedavilere ilişkin etkili bir genel değerlendirme. Scull sadece yazarların, sanatçıların ve bestecilerin deliliği bir ilham kaynağı olarak kullandığını ortaya koymakla kalmıyor; akılsızlığın değişen sembolik biçimlerinin sahiden delilik tarihinin bir parçası olduğunu da gösteriyor bize. Yaklaşımı özlü ve sevecen."

Elaine Showalter, Princeton Üniversitesi Onursal Profesörü, *The Female Malady* kitabının yazarı

"Dr. Scull günümüz dünyasında psikiyatrinin seçkin tarihçilerindendir. Böyle bir kitabı onun kattığı şevkle, genel ve akademik okur kitlesini aynı anda saracak bir beceriyle ve ancak belli bir tecrübeyle kazanılan denge ve orantı duyusuyla yazmayı neredeyse başka hiç kimse başaramazdı. Kapsam bakımından bir benzeri olmayan bu kitap her kuşakta sadece bir defa ortaya çıkar."

David Healy, Bangor Üniversitesi Psikiyatri Profesörü, *Pharmageddon* kitabının yazarı

"*Uygarlık ve Delilik* akıl hastalarına dönük tedavinin ve yanlış tedavinin harikulade, kışkırtıcı ve son derece eğlenceli bir tarihidir. Andrew Scull'ın tuhaf ayrıntılarla ve rahatsız edici gerçeklerle dolu kitabı, tıbbın delilik gizemini çözemeyişinin iki bin yıllık kültürü nasıl uğraştırdığına ve şekillendirdiğine ilişkin yepyeni ve çekici kavrayışlar sunuyor. Bir ruh doktoruna gitmiş herkesin okuması gereken bir kaynak!"

Dirk Wittenborn, *Pharmakon* kitabının yazarı

İçindekiler

TEŞEKKÜR

Uygarlık ve Delilik birçok bakımdan delilik tarihi üzerine kırk yılı aşkın çalışmamın ürünüdür. O süre boyunca burada tek tek sayabileceğimden daha fazla insana borcum birikti. Dahası, bu kitapta cüreti aşan bir işe kalkıştım ve böylece kaçınılmaz olarak başka sayısız uzmanın çalışmalarına borçluyum; metnime eşlik eden notlarda ve bibliyografyada bu borcu yetersiz olsa bile kısmen takdir etmiş olmayı umuyorum.

Ancak bu kitabı yazma sürecinde bana yardım etmede bir dizi kişi öylesine olağanüstü candan ve cömert davrandı ki, burada onlara teşekkür etme şansını bulmaktan mutluyum. Benim için bütün yaptıklarının zayıf bir karşılığı olsa da önce metnin tamamını okuyup bana ayrıntılı yorumlarını ve önerilerini gönderme inceliğini gösteren beş kişiye teşekkür etmek isterim. Tıp tarihi bilgisi açısından çok az dengi bulunan William Bynum, beni çok sayıda vebalden kurtarmanın yanı sıra, süreç boyunca çok ihtiyaç duyduğum teşviki sağladı. Dostlarım Stephen Cox ve Amy Forrest her bölümü yakın ilgiyle ve anlayışla okudular. Üslup ve içerik meseleleri üzerine birçok keskin öneride bulundukları gibi, anlatımımın tökezlediği ya da savlarımın yanlışa sapar göründüğü yerlere işaret etmede duraksamadılar. Onlara ne kadar teşekkür etsem azdır. Her yazar böyle yüce gönüllü dostlar edinecek kadar şanslı olmalı. Thames & Hudson'daki harika editörüm Colin Ridler, her yazarın düşlediği türden bir yayıncı olarak, proje konusunda duyarlı, hep yardıma açık ve coşkulu bir tutum sergiledi. Çalışma arkadaşı Sarah Vernon-Hunt da benden gelen nihai taslağı olağanüstü özenle ve dikkatle yayına hazırladı. Onun harika editörlük becerilerinden birçok bakımdan yararlandım. Metni okuyan bütün bu kişilerin tanıklık edebileceği üzere, inadımın tuttuğu zamanlar olur; birçok durumda onların bilgece tavsiyelerini dinlemekle birlikte, bazen bunlara uymaya yanaşmadım. Dolayısıyla kitapta yanılma ve savsaklama sonucunda kalmış olabilecek hatalardan onların hiçbiri şöyle ya da böyle sorumlu tutulamaz. Buna karşılık, metnimin barındırdığı söylenebilecek doğrularda onların büyük bir payı var.

Başka bazı kişiler de çeşitli bölümlerin oldukça geniş kısımlarını okudular ya da çeşitli konulardaki ısrarcı sorularıma cevap verdiler. Kayınbiraderim Michael Andrews'a, meslektaşlarım ve dostlarım Emily Baum, Joel Braslow, Helen Bynum, Colin Gale, Gerald Grob, Miriam Gross, David Healy, John Marino ve Akihito Suzuki'ye özellikle teşekkür etmek isterim. Ayrıca bu kitabın ortaya çıkmasına katkıda bulunan çeşitli kuruluşlara minnettarım. California Üniversitesi Akademik Senatosu uzak yerlerdeki arşivlerde zaman geçirmemi mümkün kılan mali desteği birçok vesileyle sağladı. Deliliğin geçmişiyle ilgilenen biri için bu yardım paha biçilmez değerdeydi; çünkü günümüzde üşütüklerin yuvası olarak tanınsa bile, Güney California başvurmam gereken birincil kaynaklara nadiren ulaşılabilecek bir yerdir. Yıllar içinde Guggenheim Vakfı'nın, Amerikan Öğrenim Dernekleri Konseyi'nin, Amerikan Felsefe Derneği'nin, Commonwealth Fund'ın, Princeton Üniversitesi Shelby Cullom Davis Tarih Araştırmaları Merkezi'nin ve beşeri bilimler dalında iki rektörlük bursuyla California Üniversitesi'nin verdiği destek, araştırmalarımın masraflarını büyük ölçüde karşıladı. Hepsine son derece minnettarım; çünkü arşivlerdeki bu ön çalışma elinizdeki kitabın sunduğu senteze irili ufaklı katkılar sağladı.

İngiliz yayıncım Thames & Hudson'da yukarıda belirtilenlerin yanı sıra, bütün bir ekip bu kitabın hazırlanmasına paha biçilmez yardımda bulundu; tasarım, üretim ve pazarlama kadrosu benden gelen ham metni ve görüntüleri çok şık bir kitaba dönüştürdü. Hepsine teşekkür etmek isterim. Resim editörüm Pauline Hubner'e özel bir şükran borcum var. Pauline metni ve izleyen analizi güçlendirip zenginleştirmeye büyük katkıda bulunan görüntüleri belirlememi ve kullanım izni almamı sağladı. İşin Kuzey Amerikan cephesinde, başka bir kitabımı yayımlamış olan değerli Peter Dougherty'nin ve Princeton University Press'in bulunması da benim için büyük bir keyif kaynağı. Peter akademik basının örnek bir yayın yönetmeni olarak, kitabın başarıya ulaşmasına derin bir kişisel ilgi gösterdi. *History of Psychiatry*'ye ve gedikli editörü German Berrios'a da bu derginin 25. yıldönümü sayısında çıkan bazı metinleri Bölüm On Bir'de kullanmama izin verdikleri için teşekkür etmek isterim.

Yazmaktan hoşlanan biriyim. Bu kitabın ithafı, eşim Nancy'ye geride kalan yıllarda yazmamı mümkün kılacak şartları yaratmadaki katkısından dolayı ne kadar borçlu olduğumu yansıtıyor. Daha da önemlisi, yıllarca gösterdiği sevgi ve dostluk için, ifade gücümü aşacak ölçüde borçluyum ona. Torun sahibi olanlar, onların hayata kattığı hazzı bilirler; bu kitabı Nancy'yle birlikte yeterince talihli kişiler olarak şimdiden sahip olduğumuz ve önümüzdeki yıllarda kucaklayıp bağrımıza basmayı umduğumuz torunlarımıza da ithaf ediyorum.

Andrew Scull
La Jolla, California

Bölüm Bir

DELİLİKLE YÜZLEŞMEK

Uygarlık *içinde* delilik olur mu? Deliliğin bizzat uygarlığın yadsıması olduğu apaçık değil mi? Ne de olsa, Aydınlanma düşünürleri aklın insanları hayvanlardan ayırt eden yeti olduğunu ileri sürmüşlerdi. Eğer bu doğruysa, akılsızlık elbette sınırın ötesinde yer alır; bir bakıma uygar kişinin vahşiye dönüştüğü noktaya denk düşer. O zaman delilik uygarlığın *içinde* değil, tamamen dışında ve ona yabancı bir şey olur.

Oysa biraz düşünüldüğünde, durumun o kadar basit olmadığı görülür. Delilik paradoksal biçimde sadece uygarlığın karşısında ya da kıyısında yer almaz. Aksine, sanatçılar, oyun yazarları, romancılar, besteciler, ilahiyatçılar, hekimler ve bilginler için temel bir ilgi konusu olmuştur; üstelik akıl ve duygu bozukluklarıyla bizzat karşılaşmalarımızla ya da aile fertlerinin ve dostların karşılaşmalarıyla neredeyse hepimizi yakından etkiler. Yani, delilik önemli açılardan uygarlığın kalıcı bir parçasıdır, onun dışında değildir. Bilincimizi ve günlük hayatımızı ısrarla saran bir sorundur. Dışında gibi görünse bile, hiç de öyle değildir.

Delilik gizemleriyle bizi hâlâ şaşırtan, tedirgin eden bir konudur. Aklını kaçırma, geri kalanlarımızın içinde yer aldığını sandığı sağduyu dünyasına yabancılaşma duygusu,[1] bazılarımızı pençesine alıp bir türlü bırakmayan yıkıcı duygusal çalkantı: Bunlar yüzyıllar boyunca sürmüş ve her kültürde var olmuş ortak insan tecrübemizin bir parçasıdır. Akıl hastalığı insanın hayal gücünden hiç çıkmaz. Hepimizi ürküttüğü kadar büyüler de. Çok az kişi onun dehşetinden bağışıktır. Gerçekliğe tutunuşumuzun bazen ne kadar pamuk ipliğine bağlı olabileceğini ısrarla hatırlatır. Bizzat insan olmanın anlamındaki sınırlara ilişkin anlayışımızı sorgular.

Ele alacağım konu, uygarlık ve delilik. Aralarındaki ilişkiyi, karmaşık ve çok yönlü etkileşimleri irdeleyip anlamlandırmayı amaçlıyorum. Peki, niye *delilik*? Bu terim anakronizm izleri taşır, hatta akıl hastaları olarak anmayı öğrendiğimiz kişilerin acıları karşısında katı bir aldırışsızlığı, görgüsüz bir tavrı çağrıştırır ya da daha kötüsü, damgalayıcı olduğu kadar gücendirici bir

1 *Oxford English Dictionary*'de "sağduyu" için verilen tanımlardan birinin şöyle olması bence anlamlıdır: "Rasyonel varlıkların sahip olduğu doğal zekâ yetisi; sıradan, normal ya da ortalama anlayış; herkesin kalıtımla edindiği yalın bilgelik (Bu asgari düzeydeki 'sağduyu'ya sahip olmayan biri aptal ya da akıl hastasıdır)."

sözcük dağarcığına başvurma gibi görünür. Delilere daha fazla acı çektirmek, onları çağlar boyunca sarmış damgaya yeni bir yük eklemek gibi bir niyet benden ancak bu kadar uzak olabilir. Aklını kaçırmanın mağdurlarına, onların sevdiği kişilere ve genel olarak topluma yaşattığı acı ve dert, bu konuyla karşılaşan hiç kimse tarafından göz ardı edilemez ya da küçümsenemez. Doğru olan da budur. Burada insan acılarının en köklü biçimlerinden bazıları (hüzün, yalnızlık, yabancılaşma, perişanlık, aklın ve bilinci yok oluşu) yatar. Öyleyse bu sefer daha da ısrarla şu sorulabilir: Sert bulduğumuz delilik kelimesini bilinçli olarak kullanmak yerine, sözgelimi akıl hastalığı ya da akıl bozukluğu gibi daha yumuşak bir terimi niçin seçmiyorum?

Şimdilerde zihinsel patolojilerin gizemleri konusunda yetkili merciimiz olan psikiyatrlara göre, böyle terimlerin kullanılması çoğu kez bir kışkırtmadır, kendilerini timsali saydıkları bilimin ve nimetlerinin bir reddidir (İşin tuhafı şu ki, tam da bu sebeple delilik, psikiyatrinin iddialarını şiddetle reddeden ve psikiyatri hastası yaftasına direnerek, kendilerini psikiyatri felaketzedeleri olarak anmayı tercih eden kişilerin kafa tutarcasına benimsedikleri bir kelimedir). O halde böyle ters bir kitap adını ve terminolojiyi seçmem, bazı etkili yazarlar (örneğin merhum Thomas Szasz) gibi, akıl hastalığını bir efsane saydığımın işareti midir? Hiç de değil.

Bana göre, delilik (büyük çaplı ve kalıcı akıl, zihin ve duygu bozuklukları) bütün bildiğimiz toplumlarda rastlanan, sosyal dokuya ve bizzat istikrarlı bir sosyal düzen anlayışına pratik ve sembolik düzeyde köklü güçlükler çıkaran bir olgudur. Deliliğin bir sosyal kurgu ya da yafta meselesinden ibaret olduğu savı bence romantik bir saçmalık ya da yararsız bir totolojidir. Melankoli ya da cinnet yüzünden duygularını denetleme yetisini yitirenler. Çoğumuzun algıladığı sağduyu gerçekliğini ve içinde yaşadığı zihinsel evreni paylaşmayanlar. Çevrelerindeki insanlarca hezeyan olarak nitelendirilecek sanrılar görenler ya da bunların var olduğunu ileri sürenler. Kendi kültürlerinin göreneklerine ve beklentilerine köklü biçimde aykırı davranışlar içine girenler. Toplumun onları vazgeçirmek için başvurduğu olağan düzeltici önlemlere aldırış etmeyenler. Taşkınlığın ve tutarsızlığın aşırı belirtilerini ya da bunaklığın garip biçimde açığa çıkmış zihinsel yaşamını sergileyenler. İrrasyonel olarak gördüklerimizin çekirdeğini oluşturan böyle kişiler, binlerce yıldan beri deli sayılan ya da benzer bir terimle nitelendirilen topluluktur.

Niçin "delilik" ya da "akıl hastalığı" tarihi yazıyorum? Buna niye psikiyatri tarihi adını vermiyorum? Böyle sorulara basit bir cevabım var. O türden "tarih" hiç de bir tarih olmaz. İki bin yılı aşkın bir süre boyunca delilik ve uygarlık arasındaki karşılaşmaları ele almayı tasarlıyorum. Bu dönemin büyük bölümünde, delilik ve onunla hısım terimler (akıl hastalığı, meczupluk, çılgınlık, cinnet, melankoli, histeri vb.) sadece kitleler arasında değil, genelde ve hatta eğitimli kesimlerce de kullanılırdı. Tartışmasız biçimde, "delilik" sadece akılsızlığı kabullenmek için kullanılan gündelik bir terim değildi; yarattığı hasarları doğalcı çerçevede açıklamaya ve dışlananları kimi zaman tedavi etmeye çalışan tıp erbabının da benimsediği bir terminolojiydi. İlk deli doktorlarının bile (çağdaşlarınca böyle anılmalarının sebebi kendilerine bu adı vermeleriydi) kullanmakta duraksamadıkları bu kelime, meczupluk ve akıl hastalığı gibi başka terimlerle birlikte neredeyse 19. yüzyılın sonuna kadar kibar söylemde varlığını sürdürdü ve ancak zamanla dilsel tabuya dönüştü.

"Psikiyatri" ise ancak 19. yüzyılda Almanya'da ortaya çıkmaya başlayan bir kelimedir. Kendi dillerindeki *aliénisme* ("akliyecilik") terimini tercih eden Fransızlarca sert biçimde reddedildi; İngilizce konuşulan dünya da aynı tepkiyi gösterdi ve önceki paragrafta işaret ettiğim gibi, delileri denetlemede uzmanlaşmış tıp erbabını "deli doktorları" olarak adlandırmaya yöneldi. Ancak daha sonraları muğlaklıklar ve örtük aşağılama (terimde somutlaşan hakaret) çok fazla gelir gibi olunca, mesleğin ilk erbapları açık bir tercih olmaksızın "akıl hastanesi müdürü", "tıbbi psikolog" ya da (Fransızcaya bir uyumla) "akliyeci" gibi birkaç alternatifi benimsedi. Akıl bozuklukları alanında İngilizce konuşan uzmanların katlanamadığı ve 20. yüzyıl başlarında nihayet tercih edilen terim haline gelmesine kadar karşı koyduğu tek yafta "psikiyatr"dı.

Daha geniş bir açıdan bakılırsa, akıl bozukluğunu kendi yetki alanında sayan ve bu savına belirli bir sosyal destek bulan bilinçli ve örgütlü profesyoneller grubunun ortaya çıkışı büyük ölçüde 19. yüzyıl sonrasındaki döneme özgü bir olgudur. Deliliğe günümüzde çoğunlukla bir tıbbi mercekten bakılır ve psikiyatrların tercih ettiği dil (herkesin olmasa bile) çoğu kimsenin bu meseleleri konuşurken esas aldığı resmi onaylı mecra haline gelmiştir. Ama bu durum tarihsel değişimin sonucudur ve daha geniş bir bakışla, oldukça yeni bir gelişmedir. Böyle profesyoneller, kullandıkları dil ve seçtikleri müdahaleler, ele alıp kavramaya çalışacağımız olgulardır. Ama hareket noktamız değildir ve olmamalıdır.

Sonuçta, delilik bugün bile çok az insanın anlamakta güçlük çekeceği bir terimdir. Bu çok eski kelimeyi kullanmanın başka bir yararı, konumuzun katışıksız bir tıbbi odaktan bakılınca göz ardı edilen son derece önemli bir yönüne dikkat çekmeyi sağlamasıdır. Delilik bir parçasını oluşturduğumuz sosyal düzen ve kültürler açısından çok daha geniş bir belirginlik taşır; edebiyat, sanat ve dinsel inanç dünyasının yanı sıra, bilim alanında bir karşılık bulur. Ayrıca damgayı ima eder ve damga geçmişte olduğu gibi bugün de deli olmanın ne anlama geldiğinin acıklı bir yönünü oluşturur.

Günümüzde bile durumla ilgili kesin cevaplara ulaşmak neredeyse eskisi kadar güçtür. Deliyi aklı başında kişiden ayıran sınırların kendisi tartışma

"Akıl Hastalığı Çeşitleri", John Charles Bucknill ile Daniel Hack Tuke'un akıl hastalığı teşhisi ve tedavisi için yaygın biçimde kullanılmış ilk ders kitaplarından biri olan *Psikolojik Tıp Kılavuzu* (1858) adlı kitabının ön sayfası. Öbür akliyeciler gibi, Bucknill ve Tuke da deliliğin farklı biçimlere büründüğü ve bu ayrı akıl hastalığı çeşitlerini hastaların çehrelerinden anlamanın mümkün olduğu kanısındaydı.

konusudur. Çıkardığı *Teşhis ve İstatistik Kılavuzu* (DSM) özellikle psikofarmakoloji devrimiyle bağlarından dolayı küresel geçerliğe ulaşmış olan Amerikan Psikiyatri Birliği, bu kutsal kitabını görünüşte sonu gelmez yenilemelere ve düzeltmelere tabi tutmuştur. Ancak kararlılık kazandırmaya yönelik bu çeşitli girişimlere rağmen, DSM bizzat mesleğin en üst kademelerinde dahi görüş ayrılıklarına yol açmaya devam etmektedir. Nasıl sayıldığına bağlı olarak, şu anda beşinci ya da yedinci gözden geçirilmiş halindedir ve en son halinin yayımlanması, içeriğiyle ilgili kavgalar ve anlaşmazlıklar yüzünden yıllarca ertelenmiştir. İçindeki teşhis ve "hastalık" listeleri çoğaldıkça, akıl bozukluğunun gittikçe artan sayıda tiplerini ve alt tiplerini ayırt etmeye dönük hummalı çabalar incelikle gizlenmiş bir hayal oyununu andırıyor. Ne de olsa, akıl hastalığının kusurlu beyin biyokimyasından, şu ya da bu sinir ileticisinin eksikliğinden ya da fazlalığından kaynaklandığı, genetik yapının ürünü olduğu ve günün birinde belki biyolojik işaretlerinin izlerine ulaşılabileceği yönündeki bir sürü sava rağmen, çoğu akıl hastalığının etiyolojisi hâlâ belirsizdir; tedaviler de büyük ölçüde arazlara dönüktür ve etkileri genellikle şüphelidir. Ağır psikozlardan mustarip olanlar, toplumumuzun son çeyrek yüzyılda ortalama ömrü gerileyen az sayıdaki kesimlerinden birini oluşturur;[2] psikiyatrinin iddiaları ve performansı arasındaki uçurumun anlamlı bir ölçüsüdür bu. En azından bu alanda henüz doğanın sırrına ermiş değiliz.

Deliliği doktorların özenli bakımına bırakmanın pratik bir karşılığının olacağı iddiası bazı başarılar getirmiştir; bunun en belirgin örneği 20. yüzyıl başlarında akıl hastanelerine yatırılan erkeklerin belki % 20'sinin yakalandığı feci bir bozukluk olan üçüncü evre frengidir. Ne var ki, getirisi henüz elde edilmemiş bir bahis söz konusu burada. Aralıklarla yapılan heyecan verici açıklamaların aksine, şizofreninin ya da ağır depresyonun kökleri hâlâ gizemle ve kafa karışıklığıyla kuşatılmış halde. Ortada şu kişinin deli, bu kişinin aklı başında olduğunu apaçık ilan etmemizi sağlayacak hiçbir röntgen, hiçbir MRG, hiçbir PET taraması, hiçbir laboratuvar testi olmadığından, akıl ve akılsızlık arasındaki sınırlar değişken ve belirsiz, çekişmeli ve tartışmalı olmaya devam ediyor.

Günümüzün teşhis kategorilerini ve psikiyatri anlayışlarını geçmişe yansıtırken, tarihi yanlış yorumlamaya yol açacak çok büyük risklere girmekteyiz. Şizofreniye ya da çift kutuplu bozukluğa kıyasla günümüzde gerçekliği ve varlığı çok daha sağlamca belirlenmiş gibi görünen hastalıklarda dahi güvenle geçmişe dönük teşhisler koyamayız; daha tartışmalı başka bir sürü psikiyatrik teşhiste bu hiç de mümkün değildir. Eski çağlarda gözlemciler

2 C.-K. Chang, vd., 2011; C. W. Colton ve R. W. Manderscheid, 2006; J. Parks, D. Svendsen, P. Singer ve M. E. Foti (ed.), 2006. Bir araştırmaya göre, şizofren teşhisi konulanlarda intihar oranı on kat artmış bulunuyor. Bkz. D. Healy, vd., 2006.

bizim öğrenmek isteyebileceğimiz şeyleri değil, *kendilerinin* anlamlı gördükleri şeyleri kayda geçirirlerdi. Kaldı ki geçmişte olduğu gibi şimdi de akıl sağlığı ile akıl hastalığı arasındaki sınırı belirlememizi deliliğin tezahürleri, anlamları ve sonuçları sağlar; bunlar da akılsızlığın açığa çıktığı ve yer aldığı sosyal bağlamdan derin biçimde etkilenen konulardır. Bağlam önemlidir ve tarihin karmaşıklıklarını nötr ve tarafsız bir şekilde incelememizi sağlayacak bir Arşimet bakış açısını, günümüzün kısmi gerçekliklerinin ötesindeki bir hiçlikten elde edemeyiz.

Delilik başka bakımlardan da tıbbi kavrayışın ötesine uzanır. Yazarlar, sanatçılar ve hitap ettikleri kitleler için hâlâ süren bir cazibe kaynağıdır. Roman, biyografi, otobiyografi, oyun, film, resim, heykel gibi alanların hepsinde, akılsızlık konusu hayal gücünde gezinerek, güçlü ve öngörülemez yollarla açığa çıkmaya devam ediyor. Onu kuşatıp kıstırmaya, tek bir öze indirmeye dönük bütün girişimler hüsrana mahkûm gibi görünüyor. Delilik bizi eskiden olduğu gibi tedirgin ediyor, şaşırtıyor, ürkütüyor, büyülüyor, barındırdığı muğlaklıkları ve yol açtığı hasarları irdelemeye zorluyor. Ben burada psikoloji tıbbına sadece hak ettiği yeri vermeye çalışan, deliliğin beraberinde getirdiği dertlere etkili çözümler bulmak şöyle dursun, deliliğin köklerini bile yeterince anlamaktan hâlâ ne kadar uzak olduğumuzu vurgulayan, deliliğin her türlü anlam ve uygulama dizisini gölgede bırakacak bir sosyal ve kültürel çarpıcılık ve önem taşıdığını kavrayan bir döküm sunacağım.

O halde başlayalım.

Bölüm İki

ANTİK DÜNYADA DELİLİK

DELİLİK VE İSRAİLOĞULLARI

Haşin ve hasut bir Tanrının hoşnutsuzluğuna davetiye çıkarmanın tehlikelerini hiç kimse küçümsememelidir. Sözgelimi, İbrani geleneğine bakalım. Gerek İsrailoğullarının ilk kralı Saul, gerekse Babil'in kudretli kralı Nebukadnezzar bir gün Yahve'yi kızdırdı ve bu hıyanetin karşılığını korkunç bir cezayla gördü. Her ikisi de deliye çevrildi.

Peki, Saul'un suçu neydi? Sonuçta, birçok bakımdan bir kahramanlık timsaliydi. Yahve tarafından Yahudilerin ilk kralı seçilmiş ve ardından İsrailoğullarının Filistiler dışındaki bütün düşmanlarını yenmişti. Dahası, halefi Davud'un bu son güçlü hasmı alt etmesi büyük ölçüde onun oluşturduğu ordu sayesinde olacaktı. Ancak Saul'un tek bir sefer Tanrısına karşı gelmesi, hızlı ve ağır cezaya çarptırılmasına yetti.

Kadim Filistin'de İsrailoğulları ve göçebe Amalekliler kabilesi arasındaki husumetin geçmişi Mısır'dan çıkış dönemine inmekteydi. İbraniler oradan kaçıp Kızıldeniz'i aştıktan sonra, Sina Yarımadası'ndan geçerken bu halkın saldırısına uğradılar. Amalekliler "geride kalan bütün güçsüzleri öldürdüler."[1] Yahudilere yönelik saldırıları sırf bununla da kalmadı. Nitekim Yahudi geleneğinde Amalekliler arketip düşmanın timsaline dönüştüler. Sonunda bu iş Yahve'nin canına tak etti. Seçtiği halkına apaçık bir talimat verdi: "Şimdi git, Amaleklilere saldır. Onlara ait her şeyi tamamen yok et, hiçbir şeyi esirgeme. Erkek, kadın, çoluk çocuk, öküz, koyun, deve, eşek hepsini öldür."[2]

Birinci Samuel Kitabı'nda Saul'un bu vahşice talimatı harfiyen yerine getirmekten kaçındığını görürüz. Saul ve ordusu hiç kuşkusuz "Amalek halkının tümünü kılıçtan geçirdi. Ne var ki, [...] Agag'ı [Amaleklilerin kralı] ve en iyi koyunları, sığırları, besili buzağıları, kuzuları, iyi olan ne varsa hepsini esirgediler. Bunları tümüyle yok etmek istemediler."[3] Peki, bunun sonuçları ne olur? Samuel peygamber, İsrail kralı olarak kutsamış olduğu Saul'u azarlar. Rabbin buyruğunu dinlememesinin bağışlanamayacağını ve tövbe etmek için artık çok geç olduğunu bildirir.[4]

---

1 Yasa Kitabı 25:18. Bu ve sonraki alıntılar, Kitabı Mukaddes'in Kral James çevirisinden alınmadır.

2 1 Samuel 15:2-3.

3 1 Samuel 15:8-9.

4 1 Samuel 15:23.

Rab kısa bir süre sonra Saul'u terk eder ve ona azap çektirecek bir kötü ruh gönderir. Azaplar hükümdarlığının sonuna kadar sürer. Korku, öfke, canilik ve bunalım nöbetleri geçiren Saul, tahtta kaldığı süre boyunca aralıklarla şiddetli zihinsel karışıklığa maruz kalır. İsrailoğullarının kalan son düşmanı Filistilere karşı çarpışmada, Tanrı tarafından yüzüstü bırakılır. Oğullarından üçü öldürülür, kendisi de ağır yaralanır ve sünnetsiz düşmanlarından son darbeyi yemek üzereyken, kendi kılıcının üstüne düşüp can verir. Rabbin gönderdiği kötü ruh onu yok etmiştir.[5]

Delilik muammasıyla karşı karşıya kalan İbraniler, antik dünyadaki birçok halk gibi, aklını kaçıranların başına gelen ürkütücü tahribatı açıklamak için kötü ruhlarca çarpılma kavramına yöneldiler. Taptıkları kindar Tanrı, onu kızdıran ya da onun yüceliğini sorgulayan kişileri böyle dehşetlere düşürmekten asla geri kalmayan bir varlıktı. Nitekim İsrailoğulları Mısır'daki esaretten ancak Yahve'nin firavuna ve halkına belalar yağdırmasıyla kurtulabilmişlerdi. Kitabı Mukaddes'e göre, İsrailoğullarının önderi Musa ile Mısırlı büyücüler, kendi tanrılarının güçlerini göstermeye dönük bir yarışmada karşı karşıya gelirler. Kan, kurbağa, bit ve sinek istilaları, toplu hayvan ölümleri, bir türlü iyileşmeyen çıbanlar, dolu fırtınaları, çekirgeler ve zifiri karanlık, firavuna boyun eğdirmeye yetmeyince, Yahve sonunda bütün Mısır insanlarının ve hayvanlarının ilk doğan yavrularının ölmesini sağlar ve Musa'ya halkını boyunduruktan kurtarma yolunu açar. Rabbin Mısırlılarla hesaplaşması orada bitmez: İsrailoğullarının geçmesi için Kızıldeniz'i yardıktan sonra, çekilmiş suları tekrar salar ve böylece peşlerindeki Mısır ordusunun boğulmasını sağlar (Resim 5).

Yahudilerin Kral Saul'un deliliğinin Tanrı'dan gelen bir lanet olduğuna inandığı Samuel Kitabı'nda açıkça belirtilir. Bu deliliğin mahiyeti o kadar açık olmasa bile, dış tezahürleri konusunda bildiğimiz şeyler vardır. Bazı kaynaklar onun "boğulur" gibi olduğundan söz eder ve Samuel'in anlatımında kederli ve içe kapanık bir durumdan azgınlığa varan marazi kuşkuculuğa, ara sıra çılgınca şiddete[6] kadar uzanan hızlı ruh hali değişiklikleri tarif edilir. Şiddet olayları arasında kendi oğlu Yonatan'a yönelik canice bir saldırı da yer alır.[7] Romalı-Yahudi tarihçi Josephus (İS 37, yak. 100) sözlü geleneğin temeli üzerine yazarken, Saul'un "ona rahat yüzü vermeyen garip bozukluklar ve kötü ruhlar yüzünden bunalıp boğulacak hale gelmesi karşısında, hekimlerin bu ruhları kovacak güce sahip birini arama dışında hiçbir deva geliştiremediğini" anlatır bize.[8]

---

5 1 Samuel 15-31.

6 1 Samuel 18: 10-11; 19: 9-10.

7 1 Samuel 20: 30-34.

8 Josephus, *The Antiquities of the Jews*, İngilizce çev. H. St J. Thackeray, Ralph Marcus ve Allen Wikgren, 9 cilt, Cambridge, Mass.: Harvard University Press, c. 5, 1968, s. 249. Bu pasajda Saul'un "hekim-

Tanrı'nın Saul'u lanetlemek için gönderdiği kötü ruhu kovmayı Davud adlı çoban çocuk zaman zaman başarır. Bunu da bilindiği gibi müzikle, yani çengini (lir) tıngırdatarak yapar; böylece kötü ruhu geçici olarak yatıştırsa da Saul'un çektiği ıstırabın kaynağını tamamen ortadan kaldırmayı asla başaramaz.[9] Üstelik çabaları her zaman etkili olmaz. Bir gün "Tanrı'nın gönderdiği kötü ruh Saul'un üzerine güçlü biçimde iner. Saul evinin ortasında sayıklamaya başlar. Davud her zamanki gibi çenk (lir) çalar. Saul'un elinde bir mızrak vardır. İçinden 'Davud'u vurup duvara çakacağım,' diye geçirip, mızrağı ona fırlatır. Ama Davud iki kez ondan kurtulur."[10] Bu şartlarda öyle yapması da gayet makul sayılır.

Samuel, haliyle uzun bir silsile oluşturan Yahudi peygamberlerden, yani ilahi varlığa elçilik edenlerden biriydi. Böyle kişilerin benzerleri Filistin'de İsrailoğullarının sıklıkla savaşa tutuştuğu kabileler de dahil olmak üzere, başka yerlerde ve zamanlarda da pek eksik değildi. Ama Samuel gibileri Yahudi tarihinde yüzyıllarca büyük bir rol oynadılar. Samuel aklını kaçıran Saul'un "peygamberlik" taslayışından söz ederken, kelimeyi çok geniş bir anlamda kullanır. Tıp tarihçisi George Rosen'in bize hatırlattığı üzere, İbranicede "peygamber gibi davranma" ibaresi "abuk sabuk konuşma", "kendinden geçme" ya da "dizginsiz davranma" olarak da çevrilebilir.[11] Örneğin, Kitabı Mukaddes'te başka bir vesileyle Saul'un bir gün Rama'ya gidişi şöyle anlatılır: "Giysilerini de çıkarıp Samuel'in önünde oynayıp coştu. Bütün gün ve gece çıplak yattı. Halkın 'Saul da mı peygamberler arasında?' demesi bundandır."[12]

Bir Yeşaya, bir Yeremya, bir İlyas ya da bir Hezekiel: Bunlar İsrailoğulları üzerinde çok büyük nüfuza sahip ve davranışlarıyla çoğu kez vahiy esiri mi, yoksa deli mi, sırf garip mi, yoksa büsbütün çılgın mı oldukları konusunda kafa karışıklığı yaratan kişilerdi. Esrik ve dengesiz kişilikli peygamberlere çoğu kez (Yeşu'nun güneşi yörüngesinde durdurması gibi) büyülü güçler yakıştırılırdı; geleceği öngörebildiklerine ve gerçek peygamberler olduklarına, Rabbin sözlerini aktardıklarına inanılırdı. Ayrıca sanrılar görür, vecde girer, hayaller gördüklerini bildirir ve Rabbin ruhuna kapıldıklarını ileri sürdüklerinde taşkın davranış dönemleri yaşarlardı.[13]

---

ler"ine göndermenin bir anakronizm olduğu neredeyse kesindir. Kitabı Mukaddes pasajlarında sadece Saul'un hizmetkârlarından söz edilir. Ama ileride göreceğimiz üzere, Josephus deliliğe ilişkin tıbbi açıklamaların daha eski dinsel yorumlarla birlikte görülebildiği ve bazı durumlarda Yunan eğitimli doktorların deliliğe müdahale edip tedavi uyguladığı bir çağda yaşamıştı.

9 1 Samuel 16:23.

10 1 Samuel 18:10-11.

11 George Rosen, 1968, s. 36, 42.

12 1 Samuel 19:24.

13 Örneğin bkz. Amos 7:1-9; Yeremya 1:24; Yeşaya 22:14; 40, 3,6; Hezekiel 6: 11; 8:1-4; 21:14-17; Yeremya 20:9.

Sözleri ve eylemleri tehlikeyi haber verdiği gibi, tehlikeye delalet de ederdi. Genelde akıbetleri alaya alınmak ve dışlanmaktı, ama başlarına çok daha kötüsünün de geldiği olurdu. Kudüs'ün yakında yıkılacağını bildiren Yeremya, bir hain sayılıp aşağılandı, tartaklandı ve kütüğe bağlandı.[14] Daha sonra açlıktan ölmesi için bir sarnıca atıldı ve ardından zindana kapatıldı; bu tutsaklıktan ancak Kudüs'ün tam da öngördüğü gibi Babil ordusunca ele geçirilmesinden sonra kurtuldu.[15] Uriyah daha da talihsizdi. Kral Yehoyakim tarafından "kent ve ülke aleyhine kehanette bulunmak"la suçlanınca Mısır'a kaçtı, ama yakalanıp Yehuda kralına teslim edildi ve kılıçtan geçirildi.[16] İsrailoğulları Tanrı'nın peygamberleri aracılığıyla insanlara seslendiği savından kuşku duymazlardı. Seçilmiş bir halk olma kimliğinin temelinde böyle inançlar ve Tanrı'yla özel bir ahit savı yatmaktaydı; bu ahdi aktarmada peygamberler büyük bir rol oynardı. Ama ortalıkta bolca sahte peygamber vardı; peygamberlik statüsüne soyunanların serzenişleriyle ve yakarışlarıyla rağbet kazanma ihtimali pek yüksek değildi.

Bazı peygamberler pekâlâ deli gibi görülmüş olabilir (Nitekim onları psikopatoloji örnekleri sayıp küçümseyen bazı 20. yüzyıl psikiyatrları vardır).[17] Ancak insanları aracı olarak kullanıp sürekli konuşan ve dik başlıları en ağır cezalara çarptırmaya meyilli olan hasut ve her şeye kadir bir Tanrı'ya inanan çağdaşları için, kuşkulu olmayı gerektirecek sebepler daima bulunmuş olsa gerek. Deliliklerinin farkına varılmış olsa bile, akıl hastalığının bazı özelliklerini sergileyen peygamberler pekâlâ ilahi vahiy almış olabilirlerdi.

Mısır firavunu, Yahve'nin gücüne kafa tutan ve Yahudi geleneğine göre ağır bir bedel ödeyen son yabancı hükümdar değildi. Yüzyıllar sonra Babil kralı Nebukadnezzar İÖ 587'de Kudüs'ü ele geçirdi, oradaki tapınağı yıktırdı ve Yahudileri sürgüne gönderdi, hem de görünüşe bakılırsa ilahi gazabı üzerine çekmeksizin. Bu muafiyeti pek uzun sürmedi. Fetihleriyle gurura kapılıp "üstün gücü"yle övününce, gökten gelen bir ses bu saygısızlığını onun yüzüne vurdu. Deliye çevrildi, "öküz gibi otla beslendi, bedeni göğün çiyiyle ıslandı, saçı kartal tüyü, tırnakları kuş pençesi gibi uzadı." (Resim 2).[18] Kitabı Mukaddes'e göre, yedi yıl sonra üstündeki lanet kaldırıldı. Aklı başına geldi. Krallığının geri verilmesiyle, eski gücüne ve şanına kavuştu.

İlahi takdirle düzenlenmiş, doğadaki kaprislerin, devlet yönetimindeki

---

14 Yeremya 20:1-4.

15 Yeremya 38, 39.

16 Yeremya 26:20-23.

17 Hezekiel'in bir şizofren olduğunun "kanıtlanışı" için örneğin bkz. Karl Jaspers, "Der Prophet Ezechiel: Eine pathographische Studie", s. 95-106, *Rechenschaft und Ausblick, Reden und Aufsätze*, Münih: Piper Verlag, 1951. Daha önce Jean-Martin Charcot (bkz. Bölüm Dokuz) ve takipçileri birçok Hıristiyan azizi histerik sayıp küçümsemişti.

18 Daniel 4: 30-33.

talihsizliklerin ve günlük hayattaki tehlikelerin dinsel ya da doğaüstü anlamla yüklü olduğu bir dünyada, deliliğin aklı başında kişilerde yarattığı dönüşümler ilahi hoşnutsuzluğa, büyülenmeye ya da kötü ruhlarca çarpılmaya kolaylıkla bağlandı. Böyle algılar köklüydü. Nebukadnezzar'ın ölümünden yaklaşık altı yüzyıl sonra, dirilen Mesih'in ilk kez göründüğü Mecdelli Meryem'in "içindeki yedi iblisi kovduğu"[19] anlatılır bize; tilmizlerinin başka zamanlarda icra edişine tanık oldukları bir marifettir bu. Örneğin, Gerasa ülkesine varan İsa orada "kötü ruha tutsak olmuş bir adam"la ansızın karşılaşır; zincirlerin ve prangaların bile zapt edemeyeceği kadar başa çıkılamayacak biridir. Korkan köylülerin bir mezarlığa atıp bıraktığı adam, bağırıp duruyor ve kendini taşlarla yaralıyordur; ama İsa'yı görünce koşup ayaklarına kapanır.

> İsa adama, 'Adın ne?' diye sordu. 'Adım Tümen, çünkü sayımız çok,' dedi adam. [...] Dağın yamacında otlayan büyük bir domuz sürüsü vardı. Kötü ruhlar İsa'ya, 'Bizi şu domuzlara gönder, onlara girelim,' diye yalvardılar. İsa'nın izin vermesi üzerine kötü ruhlar adamdan çıkıp domuzların içine girdiler. Yaklaşık iki bin domuzdan oluşan sürü, dik yamaçtan aşağı koşuşarak göle atlayıp boğuldu.[20]

Gerasa domuzlarının hikâyesi, kadim Filistin'de delilere yaklaşımın diğer yönlerine ışık tutar. Delinin içinde uzun süreden beri kötü ruhlar bulunduğuna inanılırdı. Barınağı ya da giyim kuşamı olmaksızın açıkta yaşardı. Korkuya kapılan komşuları onu zincirlerle ve prangalarla dizginlemeye çalışırdı. Deli öfkesi tuttuğunda onları parçalardı ve içindeki kötü ruhun yönlendirmesiyle ıssız kırlara kaçardı. Ancak köylüler büyük korku duymakla birlikte, onun karnını doyurmayı sürdürürlerdi.[21] Akıl hastalığının uygarca yaşamaya aykırı görülmesinin, çıplaklıkla, zincirlerle ve prangalarla özdeşleştirilmesinin ve deli kişiyi toplumun dışına itmeyi getirmesinin bu dönemle sınırlı kaldığı pek söylenemez. Nitekim bu durum yüzyıllarca birçok delinin akıbeti olmaya devam edecekti.

HELLEN DÜNYASI

Edebi kaynaklardaki bolca değiniye bakılırsa, insanın ruhsal acılarının ilahi kökene dayandığı anlayışı antik Yunanlar arasında da yaygın kabul görmekteydi.[22] Yunan tanrıları insan ilişkilerine karışmaktan hiç geri durmazlardı ve akıl hastalığının dinsel sebepleri, klasik kültürün öne çıkan bir yönüy-

19 Mark 16:9.

20 Mark 5:1-13. Krş. Lukas 8:26-33; Matta 8:28-34.

21 Lukas 8:27, 34.

22 Buradaki meselelerden bazılarına ilişkin biraz farklı bir değerlendirme için bkz. Robert Parker, 1983, Bölüm 8.

dü.[23] Bu yorum Hıristiyanlığın Roma İmparatorluğu'nun resmi dini haline gelmesiyle daha da güç kazandı. Delilik ile tanrıların entrikaları arasındaki bağlar, Yunan tragedyalarına ve şiirlerine de konu oldu. Öyle ki, bin yıl sonra Sigmund Freud bütün insan soyunda silinmez iz bıraktığını ileri sürdüğü psikolojik travmaya Oidipus kompleksi adını verirken Yunan mitolojisini esas aldı. Panik, dehşet saçmasıyla nam salmış bir tanrı olan "Pan'la ilgili" anlamına gelen Yunanca *panikon*'dan türetilmiş bir kelimedir.

Batı edebiyatının günümüze ulaşmış en eski eserleri olan *İlias* ve *Odysseia* ilk başta geniş bir sözlü gelenekle kuşaktan kuşağa aktarılmıştı ve bu anlamda geçmişi klasik Yunan dünyası olarak bildiğimiz uygarlığın öncesine iner. Çoğu uzmana göre İÖ 8. yüzyıldaki eski Yunan mitlerinin engin dağarcığından derlenen bu destanlar ancak Yunan alfabesinin icadından sonra yazıya geçirildi. Yunan kültürünün, yani klasik Yunan dünyasında ve ötesinde her eğitimli yurttaşın aşina olduğu anlatıların temelini oluşturdu ve İÖ 5. yüzyıldaki klasik çağda Aiskhylos, Sophokles, Euripides ve daha birçok tragedya yazarının eserlerine ilham verdi. Bütün bu eserlere deliliğe karşı daha sonra Batı uygarlığında hep sürecek edebi ve sanatsal bir hayranlığın sindiğini görürüz.

Odysseus'un yokluğunda karısı Penelope'nin etrafını saran (ve Odysseus'un dönüşünde tek tek öldüreceği) talipler bir şölen için toplanırlar. Bilgelik tanrıçası Athena'nın müdahalesiyle gözleri yaşartacak kadar bir neşe havası uyanır ve şölene katılanlar bir süre sonra edep sınırlarını aşan davranışlarıyla deliye dönmüş gibi olurlar. Athena "talipleri bastırılamayan kahkahalara boğar ve akıllarını başlarından alır. Düşmüş çenelerle gülerler, kan damlayan etlere yumulurlar, gözleri yaşlarla dolar ve zihinlerine matem havası çöker."[24] Ağlayıp sızlanmaları yerindedir. Başlarına gelecekler önceden bellidir.

Homeros'ta delilikle belki de en sık karşılaştığımız durum, savaşın kızışma anlarında ortaya çıkar; erkekler çıldırırlar, kendilerinden geçerler, hezeyana kapılırlar, delirmiş gibi davranırlar. Diomedes, Patroklos, Hektor, Akhilleus kavganın ortasında geçici bir deliliğe kapılmış gibi görünürler. Hektor öldürdüğü Patroklos'un zırhını çıkarıp üstüne geçirir. Bir anda "savaş tanrısı korkunç Ares içine girer, kolları ve bacakları güçle, dirençle dolar".[25] Akhilleus duyduğu kederle ve Hektor'dan öç alma arzusuyla deliye döner; azgınlaşan dövüş çılgınlığını iki adam arasında ölümüne bir düello izler. Yendiği düşmanı ayakları altına almak bile Akhilleus'un yakıcı öfkesini

---

23 Clark Lawlor, 2012, s. 37.

24 *Odyssey* 20, 345-49. Bu çeviriyi *The Madness of Epic: Reading Insanity from Homer to Statius* (1998) kitabından aldığım Debra Hershkowitz, delilik konusunda Homeros'a ve diğer klasik yazarlara ilişkin anlayışımı büyük ölçüde etkilemiştir.

25 *Iliad* xvii, 210-12.

dindirmeye yetmez. Hektor canını bağışlaması için değil, ölümünden sonra cesedine saygıyla davranılması için yalvarır; ancak deliye dönmüş Akhilleus onu şöyle tersler: "Öfkem, hışmım etlerini doğrayıp çiğ çiğ yiyecek düzeyde; işte böyle ıstıraplar çektirdin bana". Nitekim savaş arabasının arkasına bağlayıp sürüklediği "soylu Hektor'un cesedini tahkir ederek, Patroklos'un tabutunun yanında tozların içine boylu boyunca bırakır".[26]

İlias'ta yer alan insanlar her zaman olmasa bile sıklıkla tanrıların ve kader meleklerinin insafına kalırlar. Doğaüstü güçler her yerde vardır. Tanrılar, sirenler ve intikam melekleri pusuda yatarak, sıradan insanları yok eder, cezalandırır, oyuncağa çevirir ve onlardan öç alırlar. İlahi öfke her an patlamaya hazırdır ve Homeros'un karakterleri çoğu kez bu öfkeye kurban olurlar. Birkaç yüzyıl sonra Atina'nın tiyatro oyunlarında daha zengin bir psikolojik dünya ortaya çıkar; tanrıların giriştiği entrikaların yanı sıra, suçluluk ve sorumluluk duygusunun ıstırapları, görev ve istek çatışmaları, kederin ve utancın kalıcı etkileri, onurun gerekleri ve kibrin felaket getirici havası tabloyu çapraşık hale getirir. Ama akılsızlığın kökeni konusunda, göründüğü kadarıyla her yerde cahil insanlarca benimsenen doğaüstü açıklamaların hükmü sürer.

Zeus'un Alkmene'yle gayrimeşru ilişkisinden[27] doğan yarı-insan ve yarı-tanrı Herakles, kaçınılmaz olarak tanrıça Hera'nın nefretine maruz kalır; çünkü Hera onun varlığını kocasının sadakatsizliğinin kanıtı olarak görür. Homeros kızgın tanrıçanın bu gencin başına sardığı tehlikelerden ve eziyetlerden söz eder; hikâye öylesine etkileyicidir ki, sonraki Yunan ve Romalı yazarlar tarafından defalarca işlenip geliştirilmiştir. Euripides'in tiyatro oyunu gibi sonraki anlatımlarda, Hera'nın Herakles'i delirttiğini görürüz: "Bu adamı deliye çevir, aklını başından al ve oğullarını öldürmesini sağla. Ayaklarını birbirine dolaştır; onu sür, üvendireye bağla ve ölümün yelkenlerini sal."[28] Cinnet geçiren Herakles, fani düşmanı Eurystheus'un çocukları sandığı kendi oğullarına saldırır. Ağzından köpükler saçılır, gözleri yuvalarında döner, damarları kanla şişer ve çılgına dönmüşçesine gülerek hepsini öldürür; ölenlerin kendi çocukları olduğunu ancak deliliği geçince fark eder (Resim 4). Herakles (Roma kaynaklarında Hercules) Nemea Aslanı'nı öldürmekten Kerberos adlı canavarı yeraltı dünyasından getirmeye kadar uzanan on iki görevi işte bu günahın kefaretini ödemek için üstlenir.

Euripides'in aynı adlı tragedyasının hem baş kurbanı hem de kötü kişisi Medea, kocası İason'un ihanet etmesi üzerine çıldırır. Altın Post'u ele ge-

---

26 *Iliad* xxii-xxiii.

27 *Iliad* xiv, 118.

28 Euripides, *Heracles*, *Euripides III*, çev. William Arrowsmith, Chicago: University of Chicago Press, 2013, s. 47, mısra 835-37.

çirmesine yardım etmiş ve ona iki çocuk doğurmuş Medea'yı barbar diye aşağılayan İason, onun yerine Kral Kreon'un kızı Glauke'yle evlenmeyi seçer. Medea öcünü alır. Önce İason'u ondan çalan kadını öldürür; Glauke onun gönderdiği zehirli altın pelerini giyer giymez, acı içinde kıvranarak can verir. Medea ardından kendi oğullarının canına kıyar ve İason'un kederinden keyif alır. Başka kaynaklarda Orestes, Pentheus, Agave, Oidipus, Phaidra ve Philoktetes akıllarını kaçırmış gibi gösterilirler; sanrılar görürler, eşyaları tanımayıp karıştırırlar, zaman zaman şiddete ve cinayete yönelirler.[29]

Şiirlerde ve tragedyalardaki delilik tasvirleri ile halk inançlarının mahiyeti arasında basit bir denklik olduğunu varsayabilir miyiz? Elbette hayır. Böyle bir benzerliği hemen benimsemek gayet naifçe bir yaklaşım olur. Mitler ve metaforlar "gerçeklik"le belirli bir ilişki taşırlar, ama bizatihi aynı şey değillerdir. Sahnenin ve olay örgüsünün melodram gerekleri kaçınılmaz olarak yazarların tercihlerine yön verir; seyircilerde yankı uyandırmaları ve anlaşılır olmaları şart olsa bile, eserler sokaktaki insana özgü inançların ve tutumların yansımasından uzak olabilirler. Trajedi ters giden şeyleri konu alır ve deliliğin de bunlardan biri olduğu çok kesindir; dolayısıyla bu edebi formlarda kilit bir rol oynaması ve alışılmış durumdan böyle kopuşların dramatik vesileler sağlaması pek şaşırtıcı olmasa gerek. Ancak Atina yaşamında ve kültüründe trajedinin günümüzde emsali olmayan kilit bir yer tuttuğunu akılda tutmamız gerekir. Oyunlar başladığında hayat basbayağı dururdu. Seyirciler hatırı sayılır fiziki rahatsızlığa katlanmayı gerektiren şartlarda, acının, sıkıntının, insan varlığındaki kararsızlığın ve düpedüz tanrıların oyuncağı haline gelişinin temsil edilişini izlemek üzere dükkânlarını kapatırlardı ve bunun bazen günlerce sürdüğü olurdu.[30]

Hikâye anlatıcılığı toplumu birbirine kenetlerdi; o sırada tam okuryazar olan seçkin tabaka için olduğu kadar, erkeklerin bile okuma yazmayı zar zor söktüğü ve az kullandığı *hoi polloi* ["avam"] için de geçerliydi bu. Hellas'ın İspanya'dan Karadeniz sahillerine kadar uzandığı bu dönemin Atina ve daha genel olarak Yunan kültüründe trajedinin en yaygın kinayelerden biri olduğunu söylemek hiç de abartı değildir.[31] Edebi kaynaklara dayanarak halk inançlarına dair savlarda bulunurken temkinli olmak yerinde olsa da Yunanların insanlara bakışı ve dünyayla ilişkilerini tasarlayışı konusunda bu kaynaklardan öğrendiklerimiz, yurttaşların manevi yaşamlarıyla ilgili bazı önemli şeyleri hiç kuşkusuz açığa vurur.[32]

---

29 Değerlendirmeler için bkz. R. Padel, 1995; E. R. Dodds, 1951.

30 Ruth Padel, 1992, Bölüm 1, özellikle s. 4-6. Aydınlatıcı bir değerlendirme için ayrıca bkz. John R. Green, 1994.

31 Paul Cartledge, 1997, s. 11.

32 Ruth Padel, 1992, s. 6.

Ayrıca, günümüze ulaşan ve bazıları dolaylı yoldan olsa bile, deliliğin yol açtığı tahribatın olağandışı köklere dayandığı yolundaki inanç Yunan ve Roma dünyalarında, gerek zaman gerekse coğrafya açısından sınırlarının ötesinde temel bir düzeyde yaygın olarak benimsendiğine işaret eden epeyce tarihsel kayıt vardır. Yunanlara göre tanrılar her yerdeydi; Apollon, Hekate ve Hermes'in kapı eşiğine gelen herkese açık mabetlerinin yanı sıra, evin çeşitli yerlerine konulan başka çok sayıda ilaha da saygı gösterilirdi. Doğal dünyanın ve işleyişinin bütün yönleri tanrılar âlemine bağlandığı için, tanrıların her yeri saran nüfuzu kaçınılmazdı. Deliliğe özgü garipliğin, ötekiliğin ve ürkütücülüğün kökleri ilahi ve şeytani varlıklarla dolu görünmeyen evrenden başka nerede olabilirdi ki?

Hayatı alışılmış seyrinden saptıran bedensel patolojiler gibi, akıl rahatsızlıklarının da hem hastalığı çekenler hem de onların çevresindeki kişiler açısından son derece aksatıcı etkileri vardı. Bir düzeyde tek başına çekilen bir dert sayılabilirdi ve nitekim bazı durumlarda hasta kişi öbür insanlarla temasını keserdi; ama en güçlü ve en rahatsız edici etkileri sonuçlarında ortaya çıkardı ve bu anlamda en sosyal maraz sayılırdı. Denetim altına alınamayan, açıklanamayan, kişiye ve başkalarına tehdit oluşturan bu ürkütücü ve tatsız durumlar göz ardı edilemediği için, genel ve ortak bir gerçeklik duygusunu (kelimenin asıl anlamıyla sağduyuyu) sorgulamaya yol açardı ve bizzat sosyal düzenin temellerini hem sembolik, hem de pratik düzeyde sarsardı.

Deliliği tesadüfi bir şey olarak görmek sadece dehşetini artırır; bu bakımdan kavramsal olduğu kadar pratik olarak da önüne geçmek, mağdurlarına nasıl musallat olduğuna ve onları genellikle hataya düşmememizi sağlayan tecrübelere dayalı derslere aldırmayacak şekilde nasıl tutsak ettiğine dair bir açıklama sunmak için çabalar gösterilmesi pek şaşırtıcı değildir. Birçok kaynaktaki bulgular, Yunanların ve Romalıların aralarındaki delilerin durumunu, tıpkı tiyatro sahnesindeki kurmaca karakterlerde ileri sürüldüğü gibi, tanrılara ya da cinlere bağlama anlayışını çoğu kez benimsediklerine işaret eder. Evet, halk inançlarına ve âdetlerine ilişkin bilgilerimiz bölük pörçüktür; örneğin, delilerin öznel deneyimleri ve onlara uygulanan tedavi türleri hakkında çok az şey bilmekteyiz. Ama elimizdeki bulguların canlılığı açıktır.

Adıyla anılan tarih kitabını klasik oyun yazarlarının eserlerini yarattıkları dönemde kaleme alan Herodotos (İÖ yak. 484-425) araştırmalarının "geçmişle ilgili anıları korumaya yönelik olduğunu" bildirir ve krallık dönemlerini aktardığı en az iki hükümdarın deliliğinden söz eder: Sparta kralı Kleomenes (hük. İÖ 520-490) ve Pers kralı II. Kambyses (hük. İÖ 530-522). Herodotos'un hayal ürünü açıklamalara yatkınlığının herkesçe bilinmesine karşın, anlattığı şeylerin büyük bir bölümü sonraki uzmanların ortaya çıkardıklarıyla uyuşur. Hükümdarların deliliğini gösteren olayların bazı ayrıntıları kuşkuyla karşılanabilir olsa da, Herodotos'un onları neyin delirttiğine ilişkin değerlendirmesi kesinlikle dönemin inançlarına dayanır. Nitekim Yunan toplumundaki yaygın inançları aktardığını açıkça belirtir.[33] Bu anlatılar dönemin gözlemcilerini belli kişilerin akıllarını kaçırdıkları ve aklı başında insanların dünyasından delilerin dünyasına geçtikleri sonucuna varmaya yönelten davranış türlerini aynı şekilde açık seçik ortaya koyar.

Kitap 3 II. Kambyses'in Mısır'a ve Kuş Krallığı'na (bugünkü Sudan'da) yönelik saldırılarına ve ardından aklını kaçırışına ilişkin geniş bir anlatı sunar bize. Kambyses güneydeki başarısız bir seferi yarıda bırakıp Memphis'e döndüğünde, Mısırlıların garip işaretlerle ("siyah tüylü, alnında beyaz bir elmas, sırtında bir kartal şekli, kuyruk tüyleri ikişerli ve dilinin altında bir bokböceği") dünyaya gelen bir buzağının doğumunu kutladıklarını görür. Mısırlılar bu hayvanı boğa tanrı Apis'in bedene bürünmüş hali saymaktadır. Kambyses rahiplere kutsal hayvanı huzuruna getirmelerini emreder, ardından "hançerini çekip Apis'in karnına doğru sallar, ama hedefi tutturamayarak sağrısına saplar". Mısırlıları aptal diye aşağılar, rahipleri alaya alır, adamlarına kırbaçlatır ve şenliği sona erdirir. "Bir süre sağrısındaki yaradan dolayı kan kaybederek tapınakta yatan yaralı hayvan sonunda ölür." Kambyses daha sonra gözlemcilerin ifadesiyle "tamamen aklını kaçırır". Her geçen gün daha aşırı davranır ve sonunda (göreneğe aldırmadan evlendiği) gebe kız kardeşinin karnını tekmeleyerek, düşük yapmasına yol açar. "Deliliği Apis'e davranışından kaynaklanmış olsun ya da olmasın, bunlar bir deliye özgü hareketlerdi" yorumunda bulunur Herodotos. Tercih edilir ve birçok Yunanın hemfikir olduğu sonuçtu bu.[34]

Bir de Atina'nın büyük hasmı Sparta'nın kralı Kleomenes'in durumu vardır. Her zaman biraz dengesiz ve ahlaksız kişiliğiyle, birlikte krallık ettiği düşmanı Demaratos'u tahttan indirmek üzere, onun (yaklaşık yüzyıl önce Sparta'yı yönetmiş) Ariston'un oğlu olmadığı iddiasına destek vermesi için Delphoi'deki kâhinin rahibesini rüşvetle kandırır. Rahibeyi ayarttığının açığa çıkmasından korkunca kaçar. Siyasal talihindeki bir değişimle tekrar tahta döner ama zaferi kısa sürer.

> Karşılaştığı herkesin yüzünü asasıyla dürtmeye başladı. Bu meczupça davranışı yüzünden, akrabaları onu kazığa bağladı. Orada sıkıca bağlanmış halde yatarken, biri dışında bütün muhafızlarının uzaklaştığını fark etti. Bir köle olan bu adamdan, kendisine bir bıçak vermesini istedi. Adam önce buna yanaşmadıysa da, Kleomenes'in

33 İlahi ve doğal sebep sornuları konusunda Herodotos'un karmaşık tutumları için bkz. G. E. R. Lloyd, 1979, s. 30vd.

34 Herodotos, aktaran ve çeviren: G. E. R. Lloyd, 2003, s. 131, 133. Ayrıca bkz. G. Rosen, 1968, s. 71-72.

serbest kaldığında başına kötü şeyler getireceği yönündeki tehditlerinden ürkerek sonunda razı oldu. Kleomenes bıçağı eline geçirir geçirmez, baldırlarından başlayarak kendini kesmeye girişti. Etini dilimler halinde koparak uyluklara doğru çıktı, oradan kalçalarına ve böğürlerine geçti. Sonunda ulaştığı karnını doğrayıp kıymaya çevirdi. Böylece işi bitti.[35]

Onun deliliğinden ve vahşi akıbetinden nasıl bir sonuç çıkarmak gerekirdi? Herodotos'un bize anlattığına göre, çoğu Yunan onun nahoş ölümünün Delphoi'deki rahibeyi ayartmasından kaynaklandığı kanısındaydı. Buna karşılık, Atinalılar olayı Demeter'in ve Persephone'nin kutsal alanını yıkmasına bağlarken, Argoslular da kalleşliği ve kutsal şeylere saygısızlığı için ona verilmiş bir ceza olduğunu savundular. Kleomenes bir muharebeden sonra, Argos Tapınağı'na sığınan kaçakları oradan çıkartıp parçalatmış ve ardından tapınağın bulunduğu koruluğu yakıp küle çevirme zilletine düşmüştü.

Böyle bir küfür sicili karşısında, onun deliliğine ve ölümüne ilahi öfkenin yol açtığından kim kuşku duyabilirdi? Spartalılar. Onlara göre, Kleomenes'in delirmesinin sebebi İskitlerin yanında çok uzun süre kalması ve orada "şarabı susuz içme" gibi barbarca bir alışkanlığı edinmesiydi. Sıkıntılarının kökeninde sert içki yatmaktaydı. Ama Herodotos bu anlatımı aktardıktan hemen sonra çürütmeye girişir: "Kişisel kanaatim Kleomenes'in Demaratos'a yaptıklarının bir cezası olarak felakete uğradığıdır."[36] Daha önceki Kambyses örneğinde bu kadar emin olmadığını görürüz. "Doğumundan beri, bazılarının kutsal olarak nitelendirdiği ağır hastalıktan mustarip olduğuna dair bir hikâye vardır," diye belirtir Herodotos. "Ağır bir hastalığın bedeni etkilemesinden dolayı, aklının da pek yerinde olmamasında tuhaf bir taraf olmasa gerek."[37]

YUNAN VE ROMA HEKİMLİĞİ

Kutsal hastalık olarak anılan saraya, cinnete, melankoliye ve akıl bozukluğunun diğer biçimlerine ilişkin böyle doğalcı açıklamalara gittikçe yönelen Yunan hekimler, bunların kökenini tanrıların doğaüstü bir müdahalesinde değil, vücutta arama çabasına girdiler. Okuryazarlığın devreye girmesiyle, Yunan tıp fikirleri ilk kez yazıya geçirildi; bunun en sistematik örneği eskiden Koslu Hippokrates'in (İÖ yak. 460-357) yazıları olarak adlandırılan bir dizi metindi. Bu yazılar günümüze ancak bölük pörçük ulaşmıştır ve Hippokrates'in öğretilerine dayanmalarına karşı, birden çok kalemden çıktıklarını artık

35 Akt. G. E. R. Lloyd, 2003, s. 133.
36 Herodotos, aktaran ve çeviren: G. E. R. Lloyd, 2003, s. 133, 135; R. Parker, 1983, s. 242.
37 Akt. G. E. R. Lloyd, 2003, s. 118.

biliyoruz. Aşağıda ele alınacak bir yazıda, saranın ve onunla bağlantılı akıl rahatsızlıklarının kökeni sorusu üzerinde doğrudan durulması anlamlıdır.

Muhtemelen hastalık ve tedavisi konusunda yazının icadından önceki daha eski fikirlere dayanan ve onları geliştiren Hippokrates külliyatı, her türden hastalık için tamamen doğalcı bir açıklama sunmaya çalışarak, ilahi varlığa ya da kötü ruha açıklayıcı etkenlermiş gibi başvurma dürtüsüne karşı koydu. Hastalık ve tedavisi konusundaki temel yorumları sadece Yunan dünyasında değil, Roma İmparatorluğu'nda da çok büyük etki bıraktı; Roma'nın yıkılışının ardından Batı Avrupa'da bir dönem büyük ölçüde ortalıktan kaybolan böyle fikirler, 10. ve 11. yüzyıllarda Arap dünyasından tekrar aktarıldı. İzleyen dönemde bu "suyuk hekimliği" yüzyıllarca hastalığa ilişkin standart doğalcı açıklama olarak neredeyse tartışmasız egemen oldu ve (biraz değişik biçimle de olsa) etkisi 19. yüzyıl başlarına kadar bile sürdü. Peki, Hippokrates hekimliğinin ayırıcı özellikleri nelerdi ve uygulayıcılarının akıl bozukluğunun kaynağı (ve belki tedavisi) konusunda söyleyecek ne tür sözleri vardı?

Günümüze ulaşan metinler hatırı sayılır değişkenlikler ve ince ayrılıklar barındırdığı için homojen olmaktan uzaktır (Üstelik birkaç yüzyıl sonra Roma döneminde çalışan Galenos ve diğer hekimler, İÖ 5. yüzyıla ait belgelerde yer alan ilk fikirleri daha da değiştirmişlerdir). Ancak Hippokrates hekimliğinin özünde, vücudun birbiriyle ilişkili ve ortamla sürekli etkileşim halindeki unsurlardan oluşmuş bir sistem olduğu savı yatmaktaydı. Dahası, sistemin sıkı sıkıya birbirine bağlı olduğuna ve lokal lezyonların bir bütün olarak sağlık üzerinde genel etkiler yaratabileceğine inanılırdı. Bu teoriye göre, her birimiz birbirine üstünlük için çekişen dört temel unsurdan oluşuruz: Vücudu sıcak ve yaş tutan kan; vücudu soğuk ve yaş tutan, ter ve gözyaşı gibi renksiz salgılardan oluşan balgam; vücudu sıcak ve kuru tutan sarı safra ya da mide sıvısı; vücudu soğuk ve kuru tutan, dalaktan çıkan, kanı ve dışkıyı koyulaştıran kara safra. Bu suyukların (sıvıların) her kişide doğal yapıya bağlı değişik orantıları farklı mizaçları doğurur: Kan bol olduğunda sıcakkanlı; balgam ağır bastığında donuk ve soğukkanlı; safra aşırı olduğunda asabi (Resim 6).

Suyuk dengesinin mevsimlere bağlı değişkenlikler ve yaşam döngüsündeki gelişim değişiklikleri gibi çeşitli etkilerin yanı sıra, dışarıdan gelen başka bir sürü olası rahatsızlık kaynağıyla bozulmaya da duyarlı olduğuna inanılırdı. Vücutlar özümseme ve salgılama süreçlerinden dolayı beslenme, egzersiz ve uyku düzenleri, duygusal karışıklık ve çalkantı gibi şeylerden etkilenmeye açıktı. Bu dış müdahaleler sistemin dengesini tehdit ettiğinde, usta bir hekim istenmeyen maddeyi kan alma, müshil verme, kusturma gibi yollarla vücuttan çıkararak ve yaşam tarzı özelliklerine uyumu sağlayarak sistemin yeniden düzene girmesini sağlayabilirdi.

Peter Paul Rubens'in orijinal bir tablosundan Flaman usta Paulus Pontius'un yaptığı 1638 tarihli bir gravürde Koslu Hippokrates'in bir antik büst şeklindeki hayali tasviri.

Cinsiyet farklılıkları da kadın bedeninin daha nemli ve gevşek oluşuna bağlanırdı; bunların karakteristik mizaçlarına ve davranışlarına etkide bulunduğu düşünülürdü. Böyle anlayışlar kadın hastalıkları ve üreme sorunları üzerine ayrı risaleler yazılmasına yol açtı; ele alınan bozukluklardan biri de uzun ve azap dolu geçmişinde her zaman olmasa bile çoğu kez kadın cinsine mahsus gibi görülen histeriydi. Bir Hippokrates metnine göre, kadınlarda "rahim bütün hastalıkların kaynağı"ydı. Mesele, sırf kadın cinsinin erkekten farklı bünyeye sahip olması değildi. Kadın bedeni sözgelimi hepsi de iç dengede köklü şoklar yaratabilen ergenlik, gebelik, doğum, menopoz ve bastırılmış âdet ya da rahmin nem arayışıyla içeride dolaşması (ayrıca daha sonra yaydığı buharların vücutta yukarıya yükselmesi) yüzünden bozulmaya daha yatkın sayılırdı. Kadının daha ıslak bünyesinin yarattığı kan fazlasını sistemden düzenli boşaltma gereği duyulurdu. Neme bağlı bütün bu bozukluklar çok çeşitli organ şikâyetlerinin kaynağı olarak görülürdü.

Histeriye ilişkin klasik açıklamalar Galenos'un (İS yak. 129-216) ve öbür Romalı yorumcuların işlediği ve çoğunlukla Batı dünyasına daha sonra Arap hekimliği aracılığıyla tekrar giren bu anlayışlar ve başka Hippokrates fikirlerinin temelinde kurgulandı. Örneğin, ikisi de Hippokrates geleneğiyle yakından ilişkili olan Romalı Celsus (İÖ 25-İS 50) ve Yunan Aretaios (İS 1. yüzyıl), rahmin karında dolaşarak her türlü sıkıntıya sebep olduğu anlayışını benimsediler. Rahmin yukarıya doğru çıktığında öbür organları sıkıştırarak, tıkanma duygusuna, hatta konuşamamaya yol açtığını ileri sürdüler. Celsus'un savı şöyleydi: "Bu illet bazen hastayı tıpkı saraya yakalanmışçasına her türlü duyu yetisinden yoksun bırakır. Ancak aradaki fark gözlerin yuvada dönmemesi, ağızdan köpük saçılmaması ve hiç havale geçirilmemesidir; sadece derin bir uyku hali görülür."[38] Buna karşılık, Soranos (İS 1. - 2. yüzyıl) ve Galenos, histeri arazlarının rahimden kaynaklandığını kabul etmekle birlikte, rahmin karında dolaşabildiği anlayışına karşı çıktılar. Bu hastalığın tezahürleri aşırı duygusallığın yanı sıra, basit baş dönmesinden felce ve solunum sıkıntısına kadar uzanan çeşitli bedensel rahatsızlıklar gibi birçok biçime bürünebilirdi. Nefes almayı kısıtlayan ve boğulma duygusu yaratan "boğazda düğümlenme" (*globus hystericus*) hissi yaygın olarak bildirilen bir arazdı.[39]

Bütün bu düşünsel yapının özünde, bozuk bedenin bozuk zihne yol açabileceği ve tersinin de olabileceği yönünde belirgin bir kavrayış yatmaktaydı. Sağlıklı olmanın anahtarı suyukları dengede tutmaktı; kişi hastalandığında, hekimin görevi onu neyin dengesiz hale geldiğini ortaya çıkarmak ve hastanın iç durumunu düzeltmek üzere eldeki tedavileri kullanmaktı. Vücut ve ortam; lokal ve sistemik; *soma* (beden) ve *psykhe* (ruh): Bu ikililerin her unsuru birbirlerini etkileyebilir ve kişiyi bir hastalık durumuna düşürebilirdi. Hippokrates hekimliği tekil hastanın her yönüyle yakından ilgilenen ve tedavi rejimlerini her özgül vakaya göre düzenleyen bütüncül bir sistemdi. En önemlisi ise insan sağlığı konusunda hastalığın doğaüstü sebeplerinden ziyade doğal sebeplerine ağırlık veren bir bakışa dayalıydı.

Hippokrates hekimleri bu tutumu takınırken, kendilerini rakip bir şifacı ekolünden, tapınak hekimliği erbabından ayırt etme çabası içindeydiler. Yerel şifa tanrılarına adanmış mabetler Yunan dünyasının her yanında vardı ve inançlılar iyileştirilmek (ayrıca daha genel düzeyde kısmetlerinin düzelmesi) için oralara giderlerdi. Mucizevi deva iddiaları yaygındı; ama en azından bunun kadar önemli nokta, tapınaklarda hastanın şikâyetinin olası sonucuna dair tahminler sunulmasıydı. Asklepios kültü özellikle revaçtaydı; ilahi müdahaleye vesile olmak ve bir şifa bulmak üzere arınma törenlerinin yanı sıra büyülere, tılsımlara ve büyülü sözlere başvurulurdu. Bu yöntemler istenen sonucu sağlamadığında, başarısızlık her zaman bahanelerle geçiş-

38 L. Targa (ed.), 1831, akt. Ilza Veith, 1970, s. 21.

39 Daha geniş bir değerlendirme için bkz. Andrew Scull, 2011; önceki iki paragrafta bu kitaptan yararlandım.

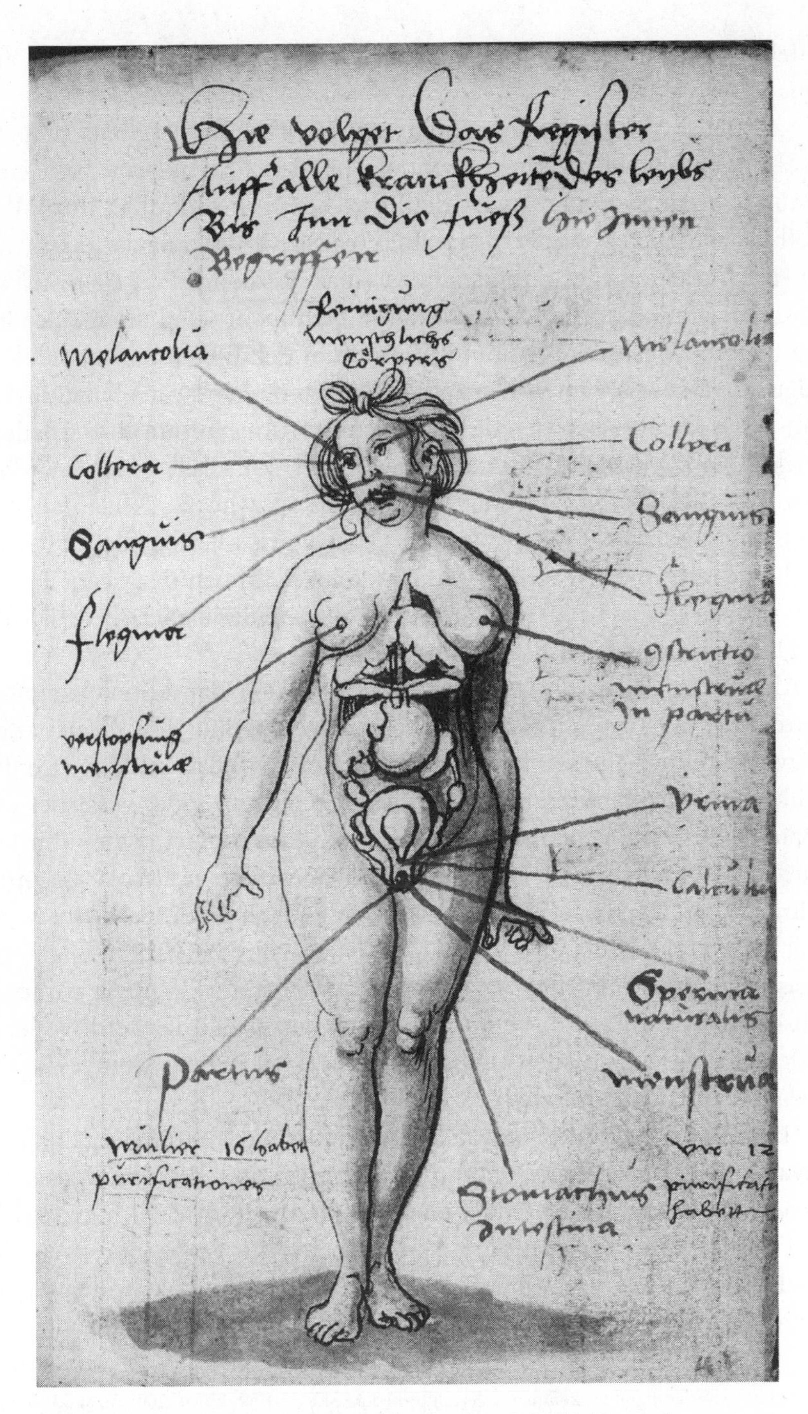

İsmi meçhul bir Alman hekimin tıbbi "tarif"leri kayda geçirdiği bir 16. yüzyıl yazma derlemesinde, sözgelimi kan almaya ve astrolojiye ilişkin notların da yer aldığı bir kadın anatomi diyagramı. Dönemin çeşitli yazarları üzerinde düzeltmeler ve eklemeler yapmıştır.

tirilebilirdi. Tanrıların hâlâ memnun olmadığı, duaların yeterince ateşli olmadığı söylenirdi.[40]

Şaşırtıcı sayılmayacak bir şekilde, tapınak hekimliği (ve halk inançları) ile Hippokrates hekimlerinin vücuttaki patoloji kaynaklarını belirlemeye dönük ısrarı arasındaki çatışma, delilik ve benzer bozukluklar durumunda özellikle sertti. Bu kavgada bir tarafın görüşü İÖ 400 dolaylarından kalma bir Hippokrates risalesinde karşımıza çıkar. Risalenin *Peri Hieres Nousou* [Kutsal Hastalık Üzerine] adını taşıması yanıltıcıdır; çünkü temelde ele aldığı (ve büyük olasılıkla günümüzde saranın çeşitli biçimleri olarak kabul ettiğimiz vakaların yanı sıra histeri vakalarını da kapsayan) bozuklukların "kutsal" ya da tanrıların işi olduğu iddiasını çürütmeye, tam aksine bedensel aksaklıktan kaynaklandığını göstermeye yöneliktir. Bazı yerlerde savlarını manik ve melankolik ruh rahatsızlıklarını kapsayacak şekilde genişleten metin, bu olguları büyüyle ve dinle açıklama girişimlerine güçlü bir saldırı niteliğindedir. Böylece delilik konusunda klasik Yunan dünyasında yaygın olan ve daha sonra yüzyıllarca süren dinsel ve popüler inançlarla ilgili (taraflı olsa bile) emsalsiz bir kavrayış sunar bize.

Akli durum değişikliklerini izleyen nöbet, ağızdan köpük saçma, diş gıcırdatma, dil ısırma, idrar ve dışkı kaçırma, bayılma gibi çarpıcı arazlar kolaylıkla cinnet belirtileri olarak yorumlanırdı. Eğitimsiz kişilerin ve onların saflıklarından istifade eden rahiplerin, böyle olayları sadece şaşırtıcı ya da ürkütücü değil, aynı zamanda bir ilahi takdir, insanın içine giren bir cinin marifeti ya da ay tanrıçası Selene'yi gücendirmenin bir cezası olarak gördüklerini öğrenmekteyiz. Sebep doğaüstü olduğuna göre, deva da elbette öyle olmalıydı. Tıpkı deliler gibi, saralılar da kirli sayılırdı ve habis etkileri etrafa bulaşmasın diye, tükürükle ve tecritle uzaklaştırılırlardı. Böyle görüntüler dehşet ve tiksinti, korku ve horgörü duygularını tahrik ederdi ve birçok gözlemciye göre, bu türden rahatsızlıkların en iyi çözümü büyüye dayalı ve dinsel müdahale biçimleriydi.[41]

Hippokrates hekimleri bu yaklaşımı kabul etmediler. Böyle açıklamaları alaya aldılar: "Bir hasta keçi taklidi yaptığında, kükrediğinde ya da sağ tarafında kasılmalar geçirdiğinde, müsebbibin Ana Tanrıça olduğu söylenir. Tiz ve yüksek bir çığlık attığında, bir ata benzetilir ve Poseidon suçlanır." Tehditkâr kişiler listesi Apollon, Ares, Hekate, mitolojik kahramanlar diye uzayıp gider.[42] Metinde tanrılara yakarışlar ve bir deva sağlayabilecekleri

40 Burada yararlandığım mükemmel değerlendirme için bkz. G. E. R. Lloyd, 2003, özellikle Bölüm 3, "Secularization and Sacralization". Asklepios ve kültü için bkz. Emma J. Edelstein ve Ludwig Edelstein, 1945.

41 Klasik değerlendirme için bkz. Oswei Temkin, 1994, Kısım I: Antiquity.

42 Akt. R. Parker, 1983, s. 244.

imaları sıkı biçimde reddedilir: "Kutsal olarak adlandırılan hastalık açısından durum böyledir. Bana kalırsa, diğer hastalıklardan asla daha ilahi ya da kutsal değildir; diğer illetler gibi doğal bir sebepten [tıkanmış balgam] kaynaklanır. İnsanlar onun mahiyetini ve sebebini cehalet ve hayret yüzünden ilahi sayarlar; çünkü diğer hastalıklara hiç benzemez."[43] Sorunun kaynağı kitlelerin cehaleti ve saflığı, ayrıca onların saflığını sömüren arsız vaizlerdir:

> Kişisel görüşüm bu illete kutsal bir mahiyeti ilk yakıştıranların günümüzün büyücüleri, arındırıcıları, şarlatanları ve sahte hekimleri gibi, büyük dindarlık ve üstün bilgiçlik taslayan kişiler oldukları yönündedir. Ne yapacaklarını bilemeyince ve işe yarar bir tedaviden yoksun olunca, cehaletlerinin açığa çıkmaması için ilahi gücün arkasına sığındılar ve bu hastalığı kutsal olarak nitelendirdiler. Akla yakın bir hikâye eklediler ve konumlarını sağlamlaştıracak bir tedavi yöntemi belirlediler. Arındırma işlemlerine ve büyülü sözlere başvurdular; hastalar için uygunsuz olduğu gerekçesiyle banyoyu ve birçok gıdayı yasakladılar. [...] Koydukları bu kuralları da hastalığın ilahi kökenine dayandırdılar; [...] öyle ki, hasta iyileştiğinde, ferasetin itibarı onlara kalsın ve hasta öldüğünde, ellerinde sağlam bir bahane kaynağı bulunsun...[44]

Buna karşılık, hastalığa ilişkin suyuk teorisi bir düşünsel kurgu olarak son derece güçlüydü; arazları anlamaya ve aksayan yönlere dönük devaların yolunu göstermeye elverişliydi. Aynı zamanda hastanın içini rahatlatacak ve hekim müdahaleleri için etraflı bir gerekçe sağlayacak nitelikteydi. Hippokrates hekimleri vücudun dış görünüşüne yakın ilgi dışında, insan anatomisine ağırlık vermediler ve Yunan kültüründe neredeyse tabu olan ceset teşrihinden fiilen kaçındılar. Birkaç Roma imparatoruna hekimlik eden Galenos bile, (Romalıların İÖ 150 dolaylarında insan teşrihini yasaklamış olmaları nedeniyle) insan bedeninin yapısına ilişkin görüşü için hayvan teşrihini esas aldı; böylece tıp çevrelerinde insan anatomisi konusundaki yanlış görüşler Rönesans başlarına kadar sürdü. Ama Hippokrates hekimlerinin hastalığın ortaya çıkışında büyünün ya da ilahi hoşnutsuzluğun rolünü reddedişleri sağlam ve kesindi. Sağlığın bozulmasında bedensel etkenlerin yanı sıra psikososyal etkenlerin rolünü de bütüncül yaklaşımla ele almaları ve vurgulamaları, diğer hastalık biçimlerine ilişkin açıklamalarında olduğu gibi, onları deliliğe ilişkin tamamen doğalcı açıklamalar sunmaya yönlendirdi – tabii bunların arasında keskin bir ayrım yapmaksızın.

---

43 Hippokrates, *The Genuine Works of Hippocrates*, c. 2, ed. Francis Adams, 1886, s. 334-35.

44 *On the Sacred Disease*, çeviren ve akt. G. E. R. Lloyd, 2003, s. 61, 63. Aşağı yukarı aynı eleştiriler, tedavi etmeye çalıştıkları bozukluğu iyileştirmede bugünkü bakışla aynı ölçüde mahir (ya da aciz) sayabileceğimiz Hippokrates hekimlerinin sunduğu suyuk açıklamasına da hiç kuşkusuz yöneltilebilir.

Deliliğe ve daha belirgin bedensel hastalıklara ortak bir yaklaşımı özendirecek başka birçok sebep vardı. Ağır hastalığa çoğu kez algı çarpıklıkları, sanrılar, duygusal altüst oluş ve çalkantı eşlik eder. Günümüzde bir araz saydığımız, ama yüzyıllarca başlı başına bir bozukluk olarak görülen "ateş" özellikle bulaşıcı ve parazitik hastalıkların, gıda kirlenmesinin ve bozulmasının yaygın olduğu bir dönemde çok sayıda kaynağa dayanabilirdi. Ateşin sıklıkla beraberinde getirdiği hezeyan ve bilinç değişkenliği, abuk sabuk konuşma ve kızışma çoğu kez delinin bozuk düşünme tarzını andırırdı. Birçok kişi aşırı alkol ya da başka türden zihin bulandırıcı madde tüketmenin peşinden gelen bilişsel ve duygusal rahatsızlıklarla da karşılaşırdı ya da bilinçli olarak o durumlara ulaşmaya çalışırdı. Aşırı psikolojik elem, acı ve sancı anları (şimdi olduğu gibi o dönemde de) hemen herkesin yaşadığı bir şeydi. Duygusal ve bilişsel işlev bozuklukları, çok şükür ki çoğumuz için geçici nitelikte olsa bile, insan varlığının bildik bir parçasıydı (ve hâlâ da öyledir). Deliliğe benzer durumları fark etmemek zordu ve Hippokrates hekimleri her iki türden hastalığın da temelde insan bünyesinden kaynaklandığı konusunda ısrar ettiler.

Duyguların ve zihinsel faaliyetin merkezi Aristoteles'e göre kalp, Hippokrates metinlerine göre ise beyindi: "İnsanlar keyfin, hazzın, kahkahanın ve neşenin, aynı şekilde hüznün, kederin, meyusluğun ve matemin sadece beyinden geldiğini bilmelidir. Böylece özel bir tarzda bilgeliği ve bilgiyi ediniriz; neyin pis ve neyin temiz, neyin kötü ve neyin iyi, neyin tatlı ve

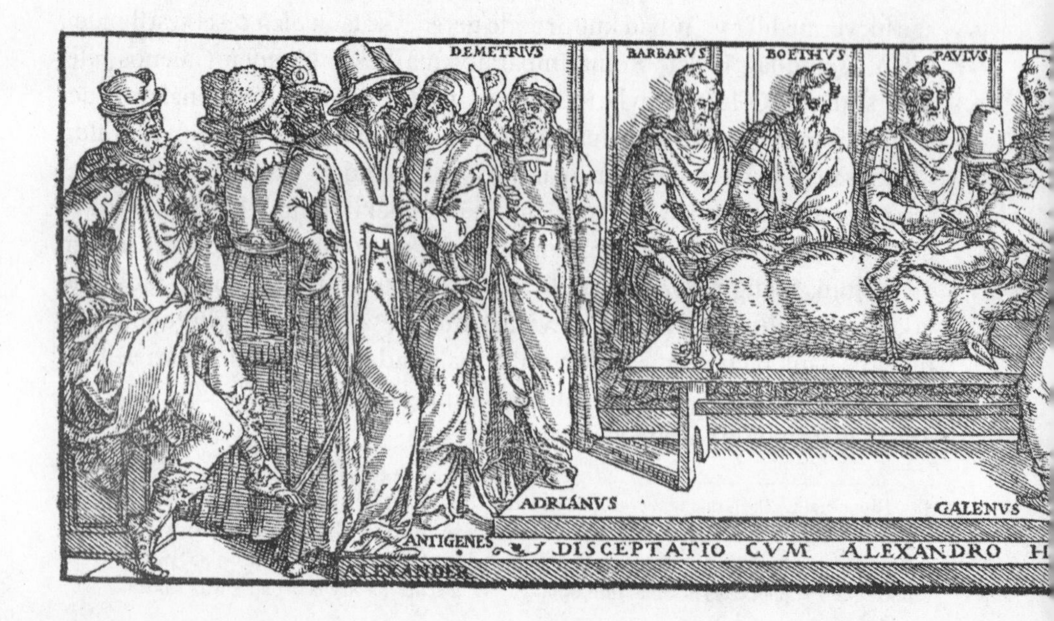

neyin tatsız olduğunu görür, işitir ve anlarız."[45] Aklın değil, yüreğin sözünü geçirdiği durumlarda delilik pusuda beklerdi:

> Deliliğin ve hezeyanın, çoğu kez geceleyin ama bazen gündüz bile üstümüze çöken korkuların ve ürküntülerin merkezi de beyindir; uykusuzluğun ve uyurgezerliğin, bir türlü akla gelmeyen düşüncelerin, unutulan görevlerin ve gariplıklerin sebebi orada yatar. Böyle şeylerin hepsi sağlıksız bir beyin durumundan kaynaklanır; [...] beyin anormal biçimde nemli olduğunda ister istemez gerginleşir.[46]

Delilik her biri daha derin ama ayrı sistem bozukluklarının dışa dönük tezahürü olan farklı biçimlere bürünebilirdi. Diğer sağlık bozukluğu türlerinde olduğu gibi, sorunun kaynağı bir suyuk dengesizliğiydi. Aşırı kan beynin ısınmasına, bunun sonucunda da kâbuslara ve korkulara yol açardı. Aşırı balgamın yol açabildiği bir cinnetin mağdurları "sakin tavırlı, hiç bağırmayan ve bir rahatsızlık yaratmayan" kişiler olarak tarif edilirken, "deliliği safradan kaynaklanan kişilerin bağırdıkları, muziplik yaptıkları, yerlerinde durmadıkları ve hep bir haylazlık peşinde koştukları" söylenirdi.[47] Bizzat "melankoli" teriminin kökeni Yunan "kara" (*melan*) ve "safra" (*khole*) kelimelerine dayanır.

45 Hippokrates, *The Genuine Works of Hippocrates*, c. 2, ed. Francis Adams, 1886, s. 344.
46 Hippokrates, *The Medical Works of Hippocrates*, çev. John Chadwick ve W. N. Mann, 1950, s. 190-91.
47 Hippokrates: *The Medical Works of Hippocrates*, çev. John Chadwick ve W. N. Mann, 1950, s. 191.

Galenos anatomi bilgisini hayvanları (bu örnekte bir domuzu) kesip inceleyerek edinmişti; *Opera Omnia* adlı kitabının 1565'te Venedik'te yayımlanan bir baskısından.

Yunanlar ve Romalılar böylece deliliğin tahribatına ilişkin hem doğal hem de doğaüstü açıklamaları sonraki kuşaklara miras bıraktılar. Doktorlar ve rahipler rahatlığı ve teselliyi farklı yollarla sundular. Kendi açılarından başarıları ve başarısızlıkları olan her iki kesimin de bazen niçin çaresiz kaldıklarına dair hazır açıklamaları vardı. Konu üzerine yazan hekimler, ayırt edilmemiş tek bir durumdan ziyade, bir dizi farklı bozukluk çeşidini ortaya koymuşlardı. Bunların birbirlerinden ayrı mı, yoksa deliliğin geçirebileceği evreler mi olduğu bir ölçüde tartışmaya açık olsa da, cinnet ve melankoli arasında geniş çaplı bir farklılaşma belirlenmişti. Sara, histeri ve frenit (ateşin eşlik ettiği zihin bulanıklığı) gibi akıl hastalığı sınırlarında yer alan başka delilik biçimlerinin de bulunduğu genel kabul görmekteydi.

Çok sayıdaki bu olguların hepsine ilişkin dinsel ve seküler, doğaüstü ve doğalcı açıklamalar yüzyıllar boyunca yan yana varlıklarını sürdüreceklerdi. Durum gerektirdiğinde her ikisine başvurulabilirdi ve iltihap karşıtı hekimlerin gözü pek devalarıyla birlikte, dinsel ve manevi müdahaleler denenebilirdi.[48] Umarsız bozukluklar için umarsız devalar kaçınılmazdı. Çözüm için bir dizi eklektik yaklaşımı denemenin bedeli düşünsel uyumsuzluk ve tutarsızlık suçlamalarına maruz kalmak olsa bile, bu bedeli ödemeye yanaşmayacak çok az kişi vardı. Söz bedelden açılmışken şunu belirtmek gerekir: Çoğunluk haliyle hekim hizmetlerinden yararlanamadığı için, her türden kocakarı devasına yaygın olarak başvurulurdu; ancak kitlelerin yoksul ve çoğunlukla cahil olması, bizi bu durumlarla nasıl başa çıktıklarına dair güvenilir bilgilerden yoksun bırakıyor.

Son olarak, Yunan epistemolojisi deliliğe ilişkin daha olumlu sonuç doğurabilecek bir yorum sundu; Platon'da ve Sokrates'te karşımıza çıkan bu yorum bazı bakımlardan İbranilerin vahiy almış peygamber fikrini çağrıştırır. Buna göre, delilik dünyayı "görme"nin başka bir olası yolunu temsil ediyor olabilirdi: Şen, erotik, yaratıcı, kâhince, dönüştürücü. Birçok kişi için akıl, bilgiye giden soylu yolu sağlıyor gibiydi. Bazıları ise başka türden gizli bir bilgi (sezgisel, öngörülü ve dönüştürücü bilgi) ya da mistisizm (etimolojik kökeni "gizli" anlamındaki Yunanca *mystikos* kelimesi) bulunabileceği ve deliliğin bu mistik âlemin anahtarlarını sağlıyor olabileceği konusunda direttiler. Bilmenin rasyonel olmayan araçları fikri ve deliliğin bazen hakikate varmanın aracı (bazılarının ifadesiyle ilahi delilik) olabileceği anlayışı ortaçağ Hıristiyanlığında, Hıristiyan ermişlerin ve azizlerin esrik ve dalgın hallerinde, Erasmus'un *Deliliğe Övgü* kitabında, Shakespeare'in deli âşıklarında, Cervantes'te, Dostoyevski'nin ve Tolstoy'un mübarek aptal tasvirlerinde ve

48 İltihap karşıtı hekimler, hastalığı temelde bir iltihap ve ateş sorunu olarak görürlerdi. Dolayısıyla bu durumlara karşı başvurulan kan alma, müshil verme ve kusturma gibi devaların hepsi bedendeki aşırı aktifleşmeyi ve ısınmayı azaltmaya yönelikti.

hatta 20. yüzyıl sonlarında R. D. Laing gibi psikiyatrların eserlerinde defalarca su yüzüne çıkacaktı.

Yunan etkisi sadece Akdeniz'le sınırlı kalmayan çok büyük bir alana yayıldı; Büyük İskender'in fetihler ve süren ticari temaslar sayesinde günümüz İran'ına ve Afganistan'ına, hatta Hindistan'ın bazı kesimlerine kadar ulaştı. Ancak Roma İmparatorluğu gücünün doruğundayken daha da geniş bir etki alanına sahipti. Varlıklı olan ve Yunan bilgi birikimiyle gelişmiş mesleklerle uğraşan Romalılar, Yunan kültüründen ve felsefesinden etkilendiler; Yunanca bilmek bir üstün statü işareti haline geldi. Her yerdeki aylak sınıflar gibi, bu Roma yurttaşları da daha incelmiş zevklerine ve kavrayışlarına uygun timsaller aradılar ve seçkin klasik tıp tarihçisi Vivian Nutton'ın ifadesiyle, böyle çevrelerde "Yunan hekimler pratik yarar kadar gösteriş için de gerekliydi. [...] [Galenos gibi] bazı Yunanlar kendi iradeleriyle, ötekiler ise savaş tutsağı ya da köle olarak geldiler."[49] Bunlar sadece yararlı süsler değildi; delilik dahil hastalıklara ilişkin perspektiflerini de beraberlerinde getirdiler. İS 1. yüzyıla varıldığında, Roma'daki doktorlar büyük çoğunlukla Hellenleşmiş Doğu'dan gelmeydi ve bu durum sonraki yüzyıllarda da sürdü.[50]

YUNAN, ROMA VE EMPERYAL ÇİN DÜNYALARI ARASINDA KARŞILAŞTIRMA

Daha doğuda başka bir büyük imparatorluk oluşum halindeydi. Qin (İÖ 221-206) ve Han (İÖ 206-İS 220) hanedanları altında pekişmesinden sonra, klasik Yunan ve Roma dünyalarına kıyasla birçok bakımdan daha dayanıklı bir siyasal yapıya ve uygarlığa dönüştü – üstelik savaş ağalarının ve çok sayıda krallığın geçici yükselişine sahne olan siyasal ayrılık ve parçalanma dönemlerine rağmen. Geçmişe dönük bakışla kopukluk olarak nitelendirilebilecek bu fasılalar çoğu kez uzun süreli ve ciddiydi. Çin hanedanlarının yaklaşık yarısının başında kuzeyden gelen çeşitli yabancılar vardı ve Han hanedanının kuzey kaynaklı istilalar karşısında güneye kaçmasıyla, Çin diye bildiğimiz geniş bölgede çoğu zaman birden fazla krallık hüküm sürdü. Kuzey krallıkları bazı durumlarda yüzyıllarca ayakta kaldıklarından, pek de geçici sayılamazdı. Yine de çeşitli kisveleriyle emperyal Çin (kadim İpek Yolu ticaretine bağlı bazı dış etkilerin de belirlediği) geniş ve bağımsız bir uygarlık projesi olarak bin beş yüz yılı aşkın bir süre varlığını koruduktan sonra, 19. yüzyılda Avrupa silahlarına, ticaretine ve Batı emperyal emellerine yenik düştü ve 1911'e kadar yarı bağımlı bir devlet olarak kaldı. Hatırı sayılır bir okumuş sınıf (Ming hanedanına [1368-1644] kadar muhtemelen toplam

49 Vivian Nutton, 1992, s. 39.

50 Vivian Nutton, 1992, s. 41-42.

nüfusun ancak % 1-2'sini oluşturmakla birlikte) uçsuz bucaksız toprakların idaresinde kilit bir yer tuttu. Çin imparatorunun nüfus bakımından Roma İmparatorluğu'nu ve hele Yunan kent-devletlerini gölgede bırakan böyle bir ülkeyi denetim altında tutmasını sağlayan bu bürokrasiydi.

Klasik Yunan ve Çin dünyaları karşılaştırıldığında, demografik farklılıklar haliyle en belirgin biçimde görülür. Özerk Yunan kent-devletleri Çin emperyal devletine kıyasla ufaktı. En büyük ve en itibarlı kent-devlet Atina'nın İÖ 5. yüzyılda yurttaşları, yabancı uyrukluları ve köleleri kapsamak üzere belki çeyrek milyonu bulan bir nüfusu vardı. Buna karşılık, İS 1-2'deki Çin sayımında yaklaşık 60 milyon sakin saptandı; bu da Çin açısından düşük noktaydı, çünkü Song ekonomik devrimi (960-1279) sırasında, nüfusu belki iki katına çıktı. Daha da önemlisi, Helen uygarlığını oluşturan Atina, Sparta ve diğer kent-devletlerinin ayırıcı özelliği dikkat çekecek ölçüde değişken siyasal düzenlerdi: Tiranlıklar, monarşiler, oligarşiler, hatta katılımcı demokrasiler. Romalıların daha sonraki siyasal hegemonyası bile bu değişkenliklerin doğal sonucu olan kültürel çoğulculuğu ortadan kaldırmadı. Aslına bakılırsa, yolu Roma'ya düşenlerden biri olarak Galenos'un kariyerinin gösterdiği üzere, bu düşünsel çeşitlilik batıya doğru yayıldı. Pergamon (şimdi Bergama) doğumlu Galenos hem Atina'ya hem de İskenderiye'ye uğrayarak Hellenik Doğu'da çeşitli tıp öğretilerini özümsedikten sonra, birçok hırslı Yunan gibi, İS 162'de Roma'ya gitti. Orada zamanla Marcus Aurelius'tan (hük. İS 161-80) başlayan bir dizi imparatorun saray hekimi oldu. Ertesi yüzyılda bile, eski Yunan kent-devletlerinin geleneksel yönetici elitleri kendine özgülük anlayışına sıkıca sarıldılar. Yerel iktidarı hâlâ ellerinde tutan oligarklar, kendilerini özgün nitelikleri homojen bir Roma dünyasına indirgenmemiş kentlerden ve kabilelerden oluşan karmaşık bir mozaiğin parçası olarak gördüler.[51] Bu konuda yanılmıyorlardı ve durum en azından sonraki dönemlerin emperyal Çin'iyle keskin tezat içindeydi.

Doğu ve Batı arasındaki muazzam farklılıklardan kaynaklanan çeşitli sonuçlar vardı. Yunan-Roma dünyasındaki hekimler Han hanedanı dönemindeki Çinli emsallerine kıyasla siyasal elitlere çok daha az bağlıydılar; geçimleri çoğunlukla siyasal himayeden ziyade piyasada müşteri bulmaya dayanırdı.[52] Böyle bir rekabet bazen sert çatışmalar doğururdu (Örneğin, Roma'daki meslektaşlarının kıskançlığı yüzünden zehirleneceği korkusuna kapılan Galenos kısa bir süreliğine Roma'dan ayrıldıktan sonra, Marcus

51 Peter Brown, 1971, s. 60.

52 Geoffrey Lloyd ve Nathan Sivin, 2002, özellikle s. 12-15, 243. İki dünyayı karşılaştırmak için bu öncü girişimden ve ayrıca Shigehisa Kuriyama'nın aşağıda alıntılanan eserlerinden geniş çapta yararlandım. Çin hekimliği tarihçisi olan dostlarım Miriam Gross'a ve Emily Baum'a da cömert yardımları için son derece minnettarım.

Aurelius tarafından tekrar imparatorluk sarayına çağrıldı).[53] Başka doktrin ekollerinin hekimlikte itibar edinme, sivrilip öne çıkma ve üstün ehliyete hak kazanma uğraşları da işin cabasıydı.

Çin'de hastalarını kitleler arasında bulmaya çalışan ve çok küçümsenen "köy hekimleri" hünerlerini (olduğu kadarıyla) açık bir piyasada satarlardı. Sonraki dönemlerde elit hekimlerin kesintisiz bir hekimlik soyağacıyla bağlarına başvurmalarıyla birlikte, onlar da bir ölçüde özerklik edindiler; artık çeşitli tüccarlardan ve aydınlardan oluşan bir müşteri kitlesine dayanabilecek ve böylece devletten önemli ölçüde bağımsızlaşabilecek hale geldiler. Bir başka deyişle, Han imparatorları altında geçerli olan durum sonraki yüzyıllarda gittikçe değişti.

Ama Çin'de özellikle Han hanedanı döneminde elitler açısından imparatorluk sarayıyla bağlar çok önemliydi. Aydınlar memuriyet mevkileri elde ederek bir ölçüde güvenliğe kavuşabilirlerdi ve öyle de yaparlardı.[54] Ancak bu güvenlik için temkinli olmak ve hamilerin gözünde itibarını korumak şarttı; itibar kaybı düpedüz vahim sonuçlar doğurabilirdi. Gelenekle tanımlanmış sınırların içinde kalmak ya da en azından yenilikleri alışılagelmiş usulde düzeltmeler gibi sunmak ve konsensüsün çerçevesinden çıkmamak gerekirdi; aksi halde düşünsel konularda sapma, siyasal sadakatsizliğin bir işareti olarak görülürdü. Bunlar Han döneminde elit Çin tıp düşüncesinin, ayrıca kozmosu daha geniş çerçevede anlama uğraşının tanımlayıcı özellikleri arasındaydı. Han iktidarı boyunca "(biricik olmasa bile) başlıca Çin yaklaşımının örtüşmeleri, yansımaları ve içsel bağlantıları bulup irdelemek" olması şaşırtıcı olmayan bir sonuçtu. "Böyle bir yaklaşım çok ayrı araştırma alanlarını birleştirecek sentezler oluşturmayı yeğ tutardı. Buna karşılık, yerleşik görüşlere radikal alternatiflerle karşı çıkmaktan kaçınmayı özendirirdi."[55]

Bu açıdan, tıpta tutuculuk Han sentezine damgasını vuran daha kapsamlı düşünsel konsensüsle uyum içindeydi. Bu sentez Han hanedanının İS 220'de çökmesinden sonra bütün sosyal yelpazede çözülmeye başladı. Tıpta aile soyağaçlarının otoritelerini pekiştirmeleriyle birlikte, her biri kendi yöntemlerini ve sırlarını korumaya yöneldi; böylece hepsinin "doğru" geleneğe bağlı olduğunu bildirmesine karşın, gerçekte zamanla çeşitli fikirler, yöntemler, teoriler ve hatta tıbbi bileşikler ortaya çıktı. Ancak bu artan heterojenlik içinde, örtüşmeler fikri elit Çin hekimliğinde kilit yer tutmayı sürdürerek, 20. yüzyılın alternatif tıbbında düzenleyici ve ayırıcı ilkelerden biri olarak yeniden belirdi.

Çinlilerin zihinsel ve bedensel hastalıklara nasıl tepki verdiklerine dair

---

53 D. E. Eichholz, 1950.

54 Geoffrey Lloyd ve Nathan Sivin, 2002, s. 242.

55 Geoffrey Lloyd ve Nathan Sivin, 2002, s. 250.

bilgilerimiz (antik Yunan ve Roma dünyalarındakine bile varmayacak ölçüde) kısmi ve eksiktir. Klasik Çin hekimliği (aynı dönemin Batı dünyasındaki uğraşları gibi) ve uygulamaları, aydın elit tabakaya hizmet veren eğitimli erkeklerce geliştirildi. Bu Çinli hekimler deliliğe Hippokrates hekimlerine nazaran daha az ilgi gösterdiler; deliliğe bağlı tahribatın halk üzerindeki etkileri ve deliliğin beraberinde getirdiği sıkıntılara nasıl tepki verildiği konusunda çok az şey bilmekteyiz.

Kitlesel okuryazarlık çağı öncesindeki binlerce yıl boyunca toplumun deliliğe tepkilerini tanımlamaya dönük her girişimi boşa çıkaran ve daha sonra da birçok bakımdan süren genel sorunlar (kaynakların elit tabakaya karşı önyargısı; bu malzemeye birçok kilit noktada damga vuran suskunluk; deliler bir yana, sıradan insanlar hakkında bile ancak dolaylı ve son derece bölük pörçük bilgilerin bulunuşu) Çin toplumu açısından özellikle belirgindir; bu konulara ilişkin literatür gittikçe genişlemekle birlikte cılızdır.[56] Ancak kesin bildiğimiz bir husus, Batı dünyasında olduğu gibi, yazılı kayıtların ağırlıklı olarak üzerinde durduğu gelişkin hekimlik sisteminin halk hekimliğiyle, zihinsel ve bedensel hastalıklara ilişkin dinsel ve doğaüstü açıklamalarla birlikte varlığını sürdürdüğüdür. Anlaşıldığı kadarıyla halkın büyük çoğunluğu, birçok hastalığı (Batı dünyasında zihinsel-bedensel ayrımının bir ölçüde yapıldığı hastalıkları) kötü ruhların ya da cinlerin etkisiyle açıklayan dinsel (Budist ya da Taocu) hekimlikte ve halk hekimliğinde çare arardı. Hastalar (daha doğru ifadeyle hasta aileleri ve çevredeki topluluk) çoğu kez anlamaya ve çözüm bulmaya dönük umutsuz bir arayışla bu değişik unsurların eklektik bir karışımına başvururdu.[57]

Vücudun iç bozukluklarını ya da bütün patoloji biçimleriyle mutabık kalındığında, dış patojenlerin müdahalelerini geçmiş hayattaki patavatsızlıklara, kadere, cin çarpmasına, hortlaklara ya da kozmik düzen aksaklıklarına bağlamak aynı ölçüde mümkündü. Hastalığı açıklamada pis hava, aşırı sıcak ya da soğuk, ıslaklık ve kuruluk, rüzgâr gibi güçlerin hepsi işaret edilebilirdi. Ancak Han bilimsel hekimliğine göre, "bu unsurların zararlılığı bünyesel zayıflığa bağlıydı. [...] Hayat dolu bir vücutta, zararlı unsurlara düpedüz yer yoktu."[58] Halkın çoğunluğu için, inançla şifa veren şamanlarda deva aramak hekimlere başvurmak kadar akla yakındı. Halk hekimliği sistemlerini oluşturan belirli unsurlar zaman içinde belirgin biçimde epey

---

56 Çin İmparatorluğu'nun son dönemi üzerine bu bölük pörçük bilgileri incelemeye dönük iddialı bir girişim için bkz. Fabien Simonis, 2010, Bölüm 13.

57 Bu değişken, çekişmeli ve örtüşen gelenekler üzerine çok yararlı bir değerlendirme için bkz. Paul D. Unschuld, 1985. Ortaçağ Çin'inde (yak. 300-900) din ve tıp, özellikle Budist ve Taocu âdetlerin karşılıklı etkileri ve iç içe geçişi üzerine yararlı başka bir kaynak için bkz. Michel Strickmann, 2002.

58 Shigehisa Kuriyama, 1999, s. 222.

değişti ve elitlere mahsus hekimlik biçimlerinin etkisi dışında kalmadı; aynı şekilde bu hekimlik biçimlerinin dayandığı düşünsel sistemin unsurları da halk hekimliği sistemlerinden etkilendi. Ayrıca din adamlarının duasına ve öğüdüne başvurmak da mümkündü. Her türden hastalık ve halsizlik karşısında, her şeyi denemek akla uygundu ve çoğu kimse her halükârda tanrıların öfkesinin, kaderinin ya da geçmiş hayattaki günahların çok önemli olduğu kanısını taşırdı.

Özellikle Han hanedanı döneminde kadim Çin elit hekimliğinin, sağlığı ve hastalığı bütüncül bir yaklaşımla anlama açısından Hippokrates geleneğiyle ortak bir yanı vardı. Klasik Yunan dünyasında olduğu gibi, hastalık çoğu kez (Çinli hekimlerin kusuru bünyesel aksamalarda bulması dışında) bir istila biçimi olarak görülürdü: Vücutta hayati sıvıların ve *qi*'nin (tam çevirisi olmamakla birlikte, kabaca soluk ya da enerji) akışını köstekleyen ve tıkayan düşmanca bir saldırı. Böyle tıkanıklıklar ortaya çıktığında, hasta düşmek kaçınılmaz sonuçtu. Bu türden fikirler ile suyukların dengesine ve dengesizliğine, zihnin ve bedenin iç içe geçişine ve hastalığın dengesizlik sayılışına ilişkin Hippokrates anlayışları arasında belirgin yapısal benzerlikler vardı. Ama birey ile kozmos arasındaki ilişkiyi kavrayış, cisimlerin bir araya getirilişi, devreye giren etkenlere ilişkin tarifler ve iki hekim topluluğunun patoloji vakalarına müdahale için geliştirdikleri araçlar köklü biçimde farklıydı. Hippokrates hekimleri suyukların bedensel dengesizliklerine büyük ağırlık verirken, örtüşmelere dayalı elit Çin hekimliği (ve hatta Taocu fikirlerden kaynaklanan hekimlik) *yin* ve *yang*'ı aslında birbiriyle bağlantılı ve birbirine bağlı karşıt güçler olarak görür ve sağlığı ikisi arasında dengeye dayandırırdı.

Güvenilir bulunan tek metin olmamakla birlikte en eski tıbbi bilgiler derlemesi, kadim bilgeliğin açığa çıkmış hali sayılan *Huang Di Nei Jing*'di [Sarı İmparatorun Dahili Tıp Kitabı]. Tıpkı Hippokrates metinleri gibi, ismi bilinmeyen birçok kişi tarafından kaleme alınmıştı. İlk derlendiği tarih konusunda uzmanlar görüş ayrılığı içindedir; tahminler İÖ 400 ila İÖ 100 arasında değişir. Kitap iki bin yılı aşkın bir süre boyunca elit Çin hekimliğinin temel düşünsel kaynağı olarak kaldı ve bir kutsal metin statüsü kazandı. İlke olarak, insanların metindeki anlamlarda yanılması mümkündü, çünkü çeşitli eski metinlerin dili kısa ve özlü, çoğu kez de gizemliydi. Bu yüzden kitabı açıklamaya ve yorumlamaya dönük çok geniş bir literatür vardı; bu da haliyle ilk metinleri daha iyi okuma kisvesi altında yeni fikirleri katmaya açık kapı bırakmaktaydı. Bu geleneklere bağlı olanlar *Dahili Tıp Kitabı*'nın kapsadığı bilgeliği aşma umuduna kapılamayacaklarını kabul ederlerdi ve tecrübeden kaynaklanan insan bilgisinin ise kaçınılmaz olarak hataya yatkın ve düzeltilmeye tabi olduğunu ileri sürerlerdi. Böyle bir tutum elit tabaka için en çok önem taşıyan Çin hekimliği çizgisinin özünde, bilginin tarihsel olarak "ilerlediği" anlayışına karşı çıkmanın ve klasik bir geleneği korumaya bağlı kalmanın yattığına işaret ederdi.

Ne var ki, birçok şey tartışmaya açıktı. Bu anlaşmazlıklar ve bilginler arasında süren teorik ve filolojik görüşmeler, metinlerin özgün anlamlarında hatırı sayılır değişikliklere olanak verdi. Ayrıca, kendilerini hâlâ kadim geleneğe bağlı gibi sunabilenlerin geleneksel sistemin çeşitli unsurlarına (Beş Evre ve *yin-yang* teorisi) çok farklı biçimlerde başvurmaları mümkündü. Sürekliliklerin vurgulanmasına rağmen var olan kararsızlıkların bir belirtisi, *Dahili Tıp Kitabı*'nın ilk başta birleşik tek bir metin olmaması ve ancak 11. yüzyılda güvenilir bir versiyonda mutabık kalınmasıydı. Önceki yüzyıllarda bilginler yeniden düzenleme, eklemeler yapma ve kendilerince eleştirel yorum katarak metinleri genişletme yarışına girmişlerdi. Dahası, tıbbi bilgiler (Batı dünyasında zamanla geçerlilik kazanacak yaklaşımla) üniversitelerde sistemli hale getirilmek yerine, aile soyağacıyla ya da bir usta hekimin yanında eğitimle aktarıldı; bu da kaçınılmaz olarak hekimden hekime büyük değişkenlik getirdi.[59]

Yani, alt tabakaların başvurduğu ve benimsediği oldukça farklı diğer hekimlik türlerini göz ardı etsek bile, gerçekte anlayış bakımından aynı kalan daha geniş bir çerçeve içinde önemli değişiklikler ortaya çıktı. Örneğin, ilk başta akıl hastalığını rüzgârın ve cinlerin müdahalesine bağlamaya eğilimli olan elit Çin hekimleri, İS 12. yüzyıldan itibaren sistemi tıkayan iç ateşin ve sümüğün etkisini vurgulamaya yöneldi.[60] Ancak Çin'de psikolojik ve davranışsal bozuklukların köklerine ilişkin tıbbi anlayış bazı can alıcı değişiklikler geçirse de bu patolojileri diğer hastalık türlerini de açıklayıcı dengesizliklere bağlayan bir anlayış olarak kaldı.

Toplumun her kesiminden Çinliler cin çarpmasından, zihin bulanıklığından ve öfke nöbetlerinden söz ederken *kuang*'ın yanı sıra *feng* ve *dian* gibi

---

59 Shigehisa Kuriyama, 1999. Yazar bu kitapta nabzı tutmaktan (*qiemo*) çıkarılabilecek sonuçlara ilişkin savlara dayanan nabız ve teşhis konusundaki Çin fikirlerini değerlendirirken, süreklilik görünümü içindeki büyük değişkenliği irdeler. Çinli hekimler nabza (*mo*) çok büyük ağırlık verirlerdi. Bilekteki farklı alanların farklı vücut bölgelerinde olup bitenlerin göstergesi olduğu ileri sürülürdü ve bu alanlarda hissedilebilen ince değişkenlikler temeldeki patolojiyi kavramada kilit bir unsur sayılırdı. Bu uygulamalarda süreklilik savı sözel düzeyde açıktır. Sonraki birkaç ilave iki bin yıl önce saptanmış yirmi dört *mo*'ya çok fazla şey katmadı. "Çin'de elle muayene güvenle uygulandı ve iki bin yıl boyunca istikrarlı biçimde geliştiği gibi, günümüzde de hâlâ gelişiyor" (s. 71). Ancak bu muayenede hissedildiği söylenen ufak ama anlamlı değişkenlikleri tarif etmeye dönük terimler birbirine karışmıştı ve birbiriyle yakından ilişkiliydi. Tanımlar mecazi ve imalıydı. Anlamların sürekliliği ve kararlılığı konusundaki iddialara rağmen, doğrusu uygulamada hem tarihsel dönemler içinde, hem de tarihsel dönemler arasında değişkenlikler kaçınılmazdı.

60 Fabien Simonis, 2010, s. iii.

çeşitli terimler kullanırlardı.[61] Delilik ile diğer sıkıntı biçimleri arasında Batı dünyasındakilerden daha kesin sınırlar yoktu, ama bu terminolojiye büyük ölçüde yıkıcı davranışları ve kaotik algı, konuşma ve duygu bozukluklarını, yani sağduyuya göre "delilik" anlayışını oluşturan karışıklıkları, bozuklukları, şaşkınlıkları, duygusal ve rasyonel denetim kaybını belirtmek için başvurulurdu.[62] Çinli hekimler ara sıra delilik konusuna girer ve ne zaman ortaya çıktığına ilişkin bazı görüşler belirtirlerdi. Ama Batılı doktorlar zamanla deliliğin kökenine ve tedavisine ilişkin özel bir literatür oluştururken, Çin'de buna benzer bir doktrin ve önerilen tedaviler dizisi ortaya çıkmadı. Çin elit tabakasının başvurduğu gelişkin hekimlikte bile, 20. yüzyıla kadar delilik ayrı bir hastalık olarak yorumlanmak yerine, sağlık bozukluğunun diğer biçimleri gibi, daha kapsamlı bir bedensel ve kozmolojik dengesizlikten kaynaklanıyormuş gibi ele alındı. Buna bağlı olarak, geleneksel metinlerde delilik üzerine söylenen sınırlı şeyleri değiştirmek ya da genişletmek için bir girişimde bulunulmadı. Anlaşıldığı kadarıyla delilik nadiren sürekli tıbbi ilginin ya da düşüncenin odağı oldu. Bütün bunlar Çinlilerin deliliği algılayışının zamanla nasıl evrim gösterdiğini incelemeye girişildiğinde, çok büyük güçlükler yaratır.

Yaklaşık iki bin yıl boyunca, elit hekimlerin konuyla ilgili sunduğu açıklamalar *Sarı İmparatorun Dahili Tıp Kitabı*'nın yanı sıra (İS 196-220 arasındaki bir tarihten kalma) *Shang Han Lun* [Soğuk Hasarına Bağlı Bozukluklar Üzerine Risale] gibi kadim metinlere bağlı kaldı.[63] Çin sağlık ve hastalık modellerinin merkezinde anatomik yapılar değil, bedensel işlevler yer aldığı için, her türden patolojinin temelinde solunum, sindirim ve vücut ısısı düzeni gibi şeylerde aksamanın yattığına inanılırdı. Hastalık uyumsuzluk olarak görülür ve uyumsuzluğun varsayılan kaynaklarının, tedavide veya uyumu yeniden sağlamada izlenmesi gereken yolu gösterdiği kabul edilirdi. Öbür uyumsuzluk biçimlerinde olduğu gibi, psikolojik ve davranışsal bozukluklarda açığa çıkan sorunlar da her bir vakanın gereklerine göre düzenlenmiş çok çeşitli tedavilerle giderilebilirdi: Geniş bir yelpaze oluşturan ilaçlar ve sıvı bitki özütleri; akupunktur biçiminde iğne kullanımı; beslenme ve egzersiz; *qi* dolaşımının önündeki engelleri ortadan kaldırmaya ya da patolojik olanlarını vücuttan çıkarmaya dönük başka çeşitli tekniklerdi. Bu listeye klasik metinler konusunda sınırlı ya da yok denecek düzeyde bilgili sıradan şifacılara

61 Bu terimler delilik biçimlerini belirtmekle birlikte, birbirinin yerini tutacak şekilde kullanılmazdı. *Feng* genel bir terimken, hiperaktiviteye ve kızgınlığa dayanan *kuang* deliliği *yang* enerjisinin aşırılığından kaynaklanırdı; *dian* deliliği Batı dünyasının genelde melankoli adını verdiği duruma yaklaşık denkti ve *yin* enerjisinde aşırılığın sonucuydu. Son terim sarsılma ya da yere düşme anlamıyla kullanıldığında sarayı ifade ederdi.

62 Fabien Simonis, 2010, s. 11.

63 Fabien Simonis, 2010, s. 14.

Akupunktur eğitimi: Ustanın ve öğrencilerden birinin ellerinde akupunktur iğneleri, ikinci öğrencinin elinde bir metin bulunması, teorinin ve pratiğin bir araya gelişine işaret eder. Xu Shi'nin *Zhen Jiu Da Cheng* [Akupunktur ve Deri Dağlama Üzerine Büyük Özeti] *adlı kitabın ön sayfası.*

bel bağlayan kitlelerin rağbet ettiği ve elit tabakanın çaresiz mensuplarının sıklıkla başvurduğu cin kovma ve inançla iyileştirme de eklenebilir.

Akıl bozukluğuna ilişkin organik açıklamalara sıkı sıkıya bağlı hekimler bile deliliğin bir bedensel durumdan ibaret olmadığını ve sosyal durumla belirlendiğini kabul etmekten kimi zaman kaçınamazdı. Gerek aileler gerekse imparatorluk yetkilileri için, akıl bozukluğunun doğurduğu sosyal sonuçlar genellikle ağır bastı. Böylece deliliğin tahribatıyla başa çıkmaya dönük pratik girişimler ve zamanla görevlilere delice hareketlerin üstesinden gelme yolunu göstermeye ve aileleri deli akrabalarını dizginleyici tedbirlere yönlendirmeye dönük bir yazılı hukuk doktrinleri manzumesi ortaya çıktı.

Örneğin, delilerce işlenen cinayetlere ilginin 17. yüzyıla doğru arttığı söylenebilir. Bunlar kasıt unsurundan yoksunluk nedeniyle kazaen cinayet gibi görülürdü. Bazen beraberinde cezayı ve hemen her zaman failin bir şekilde kapatılmasının yanı sıra kurbanın ailesine tazminat ödenmesini getirmekle birlikte, çoğu kez idama yol açmazdı (ancak bu durum 18. yüzyılın ortalarından itibaren değişti). Çok geçmeden bütün akıl bozukluğu vakaları resmi makamların dikkatini çekmeye ve çeşitli kapatma biçimlerine tabi tutulmaya başladı; hukuk suç işlemeyen delileri bile potansiyel tehlike

Tanrıların hekimi ve Güney Asya'da bugün hâlâ uygulanan kadim Ayurverda hekimliğinin tanrısı Dhanvantari.

saymaya yöneldi.[64] Gerekli tedbirleri almayı ihmal eden akrabalar sorumlu tutuldu. Bundan dolayı verilen cezaların aralıklarla ağırlaştırılması, resmi ihtarlara aldırış edilmediğinin bir belirtisiydi.

Deli katillere (uzuv kesmeden boyun vurmaya ve boğarak öldürmeye kadar uzanan cezaların yer aldığı) hunhar emperyal hukukun ara sıra tam uygulanmamasına karşın, özellikle zırvalıkları ve davranışları fitneci izler taşıyormuş gibi yorumlanabilecek diğer deliler için aynı şey söylenemezdi. Ölümcül şiddete yol açan öngörülemez deli davranışlarına kıyasla, imparatorluk otoritesini sorgulama izlenimi uyandıran meczup davranışları çok daha meşum ve tehdit edici sayılırdı. Bunun bir örneği 1763'te anlaşılması zor, çılgınca ve abuk sabuk sözler yazılı fişleri iliştirdiği bir çatı kiremidini Fujian valisi Dingzhang'a bulunduğu yere doğru gelişigüzel fırlatan Lin Shiyuan'dı. Muhafızlar tarafından yakalandı ve haince bir niyetinin olup olmadığının anlaşılması için sorguya çekildi. Akrabaları onun aylardan beri delirmiş olduğunu ısrarla belirttiler. Numara mı yaptığını, yoksa gerçekten deli mi olduğunu araştırmak üzere sorgucular gönderildi. Adamın deli ol-

64 Fabien Simonis, 2010, Bölüm 11 ve 12. Bu gelişmelere ilişkin farklı ve daha az inandırıcı bir perspektif için bkz. Vivien Ng, 1990.

duğu sonucuna varıldı. Ortaya çıkarılan bütün deliller bu yöndeydi. Vali bu görüşe katıldı. Yine de Lin'e hemen idam cezası verildi. Peki, suçu neydi? "Sinsi sözleri tasasızca yaymak, afişler yazmak ve halkı heyecana getirip kafa karışıklığı yaratmak."[65] Belli delilik türleri hukuken temize çıkabilirken, Lin Shiyuan'ın akıbetinin çarpıcı biçimde gösterdiği üzere, bazılarının kesinlikle öyle sayılmadığı açıktı.

DOĞU VE BATI

Çeşitli kisveleriyle emperyal Çin, daha önce belirttiğimiz üzere, emperyal Roma'dan çok daha uzun süre ayakta kaldı. Batı dünyasında sarsıcı siyasal ve sosyal parçalanmalar geçerli düzendi. Roma İmparatorluğu'nun çöküşü yüzyıllara varan bir süre boyunca, tıptaki Hippokrates geleneğini de kapsamak üzere klasik mirasın kayboluşuna yol açtı; telafi edilemeyebilecek bir kayıptı bu. Matbaa öncesi çağda, klasik kültürün aktarılışı hassas yazma malzemelerinin korunmasına ve zahmetli bir uğraşla suretlerinin çıkarılmasına, düpedüz ortadan kalkmış şehirli bir aylak sınıfın sürekliliğine bağlıydı. Klasik antikçağın büyük tarihçisi Peter Brown, Batı dünyasında antik kurumların geri dönülmez biçimde kaybolmasıyla "klasik kültürün hükmen yok olduğu"ndan söz eder.

Başka yerlerdeki talihli olaylar (sonraki bölümde anlatılacağı üzere, ortaçağ Konstantinopolis'inde bir klasik elit tabakanın zayıf biçimde varlığını sürdürmesi ve Yunan kültürünün İslam dünyasındaki yankıları) olmasa, şu anda Brown'un bize hatırlattığı gibi "papirüs parçaları dışında" Platon, Thoukydides, Eukleides, Sophokles gibi kişilerden bihaber bir dünyada yaşıyor olmamız her bakımdan mümkündü.[66] Bu listeye Hippokrates'i ve Galenos'u da ekleyebiliriz. Çin bütün siyasal çalkantı dönemlerine rağmen böyle bir duraktan geçmedi; bundan kaynaklanan birçok sonuçtan biri de tıp alanında antik metinlere işlenmiş bilgeliğin okumuş Çin sınıflarının deliliğe bakışına önemli bir etkide bulunmasıydı.

Güney Asya'da tıpkı Çin dengi gibi, bugün hâlâ uygulanan ve kadim merkeziyle sınırlı kalmayan başka bir köklü hekimlik geleneği gelişti. İlk başta Hindu geleneklerinden doğan Ayurverda hekimliği, Güney Asya'nın tamamında statik ya da tekörnek değildi. Zaman içinde kaynaştırıcı bir yaklaşımla başka unsurları özümsemesine karşın, İÖ 3. yüzyıl ile İS 7. yüzyıl arasında Sanskrit dilinde kaleme alınmış klasik metinleri, insan vücudunun yapısına, bedensel ve zihinsel sağlık bozukluğunun kaynaklarına ilişkin bir dizi ortak anlayışı içerir (Çin geleneksel tıbbında olduğu gibi, beden ve

---

65 F. Simonis, 2010, s. 1-2.

66 Peter Brown, 1971, s. 176-77.

zihin arasında gerçek bir ayrım yoktur). Hippokrates ve Çin hekimliklerine benzer bir yaklaşımla, bütüncül ve sistematik olanı öne çıkarır. Kişinin dünyayla bağlantıya girmesini sağlayan vücut sıvılarının (*dosha*) üç temel türü vardır: *Vata* soğuk, kuru ve hafif, *pitta* sıcak, ekşi ve keskin kokulu, *kapha* ise soğuk, ağır ve tatlıdır.

Hastalık bu *dosha*'ların yanlış ayarından ya da dengesizliğinden kaynaklanır; Ayurverda hekiminin görevi temeldeki denge kaybının sebeplerini saptamak ve dengeyi eski haline getirecek yolları bulmaktır. Bu yollar masaj, bitkilerden, minerallerden ve daha nadiren hayvansal kaynaklardan elde edilmiş ilaçlar (özellikle afyon ve cıva), beslenme, egzersiz, rejim değişiklikleri vb. unsurları kapsayabilir; ama doğaüstü cinlere ve tanrılara yakarmaları içeren ritüel tedavileri gerektirebilir.

İS 12. yüzyıl, Hint alt kıtasında Güney Asya'nın büyük bölümünün adım adım fethedilişiyle sonuçlanan bir dizi istilayla ilk İslam devletlerinin kurulmasına sahne oldu. Müslüman yöneticiler beraberlerinde başka bir hekimlik sistemi, Yunani olarak anılmasından kökeni belli olan bir geleneği getirdiler. Yunani tıbbın güvenilirliği ve esası Galenos'un ve diğer Yunan hekimlerin fikirlerine dayansa da, bu fikirler sıklıkla Ali Abbas el-Mecusî (ö. 994), Râzî (854-925) ve en başta da (ileride göreceğimiz üzere) Batı dünyasına muazzam etkide bulunan İbn Sînâ (980-1037)[67] gibi büyük İranlı hekimlerin eserlerindeki yorumlarla yansıtılmaktaydı.

Saray hekimliğiyle sınırlı kalmayan Yunani tıp, toplumun daha geniş bir kesiminde de oldukça tutuldu; ama kitleler arasında Ayurveda hekimliğinin yerini alamadı.[68] İki sistem zaten bedensel ve zihinsel varlığı tek ve bir gördüğünden, birbirini etkileyebilecek güçteydi. Sağlığı koruma açısından sindirim ve dışkılama, vücut alımları ve boşalmaları, ayrıca doğru hijyen hayati önemde sayılırdı. Aynı yaklaşım (çoğu kez modern Batı tıbbının toksik sayacağı dozlardaki) bitkisel tedaviler ve başta kurşun, cıva, arsenik olmak üzere toksik ağır metallere dayanan mineral tedaviler için de geçerliydi. Modern Batı tıbbı bu devaları beynin zehirlenmesinden dolayı zihinsel arazları tetiklemeye açık gibi görürken, geleneksel Hint şifacıları aksine, bozulmuş zihinlerin yanı sıra bozulmuş bedenleri iyileştirebilecekleri kanısındaydı. Alternatif tıbba bağlı olanlar böyle anlayışları bugün bile benimserler.[69]

---

67 Hakim A. Hameed ve A. Bari, 1984.

68 Dominik Wujastyk, 1993.

69 R. B. Saper, vd., 2008; Edzard Ernst, 2002.

Bölüm Üç

KARANLIK VE ŞAFAK

ARDIL DEVLETLER

Roma daha gücünün doruğundayken bile imparatorluğun doğu sınırındaki bir rakip sürekli bir askeri tehdit kaynağıydı. Önce Partların (İÖ 247-İS 224) ve ardından Sasani hanedanının (İS 244-651) yönetimi altındaki İran, Romalılarla ilk kez İÖ 53'teki Carrhae Muharebesi'nde karşı karşıya geldi ve İÖ 39'a doğru Doğu Akdeniz'in neredeyse tamamını ele geçirdi. Roma'nın aralıklarla giriştiği karşı-saldırılar bazen başarılı, bazen de başarısız oldu. İki imparatorluğun 4. yüzyıl sonlarında sağladığı göreli barış 6. yüzyıl başlarına kadar sürdü. 4. yüzyılda kurulan Konstantinopolis merkezli Doğu Roma (Bizans) İmparatorluğu 525'te İranlılarla bir kez daha savaşa tutuştu. Kısmen Bizans imparatoru I. İustinianoss'un verdiği 440 bin külçe altınlık rüşvet sayesinde tarafların 532'de "sonsuz barış" sözünü vermesine karşın, İranlılar sekiz yıl sonra Suriye'yi işgal etti. İnişli çıkışlı savaşlar yaklaşık bir yüzyıl devam etti.

Bu kadar çok savaşın etkisiyle ve askeri maceraları desteklemek için ağır vergiler koyma gereğiyle, her iki taraf da ciddi biçimde zayıfladı; vergi sorunu kuzeyden ve batıdan Avar ve Bulgar saldırılarını savuşturmak zorunda kalan Bizans İmparatorluğu açısından daha da ağırlaştı. İranlılar 622'ye doğru dikkate değer askeri ve siyasal başarı kazanmış gibi görünse de, bunun bedeli tükenen bir hazine ve daha da bitkin düşen bir orduydu. Bizans imparatoru Herakleios'un 627-629 arasındaki bir karşı-saldırısı kısa süreliğine Suriye'nin ve Doğu Akdeniz'in geri alınmasını ve Kutsal Haç'ın Kudüs'e yeniden dikilmesini sağladı. Ama her iki tarafı da dış saldırılara açık hale getirdi. İran güneyden Arap istilasına uğrayınca, Sasani İmparatorluğu hızla çöktü. Bizans İmparatorluğu en azından ilk başta böyle bir akıbetten kurtuldu; ancak 636'daki Yermuk Muharebesi'nden sonra Suriye, Doğu Akdeniz, Mısır ve Kuzey Afrika'nın bazı kesimleri Araplara kaptırıldı; bu topraklardan sadece Suriye 10. yüzyıl sonlarında geri alınabildi ve bu da nispeten kısa sürdü.

Konstantinopolis 330'da Roma İmparatorluğu'nun yeni başkenti olarak belirlenmesinden sonra, büyüyerek zengin ve güçlü bir kente ve Roma'nın 5. yüzyılda barbarlarca yıkılmasının ardından Avrupa'daki en büyük ve en zengin merkez olarak, Hıristiyan uygarlığının başkentine dönüştü. Çeşitli tahminlere göre, 9. ve 10. yüzyıllarda nüfusu 500 bin ila 800 bin arasındaydı. Kentin yöneticileri yerleşim alanını heybetli surlarla çevrelediler, bir dizi mimari şaheser inşa ettiler ve yüzyıllarca Doğu Akdeniz'deki zenginliğin büyük bir kısmından yararlandılar. Kütüphanelerinde çok sayıda Yunan ve Latin yazması korundu; böylece bu kültürel miras Roma İmparatorluğu'nun dağılmasıyla Batı Avrupa'da 5. ve 6. yüzyıllara damgasını vuran istikrarsızlık ve düzensizlik döneminde böyle malzemelerin başına gelen toplu yıkımdan kurtuldu. Bu kültürel hazinelerin bir bölümü daha sonra Konstantinopolis'in 1453'te Osmanlı Türklerinin eline geçmesi üzerine, Hıristiyan mülteciler sayesinde Batı dünyasına ulaştı. Böylece Arap uygarlığının etkisinden bağımsız olarak, Konstantinopolis hem dolaylı hem de dolaysız yollarla Helen ve Roma kültürünün canlanışına büyük katkıda bulundu ve sonuçta Batı Avrupa'da Rönesans olarak bildiğimiz dönüşümde hayati bir rol oynadı.

Doğu Roma İmparatorluğu'nun çöküş süreci Konstantinopolis'in 1204'teki yağmalanışına birçok bakımdan götürülebilir. O tarihte kenti tarihte emsali görülmemiş bir yıkım çılgınlığına maruz bırakan Haçlı Hıristiyanlardı. Antik Yunan dünyasından kalma sanat eserlerinin ve yazmaların yanı sıra, yüzyıllar içinde birikmiş diğer hazineler sebepsiz yere yok edildi. Haçlılar üç gün boyunca,

> uğultulu bir güruh halinde sokaklara üşüşerek ve evlere dalarak, parıldayan her şeyi kapıp aldılar ve taşıyamadıkları ne varsa yok ettiler; bu yağmaya sadece adam öldürmek, kadınların ırzına geçmek ya da şarap mahzenlerine girmek için ara verdiler. [...] Ne manastırlar, ne de kütüphaneler kurtuldu; [...] kutsal kitaplar ve ikonlar ayaklar altında çiğnendi. [...] Rahibelere manastırlarının içinde tecavüz edildi. Saraymış, mezbeleymiş demeden her binaya girildi ve hepsi enkaza çevrildi. Yaralı kadınlar ve çocuklar sokaklarda can vermeye terk edildi.[1]

Konstantinopolis ve Doğu Roma İmparatorluğu gerçek anlamda hiç toparlanamadı. Düştüğü 1453'te kentin nüfusu ancak 50 bindi. Türk kuşatmasının başarıya ulaşmasından hemen sonra, ana Ortodoks katedrali Ayasofya çok büyük sembolik anlamı olan bir jestle camiye çevrildi; artık İslam kültürünün bir merkezi olarak kenti yeniden mamur ve meskûn hale getirmeye girişildi.

Peki, bütün bu ciddi siyasal olayların delilikle ne alakası var? Bir hayli alakası var. Doğu Roma İmparatorluğu 7. yüzyıl başlarında Latince yerine Yunancayı resmen idari dil olarak benimsemiş, Yunan klasik felsefesi ve tıbbı

---

1 Steven Runciman, 1966, s. 506-08; onun ifadesiyle "tarihte emsali görülmemiş" bir yıkımdı bu.

orada varlığını sürdürüp serpilmişti. Aynı şekilde, İran uygarlığı da özellikle Sasani döneminde Yunan kültüründen yoğun biçimde etkilenmişti. I. Kubad (hük. 488-531) Platon ve Aristoteles eserlerinin tercüme edilmesini teşvik etmiş ve daha sonra Sasani başkentinin yakınındaki Gundişapur Akademisi önemli bir öğrenim merkezine dönüşmüştü. Yunanca tıp metinleri Süryaniceye çevrildi ve yerel hekimler İran ve hatta (imparatorluğun nüfuz ettiği) Kuzeybatı Hindistan kaynaklı etkilerle iç içe geçen bu gelenekten yararlandı. İslam öncesi İran zaten klasik Yunan ve ardından Bizans dünyasıyla sürekli temas içinde olmuştu; sadece savaşlarla ve toprakları genişletme girişimleriyle değil, Büyük İskender'in İÖ 334'te Pers ülkesini fethetmesiyle ve orada bir süre Yunancayı emperyal dil haline getirmesiyle ortaya çıkan bir temastı bu.[2] Böylece Hippokrates çevresinin ve Galenos'un o sırada Batı Avrupa'da büyük ölçüde kaybolmuş yazıları ve öğretileri, Yakındoğu'da tıbbi uygulamalara köklü bir etkide bulunmayı sürdürdü. Bu etki Arapların ve İslamın zaferiyle daha da güçlenecekti; ancak bu karmaşık soyağacının gösterdiği üzere, tıbbi bakımda Arap hekimliği ve Arap yenilikleri sandığımız şeylerin büyük bir bölümünün kökleri aslında İran toplumunda, Bizans'ta, Hippokrates ve Galenos hekimlik geleneklerinin özümsenmesinde yatmaktaydı.

Sasani İmparatorluğu'nun kurumlarını dağıtan ve Yakındoğu'nun büyük bir bölümünü denetim altına alan Arapların kurduğu imparatorluk 750'ye varıldığında, doğuda Kuzey Hindistan'a kadar uzanan, bütün Kuzey Afrika'yı ve İspanya'nın büyük bölümünü içine alan genişliğe ulaştı. Bu fetihlere Muhammed peygamberin 632'deki ölümünden önce Arap Yarımadası'nı birleştiren tektanrıcı din adına girişilmişti. İslamın bu kadar hızlı yayılması kısmen önceki yönetimlerde baskı altında tutulmuş ve ağır vergiye bağlanmış Hıristiyan ve Yahudi sakinlerin Arapları hoş karşılamasındandı. Hıristiyanlara ve Yahudilere sabit bir cizye ödemeleri şartıyla koruma ve hoşgörü sunuldu. Müslüman ordularının develeri sayesinde şaşırtıcı çabuklukla ilerlemelerine ve gerektiğinde amansızca ve son derece etkili çarpışmalarına karşın, Araplar çoğu kez amaçlarına ulaşmak için askeri güçten ziyade diplomasiye başvurdular.[3] Yönetimlerine boyun eğen halkların kültürlerindeki daha yararlı unsurları özümseyerek, odağında Arapçanın yer aldığı senteze dayalı ve zengin bir Müslüman kültürünü kısa sürede yarattılar, mevcut düşünsel merkezleri kucaklayıp geliştirdiler. Akdeniz'i saran geniş ve yoğun bir ticaret şebekesiyle, bu uygarlığın atılımlarını çok uzak yerlere taşıdılar.[4] Yaklaşık iki yüzyıllık evrimden geçen yeni kültür kısmen askeri fethin, ama aynı zamanda bilgileri ve fikirleri batıya doğru yayan emperyal tedbirlerin ürünüydü.

---

2 Bu gelişmeler için bkz. internet: htpp://www.iranicaonline.org/articles/Greece-x.

3 Peter Brown, 1971, s. 193; W. Montgomery Watt, 1972, s. 7-8.

4 W. Montgomery Watt, 1972, Bölüm 1.

İberya'daki Müslüman fethi 711'de başladı ve Magribi denetimi 718'de bütün yarımadaya ve Güney Fransa içlerine kadar uzandı. Ama bu nüfuz bölgedeki ilerlemenin en üst noktasıydı. Yavaş yavaş Hıristiyan *Reconquista* ["Yeniden Fetih"] başladı. Şimdiki İspanya'nın kuzey yarısı 1236'ya doğru Katoliklerin eline geçti ve sonraki 250 yılda Müslüman yönetimi altındaki topraklar yavaş yavaş küçüldü. Sonunda, yarımadanın kuzey kesiminde çekişen Hıristiyan hükümdarların en güçlülerinden Aragon kralı Fernando ve Kastilya kraliçesi Isabel döneminde, Müslümanları son kaleleri olan Gırnata (Granada) Emirliği'nden çıkarmak üzere 1482'de bir savaş başlatıldı. Tıpkı Kahire ve Bağdat gibi tam anlamıyla bir Arap kenti olan Gırnata'nın 1492'de düşmesinden sonra, Müslümanlar ve Yahudiler öldürüldü, zorla Katolikleştirildi ya da sürüldü; servetlerine ve mülklerine uygun biçimde el konuldu. Bir yüzyıl sonra İspanya kralı III. Felipe (hük. 1598-1621), Engizisyon'un baskısıyla din değiştirmelerin içten olmayabileceği kuşkusunu hâlâ taşıdığı ve âsi Felemenk'le[5] (şimdiki Belçika ve Hollanda) ateşkes imzalama kararından dikkatleri uzaklaştırma gereğini duyduğu için, Müslüman ve Yahudi nüfusun son kalıntılarını ülkeden sürdü. Konstantinopolis'in 1453'te Türklerin eline geçmesine, Balkanlar'ın ve Yunanistan'ın büyük bir bölümünün İslam denetimine girmesine karşın, Batı dünyasında İslamın siyasal ve kültürel etkisi 15. yüzyılın ikinci yarısında gerilemeye yüz tuttu.

Aradan geçen yüzyıllarda İslam kültürü birçok bakımdan muazzam bir etkide bulunmuştu. Araplar mahir tacirler ve denizcilerdi. Batı Avrupalılar onların yelken teknolojisi ve deniz haritacılığı gibi alanlarda sağladığı ilerlemeleri benimsediler; Portekizliler, ardından İspanyollar, İngilizler ve Hollandalılar Atlas Okyanusu'nu ve ötesini dolaşmaya yöneldiklerinde, bunlar hayati rol oynayacaktı. Araplar beraberlerinde şatafatlı yaşama dayalı yeni bir kültür, günümüze ulaşan mimari harikalar, kurak İspanya'yı portakal, limon, enginar, kayısı, patlıcan ve başka bir sürü yeni ürünün yetiştirilebil-

---

5 İspanyol Felemenk'indeki isyanın burada ayrıntılı anlatamayacağım uzun ve karmaşık bir geçmişi vardı. 16. yüzyılın son kırk yılına girilirken başlamış ve karmaşık bir bileşim oluşturan dinsel, finansal ve siyasal etkenlerle körüklenmişti. III. Felipe'nin babası II. Felipe'nin yerine geçtiği 1598'de birçok bakımdan ok yayından çıkmıştı. Yeni kralın Katolik güney kesimde denetimi bir ölçüde yeniden sağlamasına karşın, Kalvencilerin yoğun olarak yaşadığı kuzey eyaletlerinde İspanyol otoritesi dağılmış durumdaydı. Felipe'nin Magribileri ve Yahudileri İspanya'dan çıkarmaya yönelmesi büyük ihtimalle kısmen dikkatleri İspanya'nın 9 Nisan 1609'da isteksizce imzaladığı on iki yıllık ateşkesten uzaklaştırmaya yönelikti (Moriskoların sürülmesiyle ilgili ferman da 9 Nisan 1609 tarihlidir). Zamanlamadaki çakışma başka bir sonuca varmayı güçleştirir. Bkz. Antonio Feros, 2006, s. 198. Felemenk'teki savaş ateşkesin sona erdiği 1621'de yeniden başladı ama o sırada kuzeydeki Birleşik Eyaletler güçlüydü ve uluslararası düzeyde tanınan bir devletti; daha geniş çaplı bir yangına dönüşen Otuz Yıl Savaşı sırasında çatışma yatıştı. Sonraki yıllarda İspanya finansal kargaşaya düştü ve büyük bir Avrupa devleti statüsünü yitirdi. Bu arada Hollanda güçlü donanmasıyla, geniş çaplı denizaşırı ticaret sayesinde hızla gelişen zenginliğiyle ve kurduğu imparatorlukla en zengin ve en güçlü Avrupa devletleri arasına girdi.

diği bir yere çeviren sulama sistemlerini getirdiler. Çin icatları olan kâğıt ve matbaa da Batı dünyasına, kitaplar ve öğrenimle birlikte Araplar sayesinde girdi. (Johannes Gutenberg'in 15. yüzyıl ortalarında hareketli metal hurufatı geliştirmesi ve kullanması orijinal değildi; gerek Çinliler, gerekse Koreliler daha önce böyle sistemleri geliştirmişlerdi. Ama hareketli hurufat alfabetik Batı dillerine daha kolay şekilde uyarlandı ve Gutenberg'in seri üretime uygun bir metal hurufat sistemini icat etmesi, bunu yağ esaslı mürekkeple ve tahta baskıyla birleştirmesi sahiden çığır açıcıydı.) Bağdat'ta 800'de bir kâğıt imalathanesi kurmuş olan Araplar, bu teknolojiyi beraberlerinde İspanya'ya götürdüler. Compostela'ya giden Fransız hacılar ilk kez 12. yüzyılda karşılaştıkları kâğıdı büyük merakla incelediler; Almanya'da ve İtalya'da kâğıt imalathaneleri ancak 14. yüzyılda kuruldu. Arapların bölgeye bu sefer Çin değil, Hint kökenli yeni ve çok daha yararlı bir sayısal sistem getirmeleri de büyük öneme sahipti. Daha önce kullanılan Roma sisteminin yerine Arap rakamların geçirilmesi çok büyük sonuçlar doğurdu; çünkü yeni rakam yazımı muhasebe ve işletme usullerini dönüştürdü.

İspanya'daki (ve Arapların ele geçirip 11. yüzyılın sonuna kadar denetim altında tuttuğu Sicilya'daki) Arap uygarlığı aynı dönemin Batı Avrupa örneklerinin büyük bölümünden (birçok anlamda) daha zengin ve daha karmaşık, daha hoşgörülü, daha evrensel bir şehir uygarlığıydı. Arap atılımlarıyla 12. yüzyılda karşılaşan Avrupalılar korku, hayranlık ve haklı aşağılık duygusu karışımı bir tepki gösterdiler. Üstelik matematik, bilim ve tıp alanlarında Batı dünyasının İslam uygarlığına borçluluğu sonraki yüzyıllarda düşünsel bakımdan daha da artacaktı.[6]

İSLAM VE DELİLİK

Araplar siyasal egemenliklerini pekiştirirken, hastalığın ve bozukluğun müsebbibi olarak görülen cinleri yatıştırmaya ve yönlendirmeye dönük dualara ve tılsımlara, büyülü sözlere ve nazarlıklara inancı da beraberlerinde getirdiler.[7] Bu âdetlerin türetildiği kabile toplumuna özgü animist gelenekler İslamın benimsenmesiyle hemen ortadan kalkmamıştı. Bunda Kur'an'ın sağlık ve hastalık meselelerinde esasen suskun kalmasının[8] ve böylece en azından ilk başta müminlere eski geleneklerden kopuş yönünde çok az rehberlik ya da teşvik sunmasının küçümsenmeyecek payı vardı. Nitekim İslami düzen habis cinlerin varlığını ve güçlerini açıkça kabul ettiği için, delilik başta ol-

6 Burada söz konusu meselelere ilişkin bir sentez sunan W. Montgomery Watt'ın eserlerini doğrudan esas almaktayım. Bkz. *The Influence of Islam on Medieval Europe*, 1972, Bölüm 2 ve çeşitli yerler.

7 Bu konudaki değerlendirme için bkz. büyük çapta yararlandığım htpp://www. iranicaonline.org/ articles/Greece-x.

8 Manfred Ullmann, 1978, s. 4.

mak üzere çeşitli bedbahtlık biçimlerine ilişkin doğaüstü açıklamalarla bir süre gayet rahatça bir arada yaşadı. Yüksek kültürün Hellenistik unsurları özümsemesine ve Yunan tıbbının bir İslam hekimliğinin geleneğine temel oluşturmasına karşın, deliliğe ilişkin doğaüstü açıklamalar, doğalcı terimler ifade edilen açıklamaların yanında varlığını sürdürdü ve sıklıkla görülen bir durum olarak, tıbbi müdahaleler işe yaramadığında dinsel çözümlere rağbet edildi.

İslamda Hıristiyanlaşmış Avrupa'nın her yanına yayılanlara paralel cin kovma törenleri bulunmamasına karşın, Müslümanlar akıl hastalığının beraberinde getirdiği tehditler ve rahatsızlıklar karşısında dinsel teselli ve ilahi müdahale arayışlarına girdiler. Halk inançlarına ve âdetlerine ilişkin elimizdeki bulgular bölük pörçük olmakla birlikte, doğaüstü şifaya ve akıl hastalığını cinlerle açıklamaya sıklıkla başvurulduğuna güçlü biçimde işaret eder. Cinlere ve cin avcılarına (*cingîr*) sıkça göndermeler, hatta günümüzde Basra Körfezi çevresindeki bazı yörelerde *zar* olarak bilinen ve cin çıkarmaya dayanan bir ergenliğe geçiş töreni vardır (*Zar* zararlı bir rüzgârla ilişkilendirilen cin çarpmasını ifade eder; tören onu ve tehlikeli etkisini yatıştırmaya yöneliktir). Ortaçağ İslamında deliliğin seçkin bir tarihçisi olan Michael Dols, "olağandışı inançlara dayalı bir farmasonluk"tan söz ederken, o dönemde hemen her yerde deliliğe ilişkin dinsel yorumların ne kadar geniş olduğunu doğru bir şekilde saptar. "Erken Hıristiyanlık döneminde paganların yanı sıra Yahudilere ve Hıristiyanlara göre, akıl bozukluklarının sebebi ve muhtemelen çaresi doğaüstüydü. [...] Müslümanlar zengin bir manevi şifa mirasını devraldılar [...] ve [...] Müslüman toplumunda Hıristiyan şifacılığının çarpıcı bir sürekliliği vardır."[9]

Geçmişte Arapların (bozulmuş olsa bile diğer İbrahimi dinlerin mensubu saydıkları) Yahudilere ve Hıristiyanlara yönelik hoşgörü sözleri, daha sonra Osmanlılar tarafından da çoğunlukla muhafaza edildi. Hem koruma parası, hem de İslamı benimsemekten kaçınmanın cezası olarak görülen cizye karşılığında, İstanbul'a tahıl vergisi göndermeyi gerektiren geleneksel yükümlülükten muaf tutuldular ve hayatlarını devlet müdahalesine büyük ölçüde uğramaksızın sürdürmelerine izin verildi. Ticaret ve alışveriş canlandı. Sulama tesisleri onarıldı, harika binalar inşa edildi ve ele geçirilen topraklarda zengin bir düşünsel ve kültürel yaşam ortaya çıktı. Osmanlı yönetiminde fetih esas olarak dinsel olmaktan ziyade siyasal bir projeye dönüştü, müşrikleri hak dinine döndürmeye yönelik cihat yerine, askeri yollarla ülke topraklarını pekiştirmeye yönelik bir girişim anlamında gaza anlayışı benimsendi – Osmanlı padişahlarının gazi unvanıyla anılması bundandır.

---

9 Michael W. Dols, 1992, s. 9.

Batı dünyasında okuryazarlık Katolik Kilisesi'nde en cılız ve güdük şekliyle sürerken ve Bizans İmparatorluğu'nda (ilk başta geniş kapsamlı) klasik miras zamanla küçülüp Konstantinopolis surlarının gerisinde kalan birikimle sınırlanırken, İslam uygarlığı ve onunla birlikte İslam hekimliği gittikçe güçlendi. Klasik Arapçayı ortak dil olarak konuşan eğitimli, şehirli ve kibar bir elit tabaka, Kurtuba'dan (Cordoba) Semerkant'a kadar uzanan aydın bir kültürü paylaştı. Allah'ın nazarında bütün Müslümanların eşit sayılması nedeniyle, Suriyeliler ve İranlılar kısa sürede iktidar çekişmesine katıldılar ve daha önce onlara hükmetmeye çalışmış olanların yerini büyük ölçüde aldılar. Şam'daki Emevi halifeliğini yıkan ve Bağdat'ı 762'de yeni başkent yapan Abbasilerin başa geçmesi, yüzyılı aşkın bir süredir işleyen yönelimlerin uç noktasıydı. Kuzeydoğudaki Horasan bölgesinden gelen İranlılar, bu devrimde önemli bir rol oynadı ve izleyen dönemde İran'ın kültürel etkileri arttı. İslam'ın Kuzey Afrika üzerinden batıya doğru ve İber Yarımadası içlerine yayılması, başka kültürel etkileri getirdi. Ortaçağın İslam uygarlığı birçok bakımdan sırf Arap damgalı değildi; Müslümanların eseriydi ve hatta Müslüman diyarının daha geniş mozaiği içinde diğer dinsel toplulukların etkisi daha fazlaydı.[10]

Özellikle Arap hekimliği tamamen olmasa bile büyük ölçüde gayrimüslimlerin eseriydi. Mesele uygulanan tıbbın pagan antikçağının Galenos sistemine sıkı sıkıya dayanmasından ibaret değildi. Sonraki yüzyıllarda gelişen biçimiyle bu tıbbın önde gelen uygulayıcılarından birçoğu Yahudi ve Hıristiyan kişilerdi. Bu geleneğin belki de en ünlü hekimi İranlı bilgin İbn Sînâ'ydı. *El-Kanun Fi't-Tıb* (Resim 7) adlı eseri, Arap geleneğindeki en etkili tıp derlemesidir; aslına bakılırsa, birçok kişi tarafından şimdiye kadar yayımlanmış en önemli tıp metni sayılır.[11] Mevcut tıbbi bilgilerin beş kitap halindeki bir özeti olarak 1025'te tamamlanan *El-Kanun*'un ansiklopedik kapsamı her türlü hastalığı ve halsizliği içine alır. Zamanla Farsçaya, Yunancaya, Latinceye, İbraniceye, Fransızcaya, Almancaya, İngilizceye ve hatta Çinceye çevrildi. Avrupa'da 18. yüzyıl başlarına kadar bir ders kitabı olarak kullanıldı; ancak o sırada Yunanca ve Latince kaynaklar büyük ölçüde tercih edilir hale gelmişti. *El-Kanun* şu savla başlar: "Tıp, sağlığı korumak ya da yeniden kazanmak üzere, sağlıklı ve sağlıklı haldeki insan vücudunun şartlarını öğrenmemizi sağlayan bilimdir." İbn Sînâ'nın konuya hâkim bir sentez niteliğindeki eseri özgün yeni perspektifler sunmaz; çok daha sınırlı ölçüde İran, Hindu ve Çin tıp öğretilerine dayanmakla birlikte, ağırlıklı olarak Hippokrates'in ve Galenos'un izinden gider.

10 Peter Brown, 1971, s. 194-198.

11 20. yüzyılın ilk yarısının en büyük klinik uzmanı sayılan Sir William Osier, *El-Kanun*'u "şimdiye kadar yazılmış en meşhur tıp ders kitabı" ve "diğer eserlerden daha uzun bir dönem tıbbın kutsal kitabı" özelliğini korumuş eser olarak nitelendirmişti: 1921, s. 98.

İbn Sînâ'nın doğumundan bir buçuk yüzyılı aşkın bir süre önce, tıp ve diğer alanlardaki temel klasik metinleri Arapçaya çevirme çalışmaları başlamıştı.[12] Bu çeviri uğraşını harekete geçiren şey, kısmen daha sonra Müslüman egemenliğine girecek olan bazı bölgelerde Yunancanın ortak dil özelliğinin gerilemesiydi. Yunancanın yerini Arapçanın alması[13] esas olarak önceden Süryanice ile Yunanca bilen ve çeviri konusunda tecrübeli Hıristiyan bilginler sayesindeydi.[14] [Nasturi kökenli] Huneyn ibn İshak (ö. 873) çevresindeki kişilerle birlikte 129 Galenos metnini çevirmiş olmakla övünür. Kısmen koruma amaçlı bu çalışma, Galenos'un eserlerinin elde kalmasına ve daha sonra yaygınlaşmasına büyük katkıda bulundu; çünkü Huneyn başka bir yerde Yunanca tıp eserlerinin son derece nadir olduğunu ve onları sebatla aramak gerektiğini belirtir.[15] Sonraki yüzyılda büyük ölçüde dinen bu çeviri dalgası bir dizi sonuç doğurdu. Birincisi, yüzlerce antik metin gelecek kuşaklar için korundu (ve daha sonra Batı Avrupa'ya yeniden girdi); ikincisi, daha çok Galenos'un eserlerini tercih etme yönündeki belirgin eğilim, onun sisteminin Arap dünyasında yayılmasını sağladı; üçüncüsü, Yunanca tıp terminolojisini Arapçaya çevirme gereği, ilk kez İslam hekimlerinin hastalıkları ve tedavi yollarını görüşebileceği sistematik bir dil yarattı.[16] Galenos'ta İslami duyarlılıkları zedeleyecek çok az pasaj vardı ve tutarlılığı bozmaksızın kolayca çıkarılabilirdi. Ayrıca Galenos'un sağlığı ağırlıklı olarak uyumun, düzenin ve dengenin ürünü sayışı, Allah'ın bunları sağlayan yüce varlık olduğu yönündeki Müslüman anlayışını örtük biçimde onaylıyormuş gibi görülebilirdi.[17] İslam hekimliği bütünüyle statik değildi. Aksine, belli yönlerde özgün araştırmalara dönük sürekli çabalara girişti. Çiçek ve göz bozuklukları gibi farklı hastalıkları anlama ve tıbbın yararlı bulabileceği yeni maddeler ortaya çıkarmak üzere çeşitli bitkilerden, hayvanlardan ve minerallerden yararlanma konusunda yeni ilerlemeler sağlandı. Yine de bu uğraş 9. yüzyılda belirlenmiş olan Galenos temellerine sıkı sıkıya bağlı kaldı. Mevcut bilgileri geniş özetler halinde sistemleştirdi ve tıp metinlerinin (baskı teknolojisi öncesi dönem açısından küçümsenmeyecek bir başarıyla) hararetli bir tempoda çoğaltılması sayesinde, İslamın hüküm sürdüğü geniş topraklarda resmi

---

12 Çeviri hamlesi için bkz. Dimitr Gutas, 1998.

13 Manfred Ullmann, 1978, s. 7.

14 Lawrence Conrad, 1993, s. 693.

15 Lawrence Conrad, 1993, s. 694. Michael Dols, Süryanice konuşan Hıristiyan hekimlerin Yunan metinlerini Arap fetihlerinden önce düzenli tercüme ederek, Galenos'un fikirlerinin Suriye, Irak ve İran'da köklü biçimde yerleşmesini sağladığını vurgular: 1992, s. 38. Daha genel bir değerlendirme için bkz. Franz Rosenthal, 1994.

16 Burada Lawrence Conrad'ın bu meselelere ilişkin aydınlatıcı değerlendirmesini tam olarak esas almaktayım. Ayrıca bkz. Manfred Ullmann, 1978, s. 8-15.

17 Lawrence Conrad, 1993, s. 619.

tıp fikirlerinin yayılmasını sağladı ve Avrupa'nın daha sonraki bir tarihte kendi mirasına sahip çıkmasını mümkün kıldı. Ama Galenos'un fikirleri ve eserlerinde bir bakıma özetlediği daha kapsamlı Yunan geleneği, Avrupa'da Rönesans'tan itibaren gittikçe artan eleştiriyle karşılaşırken ve 19. yüzyıldaki tıp anlayışının temeli olmaktan büyük ölçüde çıkarken, İslam dünyasında buna benzer bir kopuş yaşanmadı. Antik tıp gelenekleri 19. yüzyıl başlarına kadar büyük ölçüde değişmeksizin sürdükten sonra, Batı emperyalizminin yol açtığı baskılar altında isteksizce terk edildi. Öte yandan, klasik öğretiler çoğaltılırken basitleştirildiği ve bozulduğu için, sonraki versiyonlar da düşünsel gücünü büyük bir ölçüde yitirdi.[18]

Deliliğin çeşitli halleri Galenos'un ilgilendiği başlıca konular arasında pek sayılmazdı; ama antik tıpta hepsi de suyuk dengesizliklerine bağlanabilen cinnet, melankoli, sara, histeri ve frenit (ateşin eşlik ettiği zihin bulanıklığı) arasındaki ayrımları görüp ele almaktan geri kalmadı. Onun ve İS 1. yüzyıldaki eserleri günümüze ancak küçük parçalar halinde ulaşan Ephesoslu Rufus gibi diğer Yunan yazarların açıklamaları, İslam hekimlerini geniş çapta etkiledi[19] ve dolayısıyla akli denge bozukluklarının gerisinde vücut dengesindeki değişimlerin yattığı kanaatini paylaşmalarına yol açtı. Örneğin, melankoli üzerine özlü bir risale yazan İshak ibn İmran (ö. 908), "hastaları aslında gerçek dışı olanı gerçek sanmaya yöneltici bir şeyden dolayı ruhta oluşan keder ve yalnızlık duygusu"nu, kara safradan kaynaklanarak, aklı ve idraki bulandıran ve yok eden buharlara bağladı.[20] Ona göre, bazıları melankolinin tahribatına doğuştan yatkındı ve melankolik bir mizaca mahkûmdu; bazıları ise ölçüsüz yeme ve içme, çok fazla ya da çok az egzersiz veya bağırsaklarını muntazam boşaltamama (ve böylece atığın çürüyüp kara safraya dönüşmesine yol açma) yüzünden kendi başlarına bu derdi açarlardı. Korku, öfke ya da şaşkınlık da bu delilik biçimine zemin hazırlayabilirdi; ama bozukluk aşırı kara safra birikiminde ağırlaşırdı ve ardından "marazi biçimde" beyni etkilerdi. Meslek yaşamının sonuna doğru yazmış olmasına karşın, İshak'ın risalesi klinik tecrübelere değil, tamamen kitabi bilgilere dayanır.[21] Bu anlamda her bakımdan temsili bir kişilik olduğu söylenebilir.

İLK HASTANELER

Hasta ve sakat kişiler için hayır kuruluşu niteliğinde hastaneler (Batı Roma İmparatorluğu'nda ara sıra kurulmuş askeri hastaneler sayılmazsa)[22] ilk

18 Manfred Ullmann, 1978, s. 49.
19 Bu konudaki değerlendirme için bkz. Plinio Prioreschi, 2001, s. 425-426.
20 İshak ibn İmran, *Makale fi'l-Mealihuliye*, aktaran ve değerlendiren: Michael W. Dols, 1987a.
21 Manfred Ullmann, 1978, s. 72-77.
22 Timothy S. Miller, 1985.

kez Bizans İmparatorluğu'nda kuruldu; ama bu fikir Yakındoğu'nun başka kesimlerindeki Hıristiyanlarca İslamın doğuşunda epey önce çarçabuk benimsendi. Ancak İslami yönetim altında, ilki 8. yüzyıl sonlarında kurulan hastaneler çoğaldı; sistemli bakım sunulan hastalar arasında akıl hastaları da vardı.[23] Hıristiyanlıkta olduğu gibi, İslam da zenginlerin yoksullara karşı yükümlülüklerini öne çıkardı ve İslam hekimlerinin sayıca artmasını, haliyle Hıristiyan meslektaşlarıyla bir rekabet izledi. Müslümanlar "zimmi" denilen koruma altındaki gayrimüslimlerden kesinlikle daha az hayırsever olarak görülemezdi. Böylece 12. yüzyıla doğru hastanesiz bir büyük İslam şehri kalmadı.[24]

Bu hastanelerdeki özel koğuşlara kapatılan delilere dönük tedaviye ilişkin bulgular gelişigüzel ve bölük pörçüktür. Günümüze ulaşan zemin planları, tek hücre ve açık koğuş bileşimlerinin yaygın olduğuna işaret eder; İslam hayırseverliğinin bu anıtlarını gezen seyyahların yorumları bu izlenimi pekiştirir. Demir pencerelere ve zincire vurulmuş hastalara dair birçok anlatımın bulunması,[25] pek şaşırtıcı olmasa gerek; çünkü Gırnata'da 1365-67'de bir hastanenin kurulduğu İspanya'ya kadar varmak üzere, bütün Arap ülkelerinde hastanelerin yaygınlaşmasına karşın, sadece az sayıda akıl hastasına yer vardı. Bunlardan birçoğunun tehlikeli ve azgın, yani çevrelerinin dizginlemekte büyük güçlük çekmiş olacağı deliler olması muhtemeldir. Belki de en büyük hastane Kahire'de 1284'te kurulan Mansuri Hastanesi'ydi. Buranın aynı anda barındırdığı meczup sayısı birkaç düzineden fazla değildi.[26] Öbürlerinde meczuplar herhalde çok daha azdı.

Hastalar duvara zincirlenmenin yanı sıra, sıklıkla dövülürdü; İbn Sînâ bile dayağı aşırı irrasyonel kişilerin aklını başına getirmesinden dolayı bir tedavi yolu saymıştı. Ama Galenos'un tavsiye ettiği üzere, deliliğe yol açtığı düşünülen yanık kara ya da sarı safranın ısıtıcı ve kurutucu etkilerine karşı koyarak, vücudu soğutacak ve nemlendirecek bir diyet tedavisi de uygulanır ve benzer sonuçları elde etmek amacıyla delilere banyo yaptırılırdı. Zararlı suyukları vücuttan boşaltmak için kan alma, hacamat, kusturma ve müshil verme yöntemlerine başvurulur, ayrıca hastanın taşkın ya da içe kapanık olmasına bağlı olarak, onu sakinleştirmeye ya da canlandırmaya yönelik afyon ve daha karmaşık başka ilaçlar kullanılırdı. Lavanta, kekik, nar ya da armut suyu, papatya ve karacaot (Resim 26) İbn Sînâ'ya göre yararlı olabile-

23 Hastanelerin önceki tarihi için bkz. Michael W. Dols, 1987b.

24 Lawrence Conrad, 1993, s. 716.

25 Örneğin, Leo Africanus olarak da bilinen El-Hasan ibn Muhammed el-Vezzan, Fas'ın Fez kentindeki hastanenin bir idareciydi. Tutsak alınıp Roma'ya götürüldüğü 1517'de, hastanedeki delilerin ağır zincirlerle bağlandığını ve duvarları ağır tahta ve demir kirişlerle takviye edilmiş odalarda tutulduğunu bildirdi. Bkz. Leo Africanus, 1896, c. 2, s. 425 vd.

26 Michael W. Dols, 1992, s. 129.

İspanya'nın Granada (Gırnata) kentindeki Arap hastanesi: İslam dünyasının her yanındaki birçok hastanede akıl hastalarına dönük tedavi bir ölçüde sunulurdu.

cek maddeler arasındaydı; bunun dışında başa süt dökülür, çeşitli yağlar ve merhemler kullanılırdı. İlk Batılı deli doktorları yüzyıllar sonra bu ve benzer yaklaşımları salık vereceklerdi.

Deli kadınlara ayrı mekânların tahsis edilmesi, onlardan bazılarını da ev ortamında denetlemede güçlük çekildiğine işaret eder; zira Müslüman erkekler kadın kısmını böyle açıkta bırakmayı pek istemezdi. İster erkek, ister kadın olsun, çoğu deliye evde kendi ailesi bakardı; gerekli imkânları daha rahatça kullanmalarından ve gerekirse evde kapatmaya uygun tedbirleri almalarından dolayı, zenginler haliyle bu yükümlülüğü çok daha kolay yerine getirirlerdi. İslam diyarında kentsel merkezlerin uzağında yaşayan halkın çoğunluğu için ise, hastanelerin sunduğu rahatlıktan yararlanmak besbelli ki mümkün değildi; ayrıca çoğu kimsenin maddi gücü hekimlikte tecrübeli birinin hizmetlerine başvurmaya yetmezdi. Dolayısıyla, zararsız ve tehlikesiz görüldükleri sürece, deliler genellikle kendi hallerine bırakılır, sataşmayla ve alayla, dahası şiddetle tepki verebilecek bir topluluğun insafına kalmış halde "serbestçe" dolaşıp dilenmelerine göz yumulurdu.

CİN ÇARPMASI VE MANEVİ ŞİFA

Arap fetihleri öncesinde, Yakındoğu'da birçok kişi, özellikle Roma İmparatorluğu'nun resmi dini haline getirildiği 4. yüzyıldan itibaren Hıristiyanlığa dönmüştü. Hıristiyanlık daha İS 300'de Doğu Akdeniz'in Antiokheia'dan [Antakya] İskenderiye'ye kadar uzanan büyük kentlerinde ciddiye alınması gereken bir güce dönüşmüştü ve yüzyılın sonuna doğru Roma İmparatorluğu'nun çoğunluk dini, yeni bir kitle dini sayılabilecek konumdaydı.[27] Mucizevi şifanın ve özellikle cin kovmanın yeni mümin topluluğu içinde önemli bir yeri vardı. Yetişkin vaftizinin yaygın olduğu 3. yüzyılda, sağlıklı kişideki cinleri "kesin" kovma bu törene ön hazırlığın bir parçasıydı.[28] Daha geniş çerçevede, Hıristiyan misyonerler bu dinin yayıldığı ilk yıllardan itibaren, cin kovmayı ve cinle çarpılmış kişileri iyileştirmeyi Mesih'in sözlerinin insanlara musallat olan görünmez düşmanlar karşısındaki gücünün kanıtı olarak kullanmışlardı.[29] Böyle iddiaların kutsal kitapta geniş dayanağı vardı; çünkü İsa (önceki bölümde gördüğümüz üzere) birçok vesileyle cin kovmuş, körleri, sakatları ve hastaları iyileştirmişti. Bazı Hıristiyan rahipler, ayrıca zamanla aziz olarak görülen mübarek kişiler aynı güçleri devraldıklarını ileri sürdüler.

Böylece Bizans İmparatorluğu'nda manevi şifa ve cin çarpması anlayışı kökleşti ve geniş kabul gördü. Bazı kaynaklara göre, bu gelişme 4. yüzyıldaki toplu din değiştirmelerin ardından, Hıristiyanlığa pagan düşüncenin sızmasıyla ortaya çıktı.[30] Cinlerin varlığı ve dinsel şifanın gücü yaygın işlenen bir görüştü ve bu inançlar hiç de sıradan insanlarla sınırlı değildi; güçlü ve nispeten iyi eğitimli kişilerce bile benimsenmişti.[31] Görünmeyen cinlerin her yerde olduklarına inanılır, her türlü kayıp ve talihsizlik onlara bağlanırdı.[32] Kitabı Mukaddes'te bolca emsalin bulunması nedeniyle, deliliğin cin çarpmasıyla açıklanması son derece kolaydı; hastalar şifa veren türbelere ve manastırlara akın eder ya da zorla götürülürdü.

Böyle âdetler Arap fetihlerinden sonra da ortadan kalkmadı. Yakındoğu'daki nüfusun çoğunluğu en azından iki ya da üç yüzyıl daha (ve ondan sonra bile hatırı sayılır bir azınlık) Hıristiyan olarak kaldı. Böyle çevrelerde, delileri din esaslı çeşitli müdahalelerle iyileştirme girişimleri sürdü. Öte

27 Peter Brown, 1971, s. 82-108.

28 Henry A. Kelly, 1985, Bölüm 4; Peter Brown, 1972, s. 136.

29 Peter Brown, 1972, s. 122.

30 Darrel W. Amundsen ve Gary B. Ferngren, "Medicine and Religion: Early Christianity through the Middle Ages", Martin E. Marty ve Kenneth L. Vaux (ed.), *Health / Medicine and the Faith Traditions: An Inquiry into Religion and Medicine*, Philadelphia: Fortress Press, 1982, s. 103, değ. Michael W. Dols, 1992, s. 191.

31 Michael W. Dols, 1992, s. 191.

32 Peter Brown, 1972, s. 131.

yandan, Kur'an'ın bu konularda büyük ölçüde suskun kalması nedeniyle, Müslümanlar arasında buna yakın bir dinsel şifa geleneği yoktu.[33]

Muhammed ilahi vahiyle Kur'an'ın indiği bir kişi olarak görülmesine karşın, İsa'dan farklı olarak, ilahi güçlere sahipmiş gibi sunulmaz. Allah'ın resulü ve elçisi sıfatıyla, hastaları iyileştirdiği, cinleri kovduğu ya da ölüleri dirilttiği ileri sürülmez. Ancak ölümünden sonra, onun da mucizeler gerçekleştirdiği inancı yavaş yavaş gelişti. Peygambere özgü şifaya[34] bir temel oluşturmak üzere, onun sözlerine ve davranışlarına ilişkin birinci elden tanıklıklara dayalı hadis geleneği geliştirildi; gözetilen amaçlardan biri de deliliği açıklamak ve buna dönük devalar sunmaktı. Bu devalar arasında duaların ve büyülü sözlerin yanı sıra, hekimlerce salık verilenlerden pek farklı olmayan daha sağlam somatik tedaviler de vardı: Kan çekmek üzere damarları açma, müshil verme ve sıcak demirlerle kafayı dağlama (Cinlerin demirden sakındığı yolundaki yaygın inanç, son tekniğin rağbet görüşünü açıklayabilir).

Hadislerin yeniden yorumlanması zamanla bir değişime yol açtı. Ortaçağ'ın sonlarına doğru, Muhammed de bir mucize yaratıcısı olarak görülmeye başladı ve ilahi lütufla daha küçük kerametler gösterebilen İslam "ermiş"leri ortaya çıktı.[35] Araplar ruhlara ve cinlere kesinlikle inanırlardı.[36] Nitekim Kur'an'ın ilk kısımlarında çokça değinilen cinler, İslam sanatında sıklıkla işlenen bir konudur; cinlerle ilgili hikâyeler halk edebiyatında ve din risalelerinde bolca geçer.[37] Delilerin davranışlarını ve garip kavramlarını cinlerle çarpılmalarıyla açıklayan anlayış buradan kaynaklanır.

Arapçada *el-cünun fünun* ("delilik çeşit çeşittir") diye bir deyiş vardır. Hatta *cünun* edebi ya da mistik bir anlamda, dar hesaplı akla alternatifi belirtici bir övgü biçimi olarak kullanılabilir. Farsçada da deli teriminin karşılığı olan ve "cine yakışır" ya da "cinle çarpılma" diye çevrilebilecek şekilde *div* ve *ane* kelimelerinden türetilen *divane*, her iki türden anlamı kapsar (Bizzat *div* kelimesinin İran ve Hint mitolojilerinde derin kökleri vardır). Ama Arapça konuşanlar *mecnun* terimini kullanarak, tıbbi ve adli biçimleriyle deliliği daha dar anlamda da ifade edebilirler; bu terim çoğu kez özellikle olumsuz çağrışımlarıyla "meczup" anlamında kullanılır. İslam edebiyatının büyük romantik kahramanlarından biri olan ve Leyla'ya saplantılı aşkı trajediyle son bulan (Resim 8) Kays'a, en lafzi anlamı "cinlerle çarpılma" olan Mecnun adı verilmiştir.

---

33 Michael W. Dols, 1992, s. 206.
34 Örneğin bkz. Cyril Elgood, 1962.
35 Michael W. Dols, 1992, s. 10.
36 Toufic Fahd, 1971.
37 Michael W. Dols, 1992, s. 214.

Leyla ile Mecnun hikâyesinin birçok versiyonu vardır. Talihsiz âşıkları konu alan bu masal, insanı Shakespeare'in çok daha sonraki *Romeo ve Juliet* trajedisiyle karşılaştırmalara yöneltir; uyandırdığı kültürel yankı daha da büyüktür. Belki en ünlü versiyonu 12. yüzyıl sonlarının İranlı şairi Nizamî'nin uzun anlatısal şiiridir;[38] ama masal, şiirin ve düzyazının yanı sıra müzikle ve resimle de sürekli anlatılagelmiştir. Standart unsurlar her zaman mevcuttur: Leyla ve Mecnun birbirlerine tutulurlar. Mecnun tamamen gönlünün esiri olur, her türlü idrak ve edep duyusunu yitirir. Garip bir cilveyle, bizzat bu saplantı onu sevdiği kişi uğruna benliğinden vazgeçmeye ve onunla evlenme girişimlerinin Leyla'nın ailesince geri çevrilmesine yol açan aşırı hareketlere yöneltir. Zira bir deliyle evlenmek, ailenin şerefini lekeleyecektir. Mecnun çöle düşer ve hayvanlarla konuşur; sonu gelmez şiirler yazdığı sevgilisiyle irtibat kurmak için zaman zaman beyhude çabalarda bulunur. Hep terslenir ve deliliğinin gittikçe daha açık hale gelmesinin ardından, ayrı düşmüş iki âşık sonunda ölür. Bazı versiyonlarda Mecnun vurulduğu zinciri koparıp kurtulur. Çölde bir münzevi gibi yaşar, bir deri bir kemik kalır, abuk sabuk konuşur, saçı artık upuzun ve darmadağınıktır, uzayan tırnakları hemhal olduğu hayvanların pençelerini andırır, teni güneşten kararmıştır, dört ayak üstünde emekler, sanrılar görür ve gözleri dalıp gider, kimi zaman cinnet geçirir, Müslüman sosyal normlarına sarsıcı bir aykırılıkla çıplak dolaşır. Aklının başında olduğu bir anda şunu itiraf eder: "Halkımın canına batmış bir dikenim ve hatta adım dostlarımı rezil ediyor. Herkes kanımı dökebilir; ben kanun kaçağıyım ve beni öldüren cinayetle suçlanmaz."[39] Burada deliliğe ilişkin klasik klişeler karşımıza çıkar: Asosyal, gerçeklikten ve göreneksel ahlak normlardan kopmuş, bir hayvan düzeyine düşmüş, ürkütücü bir serseriye dönüşmüş, sağı solu belli olmayan ve hikâyenin birçok versiyonuna göre kötücül bir cinle çarpılmış biri.

HIRİSTİYAN AVRUPA

Avrupa'da Roma gücünün çözülüşünü izleyen yüzyıllardaki Ortaçağ toplumları yoksullukla ve hastalıkla darmadağın oldu, bu eş musibetlerin tahribatı yaygın şiddetle ve güvensizlikle ağırlaştı. Kötü beslenmenin ve kıtlığın hüküm sürdüğü, açlıktan toplu ölümlerin hep bir ihtimal ve çoğu kez bir gerçek olduğu bir dünyaydı bu.[40] Aynı şekilde ortalığı kasıp kavuran hastalıklara bağlı tahribatın en bariz belirtisi, düşük ortalama ömrün yansıttığı acımasız demografik gerçekti. Kırk beş yaşına ulaşan Ortaçağ erkeği istisnaydı

38 Nizamî, 1966, *The Story of Layla and Majnun*, çev. R. Gelpke.
39 Nizamî, 1966, s. 38.
40 Jacques Le Goff, 1967, s. 290.

ve doğumun getirdiği tehlikelerden dolayı, Ortaçağ kadını genellikle daha da kısa ömürlüydü. Büyük Veba Salgını'nın 1348'de başlamasının hemen ardından, ölüm oranları daha da yükseldi; 14. yüzyıl boyunca süren veba salgınları Avrupa nüfusunu belki de üçte bir oranında düşürdü. Birçok kişi özellikle kış aylarında temel besinlerden yoksun yiyeceklerle zar zor yaşamını sürdürebilecek durumdaydı ve şiddetli enfeksiyonları ya da parazit ve böcek kaynaklı patojenleri kontrol altına almak şöyle dursun, bunları teşhis etmekten bile uzaktı (Ayrıca toplum gıda ve su kaynaklarının insan ve hayvan dışkısıyla sürekli kirlenişiyle başa çıkamamaktaydı). Bu bakımdan hastalık yükünün sarsıcı olması şaşırtıcı değildi.[41] Aynı şey sakat ve kötürüm insanların (sağırlar, körler, bir ya da daha fazla uzvu kullanamayanlar, raşitizme ve cüzama yakalananlar, her türlü kusurdan ve şekil bozukluğundan mustarip olanlar) sayısı açısından da geçerliydi. Bedbahtlığın bu büyük ölçüde çaresiz ve muhtaç kurbanlarına, saralı, çıldırmış, melankolik, sanrılı, bunamış delileri de ekleyebiliriz.

Büyük yığınların 7. ve 13. yüzyıllar arasındaki akıbetine dair bilgilerimiz kıt denecek kadar azdır. Tek tek kurbanlarla ilgili ayrıntılı bulgulara dayanan sağlam genellemeler sunabilecek durumda değiliz. Batı Roma İmparatorluğu'nun çöküşüyle birlikte okuryazarlığın silinişinin ciddi ve uzun süreli oluşu, ufak bir kesim dışındaki Ortaçağ toplumunun tamamını oluşturan daha az talihli alt tabakalarda yaşanan acıları ortaya çıkarmada her zaman çekilen güçlüğü artırıcı niteliktedir. Çok düşük oranda okuryazarlık sadece manastırlarda ve kilisede sürdü ve odak noktası çoğunlukla Roma'nın pagan mirası değil, dinsel metinler oldu. Yunan ve Roma hekimliği bu kültürel ihmalin mağdurlarından sadece biri olsa da, onun gerilemesi deliliğe ilişkin Ortaçağ anlayışı ve tepkileri açısından önemli sonuçlar doğurdu.

Roma Kilisesi (16. yüzyıldaki Reform hareketinden sonra aldığı adla Katolik Kilisesi) Roma İmparatorluğu'nun çöküşünün ardından ayakta kalan ve zamanla gelişen yegâne önemli kurumdu. İlk Hıristiyanlar geleneksel Roma tanrılarına biat etmeyi ve kurban adamayı inatla reddedişlerini küfür noktasına varacak bir hakaret sayan Romalı yöneticilerin periyodik işkence, baskı ve kıyım yöntemlerine maruz kalmışlardı. Kamusal ibadet imparatorluğun istikrarı ve başarısı açısından hayati önemde görülen bir şeydi. Neron döneminin İS 64'te başlayan ve 3. yüzyılda (baskılarda periyodik fasılalar olsa bile) doruğuna ulaşan sindirme harekâtı çok sayıda şehit ve aziz yarattı. İmparator Constantinus'un 313 tarihli Milano Fermanı'yla Hıristiyanlığa karşı resmi hoşgörüyü ilan etmesi ve bizzat Mesih kültünü benimsemesi belirleyici bir dönüm noktası oldu; 337'de ölüm döşeğinde Hıristiyanlığa dönmesi bu de-

41 Paul Slack, 1985, s. 176.

1 ÖNCEKİ SAYFA *Richard Dadd'in The Fairy Feller's Master-Stroke* [Oduncu Perinin Ustaca Vuruşu, 1855-1864] *tablosu. Dadd umut veren genç bir sanatçıyken, babasını öldürmesi üzerine Bedlam'e yatırılmıştı. Ayrıntılardaki incelikli özen ve gerçeküstü nitelikler, Dadd'in birçok eserinin tipik özelliğidir.*

2 ALTTA *Saçları uzamış ve tırnakları pençeye dönüşmüş bir vahşi hayvan görünümüyle Nebukadnezzar. Babil kralının deliliğini anlatan Kitabı Mukaddes hikâyesine ilişkin bu çarpıcı görüntü, Almanya'nın Regensburg kentinde meçhul bir sanatçının hazırladığı yazmadan (yak. 1400-1410) alınma bir detaydır.*

3 KARŞI SAYFANIN ÜST SOLUNDA *Hieronymus Bosch*, The Ship of Fools [*Aptallar Gemisi, yak. 1510-1415*]. *Platon demokrasiyi bir aptallar gemisine benzetmişti ve Alman ilahiyatçı Sebastian Brant da 1494'te çağdaşlarının günahlarını hicvetmek için aynı alegoriyi kullanmıştı. Bosch'un tablosu her türlü aptalla dolu bir geminin amaçsızca sürüklenişini gösterir.*

4 KARŞI SAYFANIN ÜST SAĞINDA *Ressam Asteas'ın İÖ yak. 540'ta yaptığı bu kırmızı figürlü kupada, öfkeden deliye dönmüş Herakles çocuklarından birini paramparça haldeki ev eşyalarından oluşan bir yığına fırlatmak üzereyken görülüyor. Onu durduracak güçten yoksun olan karısı, olup bitenleri dehşetle izliyor.*

5 KARŞI SAYFADA ALTTA *Tanrı seçtiği halkı korumak üzere müdahalede bulunuyor. Suriye'de İS 3. yüzyıldan kalma Dura-Europos adlı sinagogdaki bu duvar resminde, Yahve'nin gökyüzünden uzanan elleri Kızıldeniz'i yararak, Yahudilerin geçmesine izin verirken, onları takip edenler geri gelen sularda boğuluyor.*

6 ÜSTTE *Galenos hekimliği temelini oluşturan dört suyuk (soğukkanlı, sıcakkanlı, asabi ve melankolik) teorisinin bir ortaçağ sanatçısınca resmedilişi. Bunlardaki dengesizliğin bedensel ve zihinsel sağlık bozukluğuna yol açtığına inanılırdı.*

7 ÜSTTE *İbn Sînâ'nın* El-Kanun Fi't-Tıb *kitabında, İran'ın İsfahan kentinde 1632'de resmedilmiş bir tezhipli yazma sayfası. Yazılışı 1025'te tamamlanan* El-Kanun *her türlü hastalık ve halsizlik biçimini kapsayacak şekilde, mevcut tıbbi bilgilerin yer aldığı son derece etkili bir derlemeydi.*

9 SOLDA *13. yüzyıl ortalarından kalma bir kodekste, Thomas à Becket'in öldürülüşünün canlı bir tasviri. Bu azizin kanının akıl hastalığını, körlüğü, cüzamı ve sağırlığı, ayrıca başka bir sürü illeti iyileştirdiğine inanılırdı.*

10 ALTTA SOLDA *Ortaçağ Avrupası'nda azizlerden kalan kutsal emanetlerin etkisine güçlü bir inanç. Mucizevi güçler yakıştırılan Azize Foy'un kafatası, Fransa'nın Conques Manastırı'ndaki gösterişli bir sandukada saklanırdı.*

11 ALTTA *Mesih'in cin çarpmış bir genci kutsamasıyla, cinin hemen kaçışı,* Très riches heures du duc de Berry *adlı yazmadan (yak. 1412-1416).*

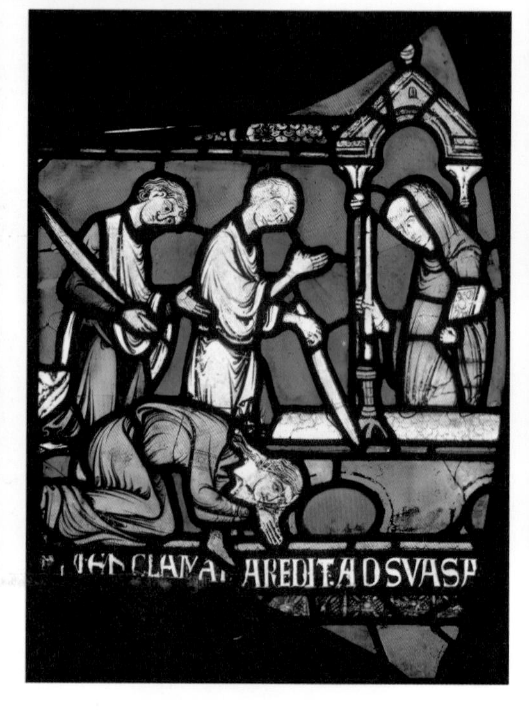

12-14 ÜSTTE *Canterbury Katedrali'ndeki Üçleme Şapeli'nde, kendi bebeğini öldüren Kölnlü Deli Matilda'nın hikâyesini anlatan üç vitray. Matilda bir mucizevi deva arayışıyla Canterbury'ye kendi isteğiyle ya da zorla getirilen birçok hacıdan biriydi. Üçüncü panoda (altta, sağda), zavallı kadın aklı başına gelmiş halde görülüyor.*

ğişimi pekiştirdi. Constantinus'un ardıllarından sadece İulianos İS 360'larda pagan tanrılarına dönüş yönünde ısrarlı bir girişimde bulundu. Hıristiyanlık resmi onayla (belki daha doğrusu, resmi baskı olmayınca) sonraki iki yüzyılda hiç kuşkusuz çarpıcı bir gelişmeyle sürekli güç kazandı.[42] "İnsanları ve zenginliği bir sünger gibi emen yerleşik bir kilise"ye dönüştü.[43] Garip bir cilveyle, bu örgütlenme de zamanla yeni bir hoşgörüsüzlük ve nefret, terör ve önyargı dönemi başlattı.

Hıristiyanlar 375-800 arasında kuzeydeki ve batıdaki barbar toplumları bu dine döndürmek üzere son derece etkili bir programa giriştiler. Bu toplumların kabile yapısı Hıristiyanlığı yaymayı kolaylaştırdı; çünkü bir liderin ya da önemli bir büyüğün yeni dini benimsemesi çoğu kez geri kalan kabilenin kısa sürede topluca din değiştirmesini sağladı. Süreçteki can alıcı unsurlardan biri, Hıristiyan Tanrı'nın gücünü sergileyecek mucizelere ve kerametlere başvurmaktı; bunların arasında mezarları ve pagan tapınaklarını yıkma, duayla cin kovma, kötürümleri ve delileri büyüyle iyileştirme yöntemleri vardı.[44] Verilen mesaj şuydu: Benim Tanrım sizin tanrılarınızdan daha güçlüdür. Bakın, kutsal mekânlarınızı yıkmakla hiçbir cezaya uğramıyoruz. Mucizelerimize, insanlarınızı marazdan ve azaptan kurtarma gücümüze bizzat tanık olun. Örneğin, Tours piskoposu Aziz Martin (316-397) pagan tapınaklarını yakarken, barbarları Hıristiyan Tanrı'sına tapmaya ve kendilerini bile kurtarmaktan aciz pagan putlarını bir tarafa atmaya ikna etme amacını güdüyordu.[45]

Mucizeler başından itibaren Hıristiyanlıkla iç içeydi. İlk kilisenin resmiyette büyüye şiddetle karşı olmasına rağmen, pratikte büyü ile mucize arasındaki ayrımı belirlemek çoğu kez zordu ve bu muğlaklığın beraberinde getirdiği tehlikeler vardı. Gerek paganlar gerekse Hıristiyanlar karşılaştıkları talihsizlikleri cinlere bağlarlardı ve Hıristiyan müminlerin gözünde, bu insanüstü yaratıklar sonuçta bizzat Şeytan'ın aracılarıydı.[46] İsa cinleri kovma, ölüleri diriltme ve hastaları iyileştirme gücünü göstermiş ve bunu havarilerine aktarmıştı. "İsa on iki öğrencisini yanına çağırdı; kötü ruhları kovmak ve her hastalığı, her illeti iyileştirmek üzere onlara kötü ruhlar üzerine yetki verdi. [...] Hastaları iyileştirin, ölüleri diriltin, cüzamlıları temiz kılın, cinleri kovun. Karşılıksız aldınız, karşılıksız verin."[47] Böyle güçlerin daha sonra azizlere ve piskoposlara geçtiğine inanılırdı. Her aşai rabbani ayninde ilahi

42 Peter Brown, 1992.

43 Peter Brown, 1972, s. 67.

44 Richard Fletcher, 1997.

45 "The Life of St. Martin, by Sulpicius Severus", Frederick R. Hoare, 1954, s. 29.

46 Peter Brown, 1972, s. 131.

47 Matta 10:1, 8.

müdahalenin mucizevi gizemiyle, Mesih'in etine ve kanına dönüştüğü ileri sürülen ekmek ve şarap dağıtılırdı. Ancak işin biraz şaşırtıcı yanı, ilk Hıristiyanların mucizeleri propaganda amacıyla kullanmaktan kaçınmalarıydı.[48]

AZİZLER VE MUCİZELER

Sonraki yüzyıllarda durum değişti. İlk Hıristiyanların eziyet gördüğü dönemdeki bütün şehitler ve azizler, onlara yakıştırılan güçler çerçevesindeki bir dizi güçlü inanca ve âdete dayanak sağlamak üzere hayata döndürüldü, daha doğru ifadeyle maddi kalıntılarına yeni manevi etkiler yüklendi. Bunun aracı ise çoğu kez hastaları iyileştirdiğine ve mucizeleri gerçekleştirdiğine inanılan kutsal emanetlerdi. Mezarlar güçlüydü; kemikler daha da öyle. "Pagan tapınaklarının ve sunaklarının kapatılmasına, dönüştürülmesine ya da yıkılmasına karşın, şifa tanrısı Aesculapius'un [Asklepios] ya da Apollonius'un eski devaları, öngörüleri ve mucizeleri Hıristiyan türbelerinde yeni bir manevi hiyerarşinin, şehit düşmüş azizlerin himayesi altında varlığını sürdürdü."[49] Hippolu Aziz Augustinus (354-430) henüz pagan olduğu 386 gibi erken bir tarihte şu mucizelere tanık olduğunu aktardı: Milano kentinin dışında yeni açılan bir mezardan çıkan iki azize ait kemikler kör bir adamın gözlerini açmış ve aklını kaçıran başka bir adamın içindeki cinleri kovmuştu. Canterburyli Aziz Augustinus'u İngiltere'deki Anglosaksonları Hıristiyanlığa döndürmekle görevlendiren Papa I. Gregorius (yak. 540-604), *Dialogues* [Diyaloglar] kitabında mucizelerin, alametlerin, kerametlerin ve şifaların eksiksiz bir derlemesine yer verdi.[50] Bu açıdan Ortaçağ'ın genelgeçer anlayışına büyük ölçüde bağlı sayılırdı. Cemaati tarafından da geniş çapta paylaşılan ve ölümünden sonra halkın onayıyla anında azizlik mertebesine yükselmesini sağlayan bir bağlılıktı bu.

6. yüzyılın sonuna varıldığında, kilisenin gücünde ve etki alanında aziz mezarlarının kilit rolünden kuşku duyan çok az kişi vardı.[51] Sonraki yüzyıllarda azizlerin şefaatine rağbetin artmasıyla, mezarları açılıp kalıntıları çıkarıldı. Birden fazla yerin mucizevi şifa güçlerine sahip çıkabilmesi ve böylece gelecek hibelerden yararlanabilmesi için, bazen bu kalıntıları parçalara ayırma yoluna gidildi. Kutsal emanetler yakın yerlere olduğu kadar uzak yerlere de götürülürdü. Sözgelimi, Orta Fransa'da 1114'te bir Sistersiyen manastırının kurulduğu Pontigny'nin keşişleri, orada gömülü Abingdonlu Aziz Edmund Eich'in mezarını açtılar ve bir kolunu kesip aldıktan sonra

48 Ronald C. Finucane, 1977, s. 17.
49 Ronald C. Finucane, 1977, s. 19.
50 Edmund G. Gardner (ed.), 2010.
51 Peter Brown, 1981, s. 3.

tekrar kapattılar.[52] Böylece manastırda hacıların ibadet edip şifa aramaları (ve bu arada adaklar bırakmaları) için ikinci bir mekân oluşturdular. Buna karşılık, Oxfordshire ilindeki Abingdon'da bulunan çok daha eski (675) Benedikten manastırında yıllar içinde uzak yerlerden getirilmiş bir yığın kutsal emanet toplandı. Bu listede 1116 itibariyle "Mesih'in beş kutsal emaneti, altı havariye ait parçalar, otuz bir şehide ait ufak tefek şeyler, günah çıkartan otuz dokuz papazın kalıntıları ve on altı bakireye ait parçacıklar" yer almaktaydı. Mucize yaratıcı maddelerden oluşan ve dindarları akın akın oraya çeken muazzam bir koleksiyondu bu.[53] Dördüncü Haçlı Seferi'nde yollarını değiştiren askerlerin 1204'te Konstantinopolis'i kuşatıp ele geçirişini, bir hırsızlık ve yıkım furyası izledi. Kiliseler "yağmalandı ve içinde kemiklerin tıkırdadığı sandıklar birbiri ardı sıra Batı'ya gönderildi".[54] Böyle kalıntılar öylesine değerliydi ki, onları elde etmeye dönük hırsızlıklar, dalavereler, sahtekârlıklar ve kavgalar sürekli yaşandı.

Sienalı Azize Catherine 1380'de Roma'da öldükten sonra yaygın hürmet gördü. Yirmi bir yaşında olduğu 1368'de Mesih'le mistik bir evlilik geçirdiğini duyurdu. Daha sonraları dünyevi gıdaya artık gerek duymadığını belirterek, çoğunlukla mayasız ekmekle beslendi. Ardından yemeyi ve içmeyi büsbütün bıraktı. Birkaç hafta içinde öldü. Sienalılar naaşını alıp götürmek istediler; ama olduğu gibi Roma'dan gizlice çıkarılması imkânsız olduğundan, kafasını ve hiç bozulmadığı ileri sürülen başparmaklarından birini almakta karar kıldılar.[55] Naaşları bozulmamış halde duran ya da tabutları açıldığında pis koku yerine esans (aziz kalıntılarının bahşedebildiği ilahi lütufa inanmak için yeni bir kanıt sunacak gizemli "kutsallık kokusu") saçan azizlere dair hikâyeler zamanla çoğaldı.

Yüzyıllar sonra İngiliz şair Andrew Marvell mezarın "hoş ve mahrem bir yer" olduğunu belirtecekti.[56] Bu belki bazıları için doğru olabilir, ama kutsanan kişiler için değildir. Bazıları zaman içinde altınlarla ve süslerle dolan aziz mezarları gösterişli olsalar bile, nadiren mahrem yerlerdir. Kalıntıları çoğu kez hacıların öpmeye ve başında dua etmeye geldiği son derece özenli sandukalara konulurdu. Örneğin, Fransa'nın Languedoc bölgesindeki Conques Manastırı'nda, 3. yüzyıl sonlarında Hıristiyan inancından vazgeçmeye

52 Kutsal emanetin şimdi ABD'nin Connecticut eyaleti açıklarındaki Enders Adası'nda Meryem Ana Göğe Çıkış Şapeli'nde bulunması tuhaf bir durumdur.

53 Abingdon başrahibi bu manastırın 1116 itibariyle sahip olduğu bütün kutsal emanetlerin kapsamlı bir listesini çıkarmıştı. Genel olarak kiliselerin kutsal emanetleri toplayışı için bkz. Richard Southern, 1953.

54 Ronald C. Finucane, 1977, s. 28-31.

55 Efsaneye göre, Romalı muhafızlar kafatasının bulunduğu torbayı aradığında sadece gül taç yapraklarıyla karşılaşmış ama torba Siena'ya götürüldüğünde, yapraklar tekrar azizin kafasına dönüşmüştü.

56 Andrew Marvell, "To His Coy Mistress", yak. 1650.

yanaşmayınca, Romalılar tarafından kızgın bir mangal üstünde kızartılarak işkenceyle öldürüldüğü söylenen Azize Foy'un kafatası vardı (Bu kutsal emanet 9. yüzyılda bir keşiş tarafından Agen'deki ilk istirahatgâhından çalınmıştı). Olağanüstü mucizevi güçler yakıştırılan kafatası 983-1013 arasındaki bir tarihte, altın varaklarla kaplanmış ve değerli taşlar işlenmiş bir gümüş astarla sarılı halde bir heykelin içine konuldu (Resim 10). Chartres'den gelen rahipler, heykelin şatafatlı görüntüsüyle bir pagan putunu andırdığını ileri sürdüler; sahiden de öyle olması köylülerin gözündeki çekiciliğini eksiltmedi. Benzer biçimde, kilisenin hakları ve ayrıcalıkları konusunda II. Henry'yle takışması üzerine, 1170'te katedralinde dört şövalye tarafından öldürülen Thomas à Becket'in kemikleri (Resim 9) 1220'de Canterbury Katedrali'nde altın ve mücevher kaplamalı bir türbeye yerleştirildi.

Ortaçağ boyunca çok sayıda kötürüm, hasta ve deli bu türbelerde teselli ve şifa aradı (Resim 12-14). Bunların birçoğu kocakarı devalarına (şifalı otlar, merhemler, nazarlıklar, yerel şifacıların hizmetleri) başvurabilecek türden kişilerdi. Hippokrates ve Galenos hekimliğinin Doğu'dan Batı Avrupa'ya tekrar girmeye başladığı 11. yüzyıldan itibaren, bazıları kan alma, müshil verme, hacamat ve kusturma yöntemlerine, ayrıca beslenme ve perhiz değişikliklerine tabi tutuldu. Ama özellikle kronik bozukluklarda, azizlerin ve şehitlerin iyileştirici güçlerine başvurma yoluna gidildi. Bu konuda günümüze ulaşan çeşitli bölük pörçük anlatımlar vardır. Örneğin, akıl hastası bir kız sinir nöbetleri geçirince, Aziz Wulfstan'ın (1008-1095) Worcester Katedrali'ndeki mezarında on beş gün boyunca yatırıldı.[57] Kızın akıbetini bilmiyoruz. Ama gerçekleşen "mucize"lerin derhal kayıtlara geçtiği göz önünde tutulursa, deliliğinin sürdüğü sonucu çıkarılabilir. Besbelli ki, bu şekilde davranan insanların böyle yerlerde her seferinde günlerce ve hatta haftalarca kalmaları, kilise rutinlerini aksatabilecek bir şeydi. Norwich'teki başka bir olayda, "cinnet geçiren bir kız bağlanmış halde Hugh'un mezarına getirildi. Ruhları Anma Yortusu'na kadar orada kaldı ve o gece çığlıklarının her zamankinden daha canhıraş hale gelmesi, koroyu ve kilisedeki bütün cemaati rahatsız etti; öyle ki, mezarın yakınındaki Vaftizci Yahya altarında Missa (Komünyon) ayini yapılamadı. Kız sonunda uykuya daldı; ibadete gelmiş topluluk tarafından uyandırıldığında, iyileştiği görüldü."[58] Kısmi iyileşmeler ve daha sonraki toparlanmalar azizin gücüne bağlanırdı. Hiç kuşkusuz, psikojenik kökenli ruhsal sorunlar (hatta o dönemde ruhsal sorun olarak görülmeye körlüğe ya da felce bağlı sıkıntılar) böyle kutsal bir yeri ziyaret etmenin güçlü telkin etkilerine pekâlâ olumlu yanıt vermiş olabilir.

57 Ronald C. Finucane, 1977, s. 76.

58 Akt. Ronald C. Finucane, 1977, s. 91-92.

Antiokheialı Azize Margaret'in boynunun vurulması, İspanya'nın Vilaseca kasabasındaki Katalan kilisesinde 12. yüzyıldan kalma bir tablo. Margaret, Hıristiyanlığı reddetmeye yanaşmadığı için idam edilmişti.

Birçok türbenin çok sayıda hastayı iyileştirdiğine inanılırdı. Aziz Thomas à Becket'in kanı körlüğü, akıl hastalığını, cüzamı ve sağırlığı, ayrıca başka bir sürü illeti iyileştirmesiyle nam salmıştı. Bu yüzden Canterbury kenti VIII. Henry'nin 1538'de azize ait türbenin yıkılması, kemiklerinin yok edilmesi ve bu dönek rahipten bir daha söz edilmemesi emrine vermesine kadar, İngiltere'nin yanı sıra Avrupa'nın her yanından hacıları kendine çekti. Chaucer'in *Canterbury Hikâyeleri* Londra'dan Becket'in türbesini ziyarete giden bir hacı kafilesinin başından geçenleri anlatır.[59]

Başka azizlerin türbeleri daha özelleşmiş bir şöhret kazandı. Görünüşe bakılırsa, boynu vurulan şehitler, zihinsel sıkıntıdan kurtulmak isteyenlerin rağbet ettiği deva kapılarıydı. Bu yerlerin en önemlilerinden biri, Azize Dymphna'nın şimdi Belçika içinde kalan Geel kentindeki türbesiydi. Deli hacılar ve refakatçileri yüzyıllarca burayı ziyaret ettiler. Azize Dymphna

59 Becket'in uğradığı suikast 20. yüzyılda T. S. Eliot'ın *Murder in the Cathedral* (1935) oyununa ilham kaynağı oldu.

İtalya'nın Verona kentindeki San Zeno Maggiore Bazilikası'nın sağ kapısında, Aziz Zenon bir cini kovuşunu gösteren tunç pano (12. yüzyıl). Azizin buyruğuna uyan cin, İmparator Gallienus'un kızının ağzından çıkıyor. Kitabı Mukaddes temalarını, Aziz Michael'in ve Aziz Zenon'un hayatlarını tasvir eden bu türden kırk sekiz pano vardır.

efsanesi Avrupa folklorunda yaygın olarak rastlanan ve ensest girişimine, deliliğe ve cinayete dair ilginç bir anlatı yaratmak üzere bir araya getirilmiş çeşitli unsurları barındırır. Azizenin Cambrai papazlarından Pierre'in 13. yüzyıl ortalarında derlediği hayat hikâyesine göre, genç İrlandalı bakire 7. yüzyıl başlarında pagan bir kralın ve Hıristiyan eşinin kızı olarak doğar. On dört yaşına geldiğinde, annesi ölür. Kederli babası Damon, bir süre sonra ölü karısına en çok benzeyen kişiyle, yani kendi kızıyla evlenme fikrine kapılır. Dymphna, yanında rahibiyle kaçarak denizleri aşar ve Geel adlı küçük köye yerleşir. Ama babası peşlerine düşer ve ikisini yakalayınca, rahibin kellesini uçurur; ona karşı koymakta direten kızının kafasını da bir cinnet sırasında keser. Dymphna ve şehit düşen yoldaşı Gerebernus bir mağaraya gömülür; ama naaşları daha sonra çıkarılır. Rahibin kalıntıları (bazı anlatımlara göre, kafası geride bırakılarak) Almanya'nın Sonsbeck kasabasına taşınırken,[60] genç kızın kalıntıları bir küpe konulup civardaki bir şapele yerleştirilir. Zamanla hacılar mucizevi deva arayışıyla, yanlarına deli akrabalarını alıp şapele akın etmeye başlarlar.

Bazı akıl hastaları kilisede uyuyarak, akıl sağlığına kavuşmayı beklerlerdi. İlk kilise 1489'daki yangınla kül olunca, yerine yeni bir kilise inşa edildi. Kiliseye nezaret eden rahiplerin sayısı 1532'de ona çıktı; bu rahiplere daha sonra şehit bakirenin şefaatini sağlamaya yönelik dualara, kefaretlere ve törensel adaklara dayalı karmaşık bir ayini yöneten on papaz katıldı. Kiliseye konulup ayak bileklerinden zincirlenen meczuplara musallat olmuş kötü cinleri çıkarmak için on sekiz gün süren bir uğraş verilirdi. Deliliği hâlâ sürenlerin birçoğu yöredeki bir köylü ailesinin yanına yerleştirilirdi. Böylece Geel ve civarı yüzyıllarca garip bir meczuplar kolonisini barındırdı ve bütün ekonomi delilerin akrabalarınca yapılan hibelere dayandı.[61] Delilere dönük mucizelerde uzmanlaşmış benzer türbeler, her ikisi de Fransa'da gömülü Aziz Maturinus'un (Mathurin) Larchant'taki ve Aziz Acharius'un (Achaire) Haspres'teki mezarlarında ortaya çıktı.

Delilere dönük devaların çoğu kez cin kovmayı kapsamasından dolayı, dindarlar üzerinde özel bir etki uyandırdığı söylenebilir. Bu olay belki de Tanrı'nın her şeye kadir oluşunun en güçlü ve karşı çıkılamaz gösterisiydi. Cin kovmadaki heyecan emsalsizdi. Öncesinde bir boğuşmanın yaşandığı ve çoğu kez nöbetlerin ve çığlıkların eşlik ettiği bir süreçle, İblis'in yardakçıları bedenden atılırdı.[62] Reform hareketinin başlarına kadar sürmek üzere, Ortaçağ'da cin kovmaya ilişkin canlı tasvirlerin rağbet görüşü bundandır. Böyle görüntüler hem resimlerde hem de heykellerde karşımıza çıkar. Örneğin, Verona'daki bazilikanın 1100 dolaylarından kalma tunç kapılarındaki bir panoda, yerel piskopos Zenon'un bir cini imparatorun kızının ağzından çıkarışı görülür. Giotto'nun Assisi'deki Yukarı Kilise'de 1299'da tamamladığı fresk, Aziz Francesco'nun Arezzo kentinden bir sürü cini kovuşunu tasvir eder. Berry dükü Jean için 1412-16'da hazırlanmış bir ibadet kitabı ve dönemin Fransız tezhipli yazmalarının günümüze ulaşmış belki en iyi örneği olan *Très riches heures du duc de Berry*, aynı şekilde cin kovmaya ilişkin çarpıcı

---

60 Alban Butler, 1799, "Saint Genebrard, or Genebern, Martyr in Ireland", s. 217.

61 Örneğin bkz. J. P. Kirsch, 1981, "St. Dymphna", *The Catholic Encyclopedia*, c. 5, New York: Appleton, 1909; William L. I. Parry-Jones, 1981.

62 Peter Brown, 1981, s. 107.

bir görüntü içerir (Resim 11). Ama cin kovma her zaman sonuç vermezdi. Aslına bakılırsa, başarısızlığa uğraması daha sık görülen bir durumdu. Neyse ki, böyle başarısızlıklara her zaman bir bahane bulunduğu için, dinsel itikat çoğunlukla sağlam kalırdı.

EDEBİYAT VE DELİLİK

Ortaçağ kültürünün çarpıcı bir özelliği, dinsel tiyatronun popüler bir biçimi olan gizem ve mucize oyunlarının ortaya çıkışıydı (Gizem esasen mucizenin başka bir karşılığıydı ve iki terim o dönemde büyük ölçüde birbirlerinin yerine geçecek şekilde kullanılırdı). Mucize oyunlarının çeşitli döngüleri, Kitabı Mukaddes hikâyelerini sürekli anlatmayı ve ahlaki mesajları kitlelere ulaştırmayı sağlayan bir mecraydı; genellikle günlerce süren bir dönem eksiksiz bir gösteri dizisi sunulurdu. İlk başta bunlar kilisede canlandırılan dinsel gösterilerdi ve birçoğu Mesih'in Çilesi'yle, bazıları da Âdem ile Havva ve Kıyamet gibi popüler konularla ilgiliydi. 13. yüzyılda Avrupa genelinde yayınlanan oyunlar gittikçe yerel dilde ve loncalar tarafından sahneye konulmaya başladı.

Meryem Ana'nın ya da çeşitli azizlerin gerçekleştirdiği mucizelerin sunuluşu, repertuvarın rağbet gören unsurlarıydı. Delilik ve cin çarpması sıkça tekrarlanan temalardı ve seyircilere günah işlemenin İblis'e günahkârı esir alma ve ardından deliye çevirme fırsatını verişinin görsel ve eğitsel örneklerini sunardı. Saul ve Nebukadnezzar, hayatlarının hem eğlenmeye vesile olmasından, hem de ibretler barındırmasından dolayı, özellikle gözde kişilerdi; Yeni Ahit'teki şeytani kişilere ilişkin hikâyeler için de aynı şey geçerliydi. Bu karakterleri bekleyen akıbet ya apar topar cehenneme atılmak ya da Meryem Ana'nın veya azizelerinden birinin inayetiyle kurtulmaktı.

Çoğu kez gösterişli bir havaya bürünen mucize oyunları, gezgin tiyatrocu ve yerel oyuncu karışımı bir topluluk tarafından yortu günlerinde canlandırılırdı. Gösteriler İspanya'dan Hollanda'ya ve Fransa'dan Almanya'ya kadar uzanan ülkelerin yanı sıra, VIII. Henry'nin Reform hareketi papalık yanlısı hurafeleri aktarmaya aracılık ettiği gerekçesiyle yasak koymasından önce, İngiltere'nin en büyük kentlerinin birçoğunda da sahnelenirdi.[63] Zamanla kilisenin doğrudan gözetiminden çıkan oyunlar çoğu kez kutsal metinlerden uzaklaşarak, halk inançlarına yer verdi ve dramatik etkiyi artırmak üzere Kitabı Mukaddes hikâyelerindeki ibretleri abartılı hale getirdi. Yahuda

63 Bir zamanlar Yorkshire ilinin Wakefield kentinde sahnelenmiş belki 32 oyundan oluşan Townley döngüsünden günümüze ulaşan bir yazma şimdi California'daki Huntington Kütüphanesi'ndedir. Papaya ve Katolik ayinlerine göndermeler kesilip çıkarılmıştır; sona doğru on iki sayfanın koparılmış olması herhalde Katolikliğe göndermelerin ayıklanamayacak kadar çok olmasındandır.

kralı konumunu Romalılara borçlu olan ve Hıristiyan geleneğinde bebek İsa'yı ortadan kaldırmak amacıyla masumları katletmiş adam olarak tanınan Herod başka bir gözde konuydu. İlk Latince versiyonların yerli dillerde yeniden işlenmesiyle birlikte, Tanrı'yı öldürmeye heveslenen ahlaksız deli hikâyesi gittikçe daha süslü ve aşırı hale geldi. Sonunda Herod karakteri Tanrı Baba'nın aklını kaçırmayla ve en acılı ölümle cezalandırdığı kâfir ve deli günahkârın timsaline dönüştü.[64] Burada delilik karşımıza şiddet, cinnet, sınırsız öfke, Tanrı'nın verdiği bir ceza olarak çıkar. Chester Döngüsü'nün bir dizi oyununda Herod acı bir sona mahkûm olur:

> Kollarım ve bacaklarım çürüdü;
> Öylesine çok kötülük yaptım ki,
> Şimdi cehennemden gelen zebani sürüleri
> Çullanıyor üstüme.[65]

Cehennem Ortaçağ edebi eserlerinin en büyüğünde, Dante'nin *İlahi Komedya*'sında canlı biçimde gözler önüne serilen bir menzildi ve orada da Ortaçağ okurunun karşısına delilik ilahi ceza olarak çıkardı. Dante (bir Hıristiyan olmadığı için cehennemin dış dairesine gönderilmiş olan) rehberi şair Vergilius'la buluştuktan sonra, hiç kesilmeyen feryatlarla dolu bir diyar, perişan ruhların sonu gelmez ve aşırı incelikli işkencelere katlandığı bir kâinat olan cehennemdeki gezisine başlar. Tutkuya boyun eğmiş, "aklı arzuya köle etmiş" günahkârları görür. İntihar Edenler Korusu'nun kenarında, kaynayan kanın aktığı Phlegethon adlı nehir ve yakıcı kumlar vardır. Oburlar ve açgözlüler, hilekârlar ve ahlaksızlar, sapkınlar ve kâfirler, hırsızlar ve katiller, yeminlerini çiğneyen rahipler kendilerine mahsus yerlerde geçit töreni yaparlar. Cehennemin sekizinci dairesinin, Şeytan'a sadece bir kat uzaktaki onuncu ve sonuncu çukurunda kaderleri cüzama, ödeme ve deliliğe yakalanmak olan sahtekârlar, sahte hekimler ve kalpazanlar, yalancılar ve taklitçiler yer alır. Troia kraliçesi ve Priamos'un karısı Hekabe'nin ölen iki çocuğunun görüntüsü karşısındaki tepkisi şöyle aktarılır:

> forsennata latrò si comme cane;
> tanto il dolor le fé la mente torta.
> (çıldırmışçasına bir köpek gibi havlar; duyduğu ıstırapla aklı şaşar.)[66]

---

64 Bkz. Aydınlatıcı bir değerlendirme için Penelope Doob, 1974, Bölüm 3.

65 Akt. Penelope Doob, 1974, s. 120.

66 Dante, *Inferno*, kıta 30: 20-21. Çeviride esas aldığım kaynak Allen Mandelbaum: *The Divine Comedy of Dante Alighieri: Inferno*, New York: Random House, 1980.

Dante ve Vergilius birkaç adım sonra deliliğin en şiddetli biçimiyle karşılaşır:

> Ma né di Tebe furie né troiane
> si vider mäi in alcun tanto crude,
> non punger bestie, nonché membra umane,
> Quant'io vidi in due ombre smorte e nude,
> che mordendo correvan di quel modo
> che 'l porco quando del porcil si schiude.
> (Ama ne Thebaililerin, ne de Troialıların hiddeti, hayvanları ve hatta insan uzuvlarını parçalayacak kadar birbirlerine karşı böylesine acımasız kesilmiş değildi. İşte gördüğüm o iki solgun ve çıplak gölge, ahırından salınmış bir domuz gibi deliye dönmüş halde önüne geleni ısırıyordu.)[67]

Ardından Dante, şeklini değiştirerek baştan çıkardığı babasını enseste yönelten arsız Myrrha'nın öfkeli, tehditkâr ve bakılamayacak kadar ürkütücü halde koşarak yanından geçmesiyle, irkilip geri çekilir. Delilik çıplaklıktır, şiddettir, hayvaniliktir ve hepsinden önemlisi günahın bedelidir. Bütün bu yönleriyle tam da uygarlığı yadsımadır.

Deliliği günahın sonucu gibi gören bu sert anlayış birçok Ortaçağ yazarınca dile getirildi.[68] Ama denklemi tersine çevirip, bizzat günahın delilik olduğunu söylemek pekâlâ mümkündü. Aslına bakılırsa, deliliğin en kötü türü günahtı; çünkü Tanrı'nın yasalarını çiğnemenin bedeli ebedi lanetlenme riskine girmek, cehennemin sonu gelmez dehşetine düşmekti. Dante, okurlarını bu diyar üzerine düşünmeye canlı bir dille çağırır: Uzuvları parçalanan ya da kopan insanlar; baştan aşağıya kadar yarıldığı için, "bağırsakları bacakları arasında sallanan, hayati organlarını ve yutulan şeylerin dışkıya dönüştüğü berbat kokulu işkembesini açıktan gören" bir adam; bir iblisin önünde ha bire dolanırken onun kılıcıyla biçilen, ardından "ıstırap yolu" boyunca ayaklarını sürüyerek ilerledikten sonra "yaraları kapanmış halde [...] kılıcın ağzıyla tekrar buluşan" bir kalabalık; sürekli boğazı kesik, burnu yarık ve bir kulağı kopuk halde, "soluk borusu baştan aşağı kan kırmızı dışarıda" kalmaya mahkûm başka bir adam.[69] En mahirane ve en ürkütücü işkencelerden oluşan bir katalog böyle sürüp gider. Bedeli hayale sığmayacak ve hiç dinmeyecek acılar çekmek olacaksa, tutkunun ve dürtünün akla üstün gelmesini bir deliden başka kim göze alabilir? 14. yüzyıl sonlarında Shrops-

67 Dante, *Inferno*, kıta 30: 22-27.

68 Penelope Doob delilik ile günah arasında bu ve sonraki bağlantıların Orta İngilizce edebiyatının epeyce eserinde bir ana motif oluşturduğunu kapsamlı biçimde belgeler. İzleyen yorumlarımda onun analizine borçluyum.

69 Dante, *Inferno*, kıta 28.

hire'daki Lilleshall Manastırı'nın başrahibi olan John Mirk'ün ifadesiyle, "kötü bir hayat süren kişi, kötü bir sonla karşılaşacağını kesin bilmeli"ydi.[70]

TIP VE DELİLİK

Ortaçağ zihniyetine göre, her türlü zihinsel ve bedensel hastalık, ilk günahın sonuçlarıydı. Havva'nın vahim bir hata işleyip Âdem'i baştan çıkarmasıyla, insanın cennetten kovulup yoz, düzensiz ve bozuk bir dünyaya atıldığına inanılırdı. Bu dünyada hastalık, Tanrı'nın günahkârlara verdiği cezalardan biriydi, hak ettikleri bir azaptı ve öbür dünyada karşılaşabilecekleri şeylere dair bir ikazdı. Zihin ve beden bozuklukları nedamet getirmelerini ya da dosdoğru cehennemi boylamalarını sağlayabilirdi; hastalığın beraberinde getirdiği bedensel çile ve zihinsel elem, insana cehennemi önceden tattıran şeylerdi. Almanya'daki Mainz'in başpiskoposu ve kutsal metinlerin üretken yorumcusu Rabanus Maurus Magnentius (yak. 780-856) bu görüşü şöyle ifade etmişti: "Hastalığa yol açan şey kötülüktür. [...] Ateş şehvetli bir arzudur, insanı doymak bilmez şekilde yakar. [...] Çıbanlı cüzam, kabarmış gururdur. [...] Aklı şehvetle harap olmuş kişinin bedenini uyuz sarar."[71]

Harap olmuş akılların en sıkça değerlendirilişi ve deliliğe ilişkin tutumların şekillenişi, Hıristiyan inancının bu bakış açısına göreydi. Ama 11. yüzyıldan itibaren deliliği açıklamada ve tahribatını onarmada, Hıristiyanlık öncesi geleneklerin canlanmasına dayanan alternatif bir yaklaşıma yeni bir ilgi doğdu. Bu canlanma Ortaçağ Avrupası'na damga vurmaya ve kültürünü dönüştürmeye başlayan daha kapsamlı ekonomik ve siyasal değişikliklerin sonucuydu.

Göçebe akınlarının durmasıyla, siyasal kurumlar istikrara kavuştu ve yeni feodal sistemin sağladığı sosyoekonomik ilerlemeler zamanla kökleşti. Böylece Hıristiyan Avrupa biraz daha müreffeh, biraz daha şehirli, biraz daha güvenli hale geldi. Hıristiyan dünyadaki bu artan gücün ve özgüvenin bir belirtisi ve göstergesi, İber Yarımadası'ndaki *Reconquista* hareketiydi (bkz. s. 51). Papa II. Alexander (ö. 1073) Aragon'u tekrar Hıristiyanlığa kazandırmaya çalışanlar için, 1064'te otuz yıllık bir endüljans çıkardı. Ardından Papa II. Urbanus (1042-1099) savaşçıları fetihlerini sürdürmeye ikna etmek için uğraştı. Daha sonra Tapınak Şövalyeleri gibi askeri tarikatlar kavgaya katıldı. Magribiler adım adım geriletildi ve İslami otoritenin son kalıntıları 1492'de Gırnata'nın düşmesiyle İspanya'dan çıkarıldı.

---

70 John Mirk, *Festial: A Collection of Homilies* (yak. 1382), (ed.) Theodore Erbe, Londra: Erken İngilizce Metinler Derneği, 1905, s. 56. Mirk'ün vaazları muhtemelen Reform hareketinden önce yerli dilde yazılmış en ünlü İngilizce vaaz derlemesiydi ve kilise dışındaki eğitimli kişiler arasında daha geniş çapta okunmakla birlikte, köy rahiplerine yönelik bir rehberdi.

71 Rabanus Maurus Magnentius, De *universo libri*, akt. Penelope Doob, 1974, s. 2.

Hıristiyan İspanya hükümdarlarının baskı, katliam ve sürgün uygulamalarına karşın, Magribileri kovma çabalarının sonuçlarından biri, Arapça konuşulan dünyanın kültürüyle ve uygarlığıyla daha sıkı temasa girilmesi oldu. Başka bir sonuç Kutsal Topraklar'a bir dizi Haçlı seferinin düzenlenmesiydi ve bu da kaçınılmaz olarak Müslüman uygarlığının atılımlarıyla daha yakından tanışmayı sağladı. Bu bölümün başında belirtildiği gibi, matematikteki ilerlemelere zemin hazırlayan Roma rakamlarından Arap rakamlarına geçiş gibi temel değişikliklerin geçmişi, bu kültürel temaslara kadar götürülebilir. Yunan hekimliğinin gerek Roma yönetiminin çöküşüyle büyük ölçüde kaybolan Galenos'a ve başka hekimlere ait metinleri edinme yoluyla doğrudan, gerekse İbn Sînâ gibi büyük Müslüman hekimlerin şerhleri ve derlemeleri yoluyla dolaylı olarak Batı dünyasına yeniden aktarılışı için de aynı şey söylenebilir. Gerçi bazı manastırlarda kalan bölük pörçük Latince metinler, kendi cemaatlerine (ve bazen komşu köylere) şifacı olarak hizmet veren keşişler tarafından kullanılmıştı. Ama böyle metinler tektüktü. En zengin manastırlar bile sekiz ya da on tıp yazmadan fazlasına nadiren sahipti. Çoğunda en fazla bir tane vardı.[72] Ama söz konusu süreçte daha çok sayıda ve çok daha geniş yelpazeli tip risaleleri Batı dünyasına ulaştı.

Aynı dönemde öne çıkan yeni kentsel alanlarda üniversitelerin doğması ve aralarında hekimlik loncası da olmak üzere loncaların kurulması bu süreci ilerletmeye büyük katkıda bulundu. Salerno, Napoli, Bologna, Padova, Montpellier, Paris, Oxford ve Cambridge gibi kentlerde tıp öğretimi önce gayriresmi olarak, ardından daha kurumsal çerçevede gelişti. Klasik metinler ve onlara dayalı Arap metinleri Süryanice, Farsça ve Arapçadan, yeni ortaya çıkan eğitimli sınıfın ortak dilleri Yunanca ve Latinceye çevrildi. Akademik tıp bu gelişmeye ayak uydurmaya başladı ve okumuş yeni doktorlar, loncaları aracılığıyla üstün statülerini kabul ettirmeye ve hekimlik piyasası üzerinde bir ölçüde kontrol ve hâkimiyet sağlamaya çalıştılar. İkinci girişim belirgin biçimde başarısızlığa uğradı ve geniş bir yelpaze oluşturan şifacılar sonraki yüzyıllarda da hizmet sunmaya devam ettiler. Ama okumuş hekimler, tıp teorilerinin elit tabaka içinde gittikçe güç kazanmasıyla, maharetleri için genişleyen bir pazar bulabildiler.

Bilimden gelmiş kişiler olmaları itibariyle, ortak bir tıp kültürünü daha kolayca yarattılar ve karmaşık bir düşünsel sistemle donanmış olmaları, sistematik biçimde teşhis koymalarını ve reçete yazmalarını sağladı. Matbaanın icadı ilk kez seri kitap üretimini mümkün hale getirdi; böylece metinler geniş bir coğrafi alana hızla yayıldı ve ağırlıklı olarak manastırların tekelindeki yazma geleneğiyle bağlantı kırıldı. Hekimler geniş bir coğrafyayı kapsayacak

---

72 Katherine Park, 1992, s. 66.

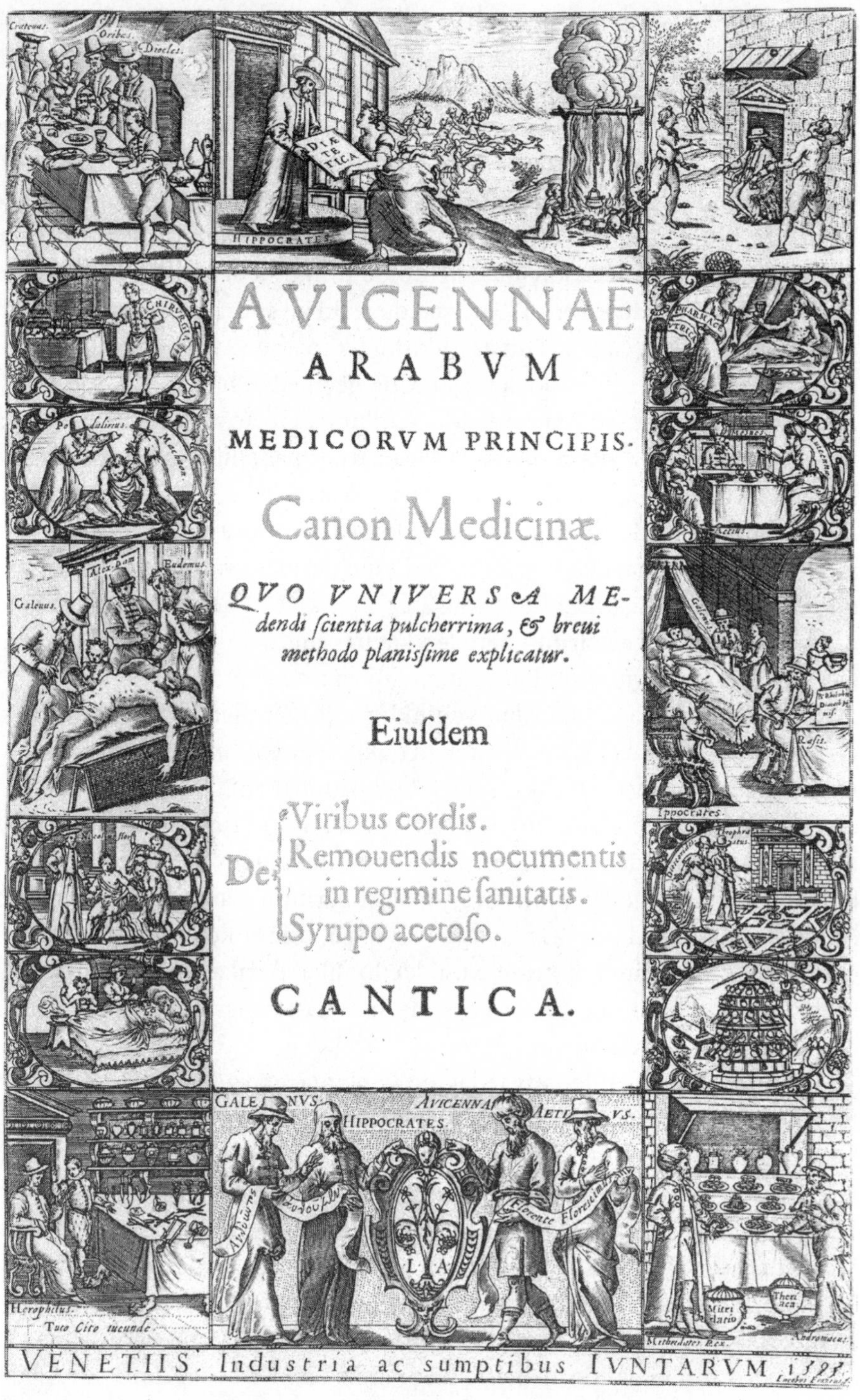

AVICENNAE
ARABVM
MEDICORVM PRINCIPIS.
Canon Medicinæ.
QVO VNIVERSA MEdendi ſcientia pulcherrima, & breui methodo planiſſime explicatur.
Eiuſdem
De { Viribus cordis. Remouendis nocumentis in regimine ſanitatis. Syrupo acetoſo.
CANTICA.

VENETIIS. Industria ac sumptibus IVNTARVM 1595.

İbn Sînâ'nın muteber eseri *El-Kanun Fi't-Tıb*'ın 1595'te Venedik'te Latinceye çevrilmiş ilk baskılarından birinin başlık sayfası.

şekilde fikir alışverişine girip ortak bir bilinç geliştirebildiler ve antik kaynaklara ilişkin bilgilerinin beraberinde getirdiği kültürel nüfuzu elde edebildiler.

Yunanca Galenos metinlerinin eksiksiz sayılabilecek bir baskısı 1525'te Venedik'te yayımlandı ve Latince çevirilere temel oluşturdu. Hippokrates külliyatının bazı kısımları da aynı yıl çıktı. Yüzyılın sonuna doğru, Batı Avrupa genelinde Galenos baskılarının sayısı altı yüze yaklaştı. Ondan önce büyük Müslüman hekimlerinin matbu baskılarının çıkması, klasik tıbbın canlanışının Araplara ne ölçüde bağlı olduğunun belirtisiydi. İbn Sînâ'nın *El-Kanun Fi't-Tıb* adlı eseri 1473'te basıldı ve iki yıl sonra yeni baskısı sunuldu. Üçüncü baskısı Galenos'un eserlerinin ilk matbu versiyonlarından önce çıktı ve 1500'de on altı baskıya ulaştı. Çok geçmeden bunu Râzî, İbn Rüşd, Huneyn ibn İshak, Issac Israeli ve el-Mecusî'nin kitaplarını da kapsayan başka tıp eserleri izledi.[73] Bağlantının daha sonraları örtbas edilip unutturulmasına karşın, Avrupa'da akademik tıp 16. yüzyıl başlarına kadar birçok bakımdan, Arapça konuşulan dünyada geliştirilmiş tıbbın bir uzantısıydı. Uygulayıcıları artık arazları anlamayı ve aksaklıklara dönük devalara varmayı sağlayan son derece güçlü bir düşünsel kurguya sahip olduklarını gördüler. Bu tıp aynı zamanda hastalara, acılarının nereden kaynaklandığını ve nasıl dindirilebileceğini anlayan birilerinin bulunduğu güvencesini verdi.

İslam dünyasından aktarılan yenilikler sırf metinlerden ibaret değildi. Gerek Doğu'daki Haçlılar gerekse Batı'daki İspanyol orduları İslam hastaneleriyle karşılaşmışlardı (bkz. s. 65). Bu kurumlar zamanla Batı Avrupa'da da ortaya çıkmaya başladı. Birçoğu ilk başta manastırlara bağlıydı ve hemen hepsi tıp kurumundan ziyade dinsel kurum niteliğindeydi. Örneğin, yolcuları ve hacıları, ayrıca yetimleri ve yaşlıları barındırırlardı. Ama hastaların da yardımına koşarlardı. Zamanla büyüyünce, dinsel kökenlerinin ötesine geçtiler ve daha belirgin bir tıbbi kimlik edindiler. Bazılarının ufak olmasına karşın, Paris, Floransa, Milano ve Siena'daki hastaneler birkaç yüz hastayı barındıracak düzeydeydi.

İçlerinden bazıları delileri tedavide uzmanlaşmaya başladı. Bethlehem Hastanesi, İngilizce konuşulan dünyada zamanla bu tür kurumların en ünlüsü haline gelecekti. Daha çok (burada da genellikle kullanılacağı adla) Bedlam diye anılan kurum tedrici evrimle bir tımarhaneye dönüştü. Londra surlarının hemen dışındaki Bishopsgate'te bulunan Bethlehem Meryem Ana Manastırı'nda 1247'de kuruluşunu izleyen ilk yıllarda bildik heterojen topluluğu, yani ilk hastanelerin hazır kaynağını oluşturan çaresizleri ve muhtaçları, yabancıları ve hacıları barındırdı. Ama 14. yüzyılın sonlarında ilk başta sayıca az olsalar bile, delilerin bakımında bir şöhret kazanmaya başladı.

---

73 W. Montgomery Watt, 1972, s. 67.

Nitekim 1403 tarihli bir kayıtta, *menti capti* (aklını kaçırmış) altı hastanın bulunduğu belirtilir. Bu hastaların sayısı ancak 17. yüzyıl sonlarında 100'ün üzerine çıktı. Ondan kısa bir süre önce, 1632'de rahip Donald Lupton (ö. 1676) hastanenin "bütün meczupların oraya konulması halinde, çok ufak geleceğini" yazmıştı.[74]

İspanya'da Arap emsalleri doğrultusunda, akıl hastalarının kuruma yatırılışında ve bakımında uzmanlaşmış bir dizi akıl hastanesi açıldı; bunların sayısı 15. yüzyılda yediye (Valencia, Zaragoza, Sevilla, Valladolid, Palma de Mallorca, Toledo ve Barselona) ulaştı. Ortaçağ boyunca böyle yerlerde ne tür tedavilerin uygulandığı konusunda ancak tahminler yürütebilecek durumdayız. Delileri toplumdan tecrit etmenin birkaç yüzyıl sonra rutinleşmesine karşın, çoğu delinin hâlâ kendi ailesinin sorumluluğu altında olduğu Ortaçağ'da ve erken modern çağda bu kurumların kaide değil, istisna olduğunu akılda tutmak can alıcı önem taşır. Deliler tehlikeli sayıldığında çeşitli özel tedbirlerle eve kapatılarak topluluk içinde kalır veya tehlikesiz sayıldığında ortalıkta dolaşmaya (ve yok olmaya) bırakılırdı.

Suyuk hekimliğiyle donanmış bazı hekimler, daha önceki Galenos ve Hippokrates hekimleri gibi, deliliği anlamaya ve her derde deva repertuvarlarını akıl hastalarının tedavisine uygulamaya yöneldiler. Bu düşünsel sistem, kökenini vücuda dayandırdığı deliliği doğaüstü değil, doğal bir olay olarak görürdü. Ama kendi statülerinden henüz yeterince emin olmayan doktorlar, cin çarpması vakalarının varlığını kabul edecek ve kimi zaman onları ruhban hısımlarına havale edecek kadar ihtiyatlıydı. Deliliğe ilişkin bu iki karşıt yorum arasında zamanla bir çatışma ortaya çıkacaktı; ama o dönemde hemen herkes gibi, hekimler de zihinsel rahatsızlığa ilişkin her türlü açıklamayı ve yaklaşımı benimseme yoluna gittiler. Çok çaresiz ve can sıkıcı durumlarda, rahatlama şansı sunabilecek bir şey niçin denenmesindi? Böyle inançların ve uygulamaların bugün bize çelişkili gelmesi olağan sayılır. Ama o dönemde deliliğin tek bir anlamı ve buna çözüm sağlayacak tek bir yaklaşım yoktu. Türbeleri yöneten din adamları doktorlarca iyileştirilememiş deliler, bir çare için kendilerine getirildiğinde, özellikle de bir avuç vakada toparlanma sağlandığında zevkten dört köşe olurlardı. Öncelikle insan doktorlardan medet ummanın ne kadar aptalca olduğunu çoğu kez alaycı tavırla belirtirlerdi.[75] Ama sonuçta onların da birçoğu, deliliğin psikolojik stresten ya da felaketten, bedensel travmadan veya başka bir şiddetli bedensel dengesizlikten kaynaklandığını ara sıra teslim etmeye hazırdı. Ne de olsa, Tanrı'nın gizemleri çoktu.

74 Donald Lupton, *London and the Countrey Carbonadoed and Quartred into Severall Characters*, Londra: Nicholas Oakes, 1632, s. 75. Bu göndermeyi Colin Gale'e borçluyum.

75 Din adamlarının doktorlara dönük daha geniş çaplı horgörüsü için bkz. Ronald C. Finucane, 1977, s. 64.

Bölüm Dört

MELANKOLİ VE DELİLİK

PERİLER, HORTLAKLAR, GULYABANİLER VE CADILAR

Tarihçiler Avrupa'da 15. yüzyılın sonlarından 18. yüzyılın başına kadar olan dönemden erken modern çağ diye söz etmekten hoşlanırlar. Büyük dinsel, siyasal, kültürel ve ekonomik dönüşümlerin yaşandığı bir çağdı bu. Feodal sistemin sönüşüne ve ulus-devletin doğuşuna, Avrupa'da ticaretin ve pazarların genişlemesine, dünyanın çevresinin dolaşılmasına ve mutlak hükümdarların artan gücüne sahne oldu. Protestan Reform hareketinin çeşitli tezahürlerinin kök salmasıyla ve Karşı-Reform hareketine dönük çabaları en azından Kuzey Avrupa'da püskürtmeyi çoğu durumda başarmasıyla, Avrupa'nın bazı kesimlerinde Katolik Kilisesi'nin nüfuzunu yitirmesine sahne oldu. Aşırı şematik yaklaşımla Rönesans dediğimiz büyük çaplı kültürel dönüşümlere sahne oldu: Klasik öğrenimin canlanması; matbu kültürün yayılması; sanat, mimari, müzik, edebiyat, tiyatro ve bilgi üretimi alanlarında mayalanma; Bilim Devrimi'nin doğuşu. Bu listeye görünüşte yakışıksız kaçsa bile, Reform hareketine eşlik eden yüz yıllık din savaşları ve kan dökücülük hatırlandığında yadırganmayacak şu olay da eklenebilir: Avrupa'nın her yanında gerçek bir yargılama, işkence ve infaz salgınına dönüşen cadı avları. Çoğu kez diri diri yakılma gibi ıstırap verici ölüme maruz kalmalarına karşın, asılan ya da boğulan, parçalanan ya da ezilip can verene kadar taşlanan bazı cadılar da vardı.

Avrupa'daki cadı çılgınlığı çok dramatik olduğundan ve birçok yörede epey uzun sürdüğünden,[1] son derece geniş ilgi görmüştür. 18. yüzyıl Aydınlanma hareketinin *bayraktarlarına* göre, bu olay düzmeceydi ve aptalcaydı, yaygın cehaletin ve hurafelerin bir ürünüydü. İşin içinde Hıristiyan kiliselerinin alt tabakaların saflığını istismar edişinin payı ve tahriki vardı; Fransız filozof Voltaire (1694-1778) gibi kişilerin bakışıyla, en başta gelen tahrikçi de Roma Kilisesi'ydi (Oysa gerçekte cadı avları Katolik bölgeler kadar Protestan bölgelerde de yaygındı ve aynı ölçüde ölümcüldü). Cadılar genelde İblis'le işbirliği içinde görülür, hatta birçoğunun onunla çiftleştiği ileri sürülürdü (İşkence altında itiraflarının o noktaya kadar varması, onları öldürmeye

---

1 Cadı avı ve cadılık davaları Portekiz, Macaristan, Polonya ve İskandinavya'da 18. yüzyıl başlarına kadar sürdü.

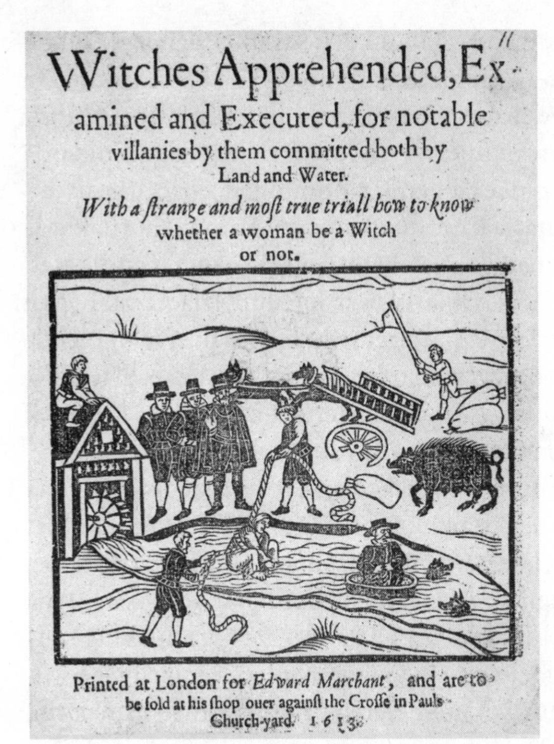
Witches Apprehended, Ex-
amined and Executed, for notable
villanies by them committed both by
Land and Water.
With a ſtrange and moſt true triall how to know
whether a woman be a Witch
or not.

Printed at London for *Edward Marchant*, and are to
be ſold at his ſhop ouer againſt the Croſſe in Pauls
Church-yard. 1613.

İngiltere'nin Bedford kasabasında "Anne Sutton ile kızı Mary Sutton'un türlü türlü ve lanet olası icraatını" anlatan *Witches Apprehended* [Yakalanan Cadılar, 1613] başlıklı bu gravür, Mary'nin "bir kadının cadı olup olmadığını anlamayı sağlayan garip ve en doğru sınama"yla bir nehirde suya daldırılışını gösteriyor. İki kadın daha sonra cadılıktan hüküm giydi ve infaz edildi.

yönelik daha da ürkütücü işkencelerin uygulanmasına yol açardı). Bizzat cinle çarpıldıklarına ve cinleri kurbanlarına musallat ettiklerine inanılırdı. Bir kısmı kişilerin başına gelen, bir kısmı (kötü hasatlar, salgınlar, yıkıcı hava şartları vs.) bütün topluluğu etkileyen her türlü talihsizlikten onlar sorumlu tutulurdu. Tahminlere göre (varlıklarına inanç her zaman ortadan kalkmasa bile) cadıları öldürme çılgınlığının nihayet yatışmasına kadar, infazcılarının elinde 50 bin ile 100 bin arasında cadı can verdi.

Modernlerin çoğu Voltaire'le ve felsefeci David Hume'la (1711-1776) böyle bir doğaüstücülük konusunda kuşkuculuğu, cadılar dünyasının temelinde yatan cin ve büyü kavramlarına karşı rasyonel küçümsemeyi paylaşır. Daha önce gördüğümüz üzere, erken modern çağa kadar cin çarpması bazı delilik türleri için yüzyıllarca genelgeçer bir açıklama olmuştu. Bu varsayımları paylaşmayan ilk psikiyatri tarihçileri, ruhlara batmış bir dünyaya şaşkınlıkla bakınca, cadılara ve delilere yönelik baskıları kaynaştırma eğilimine fena halde kapıldılar. Cadıların (ve büyüledikleri kişilerin) aslında başka bir kisveye bürünmüş akıl hastaları olduğu sonucuna vardılar: Çağın demonolojisine kurban gitmiş ve kandırılmış kişiler.

Bu düpedüz gerçek durumla bağdaşmaz. Sebebi de cadı olmakla suçlananların (hepsi olmasa bile) çoğu yaşlı kadınken, delilere şimdi olduğu gibi o zaman da yaşlı genç, erkek kadın olmak üzere toplumun her kesiminde rastlanması değildi sadece. Bazı cadılar bugün deli sayabileceğimiz kişilerdi ve delilerden bazıları daha sonra da cinlerle çarpılmış ya da Tanrı tarafından cezalandırılmış gibi görülmeye devam etti. Ama iki kategori örtüştüğünde bile o dönemde birbirlerinden oldukça ayrı görülürlerdi; çoğunlukla da durum öyleydi. 16. ve 17. yüzyıllarda gerek eğitimli gerekse eğitimsiz insanlar Şeytan'ın günlük hayatta faal ve dünyanın ruhlarla ve hortlaklarla dolu olduğuna inanırlardı; bu inançların ilahi metinlere ve bizzat gördükleri kanıtlara dayandığını savunurlardı. Onların yaşadığı dünyada Azrail her an her yerde vardı ve aynı şey Şeytan için de geçerliydi. Her ikisi aynı ölçüde gerçekti. Şeytan baştan çıkarabileceği ruhları ve kendi davasına bağlayabileceği günahkârları her zaman kollayarak, direnişlerini entrikalarıyla bertaraf eder ve onları kötülüğün araçlarına dönüştürürdü.

Katolikliğin savunucuları Protestan reformcuları Şeytan'ın temsilcileri, karanlığın güçleriyle işbirliği içindeki sapkınlar olarak gördüler. Martin Luther (1483-1548) gibi kişiler bu suçlamalara misliyle karşılık verdiler. Ona göre, papa "Deccal"in kendisiydi. İngiliz vaiz George Gifford (yak. 1548-1600) da papanın "düzmece dininin [...] [Şeytan'ın] gücü üzerine kurulu olduğunu" ileri sürdü.[2] Çoğu Protestanın gözünde, cin kovma ayinleri, kandırılmış seyircilerin papalık yanlılarınca dayatılan hurafelere ve putperestliğe inançlarını pekiştirmek amacıyla, İblis'in bedenlerden çıkıyormuş gibi göründüğü bir dalavereydi. Bizzat Luther bu papaz gösterilerini şiddetle kınadı:

> Şeytani ruhları kovmak için Mesih ya da Meryem adına çevrilen dolapların hepsini kim sayabilir ki! [...] Şimdilerde böyle ruhlar ortaya çıkıyor ve güya ârafı, ölülere rahmeti, bütün azizlerin, hac yerlerinin, manastırların, kiliselerin ve şapellerin ibadetini doğruluyor. [...] Ama bunların tamamı, iğrençliklerini ve yalanlarını sürdürmek, insanları meftun ve batıl halde tutmak isteyen iblisten kaynaklanıyor. [...] İblisin istediği zaman habis bir adamca kovulmuş gibi görünmesi basit bir iştir; oysa gerçek anlamda kovulmuş olmaz, çünkü böylelikle insanları kendi rezilce dalaveresine kısılmış halde, daha da sıkı şekilde hükmü altına alır.[3]

İngiliz felsefeci Thomas Hobbes (1588-1679) "cahil insanların perilere, hortlaklara ve gulyabanilere, cadıların gücüne dair kanaati"ni kınayabilirdi[4] ama savunduğu şey aykırı bir görüştü. Cadılık ve cin çarpması fikirlerini reddetmek, Hıristiyanlığın hakikatleri ve insanın selamete erme ihtimali için tehlikeliydi, hatta ateizmi benimseme noktasına varabilirdi. Kraliyet Derneği üyesi bir rahip olan Joseph Glanvill'e (1636-1680) göre, "ruhları, ahireti ve

2 George Gifford, 1587.
3 Martin Luther, akt. H. C. Erik Midelfort, 1999, s. 97.
4 Thomas Hobbes, *Leviathan*, 1968, s. 92 (orijinal baskı, 1651).

Jacques Callot'nun *The Possessed Woman or Exorcism* [Cin Çarpmış Kadın ya da Cin Kovma gravürü, yak. 1618]. Kendinden geçtiği ve çılgına döndüğü açıkça görülen yalınayak bir kadın, iki adam tarafından sıkıca tutulmuş halde, kollarını iki yana açarak geriye kaykılırken, sol taraftaki rahip onu çarpan cini kovması için, Meryem Ana'ya yalvarıyor.

bütün diğer din akidelerini inkâr" demekti.[5] Sadece "aptal" biri "kasıntılı ve kızgın bir tavırla, CADILARIN var olmadığına yemin etmeye" kalkışabilirdi. Glanvill (19. yüzyılda ortaya çıkacak "bilim insanı" yerine o dönemde kullanılan terimle) bir doğa felsefecisi olmamakla birlikte, yeni üstatların, yani çağın başlıca doğa felsefecilerinin belki de en önde gelen savunucusuydu ve başka birçok kişi gibi, bu noktada onların görüşlerini dile getirmekteydi.

5 Joseph Glanvill, 1681, akt. Roy Porter, 1999, s. 198-199.

Glanvill'in eğitimli çağdaşları arasında, cinlerin ve cadıların gerçek ya da davranışlarının doğal yasayla uyumlu olduğundan kuşku duyanlar çok azdı.[6] Bu son nokta önemliydi: Şeytan doğa yasalarını tersine çevirecek ilahi güçten yoksundu. O ve yardakçıları mucizeler yaratmaya değil, sadece şaşılacak işler yapmaya muktedirdi. Mucizeler Tanrı'ya mahsus sayıldığından, ikisi arasında bir ayrım yapmaya büyük özen gösterilirdi. Ortak görüş, Kalvenci Fransız ilahiyatçı Lambert Daneau'nun (1530-1595) ifadesiyle şöyleydi: "Şeytan doğal araçların ve sebeplerin dışında hiçbir şey yapamaz. [...] Bunun ötesinde ya da gücünü aşan başka bir şey yapamaz."[7]

Hekimlik (aynı şekilde fizik bilimi) erbapları, kendi dünyalarında kötü ruhlara bir yer verirlerdi; rahiplerle tartışmaları onların doğal mı, yoksa doğaüstü mü olduğu konusunda değil, sınırların nerede çizilmesi gerektiği konusundaydı. Tıpta bunun anlamı, hangi vakaların suyuk teorisiyle açıklanabileceğini, hangi vakaların ilahi ya da şeytani etkilere bağlanabileceğini çözmekti. Okumuş kişiler bu incelikli sorunda görüş ayrılığı içindeydiler ve belirli vakalardaki anlaşmazlıkları, teoloji ve tıp arasındaki ayrımlarla her zaman açık seçik örtüşmezdi. Aksine, akademik tıp yazarları bir patoloji kaynağı anlamında şeytani şeylerden, çağdaşları olan ilahiyatçılar kadar sıklıkla söz ederlerdi; katı tıp savunucuları bu konularda, cadılık üzerine yazmada uzmanlaşmış olanlardan çok az ayrılırlardı. Güvenilir kaynak sayılan *Compendium Maleficarum*'un (1608) ya da *Book of Witches*'in [Cadılar Kitabı] yazarı Katolik cin kovucusu Francesco Maria Guazzo (d. 1570), şeytani şeylerle ilgili araştırmalarda "son derece bilgili başka hekimler"in yayımlanmış yazılarından yoğun biçimde yararlanmıştı.[8] Gerek Protestan, gerekse Katolik doktorlar ve ilahiyatçılar bazı delilik biçimlerinin manevi bir illet, cin çarpmasının bir sonucu ya da günahın karşılığı ilahi bir ceza olduğu kanısındaydılar; ama hepsi öbürlerinin zihinsel etkileri olan travmatik zedelenmelerle ya da bedensel bozukluklarla ortaya çıkmış bir hastalık türü olduğunu kabul etmeye aynı ölçüde hazırdı.[9]

MELANKOLİ DELİLİĞİ

Delilik üzerine 16. ve 17. yüzyıl söyleminin daha dikkat çekici özelliklerinden biri, melankoliye dönük belirgin bir entelektüel modaydı; Avrupa'nın her

6 Stuart Clark, 1997, s. 152.

7 Lambert Daneau, 1575, akt. Stuart Clark, 1997, s. 163-164.

8 Stuart Clark, 1997, s. 188-189.

9 "Tıp mesleğini de kapsamak üzere, Avrupa'daki okumuş sınıfların hatırı sayılır bir kesiminin, insanların içinde iblislerin bulunabileceği ilkesinden 17. yüzyılın sonundan önce vazgeçtiği söylenemez." Stuart Clark, 1997, s. 390-391.

yanında Rönesans'ın birçok şahsiyeti yerli dillerde bu konu üzerine yazdı.[10] İbn Sînâ'nın ve daha uzaktan Ephesoslu Rufus'un ve Galenos'un yeni dolaşıma giren metinlerinin büyük katkıda bulunduğu melankoli yorumları, İngiliz hekim ve papaz Andrew Boorde'nin (yak. 1490-1549) "habis bir melankoli suyuğu" olarak nitelendirdiği anlayışı öne çıkardı. "Bu deliliğe yakalanan kişiler sürekli korku ve endişe içinde olurlar," diye yazdı Boorde. "Durumlarının asla düzelmeyeceğini, ruhen ya da bedenen veya her iki açıdan hep tehlikede olacaklarını düşünürler; dolayısıyla bir yerden öbürüne kaçıp dururlar ve koruma altına alınmadıkça, nerede kalmaları gerektiğini kestiremezler."[11] Böyle kişilerin zihinlerinin kararması ve bulanması, çoğunlukla koyu renkli suyuklara (artıklarıyla vücudu bozan kara safra ya da kızarmış, yanmış ve kekreleşmiş sarı safra) bağlanırdı.

Antik geleneğe uygun olarak, melankolinin değişik yollarla ortaya çıktığı düşünülürdü. Montpellier'de anatomi profesörü olan (ve bütün tıbbi konularda katı Galenos çizgisine sıkı sıkıya bağlı kalan) Andreas Laurentius'a göre (1560?-1609), bazı vakalar "tamamen ve sadece beynin kusurlu oluşundan"dı. Ama "vücudun bütün dengesinin ve yapısının melankolik olduğu [...] durumlarda" melankoli daha bedensel bir bozukluk biçimine bürünebilirdi. Başka bir biçim olan "eserekli ya da rüzgârlı melankoli [...] bağırsaklardan, ama özellikle dalaktan, karaciğer ve bağırsak askısı denilen zardan kaynaklanır"dı; Laurentius "kuru ve hararetli bir dengesizlik" diye tarif ettiği bu durumu başka bir yerde "evham hastalığı" olarak nitelendirmişti.[12]

Melankolinin değişik kaynakları, arazlarının da çok yönlü olmasına yansırdı. Laurentius'a göre, "bütün melankolik kişilerin hayal güçleri sorunluydu", ama birçok durumda "akılları da bozuktu."[13] Çağdaşı İngiliz hekim Timothie Bright (1551?-1615) onunla hemfikirdi. Melankolikler, kelimenin bugün de çağrıştırdığı "korku, üzüntü, umutsuzluk, gözleri dolma, ağlama, hıçkırma, iç geçirme" belirtileri gösterirlerdi ve "sebepsiz yere [...] bir türlü avunamaz ve güven duyamaz hale düşerlerdi, üstelik ortada korkulacak ya da hoşnutsuzluk duyacak bir şey, henüz bir tehlike yokken." Ama bozukluğun ortaya çıkmasına yol açan suyuk dengesizlikleri "beyni maddeten olduğu kadar manen de kirletir", böylece "hayal gücünde feci şeyler uyandırır [...] [ve] beynin bir dış vesile yokken, korkunç kurmacalar oluşturmasına sebep olur"du. Öyle ki, "kendi başına bir takdir gücü olmasa da, beynin yanlış bildirimlerine inandırıcılık kazandıran yürek, akla aykırı olan ölçüsüz tut-

10 H. C. Erik Midelfort, 1999, s. 158: "Hekimler için, bu sahiden 'melankoli çağı'ydı".

11 Andrew Boorde, s. 15 47, aktaran Stanley W. Jackson, 1986, s. 82-83.

12 Andreas Laurentius, 1598, s. 88-89, 125. Yirmiyi aşkın baskısı yapılan 1594 tarihli orijinal Fransızca kitap İngilizce, Almanca ve İtalyancanın yanı sıra Latinceye de çevrildi.

13 Andreas Laurentius, 1598, s. 87.

kuya boğulur"du.[14] Dolayısıyla melankolikler, etraflarındaki kişilerce açıkça görülen ruhsal ve duygusal bozukluklara ilaveten, sanrılara ve hezeyanlara kapılabilirlerdi.

Böyle bir ıstırap silsilesini çekenlere imrenecek çok az kişi çıkardı. İşin daha da kötüsü, "bütün melankoli hastalıklarının inatçı olduğu, uzun ve çok zorlu tedaviyi gerektirdiği" ve dolayısıyla "hekimlere dert ve azap çektirdiği" yaygın kabul görürdü.[15] Bir düzelme umudu için, iyi eğitimli hekimin geleneksel silahlarının (kan alma, hacamat, deriyi kazıma, kusturma ve müshil verme) yanı sıra diyet, egzersiz, taze hava ve sağlıklı ortam, sıcak banyo, yatıştırıcı müzik ve uyku hususlarına sıkı özen göstermek şarttı. Vücudu tekrar dengeye kavuşturmaya ve böylece akıl, tutku ve hayal gücü bozukluklarını hafifletmeye dönük sürekli bir uğraşla, bütün bunlardan dikkatle yararlanılırdı.

Ancak aynı dönemde melankoli, görgülü kesimler arasında moda sayılabilecek bir tür bozukluğa, bilginlerin ve dâhilerin özellikle yatkınmış gibi göründüğü bir derde de dönüştü. Bu da yine klasik çağ kaynaklı bir görüştü. Klasik kaynaklara yeniden erişilmesiyle birlikte, Aristotelesçi doğa felsefesi canlandı; bu felsefi gelenek içinde, melankolinin ve üstün başarının yakından bağlantılı olduğu fikri bizzat Aristoteles tarafından olmasa bile en sadık öğrencilerinden bazılarınca uzun süreden beri işlenmişti. Görünüşe bakılırsa, melankoli suyuğunu edinme hem dimağı hem de hayal gücünü uyaran bir şeydi. Şair John Dryden "Büyük zekânın delilikle yakın bağı kesindir / Aralarındaki ayrımı ince sınırlar belirler" şeklindeki ünlü mısralarında bu bağlantıyı yüceltir.[16] Raffaello aynı yaklaşımla Vatikan'daki *School of Athens* [Atina Okulu, 1509-1510] freskinde düşünceye dalmış Michelangelo'ya Herakleitos kişiliğiyle yer verirken, Dürer ünlü *Melancholia I* [Melankoli I, 1514] gravüründe kanatlı yaratıcı dehayı melankoli deliliğinin pençesinde gösterir.

Oxford akademisyeni ve papaz Robert Burton (1577-1640) tarafından Democritus Junior takma adıyla 1621'de yayımlanan ve melankoli üzerine Rönesans düşüncesinin en büyük derlemesi sayılan *The Anatomy of Melancholy*'de [Melankolinin Anatomisi] böyle anlayışlar etraflı biçimde açıklanır. Burton'un ölümünden sonra 1660'ta çıkan son baskısında yaklaşık 1.500 sayfaya ulaşan kitabı, konuyla ilgili Batı irfanının ve biliminin bir derlemesi ve sentezi olarak, öncellerinin çalışmalarını da kapsar ve onları gölgede bırakır. Burton'u melankolinin yaratıcılıkla bağlantılarını övmeye

---

14 Timothie Bright, 1586, s. xii-xiii, 90, 102. Bright'ın ve Laurentius'un burada belirtilen görüşleri, İbn Sînâ'nın *El-Kanun Fi't-Tıb* kitabında Galenos'a ve Ephesoslu Rufus kaynaklı melankoli değerlendirmeleriyle yakın benzerlik gösterir.

15 Andreas Laurentius, 1598, s. 107-108.

16 J. Dryden, *Absolom and Achitophel*, 1681, Kısım I, mısra 163-164.

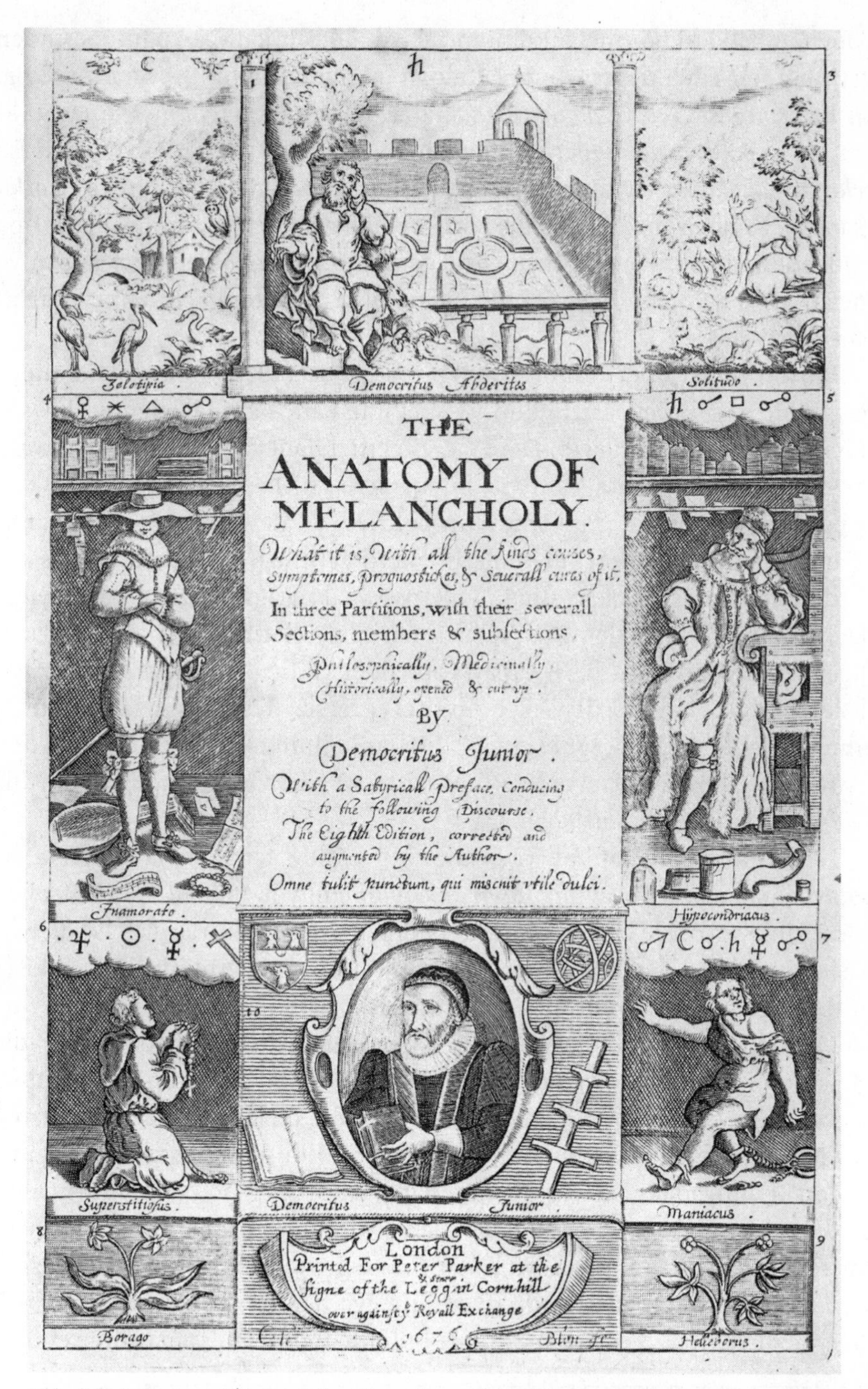
Zelotipia . Democritus Abderites Solitudo .

THE
ANATOMY OF
MELANCHOLY.
What it is, With all the Kinds causes,
symptomes, prognostickes, & severall cures of it.
In three Partitions, with their severall
Sections, members & subsections,
Philosophically, Medicinally,
Historically, opened & cut up.
BY
Democritus Junior.
With a Satyricall Preface, conducing
to the following Discourse.
The Eighth Edition, corrected and
augmented by the Author.
Omne tulit punctum, qui miscuit utile dulci.

Inamorato . Hypocondriacus .
Superstitiosus . Democritus Junior . Maniacus .

London
Printed For Peter Parker at the
signe of the Legg & Star in Cornhill
over against ye Royall Exchange
1676

Borago . Helleborus .

Melankolinin Anatomisi. İlk kez Robert Burton'un ünlü kitabının üçüncü baskısında yer alan bu ön sayfada, melankoli deliliğinin çeşitli biçimlerinin yanı sıra akıl hastalığıyla bağlantılı hayvanlar, şifalı otlar ve astrolojik işaretler tasvir edilir. Bir resimde öfkeden buruşmuş suratıyla zincirlerinden kurtulmaya çalışırken, abuk sabuk şeyler söyleyen bir deli görülür.

yönelten belki kendi melankolik mizacıydı; ancak kara suyuğun peşinden getirdiği felç edici depresyonu yakından bildiği kesindir. Alaycı bir tavırla, *başkalarının işiterek ya da okuyarak öğrendiği şeyleri bizzat hissedip yaşadığını* ve başkalarının *bilgilerini kitaplardan edindiğini*, kendi bilgilerinin ise *çektiği melankoliye* dayandığını belirtir. Çoğu önceli gibi, ona göre de "*korku & hüzün* çoğu *melankolinin* katışıksız özellikleridir ve ayrılmaz biçimde ona eşlik ederler"; bunlar mağduru *gözle görülür bir sebep olmaksızın* sarsan ve melankoliyi deliliğin diğer önemli biçimi olan cinnetten ayırt etmeyi sağlayan duygulardır.[17]

Burton geniş çapta alıntılar yaptığı önceki tıp erbabı gibi, melankolinin genellikle suyuk dengesizliğinin ve özellikle kara safra fazlalığının bir sonucu olduğu görüşündeydi. Deva (tercih ettiği ifadeyle "gayrimeşru deva") arayışıyla, " efsunculara, cadılara, büyücülere vs." başvurma eğilimine karşı çıkarak, bunun yerine "Tanrı'nın belirlediği" devaları, ağırlıklı olarak "Tanrı'nın aracı vekilleri" hekimlerin önerdiği iltihap azaltıcı devaları salık verdi. Bunlar arasında kan alma, "yukarıya ya da aşağıya doğru temizleyici" ilaçlar, sülükler, neşterle yarma ve hacamat gibi yolların yanı sıra doktorların diğer sermayesini oluşturan yapay yöntemler vardı: "Diyet, idrar tutma ve dışkılama, taze hava, bedensel ve zihinsel egzersiz, uyuma ve uyanık kalma, zihni oyalama ya da meşgul tutma."[18] Melankolinin tuzaklarından ve sıkıntılarından sakınmak isteyenlere Burton'un en başta gelen tavsiyesi şuydu: "*Yalnız kalmayın, boş durmayın.*"[19]

Ne var ki her melankoli vakasının bu şekilde açıklanamayacağı ya da tedavi edilemeyeceği kaydını koymak çok önemliydi. Burton tıbbi müdahaleleri salık vermekle birlikte, melankoliden mustarip okurlarına "İşe duayla başlayın ve ardından hekimlere başvurun; ikisinden birini değil, her ikisini de uygulayın," tembihinde bulunmuştu.[20] Ama önce dua edilmeliydi. Bu yaklaşım melankolinin bedenden kaynaklandığı durumlarda geçerliydi. Melankolinin başka kaynakları da olabilirdi ve böyle durumlarda tıbbın geçerliliği o kadar kesin değildi. Burton dinsel melankoli üzerinde uzun uzadıya durmuştu ve döneminin neredeyse bütün okumuş adamları gibi, Şeytan'ın dünyadaki faal varlığı, insanların hayatına girip onları ayartma ve onlara azap çektirme gücü konusunda keskin bir kanaate sahipti. "Ruhların ve cinlerin gücünün nereye kadar uzandığı ve şu ya da bu hastalığa yol açıp açamayacakları, üzerinde düşünülmeye değecek ciddi bir sorudur," diye yazdı. "Birçok kişi bedene etkide bulunulabileceğini, ama zihne etkide

17 Robert Burton, *The Anatomy of Melancholy*, 1948, s. 148-149 (orijinal baskı Oxford, 1621).
18 Stanley W. Jackson, 1986, s. 97.
19 Robert Burton, *The Anatomy of Melancholy*, 1948, s. 970.
20 Robert Burton, *The Anatomy of Melancholy*, 1948, s. 384.

bulunulamayacağını sanır. Oysa tecrübe aksini, yani hem bedene hem de zihne etkide bulunulabileceğini gösterir." "İşe önce hayalle başlanır ve öylesine güçlü bir şekilde ilerlenir ki, hiçbir akıl buna direnemez; [...] melankolikler şeytani ayartmalara ve yanılsamalara en çok maruz kalan ve onlara kapılmaya en yatkın kişiler oldukları için, Şeytan en çok onları etkiler. [...] [Ancak] saplantının mı, cin çarpmasının mı, yoksa başka bir şeyin mi buna yol açtığını kestiremeyeceğim – cevap verilmesi zor bir soru."[21]

Bu konuda da Burton, zihnin, bedenin ve ruhun birbirlerine sıkıca bağlılığında hemfikir olan aynı ve yakın çağın tıp erbabıyla temelde anlaşmazlık içinde değildi. Örneğin, önceleri hekimlik yaparken papazlığı seçen Timothie Bright, "günahın bilincine varıp ruhsal ıstırap" çekenler için tek etkili çözümün manevi teselli olduğu kanısındaydı. "Zihinsel zafiyetleri" ne kadar benzer olursa olsun, böyle azap çeken insanlar "doğal melankoli"ye yakalanmış sayılmazdı ve böyle durumlarda tıbbi bakım boşunaydı.[22] Andrew Boorde'ye göre, bedensel kaynaklı deliliğin yanı sıra "bir delilik türü daha" vardı ve "bu deliliğe yakalananlar hep şeytanın etkisi altında kalır ve şeytani kişilere dönüşür"dü.[23] Basle Üniversitesi'nde tıp dersleri veren Felix Platter (1536-1614), "kendilerini lanetli olduklarına, Tanrı tarafından terk edildiklerine inandıran ve [...] kıyametten, ebedi cezadan korkan" melankoliklerle karşılaşmıştı. "Akıl hastalığı"nın diğer biçimleri gibi, bu rahatsızlıklar da çoğu kez "doğaldı, aklın merkezi beyni etkileyen belli bir duyguydu." Ama "kötü bir ruhtan kaynaklanan doğaüstü bir durum" olması aynı ölçüde mümkündü. Bozukluğun "*Şeytan*'dan kaynaklanan *doğaüstü bir sebebe*" dayandığı durumlarda, tedavi yolları "hiçbir şekilde hekimin alanına girmezdi". Tıbba başvurmak yerine, "papazların ve dindar insanların İsa adına okuyacağı dualarla *Şeytan*'ı zorla kovma" yoluna gitmek gerekirdi.[24]

İnsanların ruhlarına hizmet eden rahiplerin bedensel bozukluklarına da ilgi duymaları nadir olmayan bir durumdu. Batı Avrupa genelinde, iyileştirme işini tanımlanmış bir meslek erbabının elinde tutmayı sağlayacak etkili bir ruhsat sistemi yoktu; kendi cemaatlerindeki bedensel rahatsızlıkların tedavisi için başvurulan rahiplerden, ruhsal sorunları olanlara yardım etmelerinin istendiğini öğrenmek şaşırtıcı olmasa gerek. Böyle bir taşra hekimine, Anglikan papaz Richard Napier'e (1559-1634) (Resim 15) ait defterlerin tesadüfen günümüze ulaşması ve modern psikiyatri tarihçisi Michael MacDonald tarafından titizlikle incelenmesi sayesinde, hekimin hastaları, rahatsızlıkları

---

21 Robert Burton, *The Anatomy of Melancholy*, akt. Richard Hunter ve Ida Macalpine, 1963, s. 96.

22 Timothie Bright, 1586, s. i, iv, 187. Bright günümüzde çoğunlukla stenografinin mucidi olarak tanınır.

23 Andrew Boorde, 1547.

24 Felix Platter, Abdiah Cole ve Nicholas Culpeper, 1662, akt. Stanley W. Jackson, 1986, s. 91-94.

ve gördükleri tedavi biçimleri konusunda epeyce bilgiye sahibiz. Hastaların belki % 5'inin geliş sebebi ruhsal sorunlardı. Deli, gamlı, melankolik, endişeli ve çaresiz kişiler ondan tavsiye almak için bazen epeyce uzak yerlerden gelirlerdi. Buckinghamshire'ın kuzey kesimindeki papazlık bölgesi civarında oturan sıradan ve daha varlıklı insanlar da her türlü bedensel rahatsızlığa deva bulma umuduyla ona başvururlardı. Anglikan "yaşam tarzı"nın güvencesine sahip, katı görüşlü ve Oxford eğitimli bir rahip olan Napier, onların ihtiyaçlarına eklektik bir yaklaşımla cevap verirdi.

Çağdaşı Galileo (1564-1642) gibi bir astrolog olmanın yanı sıra, Isaac Newton (1642-1727) gibi simyayla geniş çapta uğraşan biriydi. Bu durum 17. yüzyıldaki en eğitimli kişilerin zihinsel dünyasının bile şimdikinden ne kadar farklı olduğunu ve ortak bir çerçeve içinde çelişkili gördüğümüz zihinsel evrenlerle nasıl kolayca bağdaşabildiklerini hatırlatır bize.[25] Napier hastalarını tedavi ederken bu esrarlı işlere başvurur, arazlarını dikkatle not eder ve hastalıkların gidişatına dair öngörülerde bulunmak için astrolojiyi kullanırdı. Aynı zamanda kan alma, müshil verme ve kusturma yöntemlerini uygular ve hastalarına yıldız sembolleri işlenmiş büyülü nazarlıklar verirdi. "Gamlı ve beyinden rahatsız ya da cadılıktan, büyüden ya da sihirden [zarar görmüş] biri"yle karşılaştığında, "önce kan aldırmalarını" salık verir ve ardından şu duayı okurdu: "Rabbim, bu adamı, kadını ya da çocuğu ona böylesine sorun ya da sıkıntı çektiren Şeytan ifsadından kurtarman için sana yalvarıyorum".[26] Görünüşe bakılırsa, büyü, din, doğaüstücülük ve tıp alanlarının bu eklektik karışımı, gerek okumuş tabakanın, gerek avamın inançlarıyla uyuşmaktaydı. Her iki kesim de çeşitli bozuklukların seyrini etkilemeye çalışanların bu alanları bağdaştırabileceği ve aslında bağdaştırması gerektiği kanısındaydı. Böyle bir anlayış Napier'e, söz konusu defterleri tuttuğu 1597-1634 arasında binlerce hastanın başvurmasını sağladığı gibi, hatırı sayılır bir servet de kazandırdı.

Richard Napier bazıları oldukça hafif, bazıları ise açıkça çok ağır durumdaki çok çeşitli akıl hastalarını tedavi etti. Hastaları arasında kadınlar, erkeklerden daha fazlaydı. Akıl bozukluğundan dolayı tedavi ettiği kişilerden 1.286'sı kadınken, sadece 748'i erkekti; üstelik kadınları ve düşünsel yetilerini küçümsemesine karşın, böyle bir durum söz konusuydu. Bu cinsiyet farklılıklarını nasıl yorumlamak gerektiğini kestirmek zordur. Acaba durum yerel nüfusun cinsiyet oranında bir dengesizliği mi, kadınların hekimlerine güvenme eğiliminin daha güçlü olduğunu mu, birçok kadının hayatını pe-

25 Galenos hekimliğini ciddi eleştiren ilk kişilerden biri olan tanınmış ama tartışmalı İsviçreli-Alman hekim Paracelsus (1493-1541), aynı şekilde hem astrolojiye hem de simyaya tutkundu ve tıbbi uygulamada her ikisine rutin olarak başvururdu.

26 Akt. Michael MacDonald, 1981, s. 213.

rişan eden müzmin jinekolojik sorunların çokluğunu mu, yoksa o dönemde kadınların psikiyatrik bozukluklara biraz daha yatkın olduğunu mu yansıtmaktaydı? Gizemi çözmeye yıllarını harcayan MacDonald bile, işin içinden çıkamadığını itiraf eder. Hastalar arasında zenginler kadar fakirlerin de bulunmasına karşın, çoğunluk orta tabakalardandı, yani çiftçiler, zanaatkârlar ve eşleriydi; ancak Napier'in şöhretinin arttığı 1610'ların ortalarından itibaren, soylu tabakanın mensupları da (kontlar ve kontesler, hatta bir dükün kardeşi) hizmetlerinden yararlanmaya çalıştılar. Birçoğu sıklıkla keder ve kayıp sonrasında ortaya çıkan perişanlıkta ve biçare haldeydi. Algı bozuklukları sergileyen bazıları düpedüz sanrılı ya da kuruntuluydu. Napier genelde böyle kişileri "sersem" ya da "kendinden geçmiş" olarak nitelendirirdi. Çılgınca zırvalara ve öngörülemez davranışlara yatkın olanları, somut şiddete eğilim gösterenleri ya da başvuranları, cana ya da mala karşı tehditkâr ve bazen tahripkâr olanları ya da açıkça kendine zarar vermenin eşiğinde olanları, ağır davranış bozukluğu vakaları içinde sayardı. "Deli" ya da "meczup" ibarelerini, önüne gelen her yirmi zihinsel rahatsızlıktan belki birini oluşturan böyle kişilerle sınırlı tutardı. Bunlar gerek onun açısından gerekse aileleri açısından en kötü, en can sıkıcı akıl bozukluğu biçimleri ve en zorlu, en acil vakalardı. Ortak özellikleri ise davranışları düzenleyici normal kısıtlamalardan bihaber, sosyal inceliklere ve sosyal hiyerarşilere aldırışsız, dehşet verecek ölçüde öngörülemez, tiksindirici ve her türlü denetimin ötesinde olmalarıydı. Böyle meczupların zincire vurulması, onları zapturapt altına alanların acımasızlığından ziyade uyandırdıkları korkudandı.[27] Ne de olsa, bu deliler dünyayı altüst edebilecek bir tehdit kaynağıydı.

SINIRLARI ÇİZMEK

Hiç kuşkusuz, tıbbın alanına giren ve ilahi güce bağlı akıl bozukluğu vakaları arasındaki sınırın nerede çizileceği sorusu karmaşıktı; sıklıkla mesleki kıskançlığı ve uyuşmazlıkları kışkırtan bir meseleydi. Napier'in papazlık bölgesinden uzak sayılmayacak Northampton'da hekimlik yapan John Cotta (1575-1650), "Şeytan'dan kaynaklandığı söylenen bütün hastalıklarda [...] hekime başvurma gereği" konusunda ısrarcıydı.[28] Tıbbi konulara burnunu sokan "cahil hekim takımı"nı, en başta da "memlekette dolup taşan, asıl işlerini ve görevlerini bırakıp başka meslekleri gasp eden din adamlarını, papazları ve rahipleri" hor gören bir tutum içindeydi.[29] Her ne kadar kesin şekilde bilemesek bile, hedef aldığı kişiler arasında muhtemelen yakın kom-

27 Michael MacDonald, 1981, s. 141.
28 John Cotta, 1616, akt. Richard Hunter ve Ida Macalpine, 1963, s. 87.
29 John Cotta, 1612, s. 86, 88.

şusu Napier de vardı. Cotta'nın "aklın ermediği ve doğanın gücünü aşan azametli ve şaşılacak birçok şeyin [...] aslında Şeytan'ın marifetiyle gerçekleştiğini" reddetmemesine karşın, temelde yatan mesleki gerilimler açıktır.[30]

Bu tür çatışmaların en azından görünüşte son derece endişe verici bir örneği Londra'da Nisan 1602'de, Kraliçe Elizabeth döneminin son yılında ortaya çıktı. Mary Glover adlı genç bir kız, o civarda oturan yaşlı Elizabeth Jackson'a bir mesaj iletmekle görevlendirilmişti. Ama Jackson kin güttüğü Mary'yi evine kapatarak, küfürler yağdırdı, beddualar okudu ve başına "feci bir ölüm" gelmesini diledi. On dört yaşındaki kız sonunda onun pençesinden kurtuldu, ama nöbetler geçirmeye başladı. Aralıklarla boğazı tıkanır, dili tutulur ve sıklıkla yutkunamaz hale düştü; vücudu bir ara neredeyse akıl almaz şekillere girdi, başka bir seferde de felce uğramış gibi oldu. Katı Püriten olan anne babasının evine akın eden kalabalıklar, onun davranışlarına tanık olunca cinle çarpıldığı sonucuna vardılar. Yaşlı Jackson hemen tutuklandı, yargılandı ve cadılıktan suçlu bulundu. Cadılık yasalarının geçici olarak yürürlükten kalkmış olması sayesinde, ölüm cezasından kurtuldu. Jackson'ın davasında Edward Jorden (1569-1633) adında Londralı bir hekim, savunma tanığı olarak bulunmuştu. İfadesinde Mary Glover'ın büyülenmediğini, "rahim boğulması"ndan mustarip bir hasta olduğunu ısrarla belirtti. Bu ibareyle kastettiği ("rahim" anlamındaki Yunan *hystera* kelimesinden türetilmiş) histeri, daha önce gördüğümüz üzere antik kökleri olan ve rahmin vücutta dolaşarak, boğulma duygusuna, tıkanma nöbetlerine ya da yutkunma güçlüğüne yol açabildiği inancına dayanan başka bir delilik biçimiydi.

Burada, hurafe dünyası ile bilim dünyası arasındaki, esrarlı şeylere dönük bir inanca sıkı sıkıya bağlı olanlar ile dünyayı tamamen doğa çerçevesinde görenler arasındaki bir çatışmayla karşılaştığımız söylenebilir. Jorden davadan sonra yazdığı bir broşürde, Mary Glover'ın aslında rahiplerin müdahaleleri yerine ilaçlara ihtiyaç duyduğunu ısrarla savundu. "Kendi alanlarına giren hususlarda nasıl papazların, avukatların ve zanaatkârların görüşüne başvuruyorsak, insan bedeninin davranışlarına ve iştiyaklarına ilişkin bir sorunda, yani mesleklerinin asıl konusunda hekimlerin hükmünü niçin tercih etmeyelim?" diye sordu.[31] Mary Glover'ın davranışlarını açıklamada bilimin ve ilahiyatın taban tabana zıt olduğu, bilimin doğal dünyayı, dinin ise doğaüstü dünyayı esas aldığı açık değil midir?

Ne var ki, işin aslı sonradan ortaya çıkacaktı. Jorden'ın davaya müdahil olmasını Londra piskoposu Richard Bancroft (1544-1610) sağlamıştı ve girişim öncelikle Glover'ın davranışlarını cin çarpmasına bağlayan ve cin kovma ayinleriyle ya da duanın ve orucun gücüyle Şeytan'ı çıkarmaya çalışan

30 John Cotta, 1612, s. 51.

31 Edward Jorden, 1603, *The Epistle Dedicatorie* (sayfa numaralandırması yok).

Püritenleri ve papalık yanlılarını itibarsızlaştırmaya yönelik dinsel propagandanın bir parçasıydı. Jorden'ın Hekimler Kurulu'ndaki meslektaşlarının çoğu, Glover'ın sahiden büyülendiği kanısındaydı ve Piskopos Bancroft'un entrikaları iki düzlemde etkisiz kaldı. Önce Jackson cadılıktan suçlu bulundu. Ardından Mary Glover'ın Püriten dostları ve akrabaları, davadan sonra onun başucunda toplandılar. Bunu muazzam bir kavga izledi. Püritenler duaya başladı. Havale geçiren genç kız kıvrandı. Başının arka tarafı topuklarına değecek şekilde, vücudu tortop oldu. Arazları şiddetlendi. Derken bir anda Tanrı'nın gelip onu kurtardığını haykırarak bildirdi. Oradakiler onun iyileştiğine, yani İblis'in vücudundan çıktığına inandılar. Püritenler hikâyeyi 17. yüzyıl boyunca yaydılar. Dinsel inançlarının doğruluğunu göstermek için bundan daha sağlam bir kanıt olabilir miydi?[32]

Histeri, tıp erbabı arasında bile, son derece tartışmalı bir teşhisti ve halen de öyledir. Akıl hastalığını bilerek görmezlikten gelenler, bir uydurma sayıp reddedenler dışında, kimse Bedlam'a yatırmayı gerektirecek düzeyde bir deliliği, yani artık aynı zihinsel evreni paylaşamayacağımız kadar sağduyu gerçekliğimizden kopmuş birini tanımakta pek fazla zorluk çekmez. Ancak böyle durumlara neyin yol açtığı ve onlara nasıl tepki vermemiz gerektiği konusundaki hararetli tartışmalar hâlâ sürmektedir. Histeri ise bukalemun gibi kılık değiştiren farklı bir hastalıktır; mağdurlarını ve ona tanık olanları saran duygusal çalkantının yanı sıra, görünüşte neredeyse bütün diğer hastalıkların arazlarını andırabilir ve ortaya çıktığı kültüre uygun kalıba bir şekilde bürünmüş gibi görünür. İster gerçek isterse kurmaca olsun, histerinin konumu ve sebepleri görüş ayrılıkları yaratmaya elverişliydi ve yüzyıllar boyunca öyle kaldı. Histeri bu teşhisin konulduğu birçok kişi tarafından sıklıkla reddedilen bir yafta, birçok kişiye sahici patolojiden ziyade, hastalık numarası yapmaya ve aldatmaya yakın görünen bir durumdu. Haliyle başka bir yaklaşım, az önce gördüğümüz üzere, ruhlara batmış bir dünyada histerinin tuhaf tezahürlerine kolaylıkla cin çarpması çerçevesinde bakılmasıydı. Ancak histeri mağdurları bazen deliler âleminin çeperinde, bazen de görünüşte merkezinin daha yakınında kalmaya devam ettiler; kâh göz ardı edildiler, kâh zihinsel rahatsızlığı olanları sıkıntıya düşüren şeyin örmeği olarak görüldüler.

Püritenlerin kendi Hıristiyanlık anlayışlarını benimsetmek için Mary Glover'ın "cinden kurtuluşu"nu istismar etmeleri aynı şekilde bildik bir kinayedir. İlk Hıristiyanlar davalarını ileriye götürmek için mucizeleri yararlı bir silah olarak kullanmışlardı. Reform hareketine ve Karşı-Reform hareketine de

32 Bu olaya ilişkin daha kapsamlı değerlendirme için bkz. Andrew Scull, 2011, s. 1-23. Jorden'ın müdahalesinin bazı kaynaklarda görüldüğü gibi sekülerizme inancı yitirmenin belirtisi değil, din saikli olduğu yorumunu ilk ortaya atan ve belgelendiren kaynak Michael MacDonald, 1991.

sahne olan Rönesans çağında, delileri bir irrasyonellik ve çılgınlık evrenine kısılmalarına yol açan cinlerden kurtararak iyileştirme, Protestanların ve Katoliklerin çekişmeli savlarına vesile oluşturdu. Püritenler cin kovma ayinini de kapsayan Katolik ritüelleri büyük çoğunlukla reddettiler; ama bunların yerine hastanın başucunda yapılacak uzun süreli dua ve oruç seanslarını geçirdiler ve (Katoliklerin cin kovma ayiniyle Şeytan'ı vücuttan çıkarınca yaptıkları gibi) bunun istenen sonucu sağladığı her durumda, iyileştirilen deliyi ilahi lütfun işareti ve kendi öğretilerinin doğru oluşunun kanıtı sayıp övündüler. Bu iki uç arasında bir orta yol bulmaya çalışan Anglikanlar ise her iki sav dizisini aşağıladılar. Örneğin, sırasıyla Chichester ve Norwich piskoposu, daha sonra York başpiskoposu olan Samuel Harsnett (1561-1631) önce Püriten cin kovucu John Darrell'e,[33] ardından Katolik denklerine[34] verip veriştirdi. Bu süreçte hem cinlerin hem de cadılığın varlığına duyulan inancı sarstı ve sözde doğaüstü olgulara ilişkin doğalcı açıklamalar sundu. Harsnett'e göre, cin kovma sahneleri incelikle hazırlanmış "hile"lerdi. Bu olayları yönetenler "perdeyi açmaya ve kuklalarını oynatmaya" koyulurlardı; sergiledikleri "kutsal mucizeler oyunu" "harika bir gösteri" olduğu kadar "kutsal bir hokkabazlık"tı ve sonuçta ortaya çıkan bir "trajik komedi"yle hem Katolik rahipleri hem de Püriten papazlar aynı ölçüde safdil seyircilerini kandırırlardı. Böylece müthiş bir ironiyle, en azından İngiltere'de, dinsel siyaset bu ve sonraki vesilelerle, deliliğin kökenine ilişkin görüşlerin değişmesine ve delilik konusunda daha seküler bir perspektifin ortaya çıkışına katkıda bulundu.

Üstelik bu sonuca beklenmedik ve hiç öngörülmemiş yollarla varıldı. Harsnett'in cin kovmaya yönelik sert eleştirisi, onun yazılarını okuyan Shakespeare'in ilk kez 1606'da sahnelenen *Kral Lear* oyununda deliliği sunuşunu birçok bakımdan etkiledi. Sözgelimi, Edgar deli numarası yaptığında, cinlerce çarpıldığını ileri sürer; "Zavallı Tom"a musallat olanlar "kötü ruhlu Flibbertigibbet" ile Obdicut, Hoppedance, Mahu ve Modo'dur. Bu çarpıcı adların hepsi doğrudan Harsnett'in düzmece Cizvit cin kovma ayinlerine ilişkin anlatımından alınmıştır. Edgar'ın sahte deliliği böylece Katoliklerin saf insanları kandırmak için başvurdukları uydurma cin çarpması olaylarını yansıtır ve alaya alır, hem de bazı imgelere (garip sesler, uyuşukluk, lanetleme) ve bizzat Shakespeare'in kullandığı dile varıncaya kadar.[35] Ayrıca üretken Calabria'lı felsefeci ve Dominiken keşiş Tommaso Campanella'nın (1568-1639) heretiklik ve isyan gerekçesiyle 1599'da idam edilmekten akıl hastası

33 Samuel Harsnett, 1599.
34 Samuel Harsnett, 1603.
35 Kenneth Muir (1951) *Lear* metni içinde Harsnett'in polemiğinden alınma elliyi aşkın ayrı parçayı saptadığını ileri sürer.

numarası yaparak kurtulduğu meşhur olayı hatırlatır.[36] Ama Shakespeare evlilik dışı kardeşince kovalandığı için hayatından korkan çaresiz bir karakterin büründüğü sahte bir kimlikle, Edgar örneğinde deliliği cin çarpması şeklinde sunarken, Lear'in deliliğine açıkça çok farklı bir yorumla yaklaşır: Kökleri bakımından doğaüstü değil, fazlasıyla insanidir. İkinci örnekte delilik doğallaşır. Kralın soğukla ve fırtınalarla, daha da önemlisi bir dizi bunaltıcı psikolojik saldırının ağır darbeleriyle (kızlarından ikisi tarafından terk edilişi, aptallığının ve suçluluğunun kafasına dank edişi, Cordelia'nın ölümü) hırpalanma sürecinde kademeli olarak ortaya çıkar. "Ah, delirmeyeyim, deliye dönmeyeyim, sevgili Tanrım!" diye yalvarır Lear. "Aklımı başımda tut, ben delirecek biri değilim!" Ama seyircilerin gayet iyi bildiği üzere delidir – akli durumu diğer fanilerin dile getirmeye cüret edemediği hakikatleri söylemesine cevaz veren Soytarı da belki öyledir.

TİYATRONUN İMKÂNLARI

Delilik Shakespeare'in trajedi ve komedi niteliğindeki birçok oyununda işlenen bir temadır. İki edebi türde çok farklı bir yer tutsa ve çok farklı bir etkiyle sunulsa da, deliliği bir tiyatro aracı olarak sürekli kullanması açısından, aynı ve yakın çağın yazarlarıyla uyum içindedir. Elizabeth döneminin sonlarında ticari tiyatro ortaya çıktığında, ilk oyun yazarları olay örgülerinde deliliğe bir unsur olarak sıklıkla başvurmuşlardı. Shakespeare'in ilk oyununu sunuşundan önce, başkaları tiyatro kumpanyalarının çekmeye çalıştığı seyircilere deli sahnelerinin çekiciliğini göstermişlerdi. Bu olay örgüsü aracını öncellerinden genellikle çok daha etkili kullanan Shakespeare, delilik ve insan doğası konusunda çok daha zengin bir dizi gözlem sunar bize. Ama eserlerini verdiği dönemde, yazarların ve sanatçıların delilik sorununa emsali görülmemiş ölçüde ilgi duyup kafa yordukları açıktır.

Shakespeare'in oyunlarından bir kuşağı aşan bir süre önce Avrupa genelinde klasik öğrenimin canlanması, beraberinde Yunan ve Roma edebiyatının gittikçe genişleyen yelpazesiyle yeni bir tanışıklığı getirmişti. Rönesans'a damgasını vuran, hatta ona adını veren klasik antikçağa dönük hayranlık ve coşku hiç kuşkusuz bu canlanmanın hem sebebi hem de sonucuydu.

---

36 Tommaso Campanella (1568-1639) heretik eğilimlerine ilişkin önceki kuşkulardan dolayı sürgün edildiği Calabria eyaletine hükmeden İspanya kralına yönelik bir tertibin manevi lideriydi. Tertipçilerden birçoğu asılırken ya da halkın önünde parçalanırken, o kaldığı hücreyi ateşe vererek ve işkenceden geçirildiğinde, uykusuz bırakıldığında bile akıl hastası numarasını inandırıcı biçimde sürdürerek, idamdan kurtuldu. Yargıçlar bir deliyi idam ettirmekte tereddüt ettiler; çünkü tövbe edemeyecek durumda olması, onu ebedi lanetlenmeye göndermekten sorumlu olmalarına yol açacaktı. Çeyrek yüzyıldan fazla bir dizi Napoli şatosunda hapis kalan Campanella, 1616'da Galileo'yu Engizisyon'a karşı savunan cesurca bir risale yayımladı ve nihayet 1626'da serbest bırakıldı. Çıkışından birkaç yıl sonra yeniden baskı görme tehlikesi üzerine Paris'e kaçtı ve orada 1639'da ölene kadar Fransa kralının himayesinde kaldı.

İtalya'da, Fransa'da, İspanya'da, ayrıca İngiltere'de tiyatro üzerindeki en önemli klasik etkileri Plautus'un İÖ 3. yüzyıl sonlarındaki ve İÖ 2. yüzyıl başlarındaki komedyaları ile Seneca'nın İS 1. yüzyılda yazdığı tragedyaları yarattı. 16. yüzyıl yazarlarının tanıştığı, yerli dillere çevirdiği ve örnek olarak kullandığı kaynaklar önceki Yunan oyunları değil, bu Roma tiyatrosuydu; önce İtalya'da ve Fransa'da fazlasıyla katı, ardından İspanya'da ve İngiltere'de daha serbest (ve daha başarılı) bir uyarlama süreci yaşandı.[37]

Yunan örneklerini esas alan Plautus, komedyalarını cumhuriyetçi Roma'nın İkinci Pön Savaşı'nın sonunda Kartaca'yla ve Hannibal'la, İkinci Makedonya Savaşı'nın başında Yunan dünyasıyla çatışmalar döneminde siyasal hiciv ve sosyal yorum aracı olarak kullandı. Otorite ve iktidar özentileriyle ve terslikleriyle dalga geçmek için, kalıplaşmış olay örgülerinden ve kibirli asker, kurnaz köle, şehvetli yaşlı adam gibi kalıplaşmış karakterlerden keyif aldığını görürüz.[38] Oyunlarının adlarından (*Agamemnon*, *Oidipus*, *Medea*, *Hercules Furens* vs.) anlaşılacağı üzere, Seneca'nın ilham kaynağı da Yunanlardı. Ama tragedyalarını emperyal Roma'nın kültürüne, en başta da Caligula'nın ve Neron'un imparator olarak koyduğu kurallara uyarladı: Bu tragedyalara dayalı versiyonlarda pek gizlenmemiş biçimde sürekli açığa çıkan köklü kötülüğün, işkencenin, ensestin, entrikanın ve vahşice ölümün kol gezdiği bir dünyaydı.

Seneca'nın tragedyalarında çılgınca deliliğin şiddetiyle, hiddetiyle, dizginsiz ve dizginlenemez öfkesiyle karşılaşırız; bunlar 16. yüzyıl İngiliz sahnelerinde en çarpıcı biçimde sunulan ve seyircilerde belirgin bir zevk uyandıran akıl hastalığı biçimlerini oluşturur. Euripides'in *Hippolytus* oyununa dayanan *Phaidra* ateşli tutkulara, ensest arzularına, taşkın duygulara ve kan saçıcı ölümlere dair çok daha dehşetengiz ve pervasız tasvirleriyle dikkat çeker. Seneca'nın *Thyestes* oyununda Atreus'un yaptıkları bir başka örnektir. Klasik mitolojiden alınma bir temayla, Atreus kardeşinin oğullarını yakalar, öldürür, onların etlerini pişirip babalarına sunar ve Thyestes'in yemeğini keyifle yiyişini, ardından geğirişini izlemekten röntgenci bir haz alır. Sahnede sergilenen davranışların katışıksız dehşeti ve ahlaki canavarlığı, seyircilerin duyarlılıklarını sarsan sadizm oldukça dikkate değerdir. Bunları daha da aşan *Hercules Furens* oyununda, deliye dönmüş kahraman bir oğlunu boynundan okla vurur ve köşeye sıkıştırdığı başka bir oğlunu

37 T. S Eliot, 1964, "Seneca in Elizabethan Translation", s. 51-88.

38 Ben Jonson'ın ilk kez 1598'de Lord Chamberlain's Men topluluğu tarafından sahnelenen ve William Shakespeare'in Kno'well (oğlunu gizlice gözetleme arzusu olay örgüsünün kilit unsurunu oluşturan beyefendi) rolünü canlandırdığı *Every Man in His Humour*, klasik komedinin sunduğu modele sıkı sıkıya bağlıydı, özellikle de Jonson'ın Plautus tarafından yeğ tutulan ana karakterlerin biraz İngilizleştirilmiş versiyonlarını çizmesi açısından.

> Delice havada fırıl fırıl döndürdükten sonra yere savurur,
> Çocuğun bir çatırtıyla taşlara çarpan başı ezilirken,
> Oda dört bir yana saçılan beyin parçalarına bulanır.

Bir sopayla vahşice dövdüğü karısının ise

> Kemikleri un ufak olur,
> Başı ezik gövdesinden koparak,
> Düpedüz uçup gider.[39]

16. yüzyıl sonlarının İngilteresi'nde, intikam tragedyaları türünde ortaya çıkan benzer temalar çok geçmeden Roma ilham kaynağını tamamlamaya ve ardından onların yerini almaya başladı. Bu eserlerin ilki ve en etkilisi Thomas Kyd'in 1584-89 arasındaki bir tarihte yazdığı *The Spanish Tragedy, or Hieronimo is Mad Again* [İspanyol Trajedisi ya da Hieronimo'nun Yeniden Delirmesi] idi. Kana bulanmış olay örgüsünde bir dizi asma, bıçaklama ve intihar olayı geçer ve hatta bir karakter işkence altında konuşmaya fırsat vermemek için kendi dilini ısırıp koparır; bütün bunlar oyundaki kahramanlardan birkaçının delirmesi çerçevesinde gelişir.

Kyd'in yapabildiği şey, Shakespeare'in usta kalemiyle çok daha iyi düzeye çıktı. *Titus Andronicus* (sahnelenişi 1594) şiddet ve dehşetle öylesine doluydu ki, oyun Shakespeare'in ölümünü izleyen yüzyıllarda çoğu kez sahnelenmeye elverişsiz sayıldı ve yazarı bile tartışma konusu yapıldı; metnin tamamen ya da kısmen Shakespeare'e ait olduğundan pek kuşku yok gibidir. Olaylar Roma'ya zaferle dönen Titus'un, muharebede oğullarından birkaçını yitirmenin intikamını almak üzere, sağ kalan oğullarından ikisine Gotların tutsak kraliçesi Tamora'nın en büyük oğlunu öldürme emrini vermesiyle başlar. Çocuklar bu işe zevkle koyularak, Alarbus'un uzuvlarını keser, karnını deşer ve kalıntılarını yakarlar. Daha sonra Titus, kaprislerini sorgulamaya kalkışan kendi oğullarından birini bıçaklayarak öldürür. Titus'un tahta geçirdiği imparatorla evlenen Tamora'nın sağ kalmış oğulları, bu olayın hemen ardından giriştikleri bir tertiple, imparatorun erkek kardeşini öldürmeyi, Titus'un kızı Lavinia'ya (susması için dilini ve ellerini kestikten sonra) tecavüz etmeyi ve işledikleri cinayeti Titus'un hayattaki iki oğlunun üstüne yıkmayı başarırlar. Titus ölüme mahkûm oğullarının bağışlanmasını sağlayacağı vaadiyle, sol elini kesip imparatora göndermesi için kandırılır; ancak bunun karşılığında ona kendi kopuk eli ve çocuklarının kesilmiş başları teslim edilir. Belki deliren, belki de (Shakespeare'in *Hamlet*'te de yeniden bir araç olarak kullanacağı

39 *Hercules Furens, Seneca, Trajediler*, çev. Frank Justus Miller, Loeb Classical Library Volumes. Cambridge, MA, Harvard University Press; Londra, William Heinemann Ltd: 1917, mısra 1006vd., 1023vd.

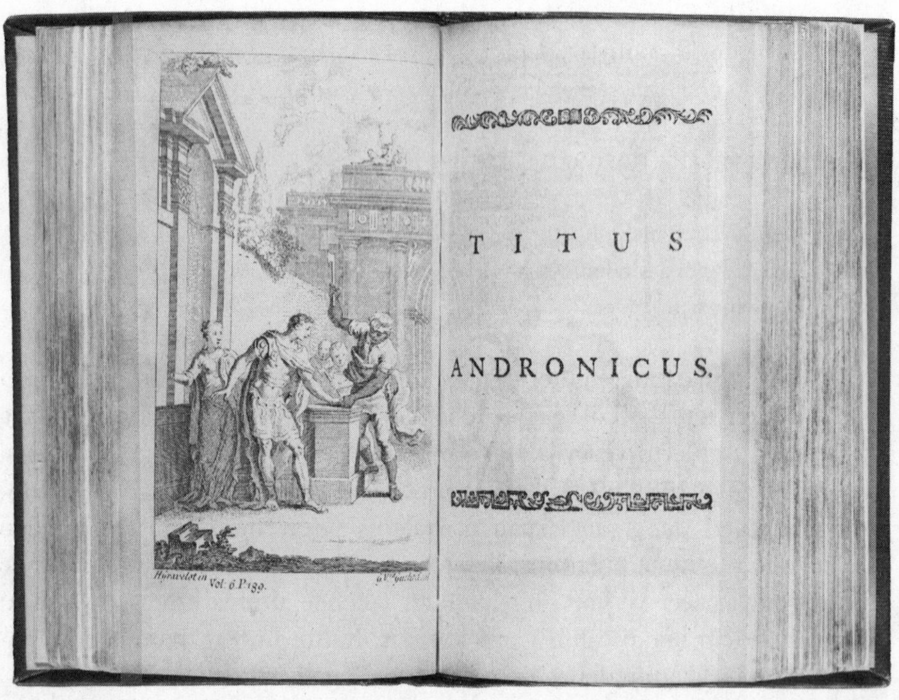

Zıvanadan çıkmış bir dünyanın deliliği: Titus Andronicus'un elini kestirmesi, Shakespeare'in aynı adlı oyununda akıl dışı görünen amansız eylemler dizisinden sadece biridir.

hileyle) delilik numarası yapan Titus, kısa bir süre sonra Lavinia'nın iki oğlunun gözetimine bırakılmasını sağlar. Derhal boğazlarını keser ve kanlarını sakat kızının bacakları arasında tuttuğu bir leğene boşaltır.

Bunu izleyen şölene Tamora'yı ve imparatoru da davet eder. Tecavüze uğramış ve sakat bırakılmış kızını ("iğfal edilen, lekelenen ve kızlığı bozulan" biri olarak daha fazla utancı yaşamaktan güya kurtarmak adına) toplanan konukların huzurunda öldürdükten hemen sonra, son çarpık intikamını alır:

Tamora'nın çocuklarının nerede olduğunu soran imparatora şunu söyler: "Bak sen şu işe, ikisinin de pişirilmiş halde bulunduğu şu böreği

> Anneleri zarafetle mideye indirirken,
> Bizzat doğurduğu canları yemiş oldu.

Böylece Tamora'nın kendi oğullarını yediğini ifşa eden Titus, sahnenin dehşetini aklına kazımasına yetecek bir zaman bıraktıktan sonra, onu kalbinden bıçaklar. Bunun üzerine İmparator Saturninus tarafından bıçaklanınca, sağ kalmış iki oğlundan Lucius, hançeriyle imparatoru öbür dünyaya göndererek, kargaşalı oyunu uç noktayı vardırır. Bütün kanlı hikâye (dehşet geçidinin sadece bir kısmını oluşturan) sonucuna artık yalpalayarak yaklaşır. Oyunun ilk sahnesinde Tamora'nın en büyük oğlunu sakatlayıp öldürmeye katılmış olan Lucius, imparatorluk tahtına oturur ve son bir intikam eylemine girişir. Tamora'nın oyun boyunca kötü bir akıl hocası olarak karşımıza çıkan gizli sevgilisi Aaron'u huzuruna getirterek, akıbetini yüzüne karşı bildirir:

> Onu göğsüne kadar toprağa gömüp aç bırakın;
> Orada dikilip çıldırsın ve yiyecek için yalvarsın;
> Ona yardım eli uzatan ya da acıyan herkes
> Bilsin ki bu suçun cezası ölümdür.

Aaron küçümseyici tavırla şu karşılığı verir:

> Ben süt kuzusu değilim ki, beddualar karşısında
> Yaptığım kötülüklerden pişman olayım:
> Bir an için iradem yerinde olsa,
> On bin misli kötüsünü yaparım;
> Ömrüm boyunca yaptığım bir iyilik varsa,
> Bundan bütün kalbimle pişmanlık duyarım.

Bu kan silsilesi, "sıcakkanın kıpkırmızı nehri",[40] üst üste yığılan cesetler, tecavüz, sakatlama ve insan eti yeme geçidi, birbirini izleyen intikam eylemleriyle oluşan kemik mahzeni ortamında delilik kol gezer. Deliliğin daha az çarpıcı, daha içe dönük biçiminden ziyade, sürüp giden kıyım, şiddet ve fesatla zıvanadan çıkmış bir dünyanın deliliğidir bu. Orada ahlak kurallarının çözüldüğünü ve seyircilerin eğlenmesi için acı çeken birden fazla karakterin başına gelen akıbetle, insanlığın lime lime olduğunu görürüz.

Son derece tutulan oyun büyük bir ticari başarıya ulaştı. Duhuliye (giriş) parasıyla sahnenin önünde ayakta duran kitleler oyundaki aksiyonun keyfine varırken, yukarıdaki sıraları dolduran daha varlıklı kesimler oraya şiir dinlemek için gelmiş gibi görünüyorlardı. Eleştirmenlerin oyuna desteklerini geri çekmeleri ve seyircilerin oyundaki seri dehşeti artık yüreklerinin kaldıramayacağına karar vermeleri yarım yüzyılı buldu. Birkaç istisna dışında, bu tiksinti henüz geride bıraktığımız kanlı yüzyılın son çeyreğinde, cehennemi sahnelerin bir kez daha canlandırılmasına ve görünüşte makbul bir eğlence sayılmasına kadar sürdü.

16. yüzyıl sonlarının Londrası'nda, çoğunlukla yerleşik kentin dış mahallelerinde bir dizi ticari tiyatro ortaya çıktı ve *The Spanish Tragedy* [İspanyol

---

40 *Titus Andronicus*, Perde 2, Sahne 4, mısra 22.

Trajedisi] ile *Titus Andronicus* gibi intikam tragedyaları sürekli sahnelendi. Ama daha geniş bir oyun yelpazesinin gelişmesiyle birlikte, sahnedeki delilik yeni ve daha renkli bir kisveye bürünmeye başladı. Shakespeare ve çağdaşları daha süzme eğlence biçimlerine değer vermeye başlayan bir seyirci kitlesi için bir sürü komedi, tarih oyunu, son derece değişken türde tiyatrolar üretti.

SONSUZ ÇEŞİTLİLİĞİYLE DELİLİK

Böylece delilik oyun yazarının hazır kaynağının bir parçasına dönüştü. Bu unsur, akıl hastası oldukları abuk sabuk konuşmalarla, ağızdan saçılan köpüklerle, yuvalarında dönen gözlerle, sözlü ve eylemli şiddetle gösterilen eski tarzdaki çıldırmış karakterlerden ibaret değildi. Farklı ve çok daha çeşitli deli yaratıklar, bir eğlence ya da komedi kaynağı ve gerilimi bazen düşürebilecek, bazen de yaratabilecek bir olay örgüsü aracı işlevini görmeye başladı. Gerçek hayatta tımarhaneye tıkılan meczuplar James döneminde çok azdı; nitekim sadece bir avuç hastayı kabul eden ve gittikçe harabeye dönen küçük hayır hastanesi Bedlam dışında, delilerin kapatıldığı uzman kurumlara dair günümüze ulaşan hiçbir bulgu yoktur. Ancak tımarhane sahneleri, özellikle de konusu Bedlam'da geçen ya da Bedlam hastaları etrafında dönen sahneler 17. yüzyılın başlarında yazılan oyunlarda çok sıradandı.

Bazen çok yapay bir hava taşıyan bu sahnelerin temeldeki olay örgüsüyle ilişkisi çok azdı. Örneğin, Thomas Middleton'ın *The Changeling* [Peri Bebeği, 1622] oyunu, Alibius'un tımarhanesine, Bedlam'ı örnek aldığı apaçık bir kuruma kapatılmış delileri konu edinen başlı başına bir alt olay örgüsü sunar. Asıl trajik hikâyeyle çok az bağlantısı olmakla birlikte, deli sahneleri meczupların abartılı ve kalabalığı hoşnut edecek dansına vesile sağlayan bir oyalamadır, bir fasıladır. Buna karşılık, John Fletcher'ın *The Pilgrim* [Hacı, 1621] oyununda kadın kahraman ve babası tımarhaneye kapatılır; böylece deli sahneleri aynı ölçüde bir şenlik ve oyalama kaynağı olsa bile, asıl konuyla daha yakın ilişki taşır. Orada karşımıza çıkan deli karakterler arasında "dişi bir yaban gelinciği kadar [...] şehvet düşkünü" bir kadın ve ilk başta gayet aklı başında görünen ağırbaşlı bir genç bilgin vardır. Taburcu edilmek üzere olan bilginin deliliği, birinin gelişigüzel hava durumundan söz etmesiyle bir anda depreşir. Kendinden emin bir tavırla çevresindekilere, "Bir yunusun sırtına binip her şeyi titreteceğim, çünkü ben Neptün'üm" der. Bir süre sonra şu emri verir: "Haydi denizatlarım! Kuzey rüzgârına saldırıp onun sidik torbasını parçalayacağım."

Seyircilerin bu esprilere tepkisi, böyle sahnelerin çoğalmasını teşvik etti. Ama delilik daha ciddi amaçlarla da kullanılmaya başladı. Hicve elverişli yapılarından dolayı, deliler toplumla ilgili iğneleyici dokundurmalarda bulunmak ve rahatsız edici düşünceleri dile getirmek için bir araca dönüştü. Püritenler tiyatrodan ve temsil ettiği her şeyden nefret eden mızıkçılar olduklarından, bariz bir hedeftiler. Thomas Dekker'ın *The Honest Whore* [Dürüst Fahişe, 1604] oyunundaki Çöpçü tipi, bu yönde bittiği pek söylenemeyecek çatmaların ilk örneğini verir. Püriten dediğin nedir ki? "Çan kulesini devirip çan halatlarıyla kendini asmadıkça iflah olmaz".[41] Deli ile aklı başında kişi arasındaki sınırın ne kadar ince olabileceğine işaret eden Çöpçü, şuna cevap verilmesi için üsteler: "Hepsi nasıl olur? [...] Ya, bütün deliler [...] buraya gelecek olsa, şehirde on adam bile kalmaz." Shakespeare'in daha önce kullandığı iğneleyici bir esprinin tekrarıdır bu. Hamlet onu hiç tanımayan (ve Deli Prens Hamlet'in kovulduğunu kesin dille belirten) Palyaço'ya şunu sorar: "Sahi mi, peki, niçin İngiltere'ye gönderilmiş?" Palyaço'nun buna cevabı şöyle olur: "Ya, delinin teki de ondan. Orada aklı başına gelir; diyelim ki gelmese bile, orada büyük sorun değil." "Niçin?" diye sorar Hamlet. "Durumunun farkına varılmaz," der Palyaço, "oradakiler de onun kadar deli."

Shakespeare, trajedilerine güldürücü bir rahatlatma olarak tasarlanmış sahneler serpiştirme ve komedilerinde deliliğe göndermelerle oynayarak, bazen ciddi bir ima taşıyan espriler yapma konusunda çağdaşları kadar ustaydı. Onda deliliğe ve tedavisine ilişkin klişeleri çağrıştıran (ve yayan) tasvirler de görülür. "Aşk tamamen bir deliliktir," diye anlatır bize, *As You Like It* [Nasıl Hoşunuza Giderse, 1599-1600] oyununda. "Şunu da belirteyim ki, tıpkı deliler gibi, karanlık bir evi ve kamçıyı hak eder; sevgililerin böyle cezalandırılıp iyileştirilmemeleri, meczupluğun çok olağan olması nedeniyle, kamçıcıların da ona tutulmasındandır." (James Shirley *The Bird in a Cage* [Kafesteki Kuş, 1633] oyununda tımarhanenin "bizi kamçılayıp aklımızı başına getiren bir ıslahevi" olduğundan söz eder; John Marston *What You Will* [Yapacağın Şey, 1601] oyununda, şu talimatı verir: "Pencereleri kapatın, odayı karartın, kamçıları getirin: Adam deli, abuk sabuk konuşan meczubun teki.")

Ama özellikle Shakespeare'de, deliliğin daha zengin bir portresi görülür. Deliliğin varsayılan kökleri, doğaüstü değil, daha çok doğal bir etiyolojiye ağırlık veren ve büyü ya da ilahi hoşnutsuzluk çerçevesinde kurgulanmış anlatımlardan kopuştan yararlandığı gibi, ona katkıda da bulunan bir yaklaşımla öne çıkar. Doğal düzendeki aksamalar, özellikle de tutkuların kabarışı vücut için, zihinsel olduğu kadar bedensel sağlık için köklü biçimde tehlikeli

---

41 Londralı bir ağaç tornacısı olan Nehemiah Wallington'ın (1598-1658) günümüze bolca ulaşan yazıları, suçluluk duygusuyla kıvranan bazı Püritenlerin melankolik, bunalımlı ve bazen intihar eğilimli karakter klişesine denk düştüğünü kanıtlar. Wallington onunla aynı sınıftan ve aile kökeninden gelen çoğu adamın okuryazar olmadığı bir dönemde, geride dinsel kuşkularla boğuşmasını, bir karga şekline bürünmüş Şeytan'ın onunla bir saatten fazla konuştuğuna dair hezeyanlarını ve tekrarlanan melankoli nöbetlerini anlattığı iki bin sayfayı aşkın not, günce ve mektup bıraktı. Paul S. Seaver (1988) bunları hoş şekilde analiz eder.

sayılır. Sözgelimi, Leydi Macbeth'in uyurgezer haldeyken, Duncan'ı bıçaklayarak öldürme kâbusunu yeniden yaşadığı sahne bunu yansıtır:

> Çık, uğursuz leke! Çık, diyorum! [...] Yaşlı adamda bu kadar kan bulunacağını kim tahmin ederdi ki? [...] İşte hâlâ kan kokuyor. Arabistan'ın bütün esansları şu minicik elin kokusunu gidermeye yetmez.

Kabarmış hırsı ilk başta ikircimli kocasınınkini bile geride bırakacak kadar sarsılmaz olan Leydi Macbeth'in aklı, tanık olduğu dehşetin anısıyla sonunda pes edip zıvanadan çıkar. "Bu hastalık benim hekimliğimi aşıyor", der gölgede saklanmış doktor. "Hekimden çok papaza ihtiyacı var onun."

Daha da acınası başka bir oyun kahramanı Ophelia, nişanlısı Hamlet'in ona karşı işlediği zalimliklerle (sözlü sataşmalarda bulunup baştan çıkarma, seviyor gibi göründükten sonra aşağılama, babasını öldürme) deliliğe sürüklenir. Aklı bocalayıp durur. Kötü muamele ve yalnızlık, genç kızı "kendinden geçirir ve onsuz resme [yani, insanın dış suretine] ya da düpedüz hayvana dönüştüğümüz düzgün muhakeme gücünden yoksun bırakır." Peki, deliliğe kapıldığını nasıl anlarız? Bir zamanların iffetli bakiresi, açık saçık şarkılar söyler halde tekrar sahnede görünür. Sözleri tutarsız ve muammalıdır. Derken ortalıktan kaybolur ve gezinerek indiği nehir kıyısında bir salkımsöğüt dalına tırmandıktan sonra başına gelen akıbet, seyircilere şöyle anlatılır:

> Ağlamaklı nehre düşüvermiş. Kabarıp açılan elbiseleriyle
> Bir su perisi gibi nehrin üstünde süzülmüş; [...]
> İyice ıslanarak ağırlaşan elbiseleri
> Zavallı kızı gittikçe cılızlaşan ezgisiyle
> Çekmiş çamurlu ölüme.

Ophelia delilik sürecinde, daha önce etrafındaki erkeklere karşı gösterdiği teslimiyetten sıyrılmış, (en azından kendi ifadesiyle) bedenini gösterişle sergilemiş ve canı pahasına olsa bile sonunda hayatındaki sınırlardan kurtulmuştur (Resim 17).

Hamlet'e gelince, çağdaşlarının gözünde, özgün bir hava katılmış bildik bir edebi türün başkahramanıydı. İkircimli, kararsız ve dengesiz kişiliğiyle tam da muğlaklığın, "olmak ya da olmamak", eyleme geçmek ya da eylemden kaçınmak arasında seçim yapamamanın örneğiydi. Sonraki kuşakların gözünde ise, hâlâ tartışılan bir meselenin canlı timsalidir: Akıl sağlığı ile delilik arasındaki sınır. Hamlet deli midir, yoksa sırf deliymiş gibi mi görünür? Onun şöyle söylendiğini duyarız: "Deli olduğum anlar kuzey-kuzeybatı rüzgârındadır sadece; rüzgâr güneyden esince bir şahini bir balıkçıldan ayırt ederim." Ancak aksini gösteren birçok işaret vardır: İçe dönük melankolisi;

intihar düşünceleri; Ophelia'nın ölümüne ve daha birçok şeye karşı yakışıksız ve anlayışsız duygusal tepkileri.

Deliliğin sahnedeki bütün bu edebi görüntülerinin en belirgin özelliklerinden biri, ilke olarak herkese açık olmalarıydı. Hamlet'in akli durumuyla ilgili tartışmaların bize hatırlattığı üzere, "aynı" manzaralar farklı seyirci kesimlerince ve farklı kültürel beklentiler içindeki seyircilerce çok farklı biçimlerde anlaşılabilirdi. Böyle deli portreleri gerek okumuşların gerekse cahillerin özümseyebileceği bir şeydi. O yıllarda tiyatronun dikkate değer ölçüde geniş ve değişik bir seyirci kitlesinin ilgisini çektiğini akılda tutmakta yarar vardır. Bazı Londra tiyatrolarında, aksiyonu izlemek üzere bütün sosyal sınıflardan üç bin kadar insan toplanırdı; belli kumpanyaların sırf aristokrat bir müşteri kitlesine özel gösteriler sunmasına karşın, kent sınırlarının hemen dışındaki tiyatrolarda, Curtain, Globe, Rose ve Swan gibi yerlerde sahnelenen gösteriler çok daha fazlaydı. Geniş ve değişken bir repertuvara gerek duyulması, Lord Chamberlain'in Adamları (Shakespeare'in kumpanyası) gibi istikrarlı profesyonel kumpanyaların ortaya çıkması ve hem sıradan insanların hem de daha varlıklıların sahnedeki delilik tasvirlerini seyredeceği çok sayıda fırsatın bulunması bu yüzdendi.

KURMACALAR VE FABLLAR

Ama deliliğe ilişkin tasvirlerin ve değerlendirmelerin gittikçe ilerlemesini sağlayan yegâne kurmaca araç tiyatro değildi. Sokaklarda okunup dağıtılan ve 16. yüzyıldan itibaren deli temalarının sıklıkla açığa çıktığı balatların ve el ilanlarının yanı sıra, okumuş kesimleri eğlendirip bilgilendiren, zıvanadan çıkmış akılların portrelerini sunan ve gittikçe özenli hale gelen başka edebi biçimler vardı. Ludovico Ariosto'nun destansı şiiri *Orlando furioso*'nun Avrupa versiyonları 16. yüzyıl boyunca orijinal İtalyanca metniyle ve ardından çevirileriyle dolaşıma girdi ve öbür yazarlar üzerinde olağanüstü bir etki yarattı. İlk kez Ferrara'da 1516'da yayımlanan şiirde, Roland'ın şövalye serüvenlerinden, Arthur efsanelerinden, Herakles'e ve öfkeli deliliğine dair klasik masallardan alınma unsurlar ustalıkla birleştirilmişti.

Orlando'nun geçici deliliği, yayılan bir aşk serüvenindeki çeşitli unsurlardan sadece biridir. Ama Ariosto'nun pagan prenses Angelica'ya aşkının karşılık bulmamasına manik tepki gösteren karakteriyle ilgili portresi, şiire adını vermenin ve ana olayın çerçevesini belirlemenin ötesinde, şiirdeki en canlı pasajlardan bazılarını sunar. *Furioso* İtalyancada çılgın, öfkeli ve deli anlamına gelir, ayrıca insanların işledikleri suçları cezalandıran mitolojik intikam meleklerini (Furies) çağrıştırır.[42] Angelica'nın kaçışıyla aklını kaçıran

42 Bu saptamayı (ve daha birçok şeyi) dostum ve meslektaşım John Marino'ya borçluyum.

Orlando "silahsız ve çıplak halde" dolaşır. Ancak deliliğinin yarattığı tehdit öylesine büyüktür ki, "göründüğü anda bütün memleket sarsılır". Onun yaklaştığını gören insanlar kaçışır.

> Yakaladıklarına verdiği dersle öğretti
> Herkese bir deliden uzak durma gereğini...
> Topuklarından tutup kafasını tokmak gibi
> Salladığı bir cesetle yere serdi öbürlerini.

Orlando'nun vahşi ve ayrımsız şiddetle ortalığı kırıp geçiren deli azgınlıkları, intikam trajedilerinin manik gaddarlığıyla bariz paralellikler taşır. Nitekim İngiliz oyun yazarı Robert Greene'in (1558-1592) şiiri düzyazıya çevirip kaleme aldığı bir oyun 1591'de ve ertesi yıl Londra'da sahnelendi. *Orlando furioso*, 17. yüzyılın başlarında ortaya çıkan daha da etkili bir delilik portresinde, Cervantes'in *Don Kişot* romanında da arzı endam etti. Bu roman (Alonso Quijano'nun şövalyelik kitaplarına saplantılı ve aşırı düşkünlüğüyle deliliğe sürüklenmesi ve Don Kişot adlı maceraperest şövalyeye dönüşmesi açısından) Roland'ı ve şövalyelik çağını hatırlatmanın yanı sıra, kahramanın serserice gezilerinin çeşitli aşamalarında *Orlando furioso*'ya açıkça göndermede bulunan unsurlar da içerir.

Ama Kişot'un deliliği beraberinde kavgalar ve yaralanmalar getirse bile, Orlando'nun feci derecede şiddet dolu azgınlıklarından çok farklı bir biçime bürünür. Kişot'un çılgınlıkları öncelikle ürkütücü değil, gülünçtür. Deli olduğu tartışmasızdır. Sanrılar görür, kendi saplantılarının ağına çaresizce kısılmış biridir ve çevresindeki sağduyu gerçekliğini paylaşmayı açıkça beceremez. Paslı bir zırh takımı giymiş halde çıktığı ilk gezisinde vardığı hanı bir şato sanır ve oranın lordu olduğunu varsaydığı hancıya yalvararak, ona şövalyelik payesi vermesini ister. Adam buna yanaşmaz, ama Kişot'un ertesi sabah bir katırcı grubuyla kavgayı kışkırttığını görünce, pes eder ve sırf başından savmak için, onu şövalye ilan eder. O andan itibaren maceraperest şövalyemiz cin çarpmışa döner. Sözde yiğitlik girişimlerinde karşısına çıkan kişilerce alaya alınır, çılgın olmakla suçlanır ve tartaklanır. Bilindiği üzere, gözüne devler gibi görünen yel değirmenlerine saldırır ve bir düşman ordusu sandığı koyun sürüsüne dalıp kıyıma girişir: "Atını koyun ordusunun içine sürdü ve sahiden karşısında fani düşmanları varmışçasına, hiddetle ve azimle onları mızraklamaya başladı."

Saldırıya uğrayan sürünün çobanları, haliyle davranışına kızarlar ve boş durmayı içlerine sindiremezler. Onu taş yağmuruna tutarlar ve kanlar içinde atının eyerinden düşürürler. Peki, bu durum Kişot'un aklını başına getirir mi? Aksine, sadık uşağı Sancho Panza, onu zavallı hayvanlara saldırdığı için azarladığında ve muharebe alanına saçılmış şeylerin insan cesetleri değil,

Prenses Angelica'ya olan karşılıksız aşkı Orlando'yu deliye çevirmiştir. Kırsal alanları kasıp kavurarak, önüne çıkan herkesi ve her şeyi yok eder. Çırılçıplak dolaşır ve bir cesedi sopa gibi kullanarak, öfkesinden kaçanları yere serer.

koyun leşleri olduğunu gösterdiğinde, Kişot bu itiraza delilerin çürütülemez mantığıyla karşılık verir. Görünüş aldatıcıdır ve Kişot'un da yiğitçe dövüştükleri aslında birer askerdir: "Bana acı çektiren şu alçak var ya, bu muharebede elde etmek üzere olduğum şanı kıskandığından, düşman ordularını koyun sürülerine çevirdi".[43]

Böylece bize delinin akla ve tecrübeye kulak asmadığı öğretilir. Kişot çektiği sonu gelmez sıkıntılarla hem acınan hem de alay konusu olan biri olarak kalır. Hayatı yanılsamalarından ve hezeyanlarından ayrılamaz; öyle

43 Miguel de Cervantes, *Don Quixote*, çev. John Rutherford, Londra: Penguin Classics, 2003, s. 142-43.

ki (tefrika halinde ilk çıkışından on yıl sonra yayımlanan romanın ikinci kısmının tam sonunda) nihayet akıl sağlığına kavuştuğunda ansızın ölür.

Elbette romanın kendisi yaşadı. Birinci kısmının İngilizce çevirisi daha 1611'de çıktı ve bunu Avrupa'nın her yanındaki versiyonları çarçabuk izledi. Eserin tamamen yeni bir edebi türü başlattığı kesinlikle doğru olsa bile, kökleri delilikte yatan, kaotik bir dünyada görünüşe ve gerçekliğe kafa yoran bir türdü bu. Öylesine güçlü etki bıraktı ki, o dönemde ve yüzyıllar sonra da sanatçıları, çarpıcı sözlü tasvirlerini çizimin ve resmin çok farklı dillerine çevirmeye yöneltti. İlk başta bunlar kitabın resimli baskılarında yer alan tarama çizimlerdi. Ama sonraki yüzyıllarda Doré ve Daumier (Resim 16), Dali ve Picasso gibi sanatçılar, Cervantes'in nesrini unutulmaz bir görüntü dizisine çevirmeye çalışırken, sonu gelmez bir hayranlığı açığa vuracaklardı.

DELİLİK VE SANAT

İtalyan Rönesans saraylarından Avrupa'nın her yanında (bir süre sonra ortaya çıkan) denklerine kadar, kraliyet ve aristokrasi mensubu hamiler sanatta büyük bir serpilmeye kaynak sağladılar ve 15. yüzyıldan 17. yüzyıla kadar süren dönem, sanatsal yenilikte hızlı ve olağanüstü ilerlemelere sahne oldu. Katolik ülkelerdeki kiliseler de yeni altar panolarına rağbet ettiler ve görsel sanatların güçlü hamileri kesildiler. Baskı teknolojisindeki, özellikle gravür tekniklerindeki ilerlemeler, sanat eserlerinin çok sayıda kopyalarının üretilmesine ve geniş bir kitleye yayılmasına olanak verdi. Mimarların ve heykeltıraşların aksine, ressamlar klasik çağı doğrudan taklit edebilecek durumda değildi; bunda Roma resimlerinin 18. yüzyılda ancak keşfedilmesinin de küçümsenmeyecek payı vardı. Bilinen Roma mozaikleri mitolojik konuların görüntü kaynakları olarak hatırı sayılır etkide bulunsa da, çok farklı mecraları kullanmayı meslek edinmiş sanatçılar için doğrudan model işlevini göremezdi. Yani, klasik mitolojiden alınma temalar gözde konular olmakla birlikte, oldukça yeni yaklaşımlarla resmedildi. Klasik köklere dönme iddiasındaki sanatçılar aslında hiç de böyle bir şey yapmadılar. Yunan ve Roma edebiyatından ilham aldılar, ama sanat üslupları açısından bunun getirdiği sonuç, hayal gücünü zorlamaya ve Ortaçağ sonlarının göreneklerinden Rönesans döneminin göreneklerine geçişe eşlik eden her türlü teknik yeniliğe bağlıydı.[44]

Deliliği ifade etmek için çeşitli görsel işaretler ve semboller kullanıldı. Bunlardan bazıları Ortaçağ'daki cehennem ve kıyamet tasvirlerinden uyar-

44 Bunların en önemlilerinden birinin, 1420'lerden itibaren klasik kökenli doğrusal perspektifin gelişimi olduğunu belirtmek gerekir. Filippo Brunelleschi'yi (1377-1446) Floransa'daki katedral kubbesini yaratmaya ve yeni bir doğrusal perspektif duygusu geliştirmeye yönelten şey, Roma'daki Pantheon'u incelemesiydi. Leon Battista Alberti'nin (1404-1472) matematiksel olarak çarçabuk teorileştirdiği bu perspektif neredeyse aynı çabuklukla Batı sanatını dönüştürdü.

lanmıştı; gayya kuyusuna atılmak üzere olan günahkârların yer aldığı böyle çaresiz sahneler tarif edilemez acılar içindeki başkalarını tasvir etmede kullanılmaya başladı. Tımarhaneye düşmeyi konu alan örneklerde, görünüşü dokunaklı, gergin ve çarpık uzuvlu, boş bakışlı yabani karakterlere yer verildi. Deliler sürekli yırtık ve hırpani giysiler içinde veya hayâsızca çıplak halde resmedildi; medeni giyimden yoksunluk kibar toplumdan uzaklıklarının ve pençesine düştükleri akıl hastalığının bir işareti sayıldı. Flaman heykeltıraş Pieter Xavery'nin iç içe geçmiş figürlerden oluşan *Two Madman* [İki Deli, 1673] adlı pişmiş toprak heykeli (Resim 20) çarpıcı bir örnektir. Dimdik duran zincirli figür kendi sakalını çiğnerken ve elbiselerini paralarken, gözleri fıldır fıldır dönen ve ağzından lanetler saçılan yarı gizli bir çarpık figür, kasları şişkin, saçları darmadağınık ve anadan doğma çıplak halde ayaklarının dibinde yatar. Resimlerdeki deliler tam da gazabın timsaliydi: Gözleri yuvalarında dönen, darmadağınık görünen, saçlarını yolan, zincirlerini koparmaya çalışan, yerinde duramayan, kıvranan, el kol hareketleri yapan, gözle görülür biçimde kendinden geçmiş tiplerin bir galerisi. Deliler çoğu kez şiddetin eşiğinde, yüzleri hiddetten şişmiş, sağa sola silah savuran ve tehditkâr gösterilirdi. Yaşlı Bruegel'in pano üzerinde yağlıboya tablosu *Dulle Griet* (Mad Meg, yak. 1562) kılıç kuşanmış deli bir kadını korkunç bir manzara içinde (belki bizzat cehennemin kapıları, belki de ölümcül günahlar sayılan öfkenin, açgözlülüğün, tamahın, şehvetin sonuçlarını sergileyen alegorik bir sahne) tasvir eder. Ağzı aralanmış, giysileri darmadağınık ve saçları düğümlenmiş halde, gelişigüzel yağmaladığı şeyleri sepetine boşaltırken, çevresinden bihaber gibidir. Kıyametin ya da gerçeklerden koparcasına çıldırmış bir dünyanın sahici bir görüntüsüdür bu (bkz. s. 411).[45]

Başka resimlerde ve çizimlerde edebi anormal biçimde hiçe sayarak, ortalık yerde tüküren, kusan tipler sergilenir; etrafa ters ters bakarlar, dilleri dışarıya sarkıktır, kafaları kazınmıştır ya da saçları diken dikendir. Bu portrelerin en ünlü ve en geniş kesime ulaşan örneklerinden biri 18. yüzyılın hemen başlarında Jonathan Swift'in *A Tale of a Tube* [Bir Fıçının Hikâyesi] içinde yer aldı. Bernard Lens'in parmaklıklı pencereleriyle, yerde serili samanlarıyla ve bütün diğer unsurlarıyla bir Bedlam koğuşunun içini tasvir ettiği 1710 tarihli bu gravüre bakan biri ister istemez irkilir; çünkü ön planda neredeyse çıplak bir meczubun oturağındaki şeyleri dosdoğru suratına fırlatır halde görür. Delilikleri o kadar açık olmayan melankolikler ise bitkin, pasif, içe kapanık ve çoğu kez oturmuş haldedir. Bunak izlenimini veren bir yüz ifadesi taşırlar. Tenleri koyudur (derinin altında akan kara safraya örtük bir

45 21. yüzyılda yaşayan birinin gözünde, manzarayı dolduran görüntülerin birçoğu Dali tarzı bir yan taşır.

Bernard Lens 1710'da Jonathan Swift'in Bir *Fıçının Hikâyesi* için Bedlam'daki bu sahneyi resmetmişti. Ziyaretçiler eğlenmek amacıyla meczupları seyrederken, ön plandaki çıplak ve zincirli kişi, oturağındaki şeyleri dosdoğru suratlarına fırlatıyor gibidir.

gönderme ve Dürer'in 1514 tarihli *Melancholia I* [Melankoli I] gravüründeki yüzün tasvirinde açık seçik görülen bir özellik), başları yere eğiktir ve vücutları içlerindeki kederin ve sıkıntının aşırılığıyla neredeyse solmuş gibidir.

Bazı sahnelerde klasik çağın deli karakterleri de yeni görsel biçimle canlandırıldı. Örneğin, Peter Paul Rubens bir tablosunda, Sophokles'in *Tereus* oyunundan alınma bir sahneyi, Trakya kralının kindar karısının ona farkında olmadan oğlu İtylos'un etini yedirdikten sonra, çocuğun kesik başını sunuşunu resmetti. Başka sanatçılar, delileri uygar yaşamın tam sınırında yarı görünür halde pusuda yatan ve akıldan bir türlü çıkmayan belli belirsiz karaltılar olarak gören anlayışı yansıtacak alegorik görüntüler yarattılar. Ortaçağ sonlarından ve Rönesans başlarından kalma son derece etkileyici bir dizi görüntü, delileri toplumdaki şamandıralarından kopmuş ve bir tekneye tıkıştırılmış bir tür çılgın insan yükü gibi sunar. Bindikleri Aptallar Gemisi Ren Nehri'nde ya da fırtınalı bir denizde süzülürken (Resim 3), kandırılıp yollarını şaşırmış hacıları andırırlar. Alman hümanist Sebastian Brant'ın (1457-1521) üçte ikisini Albrecht Dürer'in ilk önemli siparişi olarak yaptığı çok sayıda gravürle resimlenmiş bir metinde (1494) hicivli yaklaşımla anlattığı gibi, yitirdikleri akıllarının peşinde dolaşıp dururlar.[46] Böyle çarpıcı kompozisyonlar çok sayıda sanatçı tarafından yeniden işlendi. Öyle ki, altı yüzyıl sonra, ünlü Fransız felsefeci ve tarihçi Michel Foucault (1926-1984) bu etkileyici resimlerin sanatsal tasarımlar yerine, gerçek bir şeyin tasvirleri olduklarını sanma gibi tamamen yanlış bir anlayışa kapıldı. Aptallar Gemisi'nin yanı sıra Erdemli Hanımlar, Hükümdarlar ve Soylular Gemisi ve Sağlık Gemisi gibi bir dizi edebi kurguya dayandıklarını kabul etmesine karşın, sadece

46 Sebastian Brant, *Daß Narrenschiff ad Narragoniam*, Basel, 1494.

ilkinin "gerçek" ve Avrupa'nın büyük kentlerinde sahiden "oldukça yaygın bir görüntü" olduğunu ısrarla savundu.[47] Oysa sanatçıların eserleri dışında, böyle bir durumun olmadığı son derece kesindir.

APTALLAR VE DELİLİK

Erasmus'un (1466-1536) soytarı kılığına girmiş bir kadının övgüsü şeklinde kaleme aldığı *Deliliğe Övgü* (1509) deliliğin her kesimde, fakirler ve köylüler kadar papalar ve hükümdarlar arasında da görüldüğünü ana tema olarak işler ve Rönesans hümanizminin başlıca belgelerinden biridir. Eserin böyle bir ad taşımasına karşın, Erasmus'un asıl amacı, çok çeşitli biçimleriyle delilik üzerine bir söylem sunmak değildi. Aksine, delilik motifine sadece aklı başında olanların akıl hastası sayıp küçümsedikleri kişilerin değil, bütün insanlığın ahlaki zaaflarına bir ayna tutmak için başvurmuştu. Bununla birlikte, birçok çağdaşından farklı bir yaklaşımla, akıl hastalığının bazen bütünüyle olumsuz olmayabileceğine de işaret ederek, aptalın anlamını baş aşağı çevirdi. Ona göre, en halis ve hakiki aptallar, Mesih'in yolundaki aptallardı. Bu anlamda, Hıristiyan hümanizminin bazı biçimleri aptallığı ve deliliği mistik dünyaya bağlamaya ve en azından bazı "aptallar"a çok farklı bir açıdan bakmak gerektiğini göstermeye çalıştı.

Erasmus'un belki de en ünlü portresini yapan Genç Hans Holbein, VIII. Henry'nin sarayındaki en şöhretli sanatçı haline geldi; bizzat hükümdarın ve başta Thomas More ile Thomas Cromwell olmak üzere çevresindeki kişilerin timsalleşen portrelerini geride bıraktı. Daha az bilinen bir eseri, Erasmus'un *Deliliğe Övgü*'yü kaleme almasından on küsur yıl sonra, kendini aptal kılığında gösterdiği portredir. Bu resim sert dinsel görüş ayrılıklarının yaşandığı on yıllık dönemde hazırladığı ve Eski Ahit temalarını yansıtmaya çalıştığı doksan dört gravürlü *Icones Historiarum Veteris Testamenti* dizisi içinde yer alır. Mezmur 52'ye eşlik etmesi öngörülen aptal portresi bir dizi basmakalıp unsuru barındırır. Çocukların peşine takılıp alaya aldığı aptalın ya da delinin hırpani giysileri, çıplaklığını zar zor kapatır. Ayakkabılarının bir teki yoktur ve başında Erasmus'un mevkidaşının tercih ettiği soytarı külahı yerine tüylerden yapılmış bir kep vardır. Biri koltuğunun altında olmak üzere iki tahta değneğini ya da sopayı sıkıca tutar. Böyle bir teçhizat başka sanatçıların da deliliğin varlığına işaret etmek üzere başvurdukları klişe bir görüntüye dönüşmüştür. Holbein'in aptalı meçhul bir yere doğru durmaksızın yürürken, geçtiği dünyayı boş bakışlarla süzer.

Erasmus, denemesinin büyük kısmını 1509'da İngiltere'de dostu Thomas More'un konuğuyken, kitaplarının gelişini beklediği birkaç gün içinde yazdı.

---

47 Michel Foucault, 2006, s. 8-9.

Metin matbu olarak 1511'de Paris'te çıkmakla birlikte, ilk "izinli" baskısı ancak ertesi yıl yayımlandı. Erasmus hayattayken, otuz altı baskısı yapıldı ve Latince aslından hem Almancaya hem de Fransızcaya çevrildi. 1549'da çıkan ilk İngilizce çevirisi yüzyıllarca süren muazzam bir etki bıraktı; denemeyi ilk başta More ve öbür dostları için bir eğlence olsun diye tasarlayan yazar için böyle bir sonuç herhalde şaşırtıcı olurdu (More'un adıyla bir kelime oyunu yaptığı Latince adı *Moriae Encomium*, Erasmus'un ciddi niyetini gizlemesini sağlayan mizahi örtüyü çıtlatır).

Erken Rönesans döneminin büyük hümanist düşünürlerinden biri olan Erasmus, hayatının büyük bir bölümünü önceki Latince versiyonların yetersizliklerini düzeltmeye dönük bir çabayla Yeni Ahit'in güvenilir Yunanca ve Latince metinlerini yayına hazırlamaya, Hıristiyanlık doktrinini yorumlamaya, klasik bilgi dağarcığını ve edebi zevki geliştirmeye adadı. Katolik Kilisesi içindeki istismarları amansızca eleştirmekle birlikte, Katolikliğe bağlı kaldı ve çağdaşı Martin Luther gibi Protestan reformcuları hem ilahiyat konularında hem de (düzensizliği ve şiddeti azdırma ve saygın gelenekleri yıkma tehlikesini içeren bir döneklik olarak gördüğü) Roma'dan kopuş konusunda sert biçimde kınadı. Çoğu kez dinsel hoşgörünün ilk savunucularından biri sayılan Erasmus hem Luther'in öfkesini çekmeyi hem de ıslah etmeye çalışırken bağlı kaldığı Katolik Kilisesi nezdinde (ölümünden sonra) mahkûm edilmeyi başardı. Papa IV. Paulus onun bütün eserlerini *Yasak Kitaplar Dizini*'ne aldı. Karşı-Reform hareketinin önde gelen simaları da Luther'i yeterince sert ifadelerle lanetlemekten kaçındığı ve kutsal metinlerle ilgili eleştirilerinin Katolik Kilisesi'nin otoritesini zayıflattığı gerekçesiyle, Erasmus'u Protestanlığın ortaya çıkışına yol açan "trajedi"nin mimarlarından biri olarak suçladı.

Ancak uzun vadede, Erasmus'un etkisi her iki kesimin eleştirilerinden daha sağlam çıktı. Bilgi birikimi, inceliği, nüktedanlığı, aklın ve itidalin değerini vurgulayışı ve hayata insancıl bakışı sonuçta ona birçok hayran kazandırdı. Birçok çağdaşının husumetini, sonraki kuşakların ise hayranlığını çeken şeyler *Deliliğe Övgü*'de eksiksiz biçimde karşımıza çıkar. Zenginler ve muktedirler, dindarlar ve sekülerler ironi, paradoks ve incitecek keskinlikte hiciv dolu bir nesirle aynı ölçüde eleştirilir. Hükümdarlar ve papalar, keşişler ve ilahiyatçılar, hurafe kaynaklı aptallıklar ("Deliliğin bile neredeyse utanacak kadar aptalca bulduğu saçmalıklar"),[48] okumuşların özentileri ve cahillerin irrasyonelliği bazen kibarca, bazen sertçe hicvedilir. Kimlikleri ve makamları ne olursa olsun, insanların ahlaki zaafları iğneleyici sözlerle alaya alınır, aptalca davranışları teşhir edilir. Zira başkalarının zaaflarına

48 Erasmus, *The Praise of Folly*, ed. Clarence Miller, 1979, s. 65.

Genç Hans Holbein'in bu portresi (1523) Rotterdamlı Erasmus'u, ellerini bir kitap üstünde tutan bir bilgin olarak gösterir; arkasındaki rafta başka kitaplar da yer alır.

gülmek, Deliliğin, bakışını daha hassas konulara çevirmesiyle birlikte, çok geçmeden hazinleşir. Yanılsamalar, kendini kandırmalar, dalkavukluğa duyarlılıklar gözden geçirilir. Erasmus hurafeleri küçümser ve hem parayla selamete erişme girişimlerini, hem de endüljans satma iddiasındaki rahipleri yerer.[49] Azizlere tapınmayı ve onların mezarlarındaki mucizevi devalara dair hikâyeleri sertçe eleştirir.[50] Okurlarına ahlaki zaafları hatırlatmak için delilik mecazını sürekli kullanır.

---

49 "Âraf'taki süreyi bir su saatinin damlacıklarına varıncaya kadar ölçerken, işledikleri günahlar için hayali aflarla ilgili kandırmacalarla kendilerini yatıştırmada büyük teselli bulanlara şimdi ne diyeyim...? Yahut din adına düzenbazlık yapan birinin eğlenmek ya da para kazanmak için uydurduğu bazı küçük büyülü sembollere ve dualara bel bağlayanlara?", Erasmus, *The Praise of Folly*, 1979, s. 64.

50 "Belirli bölgelerin belli bir azize sahip çıkmaları, belirli azizlere belirli işlevleri dağıtmaları ve belirli azizlere belli ibadet tarzlarını yakıştırmaları da aşağı yukarı aynı türden bir saçmalık değil mi? Biri diş ağrısını giderir, başka biri kadınlara doğumda yardım eder, başka biri çalınmış malları geri getirir; biri denizin ortasında kaza geçirenlere bir umut ışığı saçar, başka biri sürüleri gözetir. [...] Bazı azizler çeşitli güçler taşır; sıradan insanlar özellikle de Mesih'in bakire annesine neredeyse oğlundan daha fazla güç yakıştırır." Erasmus, *The Praise of Folly*, 1979, s. 65.

Hiç kimsenin, bizzat Erasmus'un bile hırpalanmaktan kurtulamadığı söylenebilir. (Nitekim Thomas More'a bir mektubunda, "eserin fazlasıyla iğneli olduğu yolundaki yanlış itham"a peşinen cevap verme babında şunu belirtir: "Elbette makul ve öğretici hiciv olarak görülmelidir. Dahası, birçok vesileyle kendimi de suçladığıma dikkat etmeni rica ederim.")[51] Ne de olsa, delilik dünyanın bu çileli hayatı mutlu hale getirmek, ayrıca yoz ve kötü yöneticilerin davranışları konusunda kendilerini kandırmalarını sağlamak için benimsediği yanılsamalardır. "Hibe sepetine yağmaladığı onca şeyden bir sikke attığında, günahlarla dolu hayatındaki lağım çukurunun hemen temizleneceğini sanan işadamı, asker ya da yargıç için" elzem bir şeydir. "Böyle bir kişi bütün yalan beyan, şehvet, ayyaşlık, kavga, cinayet, aldatma, sahtekârlık, ihanet fiillerinin bir rehin gibi ödendiğini ve bu hesabın kapanmasıyla, günaha açık hazların tamamen yeni bir faslını bir kez daha açabileceğini sanır."[52]

Kitabın sonunda, Hıristiyan bütün aptalların en büyüğü olarak teşhir edilir.[53] Müminin bu dünyadaki hazlardan vazgeçmesini ve öbür dünyaya dair hayalleri benimsemesini sağlayan deliliktir. Erasmus burada "Bizler Mesih'in yolundaki aptallarız," diyen havari Paulus'un yanı sıra bizzat Mesih'in de görüşünü yansıtır. "Mesih bile Baba'nın bilgeliğinin timsaliyken, insan yapısına büründüğünde ve bir insan şekliyle göründüğünde, fanileri delilikten kurtarmak amacıyla bir şekilde aptallaşmadı mı? Tıpkı günahları iyileştirmek amacıyla günaha dönüşmesinde olduğu gibi. Onları iyileştirmede de çarmıhın deliliği dışında bir yol seçmedi."[54] Delilik şu sonuca varır: "Uzun sözün kısası, bana öyle geliyor ki, bir bütün olarak alındığında, Hıristiyanlık dininin bir tür delilikle belli bir yakınlığı vardır ve bilgelikle alakası ya çok azdır ya da hiç yoktur."[55] Belki de dindarı deliden ayıran şeyler çok da fazla değildi – Erasmus'un gayet iyi bildiği üzere, Platon'un ve Sokrates'in bazı delilik biçimlerine ilişkin daha olumlu yorumlarını hatırlatan bir temaydı bu.[56]

---

51 Erasmus'un Thomas More'a önsöz niteliğindeki mektubu, *The Praise of Folly*, 1979, s. 4.

52 Erasmus, *The Praise of Folly*, 1979, s. 64-65.

53 Bu başından itibaren Hıristiyanlığa köklü biçimde sinmiş bir paradokstur. Örneğin, Havari Pavlus'un Korintlilere birinci mektubunda konu üzerine şunlar yazılır (1 Korintliler 1: 20, 25, 27-28):

> "Tanrı, dünya bilgeliğinin saçma olduğunu göstermedi mi? [...] Çünkü Tanrı'nın 'saçmalığı' insan bilgeliğinden daha üstün, Tanrı'nın 'zayıflığı' insan gücünden daha güçlüdür. [...] Ama Tanrı, bilgeleri utandırmak için dünyanın saçma saydıklarını, güçlüleri utandırmak için de dünyanın zayıf saydıklarını seçti; Tanrı, dünyanın önemli gördüklerini hiçe indirmek için, dünyanın önemsiz, soysuz ve değersiz gördüklerini seçti."

54 Erasmus, *The Praise of Folly*, 1979, s. 129-30.

55 Erasmus, *The Praise of Folly*, 1979, s. 132.

56 *Deliliğe Övgü*'de klasik göndermeler Platon'la ve Sokrates'le sınırlı değildir. Vergilius, Horatius, Homeros ve Plinius kitabın sayfalarında karşımıza çıkan diğer Yunan ve Latin yazarlarından sadece birkaçıdır.

Nitekim Platon felsefesi, Erasmus'un denemesinin birçok yerinde geçer. Sözgelimi, Alkibiades'in Sokrates'i içi ve dışı bakımından bir Silenos'a, yani baştan aşağı çirkin ve çarpık görüntüsünün altında bizzat bir tanrı sureti yatan küçük bir heykelciğe benzetişine başvurulur.[57] *Deliliğe Övgü*'nün ilk İngilizce çevirisinde ifadeyle, bize şu anlatılır:

> Dışarıdan ölüm gibi görünen şeyin içine baktığınızda hayat bulursunuz; hayat gibi görünen şeyin ise ölüm olduğu anlaşılır. Güzel görünen çirkindir, zengin görünen sefildir, sevimli görünen kabadır, güçlü görünen zayıftır, soylu görünen aşağılıktır, neşeli görünen üzgündür, mutlu görünen bedbahttır, dostça görünen hasmanedir, sağlıklı görünen zararlıdır. Kısacası, Silenos gibi olanlar çözüldüğünde ve açığa çıktığında, her şeyin yeni bir şekle büründüğünü görürsünüz.[58]

Başka bir yerde, Platon'un mağara miti, gölgelere inanmakla yetinerek mutlu bir yaşam süren aptalların övüldüğü ve dışarıdaki gerçekliğe bakan bilge kişinin reddedildiği bir pasaja temel oluşturur. Ama denemenin son kısmında, Delilik Hıristiyan "aptal"ı değerlendirirken bir kez daha paradoksa düşer. Burada bilge olanlar, öbür dünyanın kalıcı hazları uğruna bu dünyanın ayartıcı ve beyhude yönlerini reddeden ve bu yüzden de maddi dünyanın hazlarına sıkıca sarılanlarca hor görülen kişilerdir. Aptala göre, yüzeyde görünen şey, bilgenin peşinde olduğu daha derin hakikati örtüyor olabilir. *Deliliğe Övgü*'de hep olduğu gibi, ironi ironiyle yarışır.

REFORM VE KARŞI-REFORM HAREKETLERİ

Erasmus'un ölümünü izleyen yıllarda, militan Protestanlar ile Karşı-Reform yanlısı Katolikler arasında şiddetli kavgaların yaşandığı, kitapların ve heretiklerin yakıldığı bir ortamda, onun tarafsız eleştirilerine ve çekişen düşüncelere karşı hoşgörü jestlerine kulak verilmesi ihtimali düşüktü. Nitekim daha hayattayken, her iki kesimce kınanmış, aşırılıkları onaylamaktan kaçınışı düşünsel korkaklığının bir belirtisi olarak yorumlanmıştı. Hurafe, cin kovma, aziz mezarlarına tapınma ve cin çarpması konularındaki eleştirilerinin yüz yılı aşkın bir süre boyunca sınırlı ilgi gördüğü kesinlikle söylenebilir. Onun ölümünden sonra, bu köklü inançların çekiciliği görsel sanatlarda defalarca açığa çıktı; 16. yüzyılın ve 17. yüzyıl başlarının harika tablolarından bazılarında ifade bulmaya devam etti.

En etkileyici örnekler arasında, Rubens'in 1618'den 1630'a kadar yaptığı

57 Platon'a göndermenin kaynağı *The Symposium*, çev. M. Howatson, 2008, 216c-217a.

58 Erasmus, *The Praise of Folly*, çev. Thomas Chaloner, Londra: Thomas Berthelet, 1549, Erken İngilizce Metinler Derneği, # 257, Londra, Oxford University Press, 1965, s. 37.

tablo dizisi vardı. Altar panoları olarak tasarlanan bu siparişlerle, Karşı-Reform hareketinin Kalvencilerle ve öbür heretiklerle mücadelesinde Barok akımının yeni estetiğini bir silah gibi kullanma amacı güdülmüştü. Kilise kendi otoritesini sarsmaya dönük yeni girişimlere karşı meşruiyetini pekiştirme ve bunu da duvarları içinde ibadet edenlere, yerleşik gelenekle güçlü bağlarını hatırlatarak yapma peşindeydi. Rubens'in kocaman, aşırı şehvetli ve rengârenk görüntüler içeren altar panoları, seyreden kişiyi bir azizin (ya da aziz adayının) İblis'i ve yardakçılarını kovma gücüne tanıklık etmeye çağırır nitelikteydi. Örneğin, *The Miracles of St. Ignatius of Loyola* [Aziz Ignacio de Loyola'nın Mucizeleri] adlı tablosunu, onun takdis edildiği, ama henüz azizlik mertebesine yükseltilmediği 1617-1618'de yaptı (Ignacio dört yıl sonra 1622'de aziz ilan edildi). Tablo yüksek altarda duran Ignacio'nun cin çarpmış iki kişiyi kutsamak üzere havaya kaldırdığı koluyla yatıştırdığı sırada, azizin varlığı karşısında can havliyle kaçan küçük cinlerin bedenlerinden çıkışını tasvir eder (Resim 18).

Hiçbir şeyin değişmediği söylenemezdi. Ortaçağın cin kovma tasvirleriyle çok sayıdaki ayrılıklardan biri, Kitabı Mukaddes'in aslına bağlılıktan uzaklaşmaydı. Bizzat Mesih'in cin çarpmışları iyileştirmesinin gösterildiği önceki geleneğin yerine, böyle mucizelerin vahiy almış müritlerince yerine getirilişi tasvir edilmeye başladı. Rubens'in Protestan çağdaşlarının, yani İspanyol Felemenki'nin hemen kuzeyindeki Kalvenci Birleşik Eyaletler'de böyle Katolik propagandalarla hiç ilişkisi olmayan kişilerin haliyle sert biçimde karşı çıktığı bir iddiaydı bu. Her halükârda, Eski Ahit'in putları men edişinin lafzi kabulü, gösterişli bir altarın arkasına asılan tabloları lanetli saymaları için yeterliydi (İspanya kralı II. Felipe'ye karşı isyanın dönüm noktalarından biri, 1566'da yüzlerce kiliseden dinsel heykellerin ve bezemelerin sökülüp atıldığı Beeldenstorm, yani "Put Kırıcı Hışım" olmuştu). Ne var ki Hollanda genelde son derece sade binaların az sayıdaki görsel süslerinden biri olan ve Kitabı Mukaddes sahnelerinin yer aldığı resimli org kapaklarını istisna sayan bir tutum içindeydi. David Colijns'in 1635-40 arasındaki bir tarihte Amsterdam'daki Nieuwezijds Kapel için yaptığı org kapağı belki de güncel bir siyasal alt metin, irrasyonel hükümdarın yarattığı tehlikelere karşı bir uyarı içermekteydi (Katolik İspanya'ya karşı bağımsızlık mücadelesi aralıklarla seksen yıl süren Hollanda açısından geçici ilginin ötesine geçen bir konuydu bu). Her halükârda, bu kapak Birinci Samuel Kitabı'nda deliye dönmüş Saul'un "Davud'u vurup duvara çakacağım," diyerek mızrağını fırlattığı sahneyi canlı görüntülerle yansıtır. Davud'un bu olayda azgın yüreği yatıştırmak için müziğe başvurma yönündeki beyhude girişimi, böyle bir sahneyi bir orgu kapatmak için özellikle uygun bir görüntü haline getirmiş olsa gerek (Resim 19).

Müzik, deliliğe dönük tedavinin Rönesans döneminin sanatsal repertuvarına giren yegâne biçimi değildi. Deliliğe ilişkin tıbbi perspektiflerin öne çıkışı göz önünde tutulduğunda, bu gelişme belki de şaşırtıcı sayılmamalıdır; nitekim doktor figürü sıklıkla belirgin biçimde görülür. Böyle tabloların belki de en popüler konusu, deliliğin bedensel köklere dayandığı fikrini somutlaştıran antik bir anlayışla, vücuttan taş çıkarmaydı. Hieronymus Bosch'un *Delilik Tedavisi* olarak da bilinen tablosundan (Resim 20; yak. 1490) Pieter Huys'un 16. yüzyıl ortalarında bir cerrahın delilik taşını çıkarışını konu alan tablosuna kadar, bu türden görüntüler bolca karşımıza çıkar. Bosch'un tablosundaki doktorun başında huniyi andıran bir şapka bulunması belki de hekimlik kibrine ilişkin hicivli bir yorumdur; ancak diğer versiyonlar bu boyuttan yoksun gibidir. Böyle tabloların göndermede bulunduğu şey aslında baş ağrılarını ya da basıncı hafifletmek üzere kafatasını kazıma, dağlama ya da burguyla delme gibi tedavi amaçlı nispeten yaygın bir işlem olabilir.

BİLMECELER VE KARMAŞIKLIKLAR

Uzun 18. yüzyılın başından önce Avrupa uygarlığında deliliğin yeri böylesine karmaşıktı. Sanatta ve edebiyatta gittikçe artan bir cazibe kaynağı olmasına karşın, akıl hastalığına birçok çevrede hâlâ doğaüstü güçlerin bir sonucu gibi bakılmaktaydı. Böyle görüşlerin gittikçe sorgulanmasında, matbaanın icadıyla ve akıl hastalığına ilişkin Yunan ve Roma tıp fikirlerinin yeniden keşfedilişiyle, zihin rahatsızlıklarını bedensel bozukluğa dayandıran teorilerin canlanmasının küçümsenmeyecek payı vardı. Delilerin çoğu hâlâ ortalıktaydı ve akrabaları için bir yüktü. Kilit altında tutulanlar çoğunlukla yakını ve akrabası olmayan ya da yarattıkları sorunlar için tek çözümün kapatmada görüleceği ölçüde tehlikeli bulunan çok küçük bir kesimdi. Ama Bedlam gibi yerlerde karşılaşılan az sayıda deli, oyun yazarlarının ve hitap ettikleri kitlenin hayal gücünü harekete geçirmek için yeterliydi. Çok geçmeden, hayatın sanatı taklit etmesiyle tımarhaneler çoğalmaya başlayacaktı; deliliğe ilişkin doğalcı açıklamalar gittikçe genişleyen bir okumuş çevrede benimsenecekti. Ama değişim yavaş ve aksaktı. Eski gelenekler ve inançlar, güçlerini ve insanın hayal gücü üzerindeki etkilerini hâlâ büyük ölçüde korumaktaydı.

Bölüm Beş

TIMARHANELER VE DELİ DOKTORLARI

DELİLİĞE TEPKİLERİN DEĞİŞMESİ

Görüntüler çarpıcıdır: Hücrelerin pencerelerinden gözlerini dikmiş, tedirgin, darmadağınık üç surat; ön plandaki iki azman figürden birinin arkasında saklanmış halde etrafı süzerken aptalca sırıtan genç bir adam; birbirlerinden ve karşılarındaki dünyadan bihaber oldukları apaçık görülen bu iki azgın manyaktan biri kendi etini kemirmekle meşgul. Peter van Coeverden'in 1686'da oyduğu bu pano, iki yüzyılı aşkın bir süre önce yarım düzine kadar meczubu barındırmak üzere Hollanda kasabası 's-Hertogenbosch'ta inşa edilen *dolhuis*'in (tımarhane) önüne dikilmişti. Kuzey Denizi'nin öbür yakasında, Restorasyon dönemi Londrası'nda (artık harap ve yetersiz aslının yerine) görkemli bir yeni Bedlam, Robert Hooke'un 1676'da hazırladığı plana göre, eski kent surlarının hemen dışında uygun bir yer olarak seçilen Moorfields'de inşa edildi (Resim 22). Kapılarının üst kısmına Danimarkalı sanatçı Caius Gabriel Cibber'in yaptığı daha da çarpıcı ve devasa iki heykel yerleştirildi. Sol tarafta boş yüz ifadesiyle hasır bir yatağa neredeyse boylu boyunca uzanmış melankolik bir kişinin figürü, karşı tarafta ise yumrukları sıkılı, kasları gergin, tedirgin, acıyla kıvranan, başını arkaya yaslamış, yüzü neredeyse yabani bir bakışla buruşmuş, tehditkâr bakışlı ve zincirli bir delinin figürü vardı. Böylece akıl hastaneleri 17. yüzyılın sonlarında varlıklarını yeni yollarla göstermeye başladılar; delilerin ve kötü ahlaklıların kapatıldığı kurumlar olarak, birçok Avrupa toplumunda daha belirgin bir yer kazandılar.

Deli olmak aylak ya da en azından genelde üretken çalışmadan aciz olmak demektir. Bu durumun modern çağa kadar getirdiği sonuç, aklını kaçıranların yoksullardan, kötü ahlaklılardan, kötürümlerden, öksüzlerden, yaşlılardan ve sakatlardan oluşan çok daha geniş kesim içinde sayılmasıydı. Bakıma muhtaç her türlü insan aynı kefeye konulur ve aralarında nadiren özenli bir ayrım yapılırdı. Körler ve deliler, gençler ve yaşlılar, sefihler ve baştan çıkarılmışlar elbette bazı düzeylerde karıştırılmazdı. Ama sosyal düzeyde bakılınca, çoğunlukla muhtaç durumlarının bambaşka kaynakları değil, ortak acizlikleri ve yoksullukları önem kazanırdı.

Durum 17. yüzyılda değişmeye başladı. Bunun ardındaki itici güç değişkendi. Anlaşıldığı kadarıyla Kuzey Avrupa'da ticaretin canlanması, şehirlerin

Peter van Coeverden'in yaptığı bu kabartma pano (1686) 's-Hertogenbosch kasabasındaki akıl hastanesinin sakinlerini tasvir ediyor. Üç deli adam hücrelerinin mazgallarından dışarıyı süzerken, diğer iki deli ve bir genç oğlan suratlarını ekşitmiş halde önümüzde poz veriyor.

büyümesi ve piyasa ilişkilerinin yayılması yoksullara, özellikle aylaklara ve serserilere karşı daha seküler ve kuşkucu bir tutuma yönelmeyi getirdi. Birleşik Eyaletler'de (şimdiki Hollanda), Britanya'da ve bölgenin başka kesimlerinde, bu tür insanları disiplin altına alınmalarının ve çalışmayı öğrenmelerinin umulduğu yeni tipte bir kuruma, bir ıslahevine kapatma yönünde aralıklı girişimlerde bulunuldu. İlk Hollanda tımarhaneleri (*dolhuizen*) daha 15. yüzyılda ortaya çıkmıştı. Bunlar ancak bir düzine hastayı barındırmaya yeten küçük kurumlardı; ama 16. yüzyıl sonlarına ve 17. yüzyıl başlarına doğru, ailelerin ve beldelerin tehlikeli delilerden kurtulma yollarını aramalarıyla birlikte, bazılarının büyütülmesi yönünde baskılar oldu. Girişimci ruhlu Hollanda'ya özgü bir hamleyle, bunları genişletmek için gerekli kaynak çoğu kez bağışlarla değil, cazip ikramiyeli piyangolarla sağlandı. Amsterdam'da biletler 1592'deki büyük çekilişten bir yıl önce satıldı ve ikramiyeler öylesine çoktu ki, çekilişin tamamlanması altmış sekiz günü ve geceyi buldu (Amsterdam Tımarhanesi, gebe karısı, deli bir kadının saldırısına uğrayan Hendrick van Gisp'in bir bağışıyla 1562'de kurulmuştu). Piyango geliriyle binanın büyük çapta genişletilmesi 1617'de tamamlandı. Çok geçmeden Leiden (1596) ve Haarlem (1606-1607) aynı yolu izledi; onların ikramiye çekilişleri sadece elli iki gün ve gece sürdü.

Melancholy and Raving Madness [Melankoli ve Zırdelilik, yak. 1676]: Cibber'in yaptığı bu devasa iki figür, Bedlam'a girişin üst kısmında yer almaktaydı. John Keats'in destansı şiiri "Hyperion"da "yaralı Titanlar"ı tasvir ederken, gölgesinde büyüdüğü bu heykelleri aklından geçirdiği kesindir.

Katolik Avrupa'nın böyle ticari çözümlere eğilimli olmayan mutlakıyetçi monarşileri ise, aylakları ve sosyal uyumsuzları bir siyasal tehdit, potansiyel bir kargaşa ve düzensizlik kaynağı olarak gördüler. Bu ülkelerde köylülerden toplanan vergilerle yoksulları sokaklardan temizlemeye ve oluşturdukları tehlikeyi etkisizleştirmeye dönük çabalara girişildi. Dilenciler, serseriler ve fahişeler, istikrarlı çalışma ve istihdam dünyasıyla bağlantıları kuşkulu olan başkalarıyla birlikte hapsedilmekle karşı karşıya kaldılar. Birçoğu başta *Hôpitaux généraux* [genel hastaneler] ve *dépôts de mendicité* [düşkün yurtları] olmak üzere, 17. ve 18. yüzyıl Fransası'na damga vuran yeni kurumlara tıkıldı. Artık göz ardı edilmeyen aylak ve muhtaç yoksullar böylece zorla çalıştırılacaktı – ya da en azından kâğıt üzerindeki amaç buydu.

Ortaçağda bile yarattıkları tehdidi azaltmak üzere, en azılı ve en tehditkâr delileri toplamaya, kapatmaya ve zincirlemeye dönük çeşitli çarelere başvurulmuştu. Dolayısıyla bazı akıl hastalarının yeni dönemde disiplin altına alınan ve kısıtlanan ahlaksızlar ve aylaklar arasında yer almaması şaşırtıcı olurdu. Ama deliler yeni ıslahevleri kurma peşinde olanların başta gelen hedefi değildi. Nitekim özellikle Hollanda'da hastaları ve delileri böyle kurumların dışında tutma çabaları gösterildi. Ne de olsa, onların varlığı, sıkı çalışmaya, disipline ve düzene ağırlık verilen bir ortamla pek bağdaşmazdı.

Bu yüzden tehdidin yeterince ciddi olduğu Hollanda'da tercih, delileri kendi kurumlarına, ilk örneği 's-Hertogenbosch olan tımarhanelere kapatma yönünde oldu.

Fransız genel hastanelerinin ilki ve en büyüğü olarak kraliyet fermanıyla, 1656'da Paris'te eski bir barut fabrikasının bulunduğu yerde kurulan Salpêtrière bir dizi meczubu barındırdı – ilk başta belki yüz civarında olan sayı Fransız Devrimi'nin ardından on katına çıktıysa da, o zamana kadar yıllarca çoğunlukla kadınların kapatıldığı bir yer olarak kalmıştı. Ama akıl hastaları hep hasta mevcudunun küçük bir kesimini oluşturdu. Örneğin, 1790'da on bini aşan toplam hasta sayısı içinde delilerin oranı ancak onda birdi. Geniş kurumun koridorları sosyal açıdan yıkıcı ve sorunlu her türden insanla doluydu (Resim 23). Fransız cerrah Jacques Tenon (1669-1760) Paris hastaneleri üzerine eleştirel raporunu 1788'de sunduğunda, heterojen demografisinin kısa bir özetini şöyle vermişti:

> Salpêtrière Paris'in ve belki Avrupa'nın en büyük hastanesidir. Kadınlar için bir yuva olduğu kadar bir hapishanedir de. Burada gebe kadınlar ve kızlar, sütanneler ve emzirdikleri bebekler, yedi ya da sekiz aylıktan dört ila beş yaşına kadar erkek çocuklar, her yaştan genç kızlar, evli ihtiyar erkekler ve kadınlar; zırdeliler, embesiller, saralılar, felçliler, körler, sakatlar, saçkırandan mustarip insanlar, her türden onulmaz hastalığı olanlar, sıracaya yakalanmış çocuklar vs. kalır. Bu hastanenin ortasındaki kadın tutukevi dört farklı hapishanede oluşur: En sefih kızlar için *le comun*; iflah

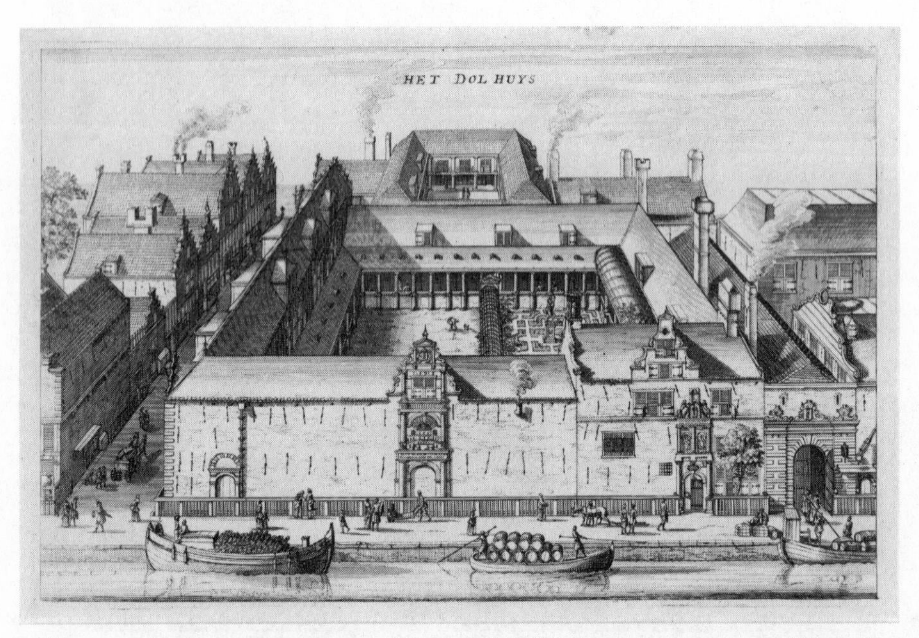

Tadilat ve genişletme işinin tamamlandığı 1617'den sonraki haliyle Amsterdam Tımarhanesi. Muhtemelen J. van Meurs'ün yaptığı gravürün tarihi 1663'tür.

olmaz derecede ahlaksız sayılmayanlar için *la correction*; kralın emriyle tutulan kişilere mahsus *la prison*; mahkeme emriyle damga vurulmuş kadınlar için *la grande force*.[1]

Meczupların bir eklenti statüsüne indirildiği bu dökümün işaret ettiği üzere, Michel Foucault'nun geçmişte yaydığı görüş, yani 17. ve 18. yüzyılların, akıl hastalarının "Büyük Kapatılma"sına sahne olduğu görüşü gerçek durumu aşırı abartır niteliktedir. Kalabalık Fransız başkentinin ötesine bakıldığında, bu daha açık seçik görülür.

Örneğin, Fransa'nın güney kesimindeki Montpellier'de taşra yetkililerinin 17. yüzyıl sonlarında bir *Hôpital général* kurması, 18. yüzyılın başlarında "akıldan ve sağduyudan yoksun halde şehir içinde dolaşarak, bir dizi rezaleti işleyen insanlar" hakkındaki şikâyetleri durdurmaya yetmedi. Bir süre sonra böyle bir olayda bir delinin önce karısını öldürmesi, ardından kendi evini ve komşu evleri yakması, idari makamları harekete geçmek zorunda bıraktı. Şehrin yöneticileri yerel hastaneyle birlikte, azılı delilerin güvenle kapatılabileceği on iki hücre (*loge*) inşa edilmesini sağladı. Aynı yüzyıl içinde çeşitli desteklerle birkaç hücre daha eklendi; Fransız Devrimi patlak verdiğinde, toplam yirmi beş hücrede ancak yirmi deli vardı – üstelik nüfusu 30 bine varan bir şehirde.[2]

1 Jacques Tenon, 1778, s. 85.

2 Montpellier'nin Fransız taşrasında akıl hastalarına bakımın atipik örneği olduğu söylenemez. Örneğin, Fransız Devrimi döneminde Dijon'daki Bon Pasteur'de akıl hastası dokuz kadın kalmaktaydı.

Montpellier önemli bir tıp öğrenim merkeziydi; hocaları itibar ve şöhret bakımından Paris'tekilerden hemen sonra gelmekteydi.[3] Ama bu hücrelerin hastane alanında bulunması bizi yanıltmamalıdır. Akıl hastalarını tedaviye tıbbi katkı ve ilgi çok azdı ya da hiç denecek düzeydeydi.[4] Meczup hücrelerine kapatılan bir avuç hasta anlaşıldığı kadarıyla (geceleri ortalıkta koşarak mahalleyi yakmaya çalışan bir adam, çok sayıda kişiyi darp edip yaralayan başka bir adam, yerel kiliseye girip dinsel suretleri ve süsleri kırmaya çalışan üçüncü bir adam gibi) toplum için bariz bir tehdit oluşturanlar ya da davranışları aile için rahatsızlık ya da rezalet kaynağı sayılanlardı. İkinci durum cinsel meşrepleri (ve belki fuhşa bulaşmaları) aile şerefini tehlikeye atan "ahlaksız" genç kadınları kapatmak için de kullanılan bir bahaneydi. Yaklaşık sekiz metrekarelik parmaklıklı hücrelere kapatılan hastaların bakımını Katolik rahibelerin (Les Filles de la Charité) üstlenmesi, sorunların tıbbi olmaktan ziyade sosyal kaynaklı görüldüğünün bir yansımasıydı.[5]

Yerel hastanedeki meczupların azlığından açıkça anlaşıldığı üzere, çoğu delinin bakımı başka ortamlarda yürütülmekteydi. Önceki yüzyıllarda olduğu gibi, asıl yük ailelerin sırtındaydı ve başvurulan çareler alt tabakaların yoksulluğundan ve kötü yaşam koşullarından dolayı kabaydı. Tavan arasında, bodrumda ya da müştemilatta zincirlenenler daha da az imrenilecek durumdaydı. Ailesi bulunamayan bazı yoksul akıl hastaları, itibarsız kesimlerin diğer mensuplarıyla beraber bir zindana kapatılabilir ya da yerel düşkünler yurduna yerleştirilebilirdi. Hali vakti daha iyi olanlar için, evde meczuplukla başa çıkmanın zorluklarına bir alternatif, akrabaları tarafından dinsel kurumlara yerleştirilmeleriydi; bu kapatma biçimi çoğu kez resmen söz konusu kişinin süresiz içeride tutulmasına izin veren bir *lettre de cachet* (kral imzalı mektup) alınarak sağlanırdı. Bu şekilde kapatılan belki de en ünlü sima Marquis de Sade'dı (1740-1814). *Lettres de cachet* [kaşeli mektup] her türlü mahkeme ya da temyiz yolunu kapatırdı ve Sade'ın sürekli cinsel kaçamakları, kayınvalidesi Madam Montreuil'i böyle bir mektup almaya yöneltmişti. Bu yola başvurmasında Sade'ın, ikinci kızıyla gönül eğlendirmesi, ayrıca her iki cinsiyetten fahişelerle sıkça ilişkiye girmesi ve çevresindeki herkesi baştan çıkarması rol oynamış olabilir. Bu durumda böyle bir işe, uzun süre Sade'la suç ortağı olan karısının rızasını almadan girişmiş olsa gerek. Madam sonuçta bir bahaneyle Paris'e getirttiği Sade'ın önce Vincennes Şatosu'nda, ardından Bastille'de hapsedilmesini sağladı. Marquis de Sade devrimci kalabalığın bu hapishaneyi basıp mahkûmları serbest bırakmasından tam on gün önce

3 Colin Jones, 1980, s. 373. Bu bölüm Jones'un çığır açıcı araştırmasına dayanmaktadır.
4 Colin Jones, 1980, s. 380.
5 Colin Jones, 1980, s. 380.

Charenton'daki akıl hastanesine nakledildi.[6] Bir süre serbest kaldıktan sonra 1803'te Charenton'a döndü ve 1814'teki ölümüne kadar orada kaldı.

Fransa 18. yüzyıl başlarında örtmece bir ifadeyle *Maisons de santé* olarak anılan özel tımarhanelere de kavuştu.[7] Meczupların böyle yerlere gönderilmesini meşrulaştırmak için resmi (ve maliyetli) bir hukuki işleme gerek vardı. Bir sulh yargıcından tecrit (*interdiction*) kararı için davayı genellikle aile, ara sıra da kraliyet makamları açardı. Sulh yargıcı kapatma iznini vermeden önce delilleri dinler ve çoğu kez akıl hastası kişiyle konuşurdu. Böyle adli işlemler aynı zamanda kişinin mal varlığını korumaya yönelikti. Ama bu davalar hatırı sayılır masrafın dışında, "aile şerefi" ve itibarı için bir tehdit olarak görüldüğünden, birçok kişi böyle bir yola başvurmaktan kaçınırdı. Deli akrabayı bu kurumlara yatırma izni almak için daha sıklıkla her amaca uygun *lettres de cachet*'ye başvurulurdu. Bu yaklaşımın da kendince sakıncaları vardı. Özellikle tezkerelerin verilmesinde esas alınan kriterlerin gevşekliği, *Maisons de santé*'nin itibarına rezalet ve korku bulaştıran bir etkendi.[8] Bu yolların aynı zamanda kralın siyasal hasımlarını ve muarızlarını susturmak ve tuhaf davranışları akrabaları arasında rahatsızlık yaratan soyluları (birçok anlamda) kapatmak için kullanılması, gözlerden kaçmayan bir husustu. Uygunsuz bir kişiyi deli olarak damgalamanın her zaman bariz cazip yanları olsa bile, böyle bir dürtüye kapılmak akıl hastalarını kapatmaya da despotluk izlenimini bulaştırdı. İnsanları susturmanın ve hapse atmanın bu keyfi araçlarına karşı bastırılan ama içten içe kaynayan hoşnutsuzluk XVI. Louis döneminde açığa çıktı ve 1770'lerden itibaren uygulamaya yönelik protestolar Paris *parlement*'inde, taşra *parlement*'lerinde ve sonunda Genel Meclis'te defalarca dile getirildi. Bu durum Fransız Devrimi'nin hemen ardından Kurucu Meclis'in 27 Mart 1790'da uygulamayı kaldırmasına yol açtı; tehlikeli delilerden kurtulma sorununu zorlaştıran bu kararın doğurduğu güçlükler ancak 1838'de delileri kapatmayı düzenleyen yeni bir yasanın çıkarılmasıyla tamamen giderildi.

---

6 Sade 1790'da Kurucu Meclis'in *lettres de cachet*'yi kaldırmasıyla Charenton'dan serbest bırakıldı ve daha sonra aristokrat geçmişini rahatlıkla reddederek, Ulusal Konvansiyon'a bir delege olarak girdi. Napoléon'un keyfi tutuklamanın vazgeçilemeyecek kadar değerli bir silah olduğunun farkına vardığı 1801'e doğru Bicêtre'de bir kez daha hapse atıldı, ardından akrabalarının müdahalesiyle tekrar Charenton'a nakledildi ve orada 1814'te bir "meczup" olarak öldü. Toplamda çeyrek yüzyılı aşkın bir süre hapis kalmıştı.

7 Jacques Tenon (1778) Faubourg St. Jacques'ta yarım düzine, Faubourg St. Antoine'da dokuz ve Montmartre'da üç tımarhane sayar. Matmazel Laignel adında bir kadının yönettiği en büyük tımarhane Des Vignes Çıkmazı'ndaydı ve içinde 36 kadın meczup vardı; bu kurumlarda toplam olarak, çoğunluğu ebleh ya da bunak sayılan 300'e yakın kişi kalmaktaydı. Azgın ve taşkın deliler ise birçoğu belediyeye ait kurumlar olan başka yerlerde tutulmaktaydı.

8 Robert Castel (1988) "Ancien Régime'in çıkardığı *lettres de cachet* uyarınca gözetim altına alınanların kabaca onda dokuzunu 'aile mahkûmları'nın olduşturduğu" tahmininde bulunur, s. 16.

DELİLİK TASVİRLERİ

Fransız tımarhanelerine düzmece gerekçelerle kapatma konusundaki kuşkular, kraliyet despotluğundan ve keyfiliğinden duyulan daha geniş çaplı bir korkuyla yakından bağlantılıyken, Manş Denizi'nin öbür yakasında oldukça farklı bir dizi korkuyla bağlantılıydı. İngiltere'de kâr amaçlı özel tımarhaneler belki daha 17. yüzyıl sonlarında, daha varlıklı kesimlerin meczuplara ev ortamında bakmanın beraberinde getirdiği yüklerden ve dertlerden kurtulmanın bir yolunu aramalarıyla ortaya çıkmaya başlamıştı. Pazarın ve ticaretin hızla genişlediği ve büyüyen bir orta sınıfın bir ölçüde refaha kavuştuğu 18. yüzyıl bir tüketim toplumunun doğuşuna sahne oldu.[9] Gittikçe daha fazla mal ve hizmet, girişimci sınıfların geçimlerini sağlama yolu arayabilecekleri ticaret konusu haline geldi. Görgü, dans, müzik ve resim dersleri birçok kişiye gelir kaynağı fırsatı sağladı.

Okuryazarlığın yaygınlaşmasıyla birlikte, ucuz roman pazarı genişledi ve (bir akımın timsaline dönüşen Londra caddesi) Grub Street'in sıradan yazarları kitlelere iç gıcıklayıcı hikâyeler sundular; daha hırslı yazarlar edebiyat piyasasının kaymak kesiminde bile ürünleri için daha geniş bir okur kitlesi buldular. Sanatta da William Hogarth (1697-1764) gibi uyanık kişiler, aristokrat bir müşteri kitlesine pahalı tablolar ve onlara özenen sonradan görmelere aynı tabloların seri üretimli gravürlerini satarak, yeni ticari fırsatlardan yararlandılar. Hogarth'ın işlediği konular, zengin ve kibirli insanların bildik portrelerinin yanı sıra sosyal yoruma dönük yeni örnekleri kapsamaktaydı: Bir Grub Street çatı katında açlıkla cebelleşen bir yazar ve 18. yüzyıl Londrası'nın günahlarını yerici nitelikte bir dizi hicivli görüntü. Onun ifadesiyle bu "modern ahlaki konular" arasında *Marriage á-la-mode* [Yeni Moda Evlilik], *Industry and Idleness* [Çalışkanlık ve Aylaklık], *Four Stages of Creulty* [Acımasızlığın Dört Aşaması], *Gin Lane* [Cin Sokağı], *A Harlot's Progress* [Bir Fahişenin Sergüzeşti] gibi tablolar vardı.

En ünlü örnek olduğu söylenebilecek *A Harlot's Progress* [Bir Hovardanın Sergüzeşti], zengin ve pinti tüccar babasından miras kalmış bir serveti sefahat, içki, kumar ve fahişeler uğruna har vurup harman savuran genç Tom Rakewell'in çöküşünü tasvir eden sekiz tablodan oluşur. Son sahnede, aşırılıklarla geçen hayatı yüzünden deliren Tom neredeyse çıplak ve zincirli halde Bedlam'in döşemesinde yatar; çevresindeki meczuplar kadrosuyla birlikte, şık giyimli asortik iki kadın tarafından izlenir – bunların meraklı aristokratlar mı, yoksa fahişeler mi olduklarına karar vermek bize bırakılır. Parmaklıklar, zincirler, çıplaklık (meczupluğun klişeleşmiş aksesuvarları), piskopos kepi takmış ve teslis asası taşıyan deli bir papalık yanlısı, kafayı

---

9 Neil McKendrick, John Brewer ve J. H. Plumb, 1982.

üşütmüş bir astronom, kara sevdalı bir melankolik, yoldan çıkmış bir yılan oynatıcısı, çıldırmış bir müzisyen ve sahte tacı dışında üryan halde hasır şiltesine işeyen bir kral bozuntusu gibi kişilerle dolu bir koğuş. Burada birçok kisvesiyle irrasyonelliğin, günahın bedelleri olarak deliliğin hazin bir geçit töreni çıkar karşımıza. Tablolar 1733'te tamamlandı ve Hogarth aynı yılın sonuna doğru gravür versiyonları için abonelikleri kabul etmeye başladı. Ancak açıkgöz bir tavırla, yayını yeni Gravürcülerin Telif Hakkı Yasası'nın yürürlüğe girdiği 25 Haziran 1735'e kadar geciktirdi. Böylece takım başına kırk iki şilin fiyat biçebildi ve piyasaya çıkan ürünler tükenince, sadece iki şilin altı peniye sattığı daha küçük ve daha ucuz bir seri üretti.

Hogarth'ın eserlerinin başlıca alıcıları olan aristokrat müşteriler ve özentili tüccarlar bileşimi, başka bir sanatsal uğraşın hedef kitlesinin de esasını oluşturdu. Şiir, dans, tiyatro ve müziği bir araya getiren operanın 16. yüzyılın sonunda Rönesans Floransası'nda ortaya çıktığı ve Yunan tiyatrosunu canlandırmaya dönük bir çabayı yansıttığı kabul edilir. İlk başta çoğunlukla (her türden abartının kısıtsız servet ve iktidar gösterisine uygun bir vesile oluşturmasından dolayı olumlu bir erdem olarak görüldüğü) saraydaki seyirciler için sahnelenirdi. Zamanla zengin olmakla birlikte ücret ödeyen bir kitleye gösteriler sunulmaya başladı; önce Venedik'te (Monteverdi'nin eserleriyle) başlayan bu akım kısa sürede İtalya'nın her yanına ve daha sonra Avrupa'nın geri kalan kesimine yayıldı. Hogarth'ın döneminde opera, artık önemli bestecilerin ilgisini çeken bir sanat türüydü ve varlıklı kesimler nezdindeki cazibesi gittikçe yerleşmekteydi; bu bağlantı hem yararına hem de zararına işleyen bir süreçle günümüze kadar sürecekti.

Taşkın duyguları, aşkı, ihaneti, kederi, intikamı, şiddeti ve ölümü içeren opera, temaşa, sahnede dram, neredeyse aşırılık ve saçmalık noktasına varacak ölçüde abartıya bilinçli başvurulan olay örgüleri üzerine kuruluydu. Bu bakımdan, opera bestecileri ve seyircileri deliliğin sunduğu melodram imkânlarının ve humma derecesine varacak kadar kabaran tutkuların sınırı aşıp akıl hastalığına dönüşmesinin çekiciliğine neredeyse hemen kapıldılar. Opera sanatçıları kederi yaşarken, acılarla kıvranırken ve can çekişirken uzun aryalar okuyabildiklerine göre, deliliği de kesinlikle dile getirebilirlerdi.[10] Şiirin dil sınırlarını esnetme ve zorlama potansiyelinden yararlanabilen ve bu özellikleri canlı dramatik eylem, dekor ve kostümle birleştirebilen opera, akılsızlığı yansıtma, gözler önüne serme, büyüteç altına koyma, hatta belki bazı yönleriyle ehlileştirme ve elbette dünyanın çözülüşünü ve par-

---

10 Burada Fabrizio Della Seta'ya (2013), daha genel olarak delilik ve opera üzerine değerlendirmelerimde, dostum Amy Forrest'a ve kayınbiraderim Michael Andrews'a önerileri ve görüşleri için borçluyum. Amy'nin kızı Delilah Forrest da dikkatimi Handel'in ve Mozart'ın *Orlando* ve *Idomeneo* için partisyonlarının belirli özelliklerine çekmede son derece yararlı oldu.

A Harlot's Progress [Bir Hovardanın Sergüzeşti] dizisinin son sahnesi Tom'un akıbetini gösteriyor: Günahın ve israfın bedelleri delilik ve Bedlam'e kapatılmaktır. Orijinal tablodan yapılmış bir gravür.

çalanışını sanatsal hünerlerle aydınlatma bakımından muazzam avantajlara sahipti. Üstelik daha da öne çıkan bir özelliğiyle operanın, sözlü ve görsel unsurları güçlendirebilecek, sergileyebilecek ve hatta bir kontrpuan olarak canlandırabilecek ikinci bir "dil"i vardı: Karakteri, ruh halini ve durumu tasvir edebilecek kadar becerikli bir bestecinin yararlanabileceği müzikal ifadeler ve sesler.

Handel'in (*Orlando furioso*'yu yeni bir yaklaşımla işlediği) *Orlando* operası ilk kez Londra'da 27 Ocak 1733'te, Hogarth'ın *Bir Hovardanın Sergüzeşti* üzerinde çalıştığı sırada sahnelendi. Handel esasen Barok döneminin genellikle görkemli ve düzenli müzikal ifadeleri çerçevesinde çalışmasına karşın, İkinci Perde'nin sonundaki uzun sahnede kişiliği bozulan Orlando'nun delirişini yansıtacak oyunculuğu, sözleri ve müziği bir araya getirme fırsatını tam anlamıyla değerlendirir. Bozukluğun ortaya çıkışına ve Orlando'nun gerçeklikle bağının kopuşuna işaret etmek üzere çeşitli müzikal araçlardan ustalıkla yararlanır. Başlangıçtaki ritim esaslı sade orkestrasyon ve sahnenin gelişmesiyle birlikte daha coşkulu hale gelir. Yaylı çalgılar bölümü birlikte çalmaya başlarken, bir süre sonra temeldeki ritmin artmasıyla birlikte kemanlar daha tiz ve melodik bir perdeye geçer. Akortlar gittikçe çılgınlaşan bir tarzda çalınır. Blok flütlerin ve tenor viyolalarının alışılmamış ses renklerini çıkarmaları, Orlando'nun gerçeklikten kaçışına işaret eder. Yedi farklı tempa ve zaman işaretinde beş değişiklik, müzikal burguları ve dönüşleri artırır. En rahatsız edici tematik unsur birkaç sefer tekrarlanır ve sonunda çok daha coşkulu ve karmaşık bir enstrüman eşliğiyle desteklenmiş olarak bir kez daha ortaya çıkar. Burada müziğin ters gidişatı, pusulasını şaşırmış bir dünyayı simgeler (Hatta Handel arya öncesinde müziğin eşlik ettiği resitatifte 5 / 8 zamanlı birkaç ölçü çizgisine başvurur; Barok müziğindeki bu nadir uygulama dönemin seyircilerinin tedirginlik duygusunu artırmış olsa gerek).[11] Son olarak, çıldırmış Orlando ölü ruhları Stiks Nehri'nden geçiren Kharon'un teknesine binerek, yeraltı dünyasına doğru yolculuğa çıktığını sanır. Deliliğe sürüklenirken, son sözleri şu olur: "Già solco l'onde nere" ("Şimdiden simsiyah dalgaları yarıyorum").

Handel'in eseri opera bestecilerinin edebi formlardan yararlanışının sadece ilk örneğiydi.[12] Yaklaşık yarım yüzyıl sonra, müziğin klasik dönemine denk gelen 1781'de Mozart'ın konusu Girit'te ve ardından Troia Savaşları'nda geçen *Idomeneo* operası, orkestra ses rengini, librettoyu ve dramatik eylemi daha da zengin biçimde birleştirir. Mozart'ın müziği Handel'inkinden belirgin bir farklılık gösterir; ritimleri daha karmaşıktır, dinamik aralığı daha geniştir, çalgı düzeni daha değişkendir, orkestrasyonu çok sayıda melodik perdeyi kullanışında olduğu gibi, çarpıcı biçimde farklıdır. Daha uvertürde; yaklaşan tehlike, girdaplı deniz, öfkeli bir tanrının, düzeni bozma gözdağını veren güçlerin belirtisi haber verilir. Tiyatronun gelişmesiyle birlikte, Prens Idamente'yi elde etmeye çalışan rakibine, tutsak Troia prensesi Ilia'ya duyduğu kıskançlıkla kıvranan Elettra'nın, intikam meleklerini ondan öç almaya çağırışına ve ardından çabaları boşa çıkınca, yavaş yavaş dağılıp son aryasındaki azgın deliliğe savruluşuna tanık oluruz. Müzik hiddetli bir yoğunluk kazanır. Umutsuzluğunu ve kızgınlığını dile getiren Elettra'nın tizleşen ve daha sonra sönükleşen sesi bölük pörçük histerik çığlıklara dönüşürken, ona

11 Michael Robinson (2013) "Handel'in burada ima ediyor gibi göründüğü mesaj, beş zaman ölçüsünde şarkı söylemeye cüret eden birinin ya çılgın olduğudur ya da deli gibi görülmek istediğidir," diye belirtir.

12 Örneğin, Verdi *Macbeth* (1847) operasında uyurgezer ve tekinsiz Leydi Macbeth tipine yer verir. Fransız besteci Ambroise Thomas *Hamlet* (1868) operasında hem gerçek hem de sahte deliliği işler; Ophelia'nın aklını kaçırışını ise köklü biçimde budanmış ve basitleştirilmiş bir olay örgüsüyle verir. Dmitri Şostakoviç *Mtsensk Yöresinin Leydi Macbeth*'i (1934) operasında asıl ilham kaynağından daha da uzaklaşır. Bu eser kısmen bir kadın katili sevecen portreyle sunması ve Sibirya sürgününe göndermelerde bulunması ama daha çok da açıkça modernist müzikal ifadeleri ve bir Amerikalı eleştirmenin deyişiyle seks sahnelerine eşlik eden müzik "pornofoni"si yüzünden Stalin'in öfkesini çekti ve besteciyi hayatından olmanın eşiğine kadar getirdi.

eşlik eden orkestra galeyana gelerek, senkobu ve armoni bakımından kararsız unsurları akortsuzlukla harmanlar; bu patlamalı bileşim genç kadının öfkeli ve azap çeken ruhunu çağrıştırır.[13] Handel *Orlando*'da belki deliliğin zorlamalarına işaret etmek için tekrarı kullanmıştı; Daniel Heartz'ın vurguladığı üzere, Elettra'nın aryası da hem tekrarları kekeleme, hem de "yaylı çalgılarda rahatsız edici bir saplantı gibi aralıksız tekrarlanan dönüşlü bir nota dizisi" açısından dikkat çekicidir.[14] Tıpkı *sommeil* denen uyku sahneleri (ayrıca kısıtlamaların ve gerçekliği kavrayışın gevşediği düş dünyası ile deliliğin burada işlemeyi pek gerektirmeyen altüst oluşları arasındaki bağlar) gibi, delilik sahnesi de zamanla geçerli bir doğal dekora, müdavimleri açısından operaya gitme deneyiminin bildik bir parçası haline gelecekti.[15]

İNSANLARI KAPATMA

Kilise ve aristokrasi içindeki geleneksel hamilerden daha geniş bir müşteri kitlesi sayesinde, sanat ve edebiyat artık yeni geçim yolları (hatta belki bir servet) sağladığına göre, daha sıradan konular da kazanç kaynaklarına dönüştürülebilirdi. Hayatın daha az makbul veçheleriyle uğraşmak kesinlikle bunlardan biriydi. Örneğin, naaşlar gittikçe yeni bir meslek erbabına teslim edildi; cenaze levazımatçısı olarak anılan bu kişiler, geleneksel olarak ailelerin yerine getirdiği nahoş bir görevi üstlendiler, daha ayrıntılı hale getirdiler ve yakınları ölenlere bu hizmetlerini sattılar.

Hukuki ve manevi açıdan bir tür "yaşarken ölüm" olan, yol açtığı hasarlarla ve rahatsızlıklarla özel yaşamı mahveden delilik için de aynı şey geçerliydi. Rahatsız bir akrabanın varlığı, sosyal doku ve aile huzuru için tehdit kaynağıydı. Manik ve bunalımlı kişiler her an kargaşayı ve belirsizliği kışkırtırlardı; bir sürü pratik sorun, her türden karışıklık ve düzensizlik yaratırlardı. Onların bulunduğu yerde ne can, ne mal güvenliğinden söz edilebilirdi. Sosyal ayıp ve rezalet hep var olan bir tehlikeydi, üstelik maddi imkânların akılsızca harcanmasından kaynaklanabilecek mali felaket ve aile servetinin yok oluşu ihtimali de vardı. Çoğu durumda bizzat büyük sıkıntı çeken deliler, çevrelerindeki kişileri de büyük strese sokarlardı. Birçok saygın yurttaş bu meşakkatten kurtulmanın bedelini ödeme iradesine ve gücüne zamanla kavuştu.

---

13 *Idomeneo* üzerine burada borçlu olduğum mükemmel bir değerlendirme için bkz. David Cairns, 2006, Bölüm 2. Daniel Heartz (1992) da çok yararlı bir *Idomeneo* değerlendirmesi sunar.

14 Daniel Heartz, akt. Kristi Brown-Montesano, 2007, s. 225.

15 Charpentier'nin *Médée* [*Medea*] (1693) operası *Orlando*'dan kırk yıl öncedir ve delilik temasını zorunlu olarak benimsemiştir. Ama başka örnekler arasında Handel'in *Hercules* (1744), Mozart'ın *Idomeneo* (1781), Donizetti'nin *Anna Bolena* (1830), *Lucia di Lammermoor* (1835) ve *Linda di Chamounix* (1842), Bellini'nin *Il Pirata* (1827), *I Puritani* (1835) ve *La sonnambula* (1831); Thomas'ın *Hamlet* (1868), Mussorgsky'nin *Boris Godunov* (1868), Verdi'nin *Nabucco* (1842) ve *Macbeth* (1847), Puccini'nin *Tosca* (1900) operaları sayılabilir.

18. yüzyılda İngilizlerin gittikçe "meczup erbaplığı" olarak andığı yeni mesleğin yapısal temeli işte buydu. Toplumun gittikçe genişleyen bir kesiminin bir meczubun yarattığı sorunlara pratik bir çözüm için, sır tutularak verilecek yardım, tavsiye ve rahatlatma için yüklü ödeme yapabilecek bir konuma gelmesiyle birlikte, en ağır meczuplarla başa çıkacak gayriresmi bir tımarhane şebekesi ortaya çıktı. Bu kapatma mekânları ailelere, deli akrabaları başkalarının meraklı bakışlarından uzak tutacak ve böylece sosyal konumlarını tehlikeye sokan utançtan ve damgadan bir ölçüde kurtaracak bir mekanizma sağladı. Akıl hastalığının en ağır biçimleri bir insani felaketti ve akıl hastalarının (hâlâ nispeten küçük) bir kesimi için çözüm, yeni tımarhanelerden birine kapatılmaktı.

Dikkate değer düzeyde ruhsata ya da mevzuata 18. yüzyıl boyunca tabi tutulmayan ve incelikli yollarla ketumiyeti sağlama hizmeti sunan tımarhaneler çoğu kez tenha ve meşum yerlerdi. İnsan acılarının bu özel çeşidinden kazanç sağlayanların çok çeşitli sosyal geçmişlere dayanan karışık bir zümre olmaları, içinden çıktıkları olağanüstü akışkan ve yenilikçi toplumun bir yansımasıydı. Hastalara ve sıkıntılı ruhlara yardım etmeyi görevlerinin bir parçası sayan gerek katı gerekse aykırı görüşlü rahiplerden bazıları, delilerin bakımına ilgi duymaya başladılar. Örneğin, Gloucestershire'lı bir Baptist vaiz olan Joseph Mason 1738'de Bristol yakınındaki Stapleton'da küçük bir tımarhane kurdu; daha sonra o civardaki Fishponds köyüne taşınan tımarhane kuşaklar boyunca ailenin elinde kaldı (Biraz ileride değinilecek olan torunu Joseph Mason Cox, işi sürdüren beş kuşağın üçüncüsüne mensuptu ve 1788'de Leiden'den tıp diploması aldı). Rahiplerin yanı sıra işadamları ve spekülatörler, kısıtlı gelirlerini takviye etmeye çalışan dullar ve kendi kendini yetiştirmiş eczacılardan Readingli Anthony Addington (1713-1790) gibi klasik eğitim görmüş hekimlere kadar uzanmak üzere, tıbbi bilgi taslayan çeşitli kişiler de geçimlerini bu yoldan sağladılar.

Bu bazen gayet iyi bir geçimdi doğrusu. Soyadının [değişik bir yazımla "çatlak" anlamına gelmesi açısından] yakıştığı bu işin öncüsü ve *A Treatise on Madness*'ın [Delilik Üzerine Bir Risale, 1758] yazarı William Battie (1703-1776) şövalyelik payesi almasına, Kraliyet Hekimler Kurulu'nun başkanı olmasına ve yoksulluğun eşiğinden 100 ila 200 bin (bugünkü parayla on milyonlarca) sterlinlik servete ulaşmasına yetecek kadar zenginleşip itibara kavuştu. Henry Addington'ın üç yıllık başbakanlıkla (1801-1804) ve soyluluk unvanıyla noktalanan siyasal kariyerinin başlangıç noktası, babasının tımarhanesinden elde ettiği servetti. Tabii ki herkesin işi o kadar iyi gitmedi. Çoğu kişi çok daha mütevazı bir yaşamla yetindi ve şansı yaver giderse işini sonraki kuşağa devretti. Kazançlı mesleği ve sırlarını aile içinde tutmak, deli doktorluğunun erken tarihte şekillenen bir özelliğiydi.

15 ÜSTTE *Richard Napier'in (1559-1634) meçhul bir sanatçı tarafından yapılmış portresi. İngiltere'nin Buckinghamshire ilindeki Great Linwood'un papazı olan Napier bir astrolog, simyacı, büyücü ve deli doktoruydu. Asabi ve deli hastalar onun astrolojik bakımdan uygun anlarda sunduğu rahiplik ve hekimlik devalarıyla tedavi görmek üzere uzak yerlerden gelirlerdi.*

16 EN ÜSTTE *Sanrılı haldeki Don Kişot düşman askerleri sandığı bir koyun sürüsüne karşı kargısıyla saldırıya geçerken, Sancho Panza bezgin eşeği üstünde duruyor; Daumier'nin bir yağlıboya eskizi (1855).*

17 ÜSTTE *John Everett Millais'in* Ophelia *tablosu (1851-1852). Aklını kaçıran Ophelia'nın trajik ölüm anındaki arka plan görüntüsünü, saatlerce çalışarak ve gözlemde bulunarak titizlikle işlemişti.*

18 ÜSTTE *Peter Paul Rubens'in* The Miracles of St Ignatius (*Aziz Ignacio'nun Mucizeleri, yak. 1617-1618) tablosu. Büyük ebadı ve zengin ayrıntıları, Karşı-Reform hareketinin hizmetindeki azizlerin gücüyle dindarları etkilemeye yönelikti. Ön planda neredeyse çıplak bir deli yerde yatar. Etrafını saran acı içindeki diğer delilerin üstünde, havada uçuşan küçük cinler Ignacio'nun dinsel telkinlerinden kaçmaya çalışır.*

19 ÜSTTE *David Colijns'in yak. 1635-1640'ta Amsterdam'daki Nieuwezijds Kapel için yaptığı bu org kapağında, Davud Kral Saul'un sıkıntılı ruhunu yatıştırmak üzere çengini (lir) çalarken görülüyor; ancak Saul'un ona bir mızrak fırlatışından bu sefer başarılı olamadığı anlaşılıyor. Hollandalı Kalvencilerin putperestliği çağrıştıran her türlü şeye derin düşmanlık beslemeleri nedeniyle, bu resimli paravan alışılmamış bir nesneydi.*

20 SAĞDA *Hieronymus Bosch'un* The Cure of Folly: The Extraction of the Stone of Madness *[Delilik Tedavisi: Delilik Taşının Çıkarılışı, yak. 1494] tablosu. Bir doktor ya da büyük ihtimalle şarlatan, bir hastanın kafasından delirmesine yol açtığı söylenen şeyi neşterle çıkarıyor. "Delilik taşı"na dair halk inancı yaygındı.*

21 ALTTA *Pieter Xavery'nin muhtemelen bir tımarhane için tasarladığı* Two Madmen (Twee kranksinnigen) *[İki Deli, 1673] adlı pişmiş toprak heykel. Xavery'nin birçok eseri gibi, bu da küçük bir parça olmakla birlikte, anlamlı ayrıntılarla ve hareketlerle doludur.*

22 ÜSTTE The Hospital of Betlehem *[Bethlehem Hastanesi] adlı bir gravür. Genellikle bilinen adıyla Bedlam 1675-1676'da yeniden inşa edildi; şatafatlı dış cephesi Londra'nın hayırseverliğini sergilemeye, ayrıca İngiliz Devrimi ve Cumhuriyet döneminin çalkantısından sonra monarşinin ve aklın üstünlüğünün geri getirilişini kutlamaya dönüktü.*

T. Bowles sculp.

L'Hospital de Fou

k Horse in Cornhil.

23 EN ÜSTTE *Etienne Jeaurat'nun* La Comduite de joie à la Salpêtrière *[Salpêtrière'e Götürülen Fahişeler, 1755] tablosu. Çoğunlukla kadınların kaldığı bu devasa kuruma, ahlakı bozuk ve şüpheli sayılan birçok değişik türden kişi yatırılırdı.*

24 ÜSTTE *Tony Robert-Eleury'nin (1876) bu ünlü tablosuna konu alan Philippe Pinel'in 1795'te Salpêtrière'deki meczupları zincirlerinden kurtarışı aslında yıllar sonra uydurulan bir efsaneydi.*

Hoxton'daki Whitmore Evi: Londra'nın 18. yüzyıldaki ve 19. yüzyıl başlarındaki en büyük özel tımarhanelerinden birinin suluboya resmi. Eski bir kasap çırağı olan Thomas Warburton, bakıcı olarak çalıştığı bu tımarhaneyi, önceki sahibinin dul eşiyle evlenme gibi bayat olsa bile açıkgözce bir manevrayla 1800'de edindi.

İşadamları paranın nereden kazanılacağını bilirler. Meczup erbaplığına soyunan girişimciler de çoğunlukla daha varlıklı sınıflardan hastalara rağbet ettiler. Ama bazı yoksullar da daha uzman işi bu ortamlarda kendilerine ilk kez yer buldular. Yerel papazlar kimi zaman özellikle sorun çıkaran ve eve kapatıp dizginleyecek ailesi bulunmayan delilerden kurtulmanın en iyi yolunun onları yeni kurumlardan birine yatırmak olduğu sonucuna vardılar. Ücretli çalışmanın ortaya çıkışıyla, coğrafi hareketliliğin artmasıyla ve işyerinin ikamet yerinden ayrılmasıyla birlikte, işçi aileleri evdeki delilerle başa çıkmakta gittikçe zorlandılar; Londra'ya sürüklenen ve ekonomik talihsizliğe son derece açık olan işçiler arasında özellikle ağır bir sorundu bu. Piyasa yönelimli bir toplumun ortaya çıkışı da pekâlâ insanların dünya görüşünde incelikli bir değişim yaratmış olabilir. Yaşama ilişkin daha hesaplı tutumlar kökleşirken, akrabalık ve aile dayanışmaları zayıflayarak, kamunun sırtına yüklenen meczupların sayısını artırmış olabilir. Hiç kuşkusuz, küçük işletme düzeyinde kalan çoğu taşra tımarhanesinin en fazla bir düzine kadar hasta almasına karşın, Londra'daki denklerinde hasta mevcudu kabararak, zaman zaman oldukça dikkat çekici boyuta vardı. 1815 itibariyle Thomas

Warburton'un Bethnal Green'deki Beyaz Ev ve Kırmızı Ev adlı iki tımarhanesinde toplam 635, Sir Jonathan Miles'ın Hoxton'daki kurumunda 486 hasta kalmaktaydı (Miles o sırada Napoléon'a karşı savaşta deliren denizcileri kapatmak üzere Donanma Bakanlığı'ndan kazançlı ihaleler kapmıştı).

Yoksul ve orta halli birkaç yüz meczup da 18. yüzyıl ortalarından itibaren sayıca artan hayır amaçlı akıl hastanelerine kapatıldı. Yeni Bedlam (tamamlanışı 1676) 1728'de kronik hastalara dönük yatak sayısını artırmış ve 1751'de Moorfields'ın öbür yakasındaki St. Luke Hastanesi'nin kapılarını açmasıyla, karşısına bir rakip çıkmıştı. Süslü Bedlam'e göre sade olan bu tımarhaneyi çok geçmeden taşra taklitleri izledi; Leicester'da ve Manchester'da olduğu gibi, bunlar çoğu kez hayır işlerine eğilimli kişilerin 18. yüzyılda destek vermeye başladığı yeni genel hastanelerin içinde ya da yanında kuruldu.

Kent dokusunu önemli ölçüde yok eden büyük 1666 yangınından sonra (mevcut binasının yıkılmamasına karşın) Londra'nın yeniden inşası çerçevesinde kurulan Bedlam, aynı zamanda monarşinin tekrar başa geçişinin, İngilizlerin hiyerarşiye ve ilahi takdirle belirlenmiş sosyal düzene saldıran Cromwell cumhuriyetinin deliliğinden kurtuluşunun bir kutlamasıydı. Ama yeni Bedlam'in Londra zenginlerinin hayırseverliğini sergilemeye hizmet eden gösterişli dış cephesi ve bolca süsleri 18. yüzyıl ortalarına doğru birçok çevrede işe yaramaz caka ve israf olarak görülmeye başladı. Sağlığa aykırı konumu görünüşteki ihtişamını biraz azaltıcı nitelikteydi; çünkü komşu olduğu Cripplegate ve Moorfields mahalleleri bataklıktı ve sağlıksız gecekondularla doluydu, aylakların, dışlanmışların, suçluların, çeşitli serserilerin uğrak yeriydi ve ironik biçimde asılanların sallanıp çürümeye bırakıldığı darağaçlarının kurulduğu yerdi.

Buna karşılık, St. Luke Hastanesi'nin destekçileri "hayır amaçlı binalarda sadeliğin ve yalınlığın takdire şayan olduğu" konusunda diretmişlerdi.[16] Avrupa genelinde çağdaşları aynı görüşteydi. Örneğin, Avusturyalı hekim Johann Peter Frank'a (1745-1821) göre, sağlıklı, havadar bir ortam ve randıman bir hastanenin "en iyi ve yegâne süsleri"ydi. "İnsanların daima göz alıcı ve havalı şeyleri sadece mütevazı hizmet sunan şeylere tercih etmesi"nden yakınan Parisli bilgin Jean-Baptiste Le Roy'un (1720-1800) savı şuydu: "Büyük çapta ve uç noktada temizlikle, olabildiğince saf havayla sıkça karşılaştığımız söylenemez. Bu binalarda eksik olan tek ihtişamın bunlar olduğu doğrudur."[17]

Ne var ki, dış cepheleri ister sade, ister süslü olsun ve hatta az sayıda meczubu barındırmak üzere yeni inşa edildikleri durumlarda bile, hayır

16 *European Magazine* 6, 1784, s. 424.

17 Her ikisini de akt. Christine Stevenson, 2000, s. 7.

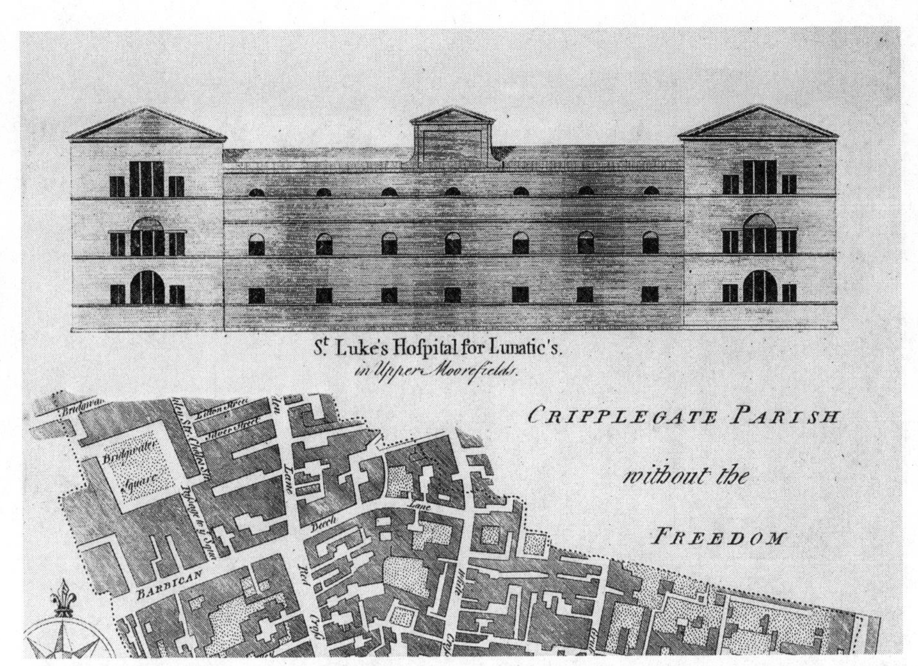

Meczuplar için 1751'de kurulan St. Luke Hastanesi, hemen karşıdaki Moorfields'da bulunan Bedlam'in süslü dış cephesine keskin tezatla, bilinçli olarak sade inşa edilmişti.

amaçlı bu akıl hastanelerine kapatılan delilerin özel ihtiyaçları çok az gözetilmekteydi. Hastalar gelişigüzel halde bir aradaydı. Cinsiyet ayrımı bile her zaman yoktu. Yatma yerleri büyük galeriler ve daha zor başa çıkılanların kabaca duvara zincirlendiği tek hücreler şeklindeydi. Özgün bir mimarinin yokluğu kâr amaçlı özel tımarhanelerde daha da belirgindi. Bunların girişimci sahipleri sıfırdan bina inşa etmeyi gereksiz sayıp küçümseyerek, bunun yerine mevcut binaları, çoğu kez bir zamanların gözde alanlarındaki ucuza donatılabilecek köhne konakları üstünkörü biçimde düzenleyip tadil ettiler. Bir yüzyıl sonra, akıl hastanesi reformunu savunanlar, ahlaka ve amaca uygun mimariyi, akılsızlığın pençesindeki kişileri yola getirip aklı başındaki insanların dünyasına döndürme yönündeki tasarılarının hayati bir bileşeni sayacaklardı. Ama ortaya çıkışları meczupluğun ev dışında daha iyi tedavi edilebilecek bir durum olduğu anlayışının benimsenmesinde ilk adım olsa bile, ilk tımarhanelerin yapısında böyle düşünceler yoktu. Deliliğin yeni bir coğrafyası işte bu şekilde belirmeye başladı.

Güvenlik ve toplumdan tecrit, bir tımarhanenin müşteri kitlesine (bizzat hastalar olmasa bile, hasta ailelerine ve daha geniş anlamda belki yerel topluluğa) sunduğu asıl avantajlardı. Eski mekânları pek uygun olmadıkları yeni amaçlara göre uyarlama gereği, gözetim işlevini öne çıkaran çeşitli tedbirlere yol açtı: Kaçmayı önleyecek yüksek duvarlar ve parmaklıklı pencereler; çoğu

Thomas Rowlandson'ın bu leke baskı çiziminde (1809) St. Luke Hastanesi'nin içi görülüyor; tavan yüksekliği abartılı verilen ve büyük ölçüde eşyasız olan kadın koğuşunda saçları ve giysileri darmadağınık bir sürü deli yer alıyor.

kez medeni muaşeret kurallarına uyma konusunda tanım gereği genellikle isteksiz ya da aciz olan insanların günlük bakımını kolaylaştıracak zincirler ve kelepçeler. Ketum olmaları gereken akıl hastanelerinin ve tımarhanelerin açıkça hapishaneye benzer özellikleri ve buna bağlı olarak delilerin ve aklı başında insanların dünyaları arasında yarattıkları kopukluk, çok geçmeden bu kurumlarla ilgili korkuların ve söylentilerin ortaya çıkmasında ve abartılmasında önemli rol oynadı.

Hastalar kötü bakıcılarla işbirliğine giren aile fertlerince kapatıldıklarına dair buruk şikâyetlerde bulunmaya başladılar. Fransızlar mahut *lettres de cachet*'le bağlantılı kraliyet yetkisinin kötüye kullanılışından nasıl endişe duydularsa, İngilizler de özgür doğmuş yurttaşların haklarının çiğnenişini aynı şekilde dokunaklı biçimde dile getirdiler. Günümüzde daha çok (hâlâ basılıp kullanılan) Kral James Baskısı Kitabı Mukaddes'in ilk dizininin (1737) yazarı olarak tanınan Alexander Cruden (1699-1770), bir "Londra yurttaşının son derece incitici" tavırla bir tımarhaneye kapatılışını acı sözlerle anlattı. Onun gibi sadık bir Kalvenci açısından son derece korkunç bir benzetmeyle, bu durumun bir "İngiliz tarzı Engizisyon"dan farksız olduğunu ileri sürdü.[18]

18 Alexander Cruden, 1739.

Kazanç sağlayacak yazılar üretmeye hep duyarlı olan Daniel Defoe (1660-1731) konu üzerine kaleme aldığı bir broşürde şu sert kınamada bulundu:

> Daha muteber sayılan ama aslında en pespaye adamların zamparalıklarını daha güvenle ve rahatsız edilmeden sürdürebilmeleri için, her kapriste ya da hoşnutsuzlukta eşlerini tımarhaneye gönderme gibi kötü bir âdet şimdilerde pek rağbet görüyor. [...] Leydiler ve hanımefendiler apar topar böyle meskenlere konuluyorlar [...] [ve] bu lanetli meskenlere girdiklerinde deli olmasalar bile, maruz kaldıkları vahşice usullerle kısa sürede deliriyorlar.[19]

Bazıları sonuca ulaşan çeşitli davalar, bu savların bir ölçüde gerçeğe dayandığına işaret eder. Kadınların yanı sıra erkekler de bu şekilde kapatılmayla karşı karşıya kalabilirlerdi. Hackney'de on yedi yıl (1778-1795) kaldığı bir tımarhaneden Londra'nın en ünlü deli doktorlarından biri, Bedlam hekimi Thomas Monro sayesinde kurtulan William Belcher, "deli gömleği giydirilip işkenceden geçirildiğini, zincirlendiğini, bir boğanın toslamasıyla yere serildiğini ve hiç muayene edilmeden bir heyetçe meczup ilan edildiğini" açıkladı. "Aklın vakitsiz tabutu"nda tıkılı bırakıldığı o uzun süre boyunca özgürlüğe kavuşacağından umudunu kesimişti.[20] Sonuçta meczup erbaplığı hep şüphe altında kaldı. Delilik üzerine yazmakla birlikte bir tımarhane kurmayan 18. yüzyıl hekimlerinden William Pargeter'ın (1760-1810) böyle yerlerin şöhretine ilişkin iğneleyici sözleri şöyleydi:

> Bir *tımarhaneye* kapatılma fikri çoğu kimsenin yüreğinde en güçlü dehşet ve telaş duygularını uyandırmaya elverişlidir; büsbütün temelsiz olmayan bir sanıyla, bu yerlere düşen bir hastanın sadece çok büyük zulme uğramakla kalmayacağı düşünülür; iyileşsin ya da iyileşmesin, o duvarların dışını bir daha görmesi büyük bir şans sayılır.[21]

YENİ AÇMAZLAR

Ürünleri için gelişmeye açık bir pazar bulmaya başlayan kurmaca yazarları, tımarhanenin sunduğu tiyatro imkânlarını değerlendirmekte gecikmediler. Tobias Smollett gibi saygın bir yazar, *The Life and Adventures of Sir Launcelot Greaves* [Sir Launcelot Greaves'ın Hayatı ve Maceraları, 1760] romanına adını veren kahramanının, İngiliz tarzı bir Don Kişot parodisiyle, Bernard Shackle adlı kötü adamın yönettiği bir tımarhaneye zorla götürülüşünü kitaba katma yolunu buldu. Daha düşük nitelikli (ve böyle bayağı ürünleri aşağılayan-

19 Daniel Defoe, 1728.
20 William Belcher, 1796.
21 William Pargeter, 1792, s. 123.

lar arasında bile çoğu kez kendine gizli bir okur kitlesi bulan) edebiyatta, delilik daha kaba bir biçimde istismar edildi. Meczuplar arasındaki hayata dair çılgınca hayallerin uyandırabileceği ürperti, pespaye yazarlar için karşı konulmaz nitelikteydi. Tımarhane ortamı, okurlarına tatlı bir dehşet duygusunun yanı sıra müstehcen eğlenceyi sunmaktaydı. Gotik ve sansasyonel romanların sayfaları çok geçmeden tımarhane sahneleriyle, çaresiz kadın kahramanların kapatılıp uygar toplumdan koptuğu, iffetlerinin ve bizzat akıl sağlıklarının onları tutsak alan acımasız zorbalarca tehdit edildiği iç gıcıklayıcı olaylarla doldu. Birkaç kamçılama ve zincirleme olayı işin içine biraz sadomazoşist hava katmaya yeterliydi.

Bu tür sansasyon yazarlığıyla eşanlamlı hale gelen Grub Street'in neredeyse Bedlam'in gölgesinde yer almasında belki bir ironi unsuru vardı.[22] Hastane duvarlarından uzak olan Fransızlar ise kendi korku, şeytanlık ve zamparalık romanlarını, yani *roman noir* (kara roman) olarak bilinen türü geliştirdiler; geri kalmak istemeyen Almanlar da *Schauerroman* (korku romanı) adını verdikleri şeyi yarattılar.

Eliza Haywood türün ilk örneklerinden birini verdi. *The Distress'd Orphan, or Love in a Mad-house* [Dertli Yetim ya da Bir Tımarhanede Aşk] adlı bu kısa romanını 1726'da isimsiz yayımlamıştı. Entrikacı amcası Giraldo tarafından alçakça eve kapatılan ve ardından bir tımarhaneye yollanan erdemli Annilia'nın hikâyesi öylesine tutuldu ki, kitap yüzyıl boyunca izinli ve korsan baskılarla sürekli piyasada kaldı. Romanda Giraldo vesayetini üstlendiği öksüz yeğenine mirasla kalan servete konmak için, onu oğluyla evlendirmeye karar verir. Karşı çıkan kızı caydırmak için önce eve kapatır, ardından gecenin köründe "tımarhane müdürüne bağlı iki ya da üç adamın gözetiminde" bir at arabasıyla götürülmesini sağlar. Direnen kız bağırınca, "ağzı kapatılarak" susturulur. Akıl sağlığını tehdit edecek bir haşinlikle tımarhaneye kapatılışının anlatıldığı sahne okurlara heyecan verir. "Zincirlerin şakırtıları ve vahşi bakıcılarının kötü muamelesine maruz kalan delilerin çığlıkları, bir koğuştan gelen lanetlere, küfürlere ve en ağır beddualara karışarak, genç kızın azap çeken kulaklarında çınlayıp durdu. Başka bir koğuştan gelen köpek havlamasına benzer ulumaların, bağırışların, kükremelerin, dua seslerinin, dinsel telkinlerin, lanetlerin, şarkıların, inlemelerin gelişigüzel katılmasıyla en korkunç şaşkınlığı uyandıracak bir hengâme oluştu." Genç kız bu şaşkınlıktan hızır gibi yetişen bir adam sayesinde kurtulur. Daha önce

---

22 Kendisi de bir Grub Street mensubu olan Samuel Johnson, çatı katlarından birinin tipik sakinini "kazancı için evde yalanlar yazan erdemsiz bir adam" olarak tarif eder. "Bu yazılar için ne dehaya ne de bilgiye, ne çalışkanlığa ne de canlılığa gerek var; ama ar duygusuna saygısızlık ve hakikate kayıtsızlık kesinlikle gerekli." *The Idler*, 30 Kasım 1758. Haliyle Aleander Pope'un *Dunciad*'ı açıkça ticari yazarların "Grub-street cinsi"ne yönelik bir hiciv olarak yazılmıştır.

"Annilia'nın gecenin köründe büyük amcasının talimatıyla apar topar bir tımarhaneye götürülüşü."
Eliza Haywood'un *The Distress'd Orphan* [Dertli Yetim] kitabının 1790 baskısının ön sayfası.

gizli bir aşkla tutulduğu Albay Marathon, "Lovemore" adlı melankolik bir taşra beyefendisi kılığıyla ona ulaşma yolunu bulur ve "titreyen" sevgilisini sırtında taşıyarak tırmandığı tımarhanenin yüksek duvarlarını aşar. Sonunda aşk hak ettiği mükâfatı alır ve Annilia'nın düzmece bir yolla kapatılışının failleri sürgünle ve erken ölümle cezalarını bulurlar.[23]

Bu olay örgüsü Mary Wollstonecraft'ın *Maria: or, the Wrongs of Woman* [Maria: Kadının Uğradığı Haksızlıklar, 1798] romanına varıncaya kadar, 18. yüzyıl boyunca sonu gelmez biçimde yeniden işlenecekti.[24] Aslına bakılırsa, Victoria döneminin başları gibi geç bir tarihte, Charlotte Brontë'nin *Jane Eyre* (1847) romanında (eve kapatma sahnesi şeklinde olsa bile) yansımaları görülecekti. Kitapta tımarhanelerin ve deli doktorlarının yer almamasına karşın, deliliğe ve hayvaniliğe ilişkin eski klişeler kesinlikle eksik değildir. Deli Bertha Mason tavan arasında pusuda beklerken, ondan bihaber Jane

23 Eliza Haywood, 1726.

24 18. yüzyıl sonlarının tımarhane temalı başka bir İngiliz romanı için bkz. Charlotte Smith, *The Young Philosopher*, Londra: Cadell ve Davies, 1798.

Eyre konağın başka bir kanadında yakışıklı Bay Rochester'e dönük erotik özlemlerini dizginlemeye çalışır. Ama Jane'in mutlu hülyası uzun sürmez. Vahşi arzularla dolu bir kadın olan ve tecrit altında tutulan Bayan Rochester'la birdenbire tanışır:

> Odanın öbür ucundaki koyu loşlukta bir karaltı ileri geri koşuyordu. Hayvan mı, insan mı olduğunu ilk bakışta kestirmek mümkün değildi: Görünüşe bakılırsa, dört ayak üstünde sürünüyor, garip bir vahşi hayvan gibi pençe savurup hırlıyordu; ama giyinik haldeydi ve yele gibi dağınık bir tutam kırçıl saç, başını ve yüzünü örtüyordu.

Gördüğü şey çığlık çığlığa, azgın, tehlikeli ve yıkıcı delilikti. Canavar ruhlu deli bir kadındı.

Sir Walter Scott'ın *The Bride of Lammermoor* [Lammermoor'lu Gelin, 1819] romanı daha önce Lucy Ashton kişiliğiyle 19. yüzyılın azgın bir deli kadın portresini sunmuştu. Entrikacı annesi onu (nişanlısı tarafından terk edildiği yalanıyla kandırarak) istemediği bir evliliğe zorlar. Düğün gecesi gerçeği öğrenince, yeni kocasını bıçaklar, delirir ve kendi canına kıyar. Donizetti'nin bu romandan ilham alarak bestelediği *Lucia di Lammermoor* (1835) operası olay örgüsünü çeşitli bakımlardan değiştirmekle birlikte, ihanet, delilik ve cinayet gibi ana unsurları korur. Kocasını bıçaklayıp öldürdükten sonra aklını kaçıran Lucia, operanın doruk noktasında kana bulanmış gelinliğiyle sahneye çıkar, insan sesini zorlayan son bir aryayı okur ve ölür. Hikâye, operaya can veren bütün dramatik unsurları içerir ve Donizetti'nin gerilimi, şiddeti ve sonunda olay örgüsüne esas oluşturan deliliğin dehşetini artırmak üzere oyunculuğu, aryaları ve partisyonun çalgı düzenini kaynaştırabilme gibi kendine has avantajı vardır. Belki de şaşırtıcı olmayan bir gelişme, opera dayandığı romandan daha uzun ömürlü olmuştur. Hâlâ opera repertuvarının standart bir eseridir ve son aryası 20. yüzyılın büyük divaları Maria Callas ve Joan Sutherland tarafından birçok vesileyle icra edilmiştir. Donizetti örneğinin (ve şiddet dozu daha düşük deli sahnelerine yer veren başka birkaç operanın) gösterdiği üzere, deliliği istismar edenler yalnız gotik romancılar değildi; ileride göreceğimiz üzere, düzmece gerekçelerle kapatma hikâyeleri de akıl hastanesinin kara düşünceler uyandıran açık seçik bir varlık kazandığı 19. yüzyılda ortadan kalkmadı.[25]

18. yüzyılın duygusal romancılar olarak anılan başka bir grup yazarı, kibar görünmeye çalışan (ve kendilerini öyle gören) kesimlere dönük eserlere yöneldi. Özellikle sosyal statünün artık değişmez görülmediği Britanya gibi akışkan bir toplumda, beğeni ve duyarlılık farklılıkları statü sınırlarını

25 Burada bir tarihsel ironiden söz edilebilir: Donizetti muhtemelen üçüncü evre frenginin mağduru olarak delirmiş halde öldü. Bkz. Enid Peschel ve Richard Peschel, 1992.

Donizetti'nin *Lucia di Lammermoor* operasının bir sahnelenişinde çekilen bu resimde, kocası Arturo'yu düğün gecesi öldürdükten sonra deliren Lucia kana bulanmış beyaz elbisesiyle girdiği sahnede, gerçek aşkı Edgardo'yla ilerideki evliliğini hayal ettiği "Il dolce suono" aryasını okuyor.

belirlemek ve ayrım yaratmak için paha biçilmez bir fırsat sağladı. Burada belli bir okur kesiminin kibar ve popüler kültürler arasındaki mesafeyi vurgulama ve incelik, rasyonellik, duyarlılık bakımından üstünlüklerini edebi tercihleriyle ortaya koyma şansı vardı. Zira bunlar kendileri gibi insanları ayaktakımından, akılsızca hurafeler, çarpık tutumlar ve ahlaki kabalık içinde debelenmeyi sürdüren aşağılık varlıklardan ayırt etmeye yarayan vasıflardı.[26]

Edebiyat piyasasının bu bayıcı ama kazançlı sektöründen yararlanmada en başarılı kişilerden biri olan Henry Mackenzie'nin *The Man of Feeling* [Duygu Adamı] romanı, türünün klasik bir örneğidir. Nisan 1771'de yayımlanan ilk baskısı haziranda tükendi ve 1791'de altıncı baskıya ulaştı. Romandaki kilit olayların birinde, romanın kahramanı Harley hastaların tuhaf davranışlarıyla müthiş eğleneceğinin söylenmesi üzerine, Bedlam'i ziyaret eder. Aksine, "zincir şakırtılarıyla, vahşi çığlıklarla ve beddualarla, tarif edilemez ölçüde sarsıcı bir sahne"yle karşılaşır. Delilerin "gösteriye çıkacak vahşi hayvan-

26 İdeolojiye bu türden uzak duruşun örnekleri için bkz. Samuel Richardson, 1741, özellikle mektup 153 ve 160.

lar" gibi tutulması, timsah gözyaşlarına boğulmasına ve oradan çarçabuk çıkmasına yol açar. Kitleler neşeli ve alaycı bir tepki verebilir. Ama duygu adamı daha iyisini bilir: "Yaradılışımıza musallat en büyük bedbahtlığı, [Bedlam] bakıcısına ufak bir bahşiş verebilen her başıboş ziyaretçiye teşhir etmek bence insanlık dışı bir uygulamadır, özellikle de insancıl birinin bunu hafifletmeye gücünün yetmeyeceğini acılı düşüncelere dalarak görmesinin yaratacağı sıkıntı açısından."[27]

Bu türden melodramların kapatılan delilerin akıbetine ilişkin dengeli ya da doğru anlatımlar gibi görülmemesi gerekir. Meczup erbaplığından küresel yakınmalar, *ancien régime* tımarhanesini en karanlık tonlarla sunmaya çalışan 19. yüzyılın tımarhane reformcuları tarafından, çağdaşlarının ahlaki vicdanlarını ayaklandırmada ve onları değişim gereğine inandırmada can alıcı bir silah olarak kullanılacaktı. Dehşet kesinlikle vardı ve bunu sayıp dökmek reformcuların zevk alacağı bir uğraştı. Ama başka bir perspektiften bakılınca, meczup erbaplığının denetimsiz hali en azından kurumsal bir ortamda akıl hastalarını idare etmede tecrübe birikimini ve tedavi edilmelerinde deneysel yaklaşımları sağladı.

SERKEŞLERİ DİSİPLİN ALTINA ALMA

Aklın alt edilişi, "ruhun egemen güç"[28] haline gelişi birçok çevrede arzuların ve tutkuların tam bir hışımla serbest kalışı olarak görülür. Akıl hastalığı hukuku üzerine 1700'de yayımlanan ilk İngilizce risalenin yazarı John Brydall (yak. 1635-1705?), "dizginleri eline alan hayali [mitolojik at] Phaeton gibi doludizgin ilerlerken"[29] uygarlığın yaldızını söküp attığını, insana özgü her türlü şeyi bozduğunu belirtmişti. Fransız felsefeci ve matematikçi Pascal'a (1623-1662) göre, kişinin aklını kaçırmasının anlamı şuydu:

> Elleri, ayakları, başı olmayan bir insanı kolayca gözümde canlandırabilirim (Başın ayaklardan daha gerekli olduğunu bize ancak tecrübe öğretir). Ama düşüncesiz bir insanı gözümde canlandıramam; bir taş ya da bir hayvan böyle olabilir ancak.[30]

Delinin ontolojik konumuna kafa yoranlar için, bu kaçınılmaz sonuç gibiydi. Rahip Andrew Snape (1675-1742) "en değerli ışıktan, aklın ışığından mahrum olan mutsuz insanlar" adına, 1718'de Londra'nın yoksulları için hayır işlerinde bulunma çağrısını yaptığı bir vaazında şundan söz etmişti:

27 Henry Mackenzie, 1771, Bölüm 20.

28 Nicholas Robinson, 1729, s. 43.

29 John Brydall, 1700, s. 53.

30 Blaise Pascal, *Pensées* (1669), yeni baskı *Œuvres complètes*, Paris: Gallimard, 1954, s. 1156.

> Delilik [...] makul kişiyi bütün asil ve seçkin hasletlerinden yoksun bırakır ve o bedbaht insanı mahlukâtın dilsiz ve akılsız kısmının aşağısında bir düzeye düşürür. Hayvani içgüdü bile bozuk akıldan daha emin ve sağlam bir rehberdir ve her evcil hayvan türü, bu şekilde insanlıktan çıkmış olanlardan daha sokulgan ve daha az zararlıdır.[31]

Bu tasviri benimseyenlere göre, delilik sıkı denetimi gerektiren bir şeydi. Dolayısıyla boşaltma, dışarıya atma ve kan alma üzerine kurulu geleneksel tıbbi devalara disiplin eşlik etmeliydi. Bildiğimiz kadarıyla, beyin ve sinir sistemi anatomisi üzerine araştırmalara öncülük eden (ve "nöroloji" terimini ortaya atan) Thomas Willis'in (1621-1675) Oxford'daki döneminde delilerle klinik irtibatı yoktu; ama durumlarının gerektirdiği tedavi konusunda çarpıcı görüşlere sahipti:

> Coşkunun yol açtığı çılgınlıkları ve aşırılıkları gidermek ya da dindirmek [...] hekimliğin yanı sıra tehdidi, prangayı ya da sopayı gerektirir. Zira bu işe uygun bir eve yerleştirilen *delinin* bakımı *hekim* ve aynı zamanda hademeler tarafından öylesine ihtiyatla yürütülmelidir ki görev, davranış ve adap gereklerine uyarılarla, azarlamalarla ya da cezalarla bir şekilde uysun. Hiç kuşkusuz, delileri iyileştirmede, işkencecileri olarak gördükleri kişilere saygıyla ya da korku dolu hayranlıkla bakmalarını sağlamaktan daha etkili ya da gerekli bir şey yoktur. [...] Azgın deliler *hekimlikten* ya da ilaçlardan ziyade, dar bir odada uygulanan cezalarla ve sert muameleyle daha erken ve daha kesin biçimde iyileştirilir.[32]

Willis'in çalışmaları ve deliliğin etiyolojisinde sinir sisteminin ve beynin rolüne işaret edişi, delilik konusunda tıp erbabının Hippokrates'ten ve Galenos'tan beri benimsedikleri suyuk açıklamalarından uzaklaşmalarında dönüm noktası oldu. Ortaya attığı görüşler, 18. yüzyıl başlarında onun yolundan gidenlerce yaygınlaştırılıp geliştirildi. Öbür hekimlerin belirsiz akli durumlarını *hayali maraz*[33] sayıp önemsememe eğiliminde olduğu "asabi" hastaları tedaviye dönük kazançlı bir yeni pazara rağbet eden sosyete hekimleri, onun fikirlerini geniş çapta benimsediler. Üstelik tımarhanelik delileri tedaviye çok az ilgi duyuyor görünmekle birlikte, onlara karşı izlenmesi gereken yol konusunda üstatlarının öğütlerini güvenle tekrarladılar. Sözgelimi, Bedlam'in müdürü ve tanınmış hekim Nicholas Robinson, okurlarına rahatlıkla şunu söyleyebilmekteydi:

---

31 Andrew Snape, 1718, s. 15.

32 Thomas Willis, 1683, s. 206, italikler yazara ait.

33 Krş.. Molière, *Le Malade imaginaire*, Paris, 1673.

> İlaç verirken cüretli olmamak, en üst derecede zalimliktir. İnatçı kişilerin moralini çökertmeye [ve] yapay dirençlerini zorlayıcı yöntemlerle düşürmeye [ancak] en şiddetli etkiye sahip bir ilaç kürü [yeter].[34]

Böyle düşünceler delilerin sorumluluğunu *fiilen* üstlenenleri haliyle etkiledi. Tımarhane bakıcıları kamçılama becerilerini ayan beyan etmeye pek hevesli değillerdi; bunun yeni müşteri bulmada çekici bir yol olduğu pek söylenemezdi. Ama sert tedavi birçok tımarhanede yaygın biçimde uygulandı ve hatta İngiltere kralı III. George (1738-1820) gibi muhterem bir şahsiyet bile dayağa ve gözdağına maruz kaldı. Meczupluğunu iyileştirmekten umutlarını 1788'de kesen saray hekimleri, Lincolnshire'da bir tımarhanesi olan Francis Willis'i (1718-1807) hükümdarı tedavi etmeye çağırdılar. Willis'in nasıl bir yol izlemeyi tasarladığı açıktı:

> Azrail yoksul adamın barakasına ve hükümdarın sarayına uğrarken nasıl hiç ayrım yapmazsa, akıl hastalığı da kurbanlarıyla ilişkilerinde aynı ölçüde kayıtsızdır. Bu sebeple, sorumluluğuma verilen kişilerin tedavisinde hiç ayrım yapmadım. Zarif hükümdarımın durumu ağırlaştığında, onu Kew'daki bahçıvanlarından biri için de benimsemiş olacağım kısıtlama sistemine tabi tuttum: Açıkçası, ona bir deli gömleği giydirdim.[35]

Willis gerçeği biraz gizlemekteydi. Tedavisi bir deli gömleği giydirmenin çok ötesine geçti. Başka bir yazıda şöyle övünecekti:

> Korku duygusu onları idare etmeyi sağlayan ilk ve çoğu kez yegâne yoldur. Bunu işlemek düşüncelerini kafalarındaki hülyalardan uzaklaştırmayı ve onları gerçekliğe döndürmeyi sağlar, her ne kadar beraberinde acı ve sıkıntı getirse de.[36]

Bu sözlerine uygun davrandı. Kraliçenin yatak odası kâhyalığını yapan Kontes Harcourt, kralın gördüğü tedaviyi daha eksiksiz bir anlatımla şöyle aktaracaktı:

> Bedbaht hastaya [...] artık bir insan gibi davranılmadı. Vücudu hemen hareket serbestliğine fırsat vermeyen bir makineye konuldu. Kimi zaman bir direğe zincirlendi. Sıklıkla dövüldü ve aç bırakıldı, en hafif tedbir olarak tehditkâr ve sert bir dile tabi tutuldu.[37]

Kral (Bölüm Yedi'de göreceğimiz üzere ancak bir süre için) yeterince iyileşti ve Willis çektiği zahmetler için yüklü bir emekli maaşıyla ödüllendirildi.

---

34 Nicholas Robinson, 1729, s. 400-01.
35 Akt. Ida Macalpine ve Richard Hunter, 1969, s. 281.
36 Akt. Ida Macalpine ve Richard Hunter, 1969, s. 275.
37 Akt. Ida Macalpine ve Richard Hunter, 1969, s. 281.

Francis Willis'in müdahaleleri bir ölçüde nevi şahsına münhasırdı; ama deli hastaları idare ve tedavi etme sorunlarına yaklaşımının temelinde, sadece İngiltere'yle sınırlı olmamak üzere, mesleğindeki birçok kişinin geniş çapta paylaştığı bir mantık yatmaktaydı. Yakın bir gözlemcinin ifadesiyle, "koşum atları"na uygulandığı gibi, iradelerini kırmaya çalışırdı.[38] Hastaları korkutarak ve şoka uğratarak gerçekliğe döndürmeye yönelik yeni makineler icat edildi. Gent'teki bir akıl hastanesini yöneten Joseph Guislain (1797-1860) en ürkütücü örneklerden birini sundu. Amsterdam'da 1826'da yayımladığı *Traité sur l'aliénation mentale*'de [Akıl Hastalığı Üzerine Risale], "Çin Tapınağı" adını verdiği bir düzeneğin ayrıntılı çizimlerine yer verdi. Meşhur Hollandalı hekim Herman Boerhaave (1668-1738) delileri dalgınlıktan çıkarmada, boğulur gibi olma duygusunun tedavi edici yararlarının olabileceği görüşünü ortaya atmıştı. Guislain'in bu etkiyi sağlamaya dönük gelişkin yöntemini gururla tarif edişi şöyleydi:

> Küçük bir Çin tapınağı şeklindedir. İç kısmı makaralara ve halatlara bağlı halde kendi ağırlığıyla raylar üstünde aşağıya inerek suya dalan, hafif konstrüksiyonlu ve hareketli bir demir kafesten oluşur. Bu düzeneğin etkisine maruz bırakılacak deli, kafesin içine sokulur; hademelerden biri kapıyı dışarıdan kapatırken, diğeri freni boşaltır; bu manevra kafesteki hastayı suyun dibine batırır. İstenen etki elde edildiğinde, makine bir kez daha yukarıya kaldırılır.

Guislain biraz gereksiz bir yorumla, "Bu her zaman az çok tehlikeli bir işlemdir," diye eklemişti.[39] Dehşet vericiliği bundan belki azıcık düşük bir makine icat eden ve tertibatına "Sakinleştirici" adını veren Amerikalı deli doktoru Benjamin Rush (1746-1813), benzer bir yaklaşımla, yararlı sonuçlar alınacağını vaat etmekteydi:

> Bir sandalye tasarladım ve deliliği tedavi etmeye yardımcı olması için, bunu bizim [Pennsylvania'daki] hastaneye sundum. Vücudu bağlayıp her kısmını sıkıca kavrıyor. Gövdeyi dik tutmak, beyne kan akışını azaltıyor. Kasların hareket etmesini önlemek, nabzın gücünü ve sıklığını düşürüyor; başın ve ayakların konumu ilkine soğuk su ya da buz, ikincisine ise sıcak su uygulanmasını kolaylaştırıyor. Yarattığı etkiler benim için sahiden çok hoştu. Damarların yanı sıra dil ve mizaç üzerinde yatıştırıcı bir etkisi var. En inatçı hastalar bile 24, 12, 6 ve bazen 4 saatte sakinleştirilmiş bulunuyor. Tertibata *Sakinleştirici* adını verdim.[40]

---

38 Albay Greville, III. George kişisel hizmetçisi, *The Diaries of Colonel the Hon. Robert Fulke Greville*, 1930, s. 186.

39 Joseph Guislain, 1826, s. 43-44. Çeviri yazara ait.

40 Benjamin Rush'tan John Rush'a, 8 Haziran 1810, yeni baskı *The Letters of Benjamin Rush*, c. 2, 1951, s. 1052.

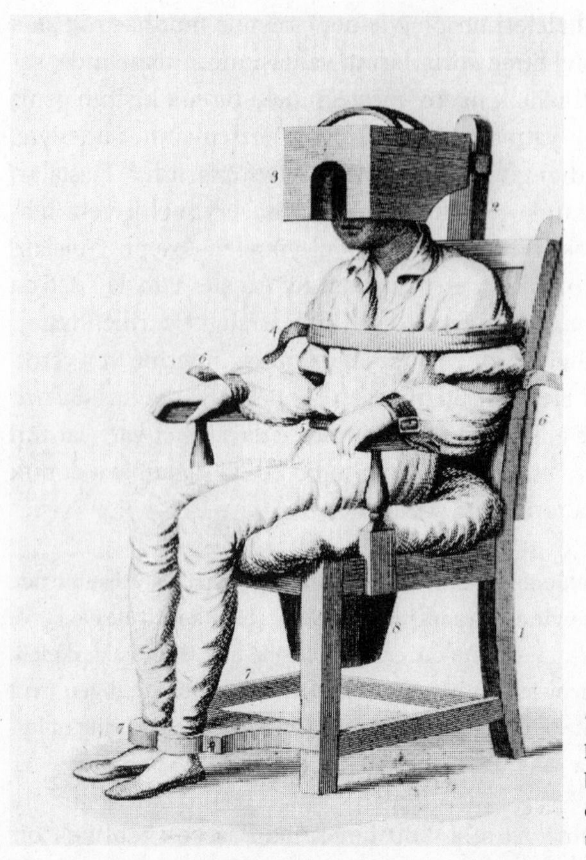

"Sakinleştirici", 1811. Mucidi Benjamin Rush, "Yarattığı etkiler benim için sahiden çok hoştu," diye övünmüştü. Hastalarının tepkileri ise kayıtlara geçmiş değil.

Charles Darwin'in dedesi Erasmus Darwin'in (1731-1802) klasik antikçağdan bazı ipuçlarına dayanarak önerdiği yaklaşım biraz farklıydı: Sallanma hareketi delilerin çıkardığı engelleri aşabilir ve sağduyu dünyasıyla tekrar irtibata girmelerini sağlayabilirdi. Öneri İngiltere'de ve İrlanda'da coşkuyla benimsendi ve Avrupa'nın geri kalan kesimine yayıldı. Bristol yakınındaki bir tımarhanenin sahibi olan Joseph Mason Cox (1763-1813) işlerlikli ilk tasarımı ortaya koydu. Sallanan sandalyesine kayışlarla bağlananlar üzerinde manevi ve fizyolojik baskılar uyandırmadaki dikkate değer gücü gururla tanıttı. Sandalye "zihin ile beden arasında var olan karşılıklı etkiden yararlanma"nın akıllıca bir yolunu sağlayacak nitelikteydi. Gerek zihin gerekse beden "sallanma eyleminin korku, dehşet, öfke ve diğer tutkuları harekete geçirmesiyle birlikte, yerine göre etken ve özne işlevini görerek, vücutta çeşitli değişiklikler yaratırdı; yorgunluk, bitkinlik, solgunluk, ürperme [tüylerin diken diken oluşu], baş dönmesi vs. durumlarına yol açan dönme hareketi ise yeni çağrışımları ve düşünce silsilelerini uyandırırdı." Her şey olağanüstü duyarlılıkla çeşitlenebilirdi. Mide üzerindeki etkiyle "geçici ya da sürekli bulantı, kısmi ya da tam kusma" yaratılabilirdi. İç organları daha da bastırmak "en şiddetli çırpınmalara, [...] hayvan bünyesinin her kısmında uyarılmaya ve sarsılmaya" sebep olabilirdi. Hâlâ inat eden kişilerde, sallanan sandalye "karanlıkta kullanılabilir ve alışılmamış gürültülerle, kokularla ya da duyulara dayatılan başka güçlü etkenlerle, tesiri şaşırtıcı biçimde artırılabilirdi".[41] Daha yaratıcı bir yol "sallanmanın hızını artırmak, hareketi her altı ya da sekiz dakikada bir aniden tersine çevirmek, ara sıra mola vermek ve dolaşımı aniden durdurmak"tı. Böylece ortaya çıkan sonuç, "midenin, bağırsakların ve idrar torbasının kısa aralıklarla bir anda boşalması"ydı".[42]

Böyle harika bir düzeneğe daha hoş bir incelik nasıl katılabilirdi? Dublinli deli doktoru William Saunders Hallaran (yak. 1765-1825), oturma yeri "boynu daha iyi destekleyen ve dönüş sırasında başın yana eğilmesi ihtimaline karşı koruma sağlayan" daha güvenli bir versiyonu neredeyse hemen geliştirdi.[43] Düzeneğin gücüne ilişkin şu kanıtı bizzat ileri sürebildi: "Kullanılmaya başlamasından beri en vahşi ve serkeş deliler üstünde yüksek bir otorite kurmanın dolaysız bir yolunu bulmada hiç sıkıntı çekmedim".[44]

Böyle övgülere ve hem Avrupa genelinde hem de Kuzey Amerika'da ilk başta hızla yayılmasına karşın, bu tedavi makineleri ancak kısa süreli bir rağbet gördü. Örneğin, Cox'un sallanan sandalyesini çarçabuk getirten Berlin Hayır Hastanesi, 1820'lere doğru kullanılmasını yasakladı. Kamuoyunun ve meslek çevrelerinin görüşü, neredeyse Cox'un düzeneğinin benimsenişindeki hızla aksi yöne döndü ve delileri tedavi etmede mantıklı ve makul bir müdahale dizisi olarak görülen yönteme birçok kişi anlayışsızlıkla ve öfkeyle bakar oldu.

Delilerin akıl hastanelerine ve tımarhanelere kapatılan küçük bir kesimiyle uğraşanlardan bazıları korku ve gözdağı yoluyla onları denetim altına almaya yönelirken, bazıları delileri yola getirme sorunlarını daha yakından yaşama sürecinden farklı dersler çıkardılar. Serkeşlere düzeni gerekirse zorla dışarıdan dayatmak akıllarına yatmadı. Bu adamlar (ve tek tük kadınlar) hastalarını mutlaka tamamen akıldan yoksun saymamayı deneme-yanılma yoluyla öğrendiler. Aksine, bu alternatif bakış açısını benimseyenler kendi hemcinsleri olan yaratıkları, daha incelikli ve ustalıklı davranıldığında, terbiyeli olmaya, deliliklerini dizginlemeye, normalliğe yakın bir hayata dönmeye yöneltilebilecek insanları gördüler.

---

41 Joseph Mason Cox, 1813, s. 159, 163, 164, 165. Cox'un İngilizce risalesi dokuz yıl içinde üçüncü baskıya ulaşmanın yanı sıra, kısa sürede Fransızcaya ve Almancaya çevrildi; Amerika'daki bir baskısı 1811'de çıktı. Görüşleri yeniliğe açık kesimlerin ilgisini çekti.

42 George Man Burrows, 1828, s. 601.

43 George Man Burrows, 1828, s. 601.

44 William Saunders Hallaran, 1810, s. 60.

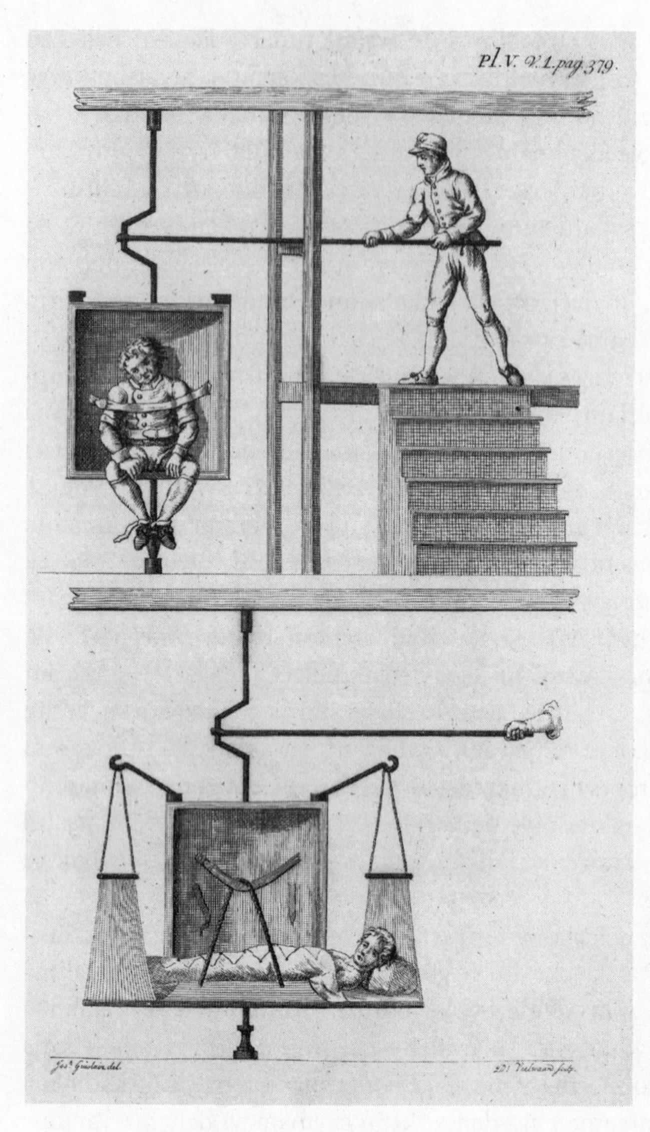

Joseph Mason Cox'un ilk sallanan sandalyesinin daha ayrıntılı versiyonları kısa sürede geliştirildi. Yukarıda yer alan birincisi, hastanın dönüşü sırasında omurgasına daha iyi destek sağlardı; ikincisi ise yatağa bağlı bir hastanın tedavi edilmesine elverişliydi.

SEVECEN VE İNSANCA YAKLAŞIM DOĞRU MU?

Bu yeni yaklaşımın temel özelliklerinin çeşitli ortamlarda (İtalya, Fransa, Britanya, Hollanda, Kuzey Amerika) birbirinden ayrı ve neredeyse eşzamanlı ortaya çıkması ve zamanla kamuoyunda buna açık bir kitle bulması anlamlıdır. İnsan müdahalesiyle açık seçik dönüşüme uğrayan (kanalların açıldığı, nehir yataklarının düzeltildiği, yeni şehirlerin neredeyse bir gecede yerden bittiği, seçici üretmeyle emsali görülmemiş ölçekte yeni hayvan ve bitki türlerinin yaratıldığı) bir dünyada yaşamak, değişmez bir doğaya, hatta değişmez bir insan doğasına ilişkin eski anlayışları sorgulamayı getirdi. Aydınlanma düşünürleri insanı, hayat tecrübesiyle öğrenilen derslerin işlendiği boş bir levha gibi gördüklerine göre, insan becerisinin akılcı kullanılmasıyla neler elde edilmezdi ki? 18. yüzyıl felsefecilerinden Helvetius'un klasik özdeyişiyle "eğitim her şeyi başarır"dı.

Önce üst sınıflarda olmak üzere, çocuk yetiştirmede "kötülüğü bastırmayı ya da iradeyi kırmayı" esas alan eski anlayıştan bir kopuş başladı.[45] Aydınlanma düşünürlerinden John Locke, değişim gerekçesini 1693'te şöyle ifade etmişti:

> Çocukları ıslah etmede başvurulacak en kötü ve dolayısıyla en son araç dayaktır. [...] O halde çocukları düzen altında tutmamızı sağlayacak ödüller ve cezalar oldukça farklı türdendir. [...] Saygı ve hicap, onlardan haz alma noktasına getirilmiş akıl için, bütün teşviklerin en güçlüleridir. Çocuklara bir itibar sevgisini, bir ayıp ve hicap anlayışını aşıladınız mı, asıl ilkeyi kafalarına yerleştirmiş olursunuz.[46]

Yüz yıldan biraz uzun bir süre sonra, 1795'te "manevi tedavi" olarak anılacak yöntemin savunucularınca kullanılmaya başlayan dil ve yaklaşım neredeyse tam tamına buydu. Manchester Akıl Hastanesi hekimlerinden John Ferriar'a (1761-1815) göre, "bir meczubun aklına uygulanacak ilk yararlı işlem, kendini tutma alışkanlığını kazandırmak"tı; bunun için gereken şey zora başvurmaktan ziyade, "umut ve kavrayış aşılamak, [...] küçük iyiliklerde bulunmak, güven ve belirgin şekilde özen göstermek"ti.[47] Staffordshire'daki bir taşra tımarhanesinin müdürü Thomas Bakewell (1761-1835), aynı şekilde delide "manevi duygular" uyandırma ve bunları bir tür "manevi disiplin" olarak kullanma gereğini vurgulamaktaydı:

> Elbette otorite ve düzen sağlanmalıdır ama buna herhangi bir sertlikten ziyade sevecenlikle, lütufkârlıkla ve hoşgörülü ilgiyle daha iyi ulaşılır. Meczuplar anlayıştan yoksun olmadıkları gibi, onlara sanki öyleymişler gibi davranmamak gerekir; aksine, onlara rasyonel varlıklar gibi davranılmalıdır.[48]

Başka yerlerde rağbet gören daha sert yaklaşımlara bakış şöyleydi:

> [Dehşet yoluyla meczupların] bakıcılarına en süratli şekilde itaat etmeleri sağlanabilir; bakıcıları istediğinde ayağa kalkmaları, oturmaları, ayakta beklemeleri, yürümeleri ya da koşmaları için tek bir bakış yeterlidir. Böyle bir itaati ve hatta sevgi tezahürünü,

45 J. H. Plumb, 1975, s. 69.
46 John Locke, *Educational Writings of John Locke*, 1968, s. 152-53, 183.
47 John Ferriar, 1795, s. 111-12.
48 Thomas Bakewell, 1815, s. 55-56.

doğa tarihine merakımızı gidermek için teşhir edilen zavallı hayvanlarda sıklıkla görürüz. Böyle gösterileri izleyen biri, vahşi kaplanın terbiyecisine itaat etmeye yatkınlığının, insanları ürpertecek bir muamelenin sonucu olduğunu düşünmekten nasıl kaçınabilir?[49]

Yeni yaklaşımla en çok ilişkilendirilen iki adam, yukarıdaki sözlerin sahibi Samuel Tuke'un dedesi olan ve 1792'de York Dinlenme Merkezi adlı tımarhaneyi kuran Quaker çay ve kahve tüccarı William Tuke (1732-1822) ile 1795'te Salpêtrière'deki (Resim 24) ve Bicêtre'deki kadın ve erkek fakir meczupları kurtardığı söylenen Fransız hekim Philippe Pinel'di (1745-1826). (Bu gelişmelere Bölüm Yedi'de döneceğiz.) Ancak Tuke akıl hastalarına yeni bir yaklaşımı savunan bir dizi kişiden sadece biriydi. Manchesterlı hekim John Ferriar ve Bristol yakınındaki Brislington Evi adlı özel tımarhanenin sahibi Edward Long Fox (1761-1835) benzer fikirleri ısrarla ileri sürmüşlerdi. Nitekim Tuke'un York Dinlenme Merkezi'nde başhemşire olarak aldığı Katherine Allen, daha önce Fox'un kurumunda çalışmış biriydi.

Akıl hastalarını zincirlerden kurtarışı, olaydan yıllar sonra uydurulmuş bir efsane, bazılarının tercih edebileceği ifadeyle bir "peri masalı"[50] olan Pinel'e gelince, uyguladığı manevi tedavi versiyonu Bicêtre'de ve Salpêtrière'de akıl hastalarının tutulduğu koğuşların idarecileri olarak, akıl hastalarının bakımında engin pratik tecrübeye sahip Jean-Baptiste Pussin'in (1746-1811) ve karısı Marguerite Pussin'in (1754-?) yanında öğrenmişti.[51] Bununla birlikte, değişimleri "teorileştiren", manevi tedavinin Fransız versiyonuna ilişkin ilk sistematik açıklamayı yayımlayan ve süreç içinde yeni yaklaşımın kurumlaşmasını sağlayan Pinel'di. Manevi tedavi sayesinde ortaya çıkan ütopyacı iyimserlik, yani tımarhanelerde reformla ayrılmaz biçimde bağlantılı olan yeni, daha insanca ve daha etkili bir tedavi biçimine ulaşıldığı anlayışı, akıl hastanesi sistemi çağını doğurdu. Akıl hastalarının gerçek anlamda büyük kapatılışının, 19. yüzyılda Avrupa'nın her yanında ve Kuzey Amerika kıtasında yaşanan ve Avrupa devletlerinin emperyal girişimleriyle zamanla diğer ülkelere ve kıtalara da yayılan sürecin temeli buydu. Akıl hastaneleri imparatorluğunun yükselişine Bölüm Yedi'de tekrar döneceğiz.

---

49 Samuel Tuke, 1813, s. 148.

50 Dora Weiner, 1994, s. 232. Ayrıca bkz. Gladys Swain, 1977.

51 Bkz. Jan Goldstein, 2001, Bölüm 3.

Bölüm Altı

ASAP VE ASABİYET

BİR HASTALIĞI KABULLENMEK

Hiç kimsenin kabullenmek istemediği ve herkesin hemen suçu başkalarına yıkmak istediği bazı hastalıklar vardır. Örneğin, frengi (Resim 25) Avrupa'ya tam 15. yüzyılın sonunda Kolomb'un mürettebatınca geri getirildi ve daha sonraları 19. ve 20. yüzyıllarda akıl hastanelerindeki nüfusun artmasında büyük rol oynadı. Avrupa'ya vardığında, İngilizler ona derhal Fransız hastalığı adını taktılar. Napoli kuşatması sırasında ordusu hastalığı büyük çapta kapan (ve paralı askerleri Avrupa'nın her yanına frengiyi yayan) Fransızlar ona Napoli hastalığı demeyi tercih ettiler. Napoliler ise bu damgayı yalanlamaya çalışarak, İspanyol hastalığı adını verdiler; Portekizliler daha kesin ifadeyle Kastilya hastalığı adını yeğ tuttular. Geri kalmak istemeyen Türkler, Avrupalıların hepsini suçladılar ve Hıristiyan hastalığı [frengi] deyip işin içinden çıktılar.

Ne var ki, 18. yüzyıl başlarında başka bir hastalık, o zamana kadar böyle bir teşhisten kaçınmış İngilizler tarafından hevesle benimsendi. Tuhaf bir tepki, diye düşünülebilir. Bu bozukluğa dair güya yüksek ulusal duyarlılık, bir gurur nişanesi olarak taşınmaya başladı. Haklı olarak şu sorulabilir: Dışarıdan gelme bir İskoç diyet doktoru olan George Cheyne'in (1671-1743) ilk kez 1733'te konuyla ilgili kitabının adında kullanarak ortaya attığı "İngiliz marazı" terimi İngiltere'deki "asil"lere niçin böylesine çekici geldi? Onu benimsemedeki acelenin sebebi neydi? Hasta yaftası vurulmayı kim isterdi ki? Cheyne bir lekeyi bir üstün duyarlılık belirtisine dönüştürmeyi nasıl başardı? Sonuçta, bu maraz tam olarak neyin nesiydi?

Cheyne'in kitabının alt başlığı bu soruların sonuncusuna bir ön cevap sunar: "Karasevda, Melankoli, Keder, Evham ve Histeri Rahatsızlıkları Gibi Her Türden Sinir Hastalığı Üzerine Bir Risale" – bir hayli ağız kalabalığı gibi görünse de 18. yüzyıl yazarları kitaplarına uzun adlar vermeye düşkündü. Cheyne bu karmaşık bozukluklar dizisini ele alırken, şunu teslim etmekteydi: "Yabancılar ve kıtadaki bütün komşularımız genelde bu adaya yönelik bir leke mahiyetinde, asabi rahatsızlıkları, karasevdayı, melankoliyi ve kederi alaylı bir tavırla İNGİLİZ İLLETİ olarak adlandırırlar." Görünüşe bakılırsa, İngilizler garip biçimde asabiydi, her türden histeri nöbetine ve evham

Treatments for syphilis [Frengi tedavileri, 1690]: Böyle umarsız bir hastalık çoğu kez sahte hekimlerin uyguladığı terletme ve yakı vurma gibi çeşitli umarsız devalara davetiye çıkarırdı.

atağına yatkındı. (Molière'in *Hastalık Hastası* oyunu bir yana bırakılırsa, evham şimdiki anlamıyla değil, üst karın bölgesinden kaynaklandığı sanılan bozuklukları belirtmek için kullanılırdı.)

O dönemdeki birçok kişiye göre, histeri ve evham (ve çeşitli hısımları) aynı madalyonun iki yüzüydü. Kral William'ın ve Kraliçe Anne'ın saray hekimliğini yapan tanınmış sosyete hekimi Sir Richard Blackmore (1654-1729), ikisinin de aynı marazın farklı tezahürleri oldukları görüşündeydi.

> Vücudun çeşitli kısımlarındaki çırpınmalı bozuklukların ve kızışmaların, ayrıca bu canlanmaya bağlı şaşkınlığın ve dalgınlığın, erkeğe nazaran kadın cinsinde daha bariz ve şiddetli olduğu doğrudur; sebebi ise [kadınlarda] ruh yapısının daha oynak,

dağılmaya açık ve zayıf, sinir dokusunun daha yumuşak, narin ve nazik olmasıdır; ama bu durum doğalarında ve temel özelliklerinde bir farklılığı değil, her ikisinde görülen arazların daha yüksek ya da daha düşük derecede oluşunu kanıtlar sadece.[1]

Ama Blackmore, "kadınlarda melankoli, erkeklerde karasevda denen bu hastalığa yakalanmaktan her iki cinsin de hoşlanmadığı" ve dahası böyle bir teşhis koymaya kalkışan bir hekimin gelecekte iş bulma şansını riske attığı yorumunu da esefle ekledi. Bir doktorun "genelde iş tutmasını [paralı hastalardan muayene ücreti alma şansını] en fazla zorlayacak şeyin, böyle hastalara rahatsızlıklarının gerçek mahiyetini ve adını belirtmek olduğunu" ileri sürdü.[2] Üstelik Blackmore neden söz ettiğinin farkındaydı: Meslektaşı John Radcliffe (yak. 1650-1714) Prenses (daha sonra Kraliçe) Anne'a arazlarının histeri kaynaklı olduğunu belirtme cüretini gösterince derhal görevine son verilmişti.

Böyle bir teşhis konulanlar hakkındaki genel kanaat göz önünde tutulduğunda, Radcliffe'in prenses hazretlerinin tepkisini kesinlikle tahmin etmiş olması gerekirdi. Molière'in hicivli mizahındaki saygısız alaycılık büyük ölçüde, hastalarını erkenden mezara yollarken, cehaletlerini örtmek için süfli Latince tabirleri kullanan çalımlı bilgisiz tipler gibi sunduğu hekimleri eleştirmeye dönüktü. William Hogarth da Londra'nın tıp elitlerini konu alan *The Company of Undertakers* [Cenaze Levazımatçıları Kumpanyası] ya da *Quacks in Consultation* [Sahte Hekimler Konsültasyonda] portresinde bu kibirli tavrı karikatürize edecektir. Ama Fransız oyun yazarı, kendilerini hasta sanmaya yatkın ve hekimlerince kandırılmaya teşne aylak zenginlerin zaaflarını da iğnelemekten geri kalmamıştı. Başkarakter Argan'ın hiç yoktan kendini ölümün eşiğinde bir hasta sanması *Hastalık Hastası*'nın (1673) olay örgüsünün ana unsurdur ve bu rolü canlandırırken (basbayağı vereme bağlı) yoğun bir akciğer kanamasından ölen yazarın pek aklına gelmemiş olacak bir ironidir.

Molière bazılarının artık asabiyet gibi yeni bir yafta vurmaya yöneldiği gizemli ve değişken türden hastalık belirtilerini sergileyenleri yerin dibine batıran son edebi sima sayılmazdı. Örneğin, İngiliz şair Alexander Pope (1688-1744) "melankoli" numarası yapan hanımları alaya almaktan keyif alırdı. "Saç Lülesine Tecavüz" şiirinde Umbriel, Karasevda Kraliçesi'ne tapan "üstün" tiplerle açıkça dalga geçer:

> [...] Selam sana, ey nazlı Kraliçe!
> Sen ki, kadın denen o cinsi latife
> On beşinden ellisine hükmedersin:

1 Richard Blackmore, 1726, s. 96.
2 Richard Blackmore, 1726, s. 97.

Melankolinin ve dişi cilvesinin ceddisin,
Histerik ya da şairane nöbet geçirtirsin,
Her meşrebi değişik yollarla etkilersin,
Kimini ilaca, kimini oyuna yöneltirsin.

Pope'un kendisi de çeşitli rahatsızlıklardan mustaripti ve meşhur bir dizesinde "hayatım uzun bir hastalık"[3] demişti; ama gerçek acıları bu tür moda özentilerden ayırt etmede hep zorluk çekti. Ölüm döşeğindeyken, hırçın bir tavırla, "Ömrüm boyunca hiç hastalık numarası yapmadım," diye ısrarla belirtti.[4] Son yıllarını bunamış halde geçiren hiciv yazarı dostu Jonathan Swift (1667-1745), servetinin bir bölümüyle Dublin'in delileri için bir akıl hastanesi kurulmasını şöyle vasiyet etti:

Birikmiş ufacık servetini gönülden verdi,
Bir ev kurulsun diye aptallara ve delilere;
Cümle âlemin bunu pek de istemediğini
Hicivli dokundurmayla gösterdi herkese.

Ama Swift öteden beri "karasevdaya yabancı" olduğunun herkesçe anlaşılmasına da aynı ölçüde özen gösterdi.[5]

Dışarıdan bakan acımasız kişilerin hastalık numarası diye geçiştirmeye eğilimli oldukları halsizlikten ve hayati tehlike içermemekle birlikte nahoş arazlardan yakınan modaya düşkün tiplerle alay etmek kolay işti. Bir sürü edebi sima bu koroya katıldı. Dolayısıyla, alaya ve aşağılamaya dayalı böyle bir yaylım ateşi karşısında, daha önce Kraliçe Anne örneğinde görüldüğü gibi, gizemli acılardan ve kederden yakınan çok az kişinin histerik ya da evhamlı yaftasını benimsemeye istekli olduğunu öğrenmek şaşırtıcı değildir. "Kaba ve cahil" insanlar "asabi rahatsızlıkları [...] bir tür ayıp" saymaya böylesine teşneyken, bundan dolayı nasıl suçlanabilirlerdi ki? Takınılan tutum onları "meczupluğun bir alt derecesinde ve çatlak beyinli olmaya giden ilk aşamada" ya da daha yaygın yaklaşımla, tamamen hayalci ilan etmekti. Rahatsızlıkları düpedüz "kapris, huysuzluk, hırçınlık ya da titizlik, [kadın] cinsinde zor beğenirlik, acayiplik ya da işve" olarak görülmekteydi.[6] Bu durum bir kez daha şu zor soruyu gündeme getirir: George Cheyne nasıl oldu da birçok kişinin kalıcı leke saydığı şeyi bir onur nişanına dönüştürdü?

3 Alexander Pope, *Epistle to Arbuthnot.*

4 Akt. George Rousseau, 1993, s. 167.

5 Jonathan Swift, "Verses on the Death of Dr Swift" ve "The Seventh Epistle of the First Book of Horace Imitated".

6 George Cheyne, 1733, s. 260.

BOZUK SİNİRLER

Öncelikle ve en önemlisi, Cheyne'e göre, melankoli ve karasevda, histeri ve evham hayali bozukluklar değil, gerçek hastalıklardı; kökleri ise Hippokrates ve Galenos döneminden kalma suyuk hekimliğinin ötesine nihayet geçen onun ve çoğu modern doktorun insan vücudunun yeni canlandırıcı ilkesi olarak görmeye başladığı şeyde, yani sinirlerde yatmaktaydı. Bunlardan mustarip olanlar artık numara yapan hastalar olarak geçiştirilemezdi. Şikâyetlerinin kaynağı "çiçekte veya hummada [...] olduğu kadar bedensel bir rahatsızlık"tı.[7] Eften püften ya da hayali olmak şöyle dursun, "atalarımızın pek bilmediği berbat ve ürkütücü arazlarla ortaya çıkan bir rahatsızlık kategorisi ve öbeği"ydi; üstelik çağın "şikâyetlerinin neredeyse üçte birini" oluşturacak kadar yaygındı.[8]

Cheyne'in görüşleri büyük ölçüde yeni ortaya çıkan ve kökleri önceki yüzyılda Thomas Willis'in insan beyni ve sinir sistemi incelemelerine ve meslektaşlarınca "İngiliz Hippokrates" olarak adlandırılacak kadar sevilen Thomas Sydenham'in (1624-1689) klinik tecrübesine dayanan bir tıbbi konsensüsü yansıtmaktaydı. Willis beyni ve sinir dokusunu korumada sağlanan ilerlemeler sayesinde, öncellerinden hiçbirine nasip olmayan bir dizi emsalsiz deney ve gözlemden hareketle şunu ileri sürmüştü:

> Sinirlerin anatomisi [sinir sistemi] [...] vücudumuzda meydana gelen ve başka yollarla açıklanması zor görünen etkilerden ve elemlerden birçoğunun asıl ve gerçek sebeplerini ortaya çıkarmıştır: Genelde cadıların afsununa bağlanan hastalıkların ve arazların bütün gizli sebepleri, bu kaynak sayesinde keşfedilebilir ve tatmin edici şekilde açıklanabilir.[9]

Patolojik açıklamayı sadece suyukların dengesizliği çerçevesine oturtmaya artık gerek yoktu. Vücut içinde dolaşıp duran ve beyne mesajlar götürüp getiren "canlılık", insan bünyesini diri tutan şeydi; bu dengenin bozulması her türlü hastalığın ve patolojinin gizli kaynağıydı. Bu yaklaşım "beynin ve sinir stokunun" rolüne ilişkin köklü bir yeni kavrayışa dayalıydı.[10] Hiç kuşkusuz, büyük ve küçük çaptaki akıl hastalıklarının olası etiyolojisi açısından özellikle önemliydi. Azgın delilik ve daha hafif düzeydeki melankoli, histeri gibi durumlar, beyin bozukluklarının ya da sinirlerdeki uyumsuzluğun belirtisiydi.

---

7 George Cheyne, 1733, s. 262.

8 George Cheyne, 1733, s. ii.

9 Thomas Willis, 1674, s. 124. İlk kez Londra'da 1664'te Thomas Grigg tarafından Latince yayımlandı. İngilizce çevirisi: Thomas Willis, *The Practice of Physick*, çev. Samuel Pordage, 1684.

10 Thomas Willis, 1681.

Fransız felsefeci René Descartes (1596-1650) vücuda bir mekanizmaymış gibi bakmayı teşvik etmede önemli rol oynamıştı. Sinir sistemiyle ilgili yeni fikirler, bedensel makineyi canlı tutup çalıştıran şeyi anlamanın bir yolunu sağladı. Sonraki kuşaklar açısından, bu yeni perspektifin cazip yanları büsbütün arttı; çünkü tıbbı Galileo'nun ve Newton'ın mekanik felsefesiyle daha uyumlu hale getiriyor gibiydi. Üstelik bunu yaparken, geleneksel tedavi yollarını büyük ölçüde korudu; antik hekimlerin bilgeliğini tartışma konusu yapmadığı gibi, halk inançlarında ve tıbbi dogmada köklü yer edinmiş yığınla devayı sarsmadı. Tamamen modern ve güncel olmasına karşın, gelenekle ve geçmişteki büyük adamların güvenilirliğiyle kutsanmış malum hekimlik müdahaleleriyle de rahatça bağdaştırılabilirdi. Bu bakımdan delilik konusunda fikir yürüten, hatta tedavisini ve olası çaresini bulmak için uğraşan epeyce tıp erbabının asabiye diliyle konuşmaya eğilimli olması şaşırtıcı değildir.

Willis araştırmalarıyla ve yayımladığı yazılarla, beynin ve sinir sisteminin ilk ayrıntılı haritasını çıkarmıştı. Beynin çeşitli ayırıcı özelliklerini saptamıştı: Beyin sapı, pons, soğanilik (omurilik soğanı) ve beyin tabanında hâlâ "Willis halkası" olarak bilinen damar topağı; beyinciğin ve beyin korteksinin kıvrımlı oluşu; orta beynin yapısı. Bunlar hep birlikte, beynin maddi gerçekliğine ilişkin anlayışın ve beynin düşünme organı olma rolüne bakışın yeniden şekillenmesinde dikkate değer bir gelişme sağladı. Söz konusu anatomik keşifleri Willis'e (ve izleyen kuşaklardaki takipçilerine) anlaşılmaz gelen önemli açılardan bir adım daha ileriye götürmekle, sinir sistemi sinir ve ruh âlemlerinin arayüzü olarak görülebilirdi ve gittikçe böyle bir yaklaşım benimsendi.

Willis'in çağdaşı Thomas Sydenham, rakibinin anatomi araştırmalarını çok az klinik önem taşıdıkları gerekçesiyle küçümsemişti. Ama o da asap bozukluklarının önemini kavradı ve hatta "hiçbir kronik hastalığın bu kadar sıklıkla görülmediğini" ileri sürdü. Bu kabul, Willis'in sinir hastalıklarının kökenini açıklamak için ortaya attığı indirgemeci fizyolojiyi benimsemesi noktasına varmadı. Sydenham "bu hastalığın olağan sebepleri olarak zihin rahatsızlıkları"nı öne çıkarmayı tercih etti.[11] Ancak her iki adamın erbaplığı, Cheyne'in ve çağdaşlarının asabiyetle ilgili savlarına temel oluşturdu ve gerçek bir şeyi tedavi ettikleri yolundaki tezlerine geçerlilik kazandırdı.

Frengi ise hiç tartışmasız fazlasıyla gerçekti ve hiç kimse ona sahip çıkmak istemedi. Peki, "İngiliz marazı" niçin farklıydı? Cheyne'e göre, bunun sebebi uygarlığa özgü bir hastalık olmasıydı. Burada kabul edilmese bile örtük bir tezat söz konusuydu: Frengi dizginsiz şehvetle ve muhakeme gücünü sarsıcı hayvani tutkularla ilişkilendirilen bir hastalıktı. Günahın timsali olarak, uygar olmanın işareti incelikten ve kibarlıktan ancak bu kadar uzak olabilirdi.

11 Thomas Sydenham, 1742, s. 367-375.

George Cheyne'in 1732 tarihli bu gravür portresi, şişmanlığını ancak ucundan yansıtır. Cheyne birkaç adım attıktan sonra dinlenme gereğini duyardı ya da bir yere giderken sedyeyle taşınırdı.

Buna karşılık, Cheyne'in anlatımına göre, toplum (ve birey) ne kadar uygar ve süzme olursa, asabiyet patlamalarına o ölçüde yatkın olurdu. Yabancıların gözünde, İngilizlerin sinir bozukluğuna duyarlılığını belirtmek bir ithamdı. Gerçeğe bundan daha uzak bir şey olamazdı. İngiliz toplumunun en soylu kesimlerinde bu hastalıkların yaygın oluşu, tam aksine, üstün inceliğin ve ulusal seçkinliğin kesin kanıtıydı.

İlkel halklar bu yeni bozukluklar kategorisinin tahribatından esasen bağışıktı, çünkü "ölçülülük, egzersiz, avlanma, işçilik ve çalışkanlık [vücuttaki] sıvı şeyleri rahatlatır ve katı şeyleri sağlamlaştırırdı." Her şeyin "basit, sade, saf ve tutumlu olduğu yerde, hastalıklar çok az olurdu ya da hiç olmazdı."[12] Modern yaşam ise heyecan, desise ve stresle doluydu. Zenginlik hevesi ve başarı arayışı kaçınılmaz olarak beraberinde daha fazla "endişe ve kaygı" getirirdi. Dahası, İngilizler gezegendeki en varlıklı ve en başarılı ticari topluma dönüşme sürecinde, "cümbüş ve şatafat uğruna yerkürenin her yanını yağmalayarak bütün o mal yığınını bir araya getirmişlerdi; bunun yol açtığı aşırılık [...] en büyük ve azgın iştahı kışkırtmaya ve hatta oburlaştırmaya yeterliydi".[13] Bir de İngiliz ikliminin üstünlük, "havamızdaki nemin, hava

12 George Cheyne, 1733, s. 174.
13 George Cheyne, 1733, s. 49-50.

durumumuzdaki değişkenliğin" uyarıcı etkileri vardı; "topraklarımızın bolluğu ve bereketi, yemeklerimizin yağlılığı ve ağırlığı, memleket sakinlerinin (dünya genelindeki ticaretten kaynaklanan) zenginliği ve refahı, hareketsizlik, (bu derdi çoğunlukla azdıracak şekilde) oturarak yürütülen daha rahat meslekler, büyük, kalabalık ve dolayısıyla sağlıksız şehirlerde yaşamanın yarattığı ruh hali" işin cabasıydı.[14]

Cheyne'in bu saptamaları nasıl ulusal gururu okşama hesabına dayalıysa, asap bozukluklarının sosyal temeline ilişkin daha kapsamlı gözlemleri de başarılı kişilerin züppeliğini ustaca okşamaya dönüktü. Ona göre, sinir hastalıkları sosyal üstünlüğün hem ürünü hem de kanıtıydı. "Aptallar, zayıf ya da ahmak kişiler, ağır ve donuk ruhlar melankoli ya da keder sıkıntısına nadiren düşerler"di; ancak "kaba, vurdumduymaz, dünyevi, sersem bir palyaço"nunki kadar olurdu bu.[15] Bu yüzden alt tabakalar, melankolinin tahribatından büyük ölçüde bağışıktı. "İngiltere'nin hali vakti yerinde insanları" arasında durum gayet tersineydi. Daha gelişkin ve uygar yaşam tarzları, sinir sistemlerinin daha ince ve nazik olmasına yol açmaktaydı. Dolayısıyla asabiyet şikâyetlerine çoğunlukla "doğal yapıları en canlı ve hayat dolu, melekeleri en parlak ve ilham dolu, dehaları en keskin ve nüfuz edici, özellikle de hisleri ve zevkleri en incelikli" kişilerde rastlanmaktaydı.[16]

Büyük kuşkucu düşünür David Hume bile böyle pohpohlamalara kapılarak, insan doğası üzerine bir yazısında, "Gündelikçinin teni, gözenekleri, kasları ve sinirleri vasıflı bir insanınkinden nasıl farklıysa, duyguları, davranışları ve görgüsü de öyle farklıdır," sözleriyle bu yaklaşımı doğruladı. James Boswell (1740-1795) bir dizi otobiyografik denemeyi ("Evhamlı" takma adıyla olsa bile) kaleme alarak, bu üstün sınıfa mensubiyetini kabullenecek kadar heyecana geldi. Cheyne'in zokasını yuttuğunu gösteren şu böbürlenmede bulundu: "Biz evhamlılar içi karartıcı sıkıntı anlarında, acılarımızın üstünlüğümüze işaret ettiğini düşünerek avunabiliriz."[17]

Cheyne'in fikrine göndermede bulunan sözlü ifadeler bir yana, nakit değeri olan girişimler, fikrin çekici yanlarının belki daha somut bir kanıtıydı. *The English Malady* [İngiliz Marazı] iki yıl içinde altıncı baskıya ulaştı ve sonraki yıllarda da düzenli bir satış düzeyinde kaldı. Daha anlamlı bir gelişme, kitabın piyasaya çıkışıyla birlikte mübarek doktorun işlerinde ve gelirinde büyük bir artış olmasıydı. Dostu ve yayımcısı olan romancı Samuel Richardson'a büyük memnuniyetle aktardığına göre, ömrünün son on yılında geliri üçe

14 George Cheyne, 1733, s. i-ii.

15 George Cheyne, 1733, s. 52, 262.

16 George Cheyne, 1733, s. 262.

17 David Hume, *A Treatise on Human Nature*, Kısım III "Of the Will and Direct Passions", Bölüm I, "Of Liberty and Necessity", 2007; Thomas Boswell, 1951, s. 42-43.

katlanmıştı. Dahası, Richardson aşağı yukarı benzer sosyal konumda biriyken, Cheyne'in yeni edindiği müşterilerden bazıları İngiliz toplumunun en üst kesimlerindendi: Bir dük, bir piskopos, Mesih Kilisesi'nin rahibi ve Lord Chesterfield'dan Huntingdon Kontesi'ne kadar bir sürü aristokrat. En revaçtaki sosyete hekimleri bile böyle bir hasta listesinden herhalde gurur duyardı; Cheyne'in kitabının yayımlanmasını izleyen muazzam maddi ve sosyal başarı, içerdiği fikirlerin çekiciliğinin yadsınamaz kanıtıydı. Üstelik bu tek ve son örnek değildi. Bedensel ve zihinsel arazları çevrelerindeki kişilerce kuşkuyla karşılananlar, sahiden hasta olduklarını, acılarının ve sıkıntılarının "tamamen kafada büyütülmüş" şeyler olmadığını, riyakârlara ve sahtekârlara reva görülen hakareti değil, hasta rolünün vakarını hak ettiklerini doğrulayan doktorları coşkuyla benimsediler. Ayrıca asabiyet şikâyetlerinin onları en süzme ve uygar kişilerin mertebesine yükselttiğini ilan edebilmeleri, belki de beklenmedik ve çoğu hastanın almaktan keyif duyduğu bir ikramiyeydi.

Vücudun işleyişini anlamada sinir sisteminin yeni bir anahtar sağladığı konusunda Cheyne'le hemfikir olan Bernard de Mandeville (1670-1733), Nicholas Robinson (1697-1775) ve Sir Richard Blackmore gibi tanınmış hekimler, bu "hastalıklar" dizisine aynı yaklaşımı geniş çapta benimsediler. Ama onların bu süreci tarif ederken yeni kelimeler kullanmaları, tedaviye ilişkin köklü bir tutuculuğu gizlemekteydi. Asabiye dili yeni olsa bile, salık verdiği tedaviler Batı tıbbının binlerce yıldır uyguladığı eski bildik "iltihap karşıtı" devalar, yani beslenmeye ve perhize özen göstermekle birlikte kan alma, müshil verme, kusturma gibi yöntemlerdi.

Konsensüs tam sağlanmış değildi. Bedlam'in müdürlüğünü yapan Nicholas Robinson, aralarındaki belki de en kaba indirgemeciydi:

> Açıkça görülüyor ki zihin ne zaman tedirginlik, keyifsizlik ya da karamsarlık hissine kapılırsa, eşyanın tabiatınca doğrulanacağı üzere, bu durum zihnin işleyişinin ardındaki güçleri yönlendirmesini sağlayan araçların etkilenmiş olmasının tam bir tezahürüdür. [...] Sinirler [...] sağlam durumdayken, herhangi bir duyu aracılığıyla ilettikleri fikirler düzgün, doğru ve berrak olur; böylece idrak eşyaları tabiat kanunlarının belirlediği halleriyle kavrayıp saptar. [...] Ama bu organların yapısı ya da mekanizması bir şekilde bozulursa ve makinenin yayları akortsuz hale gelirse, zihnin bu değişimi algılaması ve ondan etkilenmesi kaçınılmazdır. [...] Karasevdanın ve melankolinin en hafif arazlarından melankoliye bağlı deliliğin ve meczupluğun en müzmin marazlarına kadar [her türlü akıl hastalığı] [...] hayali kaprisler ya da fanteziler değil, beyin yapısının doğal standardından saptığı her durumda, maddenin ve hareketin gerçek, mekanik etkilerine bağlı olarak, zihinde ortaya çıkan gerçek etkilerdir.[18]

18 Nicholas Robinson, 1729, s. 181-83, 407-408.

Robinson "akortsuz makine"nin tedavisinde izlenmesi gereken yol konusunda aynı ölçüde pervasızdı. Hekimler hiç tereddüt etmeden, "sıklıkla tekrarlamak üzere [...] en şiddetli kusturuculara, en güçlü müshil ilaçlarına ve büyük çapta kan almaya" başvurmalıydı.[19]

> Hastalığın mahiyetinin güçlü bir devanın desteğini kesinlikle gerektirdiği, özellikle de onsuz hiçbir rahatlamanın sağlanamayacağı durumlarda ilaç verirken cüretli olmamak en üst derecede zalimliktir.[20]

Asabiyeci meslektaşlarının birçoğu, hastalığa ilişkin aynı anlayışları paylaşmakla ve vücudu tekrar dengeye kavuşturmanın bazen sıkı önlemleri gerektirdiğini kabul etmekle birlikte, böyle aşırı görüşlerden kaçındılar. Hiç kuşkusuz, 18. yüzyıldaki hastalar, hekimlerinin çoğu kez salık verdikleri cüretli devalara alışkındı. Ama birçok sosyete hekimi, baygın hanımlardan ve bunalımlı beylerden oluşan müşteriler kazanma ihtimalini düşünerek, böyle ince ve uygar insanların narin sinirlerini böyle kaba bir tedaviye tabi tutmaya razı olup olmayacaklarını gözetmiş olsa gerek. Sir Richard Blackmore endişeli ve umutsuz hastalarda, ürkütücü ve ıstırap verici devalara, zaten zayıf sinirleri yeni bir şoka uğratma ve hatta şifa vermek yerine hastayı "yıkma" tehlikesini içeren müdahalelere nazaran, yatıştırıcı ve sakinleştirici devaların başarıya ulaşma ihtimalinin çok daha yüksek olduğunu ısrarla savundu. Blackmore ve dostları açısından, Robinson'ın kaba devalarını Bedlam için uygulamasında sakınca yoktu. Bekleme odalarına üşüşmelerini umdukları asortiklerin hassas ruhları için ise, bu hastalara son derece ince duyarlılıkların bahşedilmesi nedeniyle, belki durumu kolaylaştıracak biraz afyonun da reçeteye yazılacağı daha hafif bir rejim çok daha uygun olurdu.

Bizzat koca Thomas Willis'in otoritesine dayandırılabilecek bir tutumdu bu. Zira Willis ("keder kaynaklı öfkeye ve ruhun yücelişine" dalan delilerle ancak "işkencecileri olarak gördükleri kişilere saygıyla ya da korku dolu hayranlıkla bakmalarını" sağlamakla başa çıkabileceği için) azgın deliliğin en etkili ve sert müdahaleleri gerektirdiğini ısrarla belirtmesine karşın, daha hafif asap bozukluklarının "çoğu kez pohpohlamalarla ve daha yumuşak hekimlikle iyileştirildiğini" de teslim etmişti.[21] Pohpohlamaya alışık olan aristokrasi, hekimlerin de hâlâ kesinkes aralarında sayıldığı hizmetçilerinden bunu görmekten hoşlanırdı.

Frengi nasıl Fransızlara ya da Napolililere münhasır değilse, asap bozuklukları da elbette İngiliz üst sınıflarına münhasır değildi. Willis'in (hâlâ

19 Nicholas Robinson, 1729, s. 102.
20 Nicholas Robinson, 1729, s. 406.
21 Thomas Willis, 1683, s. 206.

Avrupalı okumuşların ortak dili olan Latinceyle yazdığı) teorileri yayılmaya başlayınca, çok geçmeden başkalarınca benimsenip geliştirildi. Leiden Üniversitesi'nde tıp profesörü ve 18. yüzyılın en ünlü tıp hocası olan Hollandalı hekim Herman Boerhaave, düşünsel bakımdan eklektik biri, özgün bir uzmandan ziyade bir sentezleştirici olsa da, bu süreçte olağanüstü etkili oldu. Çağının çoğu hekimi gibi, tıbbi otoritenin başlıca kaynağının kitaplar olduğu kanısını taşımasından dolayı, Hippokrates'e ve klasik yazarlara saygısını sürdürmesine karşın, sinirlerin önemi ve özellikle psikopatoloji sorunlarıyla alakası konusunda gittikçe güçlenen konsensüsü göz ardı edemezdi. Boerhaave'nin ölümünden üç yıl önce, Eylül 1730-Temmuz 1735 arasında sinir hastalıkları üzerine verdiği iki yüzü aşkın dersin içeriği, ölümünden sonra öğrencisi Jakob Van Eems tarafından iki ciltlik bir kitapta ancak kısmen derlendi.[22] Bu arada namı dünyanın dört bir yanına yayıldı. Rus çarı Büyük Petro onu dinlemeye geldi; Avrupa hükümdarları özel hekimlerini ondan ders almaya gönderdiler; meslektaşı Albrecht von Haller ona *communis europae praeceptor* ("bütün Avrupa'nın hocası") lakabını taktı. Çin'den adres kısmına sadece "şöhretli Boerhaave, Avrupa'da hekim" yazılmış bir mektup geldi. Willis gibi, Boerhaave de daha hafif sinir bozukluğu vakalarının ikna yoluyla ya da bozukluğu kışkırttığı varsayılanların zıddı duyguları uyandırarak, beyni etkileme yoluyla iyileştirilebileceği görüşündeydi. Ortam değişikliği de yararlı olabilirdi; nitekim seyahat keyfi kaçmış daha zengin kişilere yaygın olarak önerilen bir devaya dönüşecek ve bazen buna sodalı suları içebilecekleri kaplıca şehirlerine ziyaretler de eklenecekti. Ama yine Willis gibi, Boerhaave de kendi ifadesiyle *sensorium commune*'un [ortak duyu merkezi] tutulduğu ve bozuk durumundan şokla çıkarılmasının gerektiği açık delilik vakalarında daha sert tedaviyi salık verdi.

Zehirli karacaotun (Resim 26) yanı sıra cıva ve bakır dozlarını kapsayan antik tıbbi devaların yetersiz kaldığı durumlarda, deliyi neredeyse boğulacak hale getirme ya da topluiğneye oturtulmuş ağustosböceği gibi havada döndürme türündeki daha sert müdahalelerin uygun olabileceğini ileri sürdü.[23] Onun bu farazi şifa yolları, daha önce gördüğümüz üzere, 18. yüzyıl sonlarında başkalarınca uygulamaya geçirildi. Bu arada, sinir sisteminin içinde canlılığın ya da sinir sıvısının yol aldığı bir dizi oluktan mı oluştuğu, yoksa beynin diğer alanlarla iletişime girmesini sinir liflerinin gergin ya da gevşek oluşunun mu sağladığı konusunda epeyce tartışma oldu.

İngiliz sosyete hekimlerinin büyük ilgisini çeken ve başkalarının alayla ve horgörüyle bakmaya eğilimli oldukları rahatsızlıklar için tıp erbabının

22 Hermanni Boerhaave, 1761.

23 Victoria döneminde öğrenciler bir ağustosböceğinin kanatlarından birine toplu iğne saplar ve dönüşünü izlerdi.

onayını almak uğruna yüksek paralar ödemeye hazır hastaların bir akınını getiren daha hafif asap bozukluklarının, ne İngiliz iklimine özgü nemle ve diğer hoşluklarla, ne de ticari toplumun dürtüsüyle açıklanabilecekleri yerlerde de epeyce yaygın olduğu ortaya çıktı. Oldukça garip biçimde, Almanlar, Avusturyalılar, Fransızlar da benzer şikâyetlere yatkın gibiydi. Onların durumu nasıl açıklanacaktı? Onlar nasıl tedavi edilecekti?

ATEŞLİLİK VE MANEVİ ISTIRAP

Böyle sıkıntılara ilişkin dinsel açıklamalar ve tedaviler, sahneden tamamen çekilmiş değildi. İngiltere'de John Wesley'nin (1703-1791) ve George Whitefield'in (1714-1770) öncülük ettiği evanjelik diriliş hareketi, yığınla yandaş kazandı. Newton'ın ve Bilim Devrimi'nin tilmizleri yeni felsefenin materyalist, mekanik temellerine sıkıca bağlı görünürken ve uzaktan hükmeden bir Tanrı (yarattığı harikaları sırf seyretmekle yetinen bir ilahi mimar) anlayışının belirlediği rasyonel ilkelere dayalı bir Hıristiyanlık biçimine yönelirken, açık havadaki Metodist toplantılarına akın eden koyu dindarlar, sıkı imanın ve duygusal ıstırabın aşırı örneklerini sergilediler. Onlara vaaz verenler heyecanlı ve heyecan vericiydi. *Primitive Physick* [İlkel Hekimlik] kitabı yüksek satışa ulaşan Wesley gibi adamlar her ne kadar suyuk hekimliğini kitleler için popülerleştirmekten geri kalmasalar da, o ve Whitefield manevi teselli sunmaya ve akli sorunları olan kişileri arayıp bulmaya, dualarla kutsayıp yardım eli uzatmaya daha da hevesliydi. Kırlarda düzenledikleri diriliş toplantıları duygusal ve dinsel heyecan sahnelerine, hastalara, dertlilere ve delilere dua edip teselli sunmaya uygun bir ortamdı. Metodistlere göre, zihinsel karışıklık köklü bir manevi anlamla yüklüydü; suç ve günah azaplarını güçlü biçimde açığa vuran ve lanetlenmenin dehşetini selamete erme vaadinin karşısına koyan ateşli dinsel bağlılıklar, deliliğin sebebi konusunda artık daha muteber doğalcı açıklama biçimlerinin yanı sıra din ve büyü karışımı daha eski bir açıklamayı da canlı tuttu. İlahi ceza ve cinle çarpılma, Metodistlerin gözünde insanın delirişini açıklamada tamamen akla yakın etkenler olarak yer aldı. Bizzat Wesley kötü ruhlardan etkilenmeye sıkı biçimde inanan biriydi ve zihinsel rahatsızlığı olanlara toplu ayinlerle manevi şifa vermenin güçlü bir savunucusydu.[24]

Ama İngiliz egemen sınıfları 1640'lardaki İç Savaş sırasında, böyle "ateşli" dindarlığın aşırılığa, tehlikeye ve irrasyonelliğe, kurulu düzenin ve sosyal hiyerarşilerin yıkılmasına, düpedüz zıvanadan çıkan bir duruma yol açabildiğini gördükleri için, buna bulaşmaya hiç de istekli değillerdi. Mezhep bölünmelerinin ve sosyal karışıklığın akıllarda hâlâ taze olduğu bir ortamda,

24 Bkz. John Wesley, 1906, c. 1, s. 190, 210, 363, 412, 551; c. 2, s. 225, 461, 489.

William Hogarth'ın *Credulity, Superstition and Fanaticism: A Medley* [Saflık, Hurafe ve Bağnazlık: Bir Keşmekeş, 1762] adlı bu karikatürü, ateşli dindarlığın vardığı çılgınlığı ve yol açtığı tehlikeleri konu alan bir hicivdir. İhtirası ölçen ön taraftaki termometre, hızla deliliğe ve çılgınlığa doğru yükseliyor; kürsüdeki şaşı vaiz, Metodizmin kurucularından olan ve deli doktorlarının iddiasına göre, doktrinleri yığınla saf insanı tımarhaneye düşüren George Whitefield'dir.

aristokrasi ve mülk sahibi sınıflar kibar ölçülülüğü ve ahlaki ağırbaşlılığı somutlaştıran rasyonel ve ihtiyatlı bir din anlayışına destek verdiler. Bunun sonucunda doğa felsefecilerinin, tıp adamlarının ve dolayısıyla deli doktorlarının yanında yer alacaklarsa, varsın öyle olsundu.

Böylece dosdoğru "ateşli dindar"ları hedef alan bir alay, parodi ve taciz söylemi ortaya çıktı. Bu kampanya Hogarth'ın çizdiği karikatürlerde, İngiltere tarihinin en uzun süreyle iktidarda kalmış başbakanı Sir Robert Walpole'un en küçük oğlu Horace Walpole'un iğneleyici yorumlarında, Swift'in ve Pope'un hicivli şiirlerinde apaçıktı. Metodistler deliliği iyileştirmekten ziyade kışkırtmakla suçlanıyordu. İç dünyaları melankoliye, saçmalıklara ve vahiy hülyalarına batmıştı; vaizleri hastalıklı hayal güçlerini, irrasyonel kuruntuları, bağnazlığı ve aptallığı sergilerken, dinleyenlerde de aynı şeyleri uyandırıyorlardı. Metodistlerin "yakışıksız" ibadet biçimleri, korkuyla ve şevkle kendilerinden geçmeleri, cehennem ateşinden ve lanetlenmeden melodram havasından söz etmeleri ibretlikti. Daha aklı başında birinin böyle manzaraları seyredince, irrasyonellik ve delilik dünyasıyla ne kadar yakın bağlantılı olduklarını ve böyle ayinlerin hurafelere inanan saf kişileri delilerin saflarına itmeye ne kadar açık olduğunu hemen kavramaması mümkün müydü? Birçok deli doktoruna göre, Wesley'nin ve Whitefield'in faaliyetleri meczup erbaplığına müşteriler kazandırmada paha biçilmez değere sahipti.[25] Yoksul, duygusal ve düşünsel bakımdan kırılgan kadınların delirmeye özellikle yatkın olmasına karşın, erkekler de bunun etkisine kapılabilirdi.

Hogarth 1760 tarihli *Enthusiasm Delineated* [Şevkin Tasviri] tablosunun konusunu ertesi yıl yeniden işlediği *Saflık, Hurafe ve Bağnazlık: Bir Keşmekeş* adlı tabloyla, bu şarlatanların aptallıklarını iğnelemekten özel bir haz almıştı. Burada vaizin kopardığı yaygaralarla cemaati bir heyecan kasırgasına sürükleyişini görürüz. Birçok kişi histerik cezbeye, hatta iradenin yok olduğu vecde düşmüş haldedir. Bazılarının Mesih ikonlarını kemirmeleri, Hogarth'ın nefret ettiği Katoliklik ile yamyamlık, yabanilik ve delilik arasında bir bağlantıyı ima eder. Kürsüdeki bağnaz vaiz, Kitabı Mukaddes'ten uygun bir metin (2 Korintliler 11:23'te "Aklımı kaçırmış biri gibi konuşuyorum" ibaresinin yer aldığı kısım) seçmiştir. Halkın saflığını istismar edişi sırasında, dinleyicilerin duygusal hararetini ölçen ön taraftaki bir termometre (abazan bir aristokratın yanındaki baygın bakışlı bir hizmetçi kızın elbisesine bir dinsel ikonu daldırışında timsalleşen) şehvetten zırdeliliğe doğru amansızca yükselir. Tavandan sarkan küre, cehennem bölgelerini gösterir. Ön plandaki iki figür, ateşli vaizlerin müritlerini kandırmak için başvurdukları uydurma hikâyeleri temsil eder: Tavşanlar ve bir kedi doğuran Mary Toft; düzmece

25 William Black, 1811, s. 18-19; John Haslam, 1809, s. 266-67; William Pargeter, 1792, s. 134.

bir mucizeyle çivi ve raptiye kusan Bilstonlu Oğlan. Cemaate vaaz veren ve şaşılığıyla maruf George Whitefield'in yukarısında, "Para Kapanı" yazılı bir tabela taşıyan bir melek, onun tapınağını bir "ruh kapanı" gibi sunuşunu alaya alır. Maltalı bir Yahudi pencereden içeriye bakarak, bu Hıristiyan deliliği manzarasını süzer. Böyle vaizler cehennem ateşinin ve lanetlenmenin tehlikeleri üzerine melodram havasındaki ateşli konuşmalarıyla, parası ya da aklı kıt insanların saflığından yararlanır ve avuçlarındaki azıcık parayı kapmak için, onları korkutup delirtirlerdi.

CİN KOVMA AYİNLERİ

İngiliz elit tabakası heyecandan ve aşırılıktan arınmış kibar bir dinden yanaydı. Almanya'nın kırsal güneybatı kesiminde ise durum oldukça farklıydı; bu barok Katoliklik bölgesinde Wesley'nin ve Whitefield'in çağdaşı, geçmişi karanlık bir rahip olan Avusturya asıllı Johann Joseph Gassner (1727-1779), Ellwangen'de 1760'lar ve 1770'ler boyunca cin kovma ayinleri düzenledi. Bu ayinlere her türlü marazdan mustarip dindarlardan oluşan kalabalıkları çekti: Körler, garip yüz tikleri olanlar, saralılar, sakatlar, topallar, histerikler ve deliler. Görünüşe bakılırsa, Aydınlanma'ya ve sözde Akıl Çağı'na geçişle birlikte, cinlere ve cinle çarpılma ihtimaline inanç öyle hemen ortadan kalkmış değildi. Aksine, halkın hayal gücü üzerindeki güçlü etkisi hâlâ sürmekteydi. Bu gelişmeyi patırtılı bir skandal izledi.[26]

Gassner'den hayır duası almaya gelen hastalar, iyileşmiş halde ya da öyle görünerek ayrılıyorlardı. Onları çarpan ve usandıran murdar ruhlardan ve cinlerden kurtulduklarına göre, akıllarının başına gelmesini sağlayan şey mübarek bir adamın hayır duaları olmalıydı. Haber kulaktan kulağa yayıldı. Kalabalıklar toplandı. Peder Gassner yeni bir mesleğe koyuldu. Ülkenin kuzeyindeki Protestanlar, Katolik hurafelere ve aptallığa küfürler yağdırdı. Deva bulanların sayısı çoğaldı. Bütün bunların anlamı neydi? Resmi makamlar halk arasında patlama tehlikesi gösteren kargaşayla nasıl başa çıkacaklardı? Kaynaşmanın ve dinsel heyecanın, deva arayışındaki binlerce köylünün akını ihtimaliyle bir araya gelmesi, düzen için açık bir tehditti; ne seküler ne de dinsel otorite bunu hafife alabilirdi. Üstelik Güney Almanya'nın karmaşık siyasal coğrafyasında, bu iki alan kesişmekte, örtüşmekte ve çoğu kez çakışmaktaydı.

Gassner'in hayır duasından medet umanların çoğu, bir Cheyne'in ya da bir Blackmore'un çıtkırıldım ve kibar hanımları ve beyleri değildi; ancak

---

26 İzleyen değerlendirmelerimde Almanya'da cadılığın ve akıl hastalığının seçkin tarihçisi H. C. Erik Midelfort'un araştırmalarını büyük çapta esas aldım. Gassner olgusunu açıklayışı için bkz. *Exorcism and the Enlightenment*, 2005.

Johann Joseph Gassner bir cini kovuyor. Cinle çarpılanların tedavisine ilişkin birçok Rönesans görüntüsünde olduğu gibi, burada da Schwabenli rahipten medet uman hastanın ağzından çıkan cin havada uçuyor. Cin çarpmasına inanç besbelli ki sözde Akıl Çağı'nda birçok halk arasında aynen sürmekteydi.

Gassner'e yolu düşen (ve görünüşte iyileşen) kişiler arasında Kontes Maria Bernardina Truchsess von Wolfegg und Friedberg vardı. Ayrıca bunalımlı Saksonya prensi Karl'ın annesinin, başarılı bir müdahalede bulunup bulunamayacağını anlamak üzere Gassner'e danışmayı en azından tasarladığını biliyoruz. Bazı soyluların ve hanımlarının ona uğradığı oluyordu; ama mübarek pederin tedavi ettiği binlerce kişi çoğunlukla Metodistlerin vaazlarına akın eden sıradan insanlara daha yakındı. Güney Almanya'nın farklı yanı, deva arayanların Protestan dualarını dinlemek yerine, kötü ruhu bedenlerinden çıkaran, ağrılarını ve acılarını, felçlerini ve bedbinliklerini mucizevi biçimde gideren antik cin kovma ayinlerine tabi tutulmalarıydı. Daha doğrusu, Peder Gassner tedaviye uygun vakalar olduklarına karar verdiğinde yaşanan durum buydu; çünkü tedavi etmeye hazır olduğu kişiler konusunda oldukça seçiciydi.

Almanya'nın her yanında patlak veren kıyasıya broşür savaşı, Fransa'nın bazı kesimlerine de taştı. Eski din savaşlarının cılız yankıları duyulur hale geldi. Kilise hiyerarşisi içinde destekçileri olan Gassner, cin kovma ayinlerini onların hüküm sürdüğü alanlarda yürütmeye özen gösterdi. Başka yerlerde ise basiretli Katolik rahipler ihtiyatı telkin ettiler. Protestanların Katolik hurafeleri alaya almaları acımasız ve can yakıcıydı. Ayrıca, söz konusu rahiplerin gözetmek zorunda oldukları dünyevi sorumlulukları vardı; çünkü Güney Almanya'nın büyük bir bölümünde, piskoposluklar ve prenslikler bazen çakışmasa bile, piskoposlar aynı zamanda seküler yöneticilerdi. Hem piskopos, hem prens konumunda olmayan rahipler de çıkarlarını kollama gereği duydukları soylu ailelerin çocuklarıydı. Sosyal düzene ilişkin seküler kaygılar ve Gassner'in istikrarsızlık yaratabilecek etkileri, akıllarından hiç çıkmayan bir şeydi. Ne de olsa, cadı çılgınlığı uzak bir anı değildi ve Gassner'in cin kovuşunun halk arasındaki korkuları canlandırması halinde, cadı yakmaya dönük yeni bir dinsel heyecan ve şevk salgını baş göstererek, öngörülemez sonuçlar doğurabilirdi.

Birbirlerini kıskanan Katolik piskoposlar çoğunlukla birlikte hareket etmekten acizdi. Gassner'in cin kovma ayinlerine ilişkin ilk haberler açığa çıktığında, Konstanz piskoposu girişimi dizginlemeye ve şaibeli göstermeye çalıştı; çok geçmeden Bavyera kilise konseyi ve Augsburg'daki kilise yetkilileri aynı yolu izleyerek, Gassner'in topraklarına girişini yasakladılar. Ama başka yerlerde, seküler ve dinsel makamlar daha yumuşak bir görüş benimsediler. Sözgelimi, Regensburg'un prens-piskoposu Anton Ignaz von Fugger, aynı şekilde Freising'deki ve Eichstätt'taki mevkidaşları destek ve koruma sağladılar. Ancak sonunda daha üst düzeydeki seküler ve dinsel iktidarlar müdahalede bulunma gereği duydular. Daha önce cadılara yönelik yeni takibatları yasaklamak için devreye girmiş olan Avusturya imparatoriçesi Maria Theresa,

Gassner'in faaliyetlerinden hoşlanmadı ve 1775 yazında kendisi gibi kuşkucu olduklarını bildiği iki saray hekimini tartışmalı rahibi soruşturmaya gönderdi. Kısa bir süre sonra, Kutsal Roma-Germen İmparatorluğu'nun göstermelik başı konumundaki İmparator Joseph, Gassner'e Regensburg'dan çıkma emrini verdi. Papalık müdahalesi daha geç geldi ama Roma zamanla bütün bu işin önüne geçmek gerektiği sonucuna vardı. Kilise içindeki Gassner düşmanlarının kışkırtmasıyla, Papa VI. Pius nihayet kararını açıkladı. Rahibin faaliyetleri etrafında yaratılan sansasyona teessüf ederek ve çoğu hastalığı başlatanın ya da azdıranın İblis olduğu yolundaki "düzmece" bir fikri yaymaktan dolayı onu sertçe uyararak, susturulması için adım attı. Cin kovma ayinlerine son vermesi ve küçük Pondorf köyündeki sade papazlık görevine dönmesi bildirilen Gassner, üç yıl sonra unutulmuş bir kişi olarak öldü.

"Aydın" hükümdarların ve bizzat papanın emriyle Gassner'in susturulması, cinlere ve cinle çarpılmaya ilişkin halk inançlarını elbette yok etmedi; ama kibar toplumun hastalıklara ve acılara, özellikle deliliğe ilişkin eski dinsel açıklamalardan ne ölçüde uzak durduğunun göstergesiydi. Kötü ruhlara inanç sindirilmekle birlikte, halkın bilincinde hiç kuşkusuz sürdü. Kitabı Mukaddes'in yanı sıra geleneğin gücünden gelen bir dayanağa sahipti; eski kozmolojiye inançlarını koruyanlar için, günlük yaşantıyı büyük bir ölçüde açıklıyor gibiydi. Geçmişte çok yaygın olan azizlere hürmet ve türbelerini ziyaret, resmi makamların emriyle dosdoğru ortadan kalmadı. Ama eğitimli çevrelerde cehaletin ve hurafenin işareti haline geldi. Ne de olsa, okumuşlar işin doğrusunu bilen, daha doğrusu öyle olduğunu sanan kesimdi.

GÖRÜNMEZ GÜÇLER

Geleneğe bağlı Katoliklerin nasıl görünmez İblis'i ve cinleri varsa (o döneme ait resimlerin aksine, Gassner cin çarpmış hastalarından çıkardığı yaratıkları gördüğünü asla ileri sürmemişti), Aydınlanma düşünürlerinin de dünyayı çıldırtacak görünmez güçleri vardı. Newton'ın yerçekimine, elektriği ve mıknatısları eklemişlerdi; şimdi de belki başka bir görünmez etki açığa çıkmaktaydı. Viyana'da tam da Gassner'in cin kovma hünerlerini ve şöhretini geliştirdiği yıllarda, olağanüstü zengin bir kadınla evlenmiş Viyanalı hekim Franz Anton Mesmer (1734-1815) hayvansal manyetizma adlı yeni bir hayati gücü, her insanın vücudunda akan güçlü bir sıvıyı keşfettiğini bildirdi. Dahası, bu sıvıyı yönlendirme ve deva amacıyla kullanma gücüne sahip olduğunu ileri sürdü. İşin içinde Tanrı, İblis ya da cin kovma ayini olmaksızın, ilginç sonuçlar elde ettiği yönündeki haberler üzerine, imparatorluk başkentinin zengin ve sosyetik insanları kapısına dayandı ve ona daha önce karısının sağladığının ötesinde servet ve şöhret vaat etti.

Mesmer 1775'te Bilimler Akademisi'ne sistemini sunmak üzere Bavyera'ya gitti. İçlerinden birini gözlerinin önünde tedavi etmesinden ve başka hastaları büyülerken çeşitli çarpıcı hünerleri sergilemesinden çok etkilenen üyeler, onu akademiye alma yönünde oy kullandılar. Mesmer de onları (eğer doğruysa) Gassner'in başarılı tedavilerinin, deva arayışıyla gelenlere dokunmakla aslında hayvansal manyetizmanın gücünü bilinçsizce kullanmış olmasını yansıttığına inandırdı.

Kırsal çeperde sayılan Bavyera'dan minnettarlıkla ayrılıp tercih ettiği ikamet yerine, yani Hapsburg iktidarının şatafatlı merkezine döndüğünde, emperyal elit tabakayı tedavi etmeye yeniden başladı. Viyana'da karısının servetiyle satın almış olduğu malikâneye, yüce sanatsal zevklerini paylaşmaları ve keşfettiği yeni harika tedaviyi tanımaları için artık herkesi (daha doğrusu muteber herkesi) davet edebilirdi. Joseph Haydn ve Mozart ailesi sıkça uğrayan konuklardı. Nitekim genç Wolfgang'ın ilk *Bastien und Bastiene*'nin prömiyeri Mesmer'in malikânesinin bahçesinde yapılmıştı (Daha sonra bestecinin *Così fan tutte* operasında mesmerizm konunun bir unsuru olarak yer alacaktı). Leopold Mozart ortama hayranlığını şöyle ifade etmişti: "Ağaçlı yollarıyla ve heykelleriyle, tiyatrosuyla, kuş eviyle, güvercinliğiyle ve yukarıdaki seyir köşküyle emsalsiz bir bahçe."[27] Kendi müzik zevklerini ve yeteneklerini göstermek isteyen Mesmer, çok yönlü Amerikalı mucit Benjamin Franklin'in (1706-1790) yetkinleştirdiği cam armonikada usta bir icracı haline geldi. Soylu doktor daha sonraları hastalarına yumuşak ve yatıştırıcı ezgiler çalarak, hipnotizma seanslarını süsledi.

Mesmer önceleri hastalarında hayvansal manyetizmanın akışını değiştirme uğraşını güçlendirmek için kullandığı özel mıknatısları zamanla bıraktı. İddiasına göre, bunun sebebi hastalığın hayvansal manyetizmanın vücuttaki akışını köstekleyici tıkanıklıkların ya da engellerin oluşmasından kaynaklandığını keşfetmesiydi. Bakışlarına ve parmak uçlarına dayanan hünerinin esası, engelleri saptaması ve sıvının akışını yeniden yönlendirmesiydi. Hastanın dizlerini kendi dizlerinin arasına aldıktan sonra, parmaklarını bütün vücudunda gezdirerek, ondaki güçlüklerin kaynaklarını yoklardı; masaja benzer bir işlemle, hastanın bir trans ya da kriz, saraya benzer bir nöbet içine girmesini sağlardı. Böylece, özellikle gökyüzünden hipnotizma sıvısını almaya yatkın kafanın ve toprakla teması sayesinde alternatif bir manyetizma kaynağı sağlayan ayakların oluşturduğu iki kutup arasında olmak üzere, içerideki engelleri kaldırarak hayvansal manyetizmanın akışını serbestleştirirdi. (Keşfini özetlediği yirmi yedi önermenin ilkinde bunu şöyle ifade etmekteydi:

27 Akt. Henri Ellenberger, 1970, s. 58. Mesmer'in kariyerini aktarırken kısmen Ellenberger'in anlatımından, ayrıca Robert Darnton'ın *Mesmerism and the End of the Enlightenment in France* (1968) kitabından yararlandım.

Mesmerizm hatırı sayılır derecede rağbet görmekle birlikte, birçok aleyhtarı da çıktı ve güçlü cinsel imalar içeren mizaha sıklıkla hedef oldu. Burada bir eşek gibi, karikatürleştirilmiş hipnotizmacı, bir kadın hastayı iyileştirmek üzere "büyülü parmağı"nı kullanıyor.

"Göksel cisimler, toprak ve canlı organizmalar arasında karşılıklı bir etki vardır.") Kimi zaman, kişisel dokunuşunun ve bakışının gücünü, hastanın ağrılardan ve sancılardan yakındığı belirli bölgeleriyle temasa girecek şekilde yerleştirdiği demir çubuklarla artırırdı.

Bu sürecin fazlasıyla açık seçik cinsel imalar çağrıştırması, yeni doktrinlere karşı olanlar arasında epeyce takılmalara ve kaba yorumlara yol açtı. Mesmer manyetik kutuplardan uzak durarak, vücuda boylamasına yoğunlaştığı için, büyük ölçüde karnın üst kısmına ve göğse, geleneksel tıp teorisine göre evhamın kaynağı olan bölgeye odaklanmış gibi görünüyordu. Yirmi üçüncü önermesinde, böyle bir ilginin "sinirsel marazları hemen iyileştirebileceğini ve öbürlerini dindirebileceğini" belirtmişti.

Mesmer'in belki de en ünlü Viyanalı hastası, kör bir genç kız olan Maria Theresia Paradis'ti (1759-1824). On sekiz yaşındaki bu kız, üç buçuk yaşındayken esrarengiz biçimde kör olmuştu. Üzerine titreyen anne babası, onu iyileştirmek ve özrüyle başa çıkacak şekilde eğitmek için Viyana'daki bütün olanakları seferber etmişti. Mesmer'le karşılaşmadan önce, görme yetisini uyarma umuduyla binlerce watt elektrik yüküne maruz bırakılmış ama yöntem işe yaramamıştı. Bu arada, varlıklı anne baba, o konumdaki genç bir kızdan beklenecek gösterişli hünerleri öğretmeleri için, bir sürü özel hoca tutmuştu. Özellikle hatırı sayılır bir yeteneğe sahipmiş gibi göründüğü klavsen ve piyano çalmada geniş kapsamlı eğitimden geçmişti.[28] Klavye başındaki kör bir kız görüntüsü, ona aralarında bizzat İmparatoriçe Maria Theresa'nın bulunduğu bir sürü hayran kazandırmıştı.

Mesmer'in tedavi ettiği genç kız, görme yetisine kavuştuğunu bildirdi. Aralarında tedavinin ötesinde bir ilişki geliştiğine dair söylentiler anında dolaşmaya başladı. Mesmer'in yüksek vizite ücreti ödeyen çok sayıda sinir hastası çekmesini kıskanmış olabilecek rakipleri, Maria Theresia'nın onun metresi olduğu dedikodusunu yaydılar. Öte yandan genç hanım, klavyedeki yeteneklerine artık eskisi kadar değer verilmediğini fark etti. Piyano çalan kör bir genç kadın ilginçti; görme yetili sayılınca iş değişti, çünkü iyi yetişmiş ve ondan daha iyi yüzlerce kadın vardı.

Müstehcen hikâyelerin bir doğruluk payı taşımış olması pekâlâ mümkündür. İşin aslı ne olursa olsun, birkaç hafta sonra Mesmer, bütün bağlarını keseceği karısını yanına almadan, birdenbire Viyana'dan ayrılıp Paris'e gitti. Bayan Paradis görme yetisini hazin biçimde yeniden yitirdi, ama kör bir klavye ustası olarak kısa sürede eski rağbetini kazandı ve bir kez daha İmparatoriçe Maria Theresa'dan himaye gördü. Bu arada, Viyanalı sosyete doktorları meslektaşlarının ayrılışına hiç de hayıflanmış gibi değillerdi.

28 Bazı kaynaklara göre, Mozart 18 numaralı Si Majör Bemol Konçerto'sunu (K. 456) onun için bestelemişti.

Mesmer'in demir tozuyla dolu küvetinin çevresindeki sosyetik kalabalık. Odada müzik çalınıyor ve bir kenarda duran Dr. Mesmer "her zamanki gibi derin düşüncelere dalmış halde görünürken, [...] hastalar, özellikle kadınlar iyileşmelerini sağlayan nöbetler geçiriyorlar."

Mesmer Şubat 1778'de vardığı Paris'te, adını duyurmak ve aristokrat bir müşteri kitlesi kazanmak için çalışmaya koyuldu. Birkaç hafta içinde Vendôme Meydanı civarına taşındı ve ardından gittikçe yükselen bir başarı yakaladı. Doğruluğundan birçok kişi kuşku duysa bile, zengin müşterilerini uzun süreden beri çektikleri kronik hastalıklardan kurtarma vaadi karşısında, yüksek vizite ücretlerini ödemekten hiç kimse kaçınmadı. Asabi, histerik ve dengesiz kişiler ona görünmek için akın ettiler. Bir yıl sonra yayımladığı *Mémoire sur la découverte du magnétisme animal* kitabıyla büyük keşfinin daha da tanınmasını sağlayan Mesmer, olağanüstü etkilerinden daha geniş çapta yararlanılmasına yönelik çeşitli teknik ilerlemeleri ortaya koydu.

Bunların en dikkat çekici olanı, demir tozuyla dolu bir masa ya da küvet şeklindeki *baquet*'ti. Aygıtın çevresinde oturanlar, içine çeşitli yüksekliklerde daldırılabilen demir çubuklar sayesinde, manyetizmanın etkilerini özel ilgi gerektiren belirli anatomik alanlara (mide, dalak, karaciğer ya da pek ağza alınmayacak kısımlar) yönlendirebiliyorlardı. Elektrik devresine oldukça benzer bir hipnotizma halkası oluşturacak şekilde halatla birbirlerine bağlanan hastalar, tedavinin etkisini göstermesini bekliyorlardı. Mesmer aygıtın etkisini güçlendirmek üzere dönüşümlü olarak elleriyle sıvazlama ve cam armonikasını çalma yoluna gidiyordu. Çoğu durumda kısa bir süre sonra, sinir hastaları kendilerinden geçerek bayılıyordu ya da nöbet geçiriyordu; çok şiddetli hale gelen bazıları, Mesmer'in asistanları tarafından kucaklanıp kaldırılıyor ve çırpınırken kendilerini incitmemelerini sağlamak üzere minderlerle döşenmiş küçük bir odaya götürülüyorlardı. Sosyal statü farklılıkları da düşünülmüştü; Mesmer bitişik bir odada "yoksullar için bir küvet" kurdurmuştu. Yumuşak halılar, aynalar, ağır perdeler ve astrolojik portreler, ortamın etkisini artırmaya yönelikti. Dönemin bir tanığının sahneyi tasviri şöyleydi:

> Mösyö Mesmer'in evi bütün sosyal zümrelerin buluştuğu bir ilahi tapınak gibi: Başrahipler, markiler, şuh işçi kızlar, askerler, doktorlar, genç kızlar, doğum uzmanları, ölümün eşiğine gelmişler, ayrıca sağlam ve zinde kişiler – hepsini oraya çeken şey meçhul bir kuvvetti. İçeride mıknatıslayıcı çubuklar, kapalı küvetler, değnekler, halatlar, çiçekli çalılar ve çalındığında insanı kahkahaya, gözyaşına ve sevince boğan armonika gibi müzik aletleri var.[29]

Mesmer büyük keşfinin resmen tanınmasını sağlamaya hevesliydi. Paris'teki Fransız Kraliyet Tıp Derneği'nin ve Bilimler Akademisi'nin onayını almak için yürüttüğü kulisler sonuçsuz kaldı. Bu arada, uyguladığı tedaviden daha fazla yoksulun yararlanabilmesi için ağaçları mıknatıslamaya başlamıştı. Bu girişim sadece kişiliği etrafında oluşmaya başlayan şarlatanlık havasını ve mesleki rakiplerinden aldığı eleştirileri artırmaya yaradı. Ama böyle eleştirilerin etkisi çok sınırlı gibiydi. Aristokrasinin gerçek anlamda elit bir kesimi, Mesmer'in taşrada bir hipnotizma klinikleri şebekesi kurmasını sağlayacak parayı toplamak üzere bir araya geldi. Bu kampanya ona büyük bir servet kazandırdı. Görünüşe bakılırsa, Fransızlar sinirsel marazlara kalleş İngilizler kadar yatkındı; akıl bozukluğunun bu daha hafif biçimlerinden mustarip insanlar, geleneksel kan alma, müshil verme ve kusturma yöntemlerinin beraberinde getirdiği sıkıntı ve tatsızlık olmaksızın, acılarını dindirmeyi vaat eden bir tedaviden yararlanmak için akın ettiler.

Derken, başarısının doruğunda gibi göründüğü 1784'te, mesmerizm açısından işler birdenbire ters gitti. Mesmer'in rakipleri birçok ballı müşteriyi kapmasından dolayı, keskin bir içerlenme duygusu içindeydiler. Devalarının şarlatanca mahiyetini ve seanslarının tehlikeli, erotizm yüklü karakterini aşağılayan bir tavırla dillerine doladılar. Söylenenlere göre, güzel kadınlar onun etkisine kapılıyorlardı. Kabaran arzularıyla kendilerinden geçip kıvranıyor, transa girmelerini sağlayan adama gözlerini baygınca süzüyor ve ardından yere minderlerin serildiği "kriz odası"na uysalca götürülüyorlardı. Genel ahlak için bundan daha açık tehlike olamazdı ve en seçkin aristokrat hanımlar bile Mesmer'in cazibesine kapılmaya yatkın gibiydi. Böylece ahlakçılık kisvesine bürünen muarızları, onun temsil ettiği tehdide son vermeye dönük manevralara giriştiler.

---

29 Akt. Gloria Flaherty, 1995, s. 278.

Mesmer'in kıskanç rakiplerinin baskısıyla, Fransa kralı XVI. Louis, bir komisyonu onun savlarını incelemekle görevlendirdi. Üyeler arasında dönemin en seçkin bilginlerinden bazıları vardı: Kimyager Antoine Lavoisier, astronom Jean Sylvain Bailly, daha sonraları kralın çok yakından aşina olacağı bir aygıtı icat edecek olan Joseph Guillotin, yıldırımla ve elektrikle ilgili deneyleri geniş bir kesimce bilinen, Fransa'daki Amerikan büyükelçisi Benjamin Franklin. Ancak bu heybetli heyet, bizzat Mesmer'in değil, ondan ayrılmış Charles D'Eslon adlı eski bir asistanının çalışmalarını soruşturdu ve mesmerizmin tedavi gücü sorusunu, yani Mesmer'in müşterilerini en çok ilgilendiren konuyu göz ardı etti. Komisyonun, "Hayvansal manyetizma" gibi bir sıvının var olup olmadığına ilişkin can alıcı meselede vardığı sonuç ise muğlaktı: Varlığını doğrulayacak hiçbir fiziksel bulguya rastlanmamıştı. Bu kararı destekleyici nitelikte bir dizi yaratıcı deneye de göndermede bulunulmuştu.

Komisyonun raporu saygın aydın çevrelerinde hatırı sayılır bir sarsıntı yarattı ve Mesmer'in keşfi için almayı umduğu resmi onaya ölümcül bir darbe indirdi. Ama uygulamada, bir tedavi yolu olarak cazibesine kapılanlardan birçoğunun aklını çelmediği söylenebilirdi. Kendi çalışmaları başka türden görünmez güçlerin varlığına ve gücüne ilişkin savlara dayanan bilim insanları arasındaki derin tartışmalar, asabiyet şikâyetlerine bir deva ihtimalini çekici bulanlar açısından önemsizdi. Mesmer'in tilmizleri, raporu bir grup çıkarcı akademisyenin öngörülebilir ürünü sayıp geçiştirdi.

Ne var ki kısa bir süre sonra, geçmişteki rezaletleri hatırlatan bir olay patlak verdi: Kutsal Cuma'ya denk gelen 16 Nisan 1784'te, Büyük Perhiz vesilesiyle düzenlenen konsere Paris sosyetesinin kaymak tabakası ve hükümdar katıldı. Sahnede klavsen çalan sanatçı Viyana'dan gelmiş kör bir müzisyendi, yani Maria Theresia Paradis'in ta kendisiydi. Mesmer'le gönül ilişkisine dair eski hikâyeler tekrar gündeme geldi.[30] Bayan Paradis'in Paris'te kalışını altı ay uzatmayı seçmesiyle dedikodular arttı. Bu arada Mesmer, halka açık gösteride tekniğinin yararını Prusya kralı II. Friedrich'in küçük kardeşine sunmak üzere Lyon'a davet edilmişti. Gösteri feci bir fiyaskoyla bitti. Küçük düşen Mesmer hemen Paris'e kaçtı ve yirmi yıl daha yaşamasına karşın, sesi soluğu pek çıkmadı.

Mesmer'in Paris ortamından ansızın ayrılışının ardından, mesmerizm 1780'lerin ortalarında doruğa çıkmış olağanüstü rağbetini haliyle bir ölçüde yitirdi. Ama ona dönük genel ilgi güçlü kaldı ve ertesi yüzyılda hipnotizma seansları sürekli artan bir seyirci kitlesini çekti. Charles Dickens eksantrik

---

30 Geçmişte tarihçilerin ileri sürdüğü gibi, Mesmer'in konseri izlemiş olması, onun adına açıkça akılsız bir davranış sayılır. Frank Pattie (1979) ise bunun bir efsane olduğunu savunur.

bir merak düzeyinde olmak üzere, mesmerizmle aralıksız amatörce uğraştı. Romancı dostu Wilkie Collins olay örgülerinin içine mesmerizmi sıklıkla kattı.[31] Ancak o sırada mesmerizm artık bir tedavi işleminden ziyade bir tür eğlenceydi. Gittikçe spiritüalistlerin ve normal ötesi olaylarla uğraşanların etkisi altına girdi; bu da doktorların ve çoğu bilim insanının nezdinde onun itibarını pek yükseltmeyecek bir değişimdi. Mesmerizm hâlâ onun adını taşısa bile mucidinin denetiminden çıkmıştı. Öncülük ettiği teknik ancak ölümünden yıllar sonra bir canlanma sürecine girdi – tabii farklı bir adla ve gizemli manyetik sıvıdan çok farklı bir şeye dayanan bir güvenilirlik düzeyiyle.

---

31 Victoria dönemi Britanyası'ndaki akıbeti için bkz. Alison Winter, 1998.

Bölüm Yedi

BÜYÜK KAPATILMA

ASABİ Mİ, DELİ Mİ?

Asabiye dili deliliğin tahribatını açıklamanın sırf tıp insanlarıyla sınırlı kalmayan ayartıcı bir yoluydu. Hiç kuşkusuz, tıp elitleri için, beynin ve sinir sisteminin karmaşıklıklarını araştırmak gittikçe güçlenen bir cazibe kaynağıydı; sıradan pratisyenler için ise deliliğin sinirsel kökeni, bozuk akli durumları sıkı sıkıya vücuda dayandırmalarını sağlayacak bir açıklama sunmaktaydı. Öte yandan, dünyaya doğalcı çerçevede bakma ve cahillerin hâlâ sıkıca sarıldığı "hurafe"lerden uzak durma eğilimi gittikçe güçlenen eğitimli kesim için, böyle bir temele dayanan açıklamaları benimsemek, onlara daha üstün görgülerini sergileme fırsatını vermekte ve deliliğin son derece tedirgin edici ve ürkütücü aşırılıklarının rasyonel yaklaşımla anlaşılabileceği yönünde rahatlatıcı bir duygu sağlamaktaydı. Depresyon nöbetlerine ya da can sıkıntısına yatkın veya bir dizi gizemli zihinsel ve bedensel sorundan mustarip varlıklı ve özellikle aylak zenginler için, asabiye dili iki misli çekiciydi. Zira acımasız gözlemcilerin hastalık numarası ya da hayali maraz sayıp küçümsemeye eğilimli oldukları durumlara geçerlilik kazandırmaktaydı.

Ne var ki sinir hastalarının yaşadıkları sorunların düpedüz hafif bir delilik biçimi gibi görülmesine çok hevesli oldukları açık değildi; meczupları bir dış karanlığa sürüp atma dürtüsü hâlâ güçlüydü. İnsani vasıfların en can alıcısından, yani akıldan yoksun sayılmaları nedeniyle, akıl hastalarını farklı bir ontolojik cinse mensup yaratıklar gibi görmek gayet kolaydı. 17. yüzyılın başlarında Shakespeare, asıl benliklerinden ve muhakeme güçlerinden kopan delilerin sırf "resim", yani insanın dış sureti ya da "düpedüz hayvan" olduklarını ileri sürmüştü.[1] 18. yüzyıl yazarları daha da aşırı bir görüşü benimsediler. Rahip Andrew Snape "en değerli ışıktan, aklın ışığından mahrum olan mutsuz insanlar" adına verdiği bir vaazda, "deliliğin [...] o bedbaht insanı mahlûkatın dilsiz ve akılsız kısmının aşağısında bir düzeye düşürdüğü"nden söz etti.[2] *The World* dergisinde aynı düşünceyi ifade eden isimsiz bir yazara (büyük olasılıkla Samuel Richardson) göre, delilik "yeryüzünün kudretli hikmet sahiplerini, sürünen böceklerden bile aşağı

1 William Shakespeare, *Hamlet*, Perde 4, Sahne 5.

2 Andrew Snape, 1718, s. 15.

konuma" düşürürdü.[3] Birbirini izleyen eleştirmen kuşaklarının "Delilikten daha korkunç hastalık yoktur" klişesini neredeyse ezbere tekrarlamalarına pek şaşırmamak gerekir.[4]

Kuzey Amerika'da hükmü geçen son İngiltere kralı III. George'un, aklını kaçırmakta olduğunu sezince, ona kulak veren herkese şunu ısrarla belirtmesi işte bu yüzdendi: "Ben asabiyim, [...] hasta değilim; bendeki sorunun ne olduğunu bilirseniz, asabi olduğumu anlarsınız."[5] Oysa asabi falan değil, düpedüz deliydi. Ağzından köpükler saçılıncaya kadar aralıksız konuşan biri olarak, gerginliği ve hezeyanı gittikçe belirginleşti. Sonunda saray hekimi Richard Warren'ın (1731-1797) ağzından şu saptama çıktı: "Beyni etkileyen nöbet öylesine şiddetliydi ki, yaşasa bile, zihin melekelerinin geri gelmesini ümit etmek için çok az sebep vardı".[6] George şiddete eğilimli ve kuruntulu, öngörülemez ve gittikçe dizginlenemez, gözüne uyku girmez ve sıklıkla yakışıksız davranır hale geldi. Bu durumu Ekim 1788'den ertesi yılın Mart ayına kadar sürdükten sonra, mucizevi biçimde iyileşmiş gibi göründü. Aradan on iki yıl geçince hastalığı nüksetti, ardından düzeldi ve aynı kalıp 1804'te tekrarlandı. Ama 1810'da yeniden baş gösteren deliliği artık kalıcılaştı. Ömrünün son on yılını aklını kaçırmış halde geçirdi; önce tutarsız ve saçma sapan konuşur oldu, ardından bunadı ve körleşti.

Bu nükslerin hepsi anayasal krize yol açtı ve 1810'daki kriz, yerine oğlu Veliaht Prens George'un tahta geçmesiyle çözüldü. Kralın deliliğini saran ketumiyet, dedikoduları ve söylentileri teşvik etti. Ayrıca asap bozukluğunun daha hafif biçimleri ile daha köklü ve aşırı delilik biçimleri arasındaki büyük uçurumu gözler önüne serdi. İngiltere kralının depreşen delilik nöbetleri, akıl hastalığıyla nasıl başa çıkılabileceğine ve başa çıkılması gerektiğine ilişkin algılardaki gelişmelerle ve meczupların aileleri ve genelde toplum için yarattıkları sorunlar için tercih edilen çözüm olarak akıl hastanesini benimsemeye yönelişle yakından çakıştı. Aynı sürecin izlerine Avrupa'nın her yanında ve Kuzey Amerika'da rastlanabilmesi nedeniyle, bu büyük ölçüde bir tesadüf eseriydi.

AKIL HASTANELERİ İMPARATORLUĞUNUN YÜKSELİŞİ

Delileri toplumdan tecrit etmek gerektiği varsayımı ve bu görevi yerine getirecek yeni kurumlar temelinde gittikçe genişleyen bir şebeke oluşturma kararı,

---

3 *The World*, 1 Haziran 1753.

4 Nicholas Robinson, 1729, s. 50; Richard Mead, 1751, s. 74; William Arnold, 1786, s. 320; Thomas Pargeter, 1792, s. 122. Fransız Devrimi'nin hemen ardından Dilencilik Komitesi'nin Kurucu Meclis'e sunduğu rapor, "en asil yönleri açısından alçaltılmış böyle talihsiz kişilerin başına gelebilecek en büyük ve en korkunç insan bedbahtlığı"ndan yakınır. (Akt. Robert Castel, 1988, s. 50.)

5 Fanny Burney, 1854, c. 4, s. 239.

6 Harcourt Kontesi, 1880, c. 4, s. 25-28.

çok geçmeden akıl hastalarının büyük kapatılışını başlattı; bu yaklaşım 20. yüzyılın sonlarına kadar Batı dünyasının akıl bozukluğuna tepkisinin belirgin bir özelliği olarak kaldı. Sinir bozukluğunun tedavisi resmi alanın dışında sürdürülebilir ve yol açtığı acıları çekenler hâlâ ortalıkta bırakılabilirdi; ama manikler ve melankolikler, dengesizler ve bunaklar açısından durum çok farklıydı. Onlar için yeni bir cefa coğrafyası hızla ortaya çıktı. Akıl hastanesi her yerde tımarhanelik delilerin yarattığı sorunlar için tercih edilen çözüm haline geldi. Delileri sosyal bir alanda toplama yönündeki yeni eğilimle birlikte, akıl hastanesi hekimliğinde yeni bir uzman türü de doğdu; gittikçe örgütlü ve bilinçli bir kesime dönüşen bu hekimlerin uzman kimliği, akıl hastanesi sisteminin varlığına ve genişlemesine sıkı sıkıya bağlıydı. Bu genişleme ise Avrupa'nın her yanında ve Kuzey Amerika'da ortaya çıkan kurumları finanse ve idare etmede devletin gittikçe artan bir rol üstlenmesini getirdi. Merkezi otorite üzerinde çok az denetim mekanizmasının bulunduğu Fransa'da ve Avusturya İmparatorluğu'nda böyle bir gelişme belki şaşırtıcı sayılmadı; ama merkeziyetçilikten ve devlet müdahalesinden kuşkunun kültüre ve siyasal yapıya köklü biçimde sindiği Britanya'da ve ABD'de aynı durum görüldü.

Kurumun böylesine benimsenmesinin özünde bir paradoks yatmaktaydı. Geniş bir kesimin akıl hastalarının tedavisinde bilimsel ve insancıl bir ilerleme olarak övdüğü gelişmeye yön veren manevi gayret ve coşku, *ancien régime* tımarhanelerindeki dehşetin açığa çıkmasından kaynaklanmaktaydı. Fransa'da devrim döneminin seçkin hekimi Philippe Pinel'in yanında çalışmak üzere Paris'e giden hırslı Jean-Étienne Dominique Esquirol (1772-1840), hamisinin yardımıyla 1802'de kendi *maison de santé*'sini (özel tımarhane) açtı ve ardından 1811'de Salpêtrière Hastanesi'nde *médecin ordinaire* (özel hekim) oldu. Tekrar başa geçen Bourbon monarşisinin gözüne girme çabasıyla, 1817'de akıl hastalıkları üzerine konferanslar vermeye başladı ve ertesi yıl içişleri bakanından ülkeyi dolaşarak akıl hastalarının durumunu saptama gibi bir görev kaptı. Sunduğu rapor bir dehşet kataloğuydu:

> Onların çıplak ve yırtık pırtık giysili halde yattıkları kaldırımların soğuk neminden sadece samanla korunduklarını gördüm. Onların soluyacak havadan, susuzluklarını giderecek sudan, hayatın temel ihtiyaç maddelerinden yoksun halde berbat şeylerle karınlarını doyurduklarını gördüm. Onların katışıksız zindancıların insafına bırakıldıklarını, vahşi nezaretin kurbanları olduklarını gördüm. Onların dar, pis, bitli, havasız ve ışıksız zindanlarda, insanın lükse düşkün devletlerin başkentlerinde büyük masraflarla besledikleri vahşi hayvanları kapatmaktan çekineceği mağaralara zincirlendiklerini gördüm.[7]

7 J.-E. D. Esquirol, 1819, akt. Dora Weiner, 1994, s. 234.

Bu izlenimler 19. yüzyıl başlarına damgasını vuran tımarhanelerin durumuyla ilgili peşi peşine parlamento soruşturmalarını dikkatle izleyen İngilizlere herhalde aşina gelirdi. Yöneticiler ve kendinden menkul hayırseverler, tımarhaneye yatırılan meczupların karşılaştığı dehşete dair en korkunç örnek hikâyeleri sunma yarışına girdiler. Kırsal alanda dolaşırken, delilerin kapatıldığı yerlere uğrayıp gezmeyi alışkanlık edinen banker Henry Alexander, Devon'daki Tavistock düşkünlerevinde ancak müdürün sıkı itirazlarını aşıp girebildiği meczuplar koğuşunda gördüklerini şöyle aktarmıştı:

> Hayatımda bu kadar pis bir kokuyla hiç karşılaşmadım; öylesine berbattı ki, benimle beraber [birinci hücreye] giren bir arkadaş sonrakine giremeyeceğini söyledi. Birini gördükten sonra, öbürüne de gideceğimi belirttim; orada geceyi geçirebildiklerine göre, en azından içini inceleyebilirdim. [...] Koku beni neredeyse boğacak kadar pisti; saatler sonra bir şey yiyebildiğimde dahi aynı kokuyu hissettim; bir türlü kurtulamadım; bu hücrelerin daha o sabah yıkandığı ve kapıların birkaç saat önce açıldığı unutulmamalıdır.[8]

Delileri kapatmada uzmanlaşmış kurumlarda şartlar, bekleneceğinin aksine daha da kötüydü. Thomas Warburton'ın Londra'daki kâr amaçlı özel tımarhanelerinin en büyüklerinden Kırmızı Ev'de ve Beyaz Ev'de eczacı olarak çalışan John Rogers'ın anlattıklarına göre, pirelerle ve farelerle dolu bu mekânlar öylesine soğuk ve rutubetliydi ki, birçok hasta gangrene ve vereme yakalanmıştı; bakıcılar da hastalara çok kötü davranmaktaydı. Dayağa ve kamçılamaya yaygın biçimde başvurulmakta, kadın hastalar sıklıkla tecavüze uğramaktaydı. İdrarını tutamayan hastalar düzenli aralıklarla sürüklenip avluya çıkarılmakta ve bir pompadan fışkırtılan soğuk suyla yıkanmaktaydı. Bedlam'de görgü tanıkları, duvarlara gelişigüzel zincirlenen çıplak kadınlarla ve erkeklerle karşılaşmışlardı: "Çıplak halleri ve kapatılış tarzları [...] tam bir köpek kulübesi görüntüsü yaratmaktaydı."[9] Bu manzara bile hastaların tecavüze uğradığı, öldürüldüğü, çoğunlukla pis ve bakımsız kaldığı York Akıl Hastanesi'ndeki durumdan belki daha iyiydi.[10] Yorkshire sulh yargıcı Godfrey Higgins, özenle gözlerden uzak tutulan hücreleri şöyle anlatmıştı:

---

8 Avam Kamarası, *Report of the Select Committee on Madhouses*, 1815, s. 3.

9 Avam Kamarası, *First Report of the Select Committee on Madhouses*, 1816, s. 7 vd; Edward Wakefield, 1814.

10 York Akıl Hastanesi geleneksel anlayışla yönetilen hayır amaçlı bir kurum olarak 1772'de kuruldu. Daha sonraki York Dinlenme Merkezi'nden oldukça farklıydı. Aslına bakılırsa, William Tuke'u 1796'da ayrı bir Quaker akıl hastanesi kurmaya yönelten sebep, York Akıl Hastanesi'nde hastalara yanlış tedavi uygulandığına dair söylentilerdi.

> Çok iğrenç ve pis bir ortamdı, [...] duvarlar dışkıyla kaplıydı; her hücrede birer tane bulunan hava delikleri dışkı yüzünden kısmen tıkalıydı. [...] Ardından üst kata çıkıp [...] girdiğim [...] üç buçuk metreye iki buçuk metre ebadındaki bir odada [...] o sabah hücrelerden çıkarılmış on üç kadın vardı. [...] Midem fena bulandığı için, odada daha fazla kalamadım. Çıkınca kustum.[11]

Akıl hastanesinin hekimi orada olup bitenlerin iğrençliğini gizlemeye dönük beyhude bir çabayla binayı ateşe verdi; birkaç hastanın yanarak ölmesi pahasına bir kanadı yok etmeyi başarmakla birlikte, suiistimalin belirtisini daha fazla silemedi. Yaklaşık otuz yıl sonra ülke çapındaki bir soruşturma, ülkenin geniş kesimlerinde durumun pek değişmediğini gösterdi.[12]

Fransa'da Esquirol daha 1819'da akıl hastanelerine dönük ulusal bir sistem tasarısı hazırlamıştı; ama Ulusal Meclis ülkedeki her idari bölgenin kamu parasıyla bir akıl hastanesi kurmasını ya da akıl hastalarının tedavisi için alternatif düzenlemeler yapmasını öngören bir yasayı ancak yirmi yıl kadar sonra, 1838'de çıkardı.[13] Yasada ayrıca "Hiç kimse hükümetin izni olmaksızın akıl hastalarına dönük bir özel kurumu işletemez ya da açamaz" hükmüne yer verildi. Uygulamada yasanın hükümleri ancak yavaş bir süreçte yürürlüğe girdi. İki yıl sonra bu tür akıl hastanelerinin sayısı yediye çıktı; 1852'ye varıldığında sadece yedi tane daha kurulmuştu ve bunların dördü genel hastanelere ilave binalardı. Taşrada din adamlarının yönettiği birçok kurum hâlâ vardı; hukuken artık bir tıp direktörünün bulundurulması şartına karşın, bunlar aslında dinsel kimliklerine ve Hıristiyan hayırseverliğine dayalı bir modele sıkıca bağlı kaldılar. Katolik destekçilerine göre, akıl hastalarını iyileştirmenin hayırlı yolu manevi araçlar olduğuna göre, rahibeler gerekli sertliği ve yumuşaklığı göstermeye son derece uygundu; bu önerme yeni ortaya çıkan akıl hastalığı hekimleri (*médecins aliénistes*) saflarında kuşkuculukla ve sert direnişle karşılaştı. Kamu yönetimindeki seküler bir sisteme yönelişin çok güçlü olduğu zamanla ortaya çıkacaktı; ama delileri tedaviye yönelik dinsel ve tıbbi yaklaşımlar bir süre daha sıkıntılı biçimde bir arada yürüdü ve ikisi arasındaki gerilimler bazen açık çatışmaya dönüştü.[14] Bununla birlikte, Fransızlar akıl bozukluğu sorunları karşısında, aile bakımına dayalı eski sistemden ziyade akıl hastanelerine yönelmeye başladı.

İngilizler de 1845'te illerin ve ilçelerin, kamu parasıyla akıl hastaneleri kurmalarını öngören ve hali vakti yerinde kesimlere hizmet veren bütün özel

11 Avam Kamarası, *Report of the Select Committee on Madhouses*, 1815, s. 1, 4-5.

12 *Report of the Metropolitan Commissioners in Lunacy to the Lord Chancellor*, Londra: Bradbury ve Evans, 1844.

13 Metnin tam hali için bkz. Robert Castel, 1988, s. 243-253.

14 Bkz. Jan Goldstein, 2001, Bölüm 6, 8 ve 9.

akıl hastanelerinin, yeni oluşan akıl hastaneleri imparatorluğu üzerinde genel denetim yetkisinin de verildiği Meczupluk Kurulu'ndan ruhsat almalarını zorunlu kılan bir yasa çıkardı. Fransa'da olduğu gibi, böyle bir planı çok önce, daha 1816'da ortaya atan reformcular, hedeflerine ulaşmak için hatırı sayılır bir muhalefeti aşmak zorunda kaldılar; bu muhalefetin dayanağı hem yeni akıl hastanelerinin maliyeti hem de temsil ettikleri merkeziyetçiliğin genişlemesiydi. Yasanın yürürlüğe girmesinden sonra bile cimriliğe ve yerel yetkililerin Westminster'dan dayatmalara direnişine dayalı bildik bileşimin harekete geçirdiği ayak direme bir ölçüde sürdü. Ama 1860'a doğru akıl hastanesi devrimi esas itibariyle tamamlandı. Ülke genelinde kurulan yeni il akıl hastaneleri, delilerin yarattığı sorunlar için tercih edilen çözüm haline geldi. Kâr yönelimli özel akıl hastanelerini yönetenler de Whitehall'daki Meczupluk Kurulu'nun gözetimine alıştılar.

Almanca konuşulan bölgelerde her bakımdan daha çapraşık bir tablo çıkar karşımıza. Avusturya'da, imparatorluk yetkilileri devasa Viyana Genel Hastanesi'nin bahçesinde 1784'te bir *Narrenturm* ("Aptallar Kulesi") kurmuşlardı. Meczupların kapatılıp zincirlendiği parmaklıklı hücreleri bulunan bu kasvetli binanın, 19. yüzyıl reformcularının tasarladığı türden yerlerle hiçbir ortak yanı yoktu. Bruno Görgen'in (1777-1842) Avrupa'nın başka kesimlerinde kurulmakta olan yeni akıl hastanelerine benzer bir küçük özel kurumu 1819'da Viyana'da açmasına karşın, imparatorluk yetkilileri başka yerlerdeki gelişmelere kayıtsız kaldılar ve ilk yeni devlet akıl hastanesi ancak 1853'te kuruldu.[15]

Almanya'nın siyasal parçalanmışlığı ve Napoléon ordularının 19. yüzyıl başlarındaki tahribatı, derme çatma ve heterojen bir yapının ortaya çıkmasına yol açtı. Napoléon'un geri çekilişi sırasında, Ren'in batısındaki Alman prensleri bunu fırsat bilip kilise mülklerine el koydular; böylece bir dizi şato ve manastır, meczupları barındıracak yerlere dönüştürüldü. Başka yerlerde tamamen yeni akıl hastaneleri kuruldu; 1811'de Saksonya'daki Sonnenstein'la başlayan bu hamle 1825'te Ren bölgesindeki Siegburg'la, ardından 1830'da Sachsenburg'la ve 1842'de Illenau'yla sürdü. Yüzyılın ortalarına varıldığında, eski Kutsal Roma-Germen İmparatorluğu'nun karmaşık siyasal coğrafyasında belki elli akıl hastanesi vardı; bunların yirmi kadarı (çok küçük) özel kurumlardı. Yekpare bir kurumsal yapıdan uzak olmakla birlikte, bu akıl hastanelerinin birçoğu deliliğe modern bir yaklaşıma ve başka yerlerde benimsenen tedavi tekniklerine bağlı olma iddiasındaydı.[16]

İtalya da Napoléon'un askeri maceralarıyla fena halde altüst olmuştu. Ama Napoléon'un 1815'teki nihai yenilgisinin ve sürgüne gönderilişinin

15 Helmut Gröger, Eberhard Gabriel ve Siegfried Kasper (ed.), 1997.
16 Eric J. Engstrom, 2003, s. 17-23.

ardından, Avusturyalı diplomat Prens Metternich'in meşhur tabiriyle, "bir coğrafi tezahür" statüsüne döndü. Viyana Kongresi (1815) ülkeyi siyasal açıdan bölen ortaçağ kent-devletlerinden kalma bağımsız siyasal yapılara dayalı yamalı bohçayı geri getirdi; ayrıca kuzeydoğu kesimindeki Avusturya egemenliğinin yanı sıra Roma ve çevresindeki papalık otoritesini yeniden sağladı. Şimdiki İtalya'nın büyük bölümünü oluşturan topraklar 1860'ta bile hâlâ dört devlet arasında bölüşülmüş haldeydi; Roma ve papalık devletleri ancak 1870'in sonunda krallığa katıldı.

Dolayısıyla, tıpkı Almanya'da olduğu gibi, tek bir akıl hastanesi düzeni ortaya çıkmadı. Roma (yak. 1300), Bergamo (1352) ve Floransa (1377) gibi kentlerde geçmişi ortaçağa inen eski gözetim kurumları vardı; bunlar büyük ölçüde kapatma mekânı işlevini gören dinsel vakıflardı. Venedik San Servolo'da 1725'te din adamlarının yönettiği bir "Deliler Adası" oluşturmuştu; Shelley ilk başta sadece erkeklerin konulduğu bu yeri Byron'la birlikte ziyaret ettiğinde, "penceresiz, şekilsiz ve kasvetli bir yığınak"[17] olarak nitelendirecekti. San Clemente adlı başka bir adadaki eski bir manastır 1844'te deli kadın hastaları almaya başladı (bkz. s. 358). Keşiş hücrelerini akıl hastalarını barındıracak şekilde uyarlamak kolay bir işti. Toskana'da Floransa resmi makamları 1774'te akıl hastalarının gözetim altına alınmasına izin vermişti. On beş yıl sonra Floransalı hekim Vincenzo Chiarugi (1759-1820) zincir kullanılmasını yasaklatmaya ve (akıl hastalarını da barındıran) Santa Dorotea Hastanesi'nde ve daha sonra eski San Bonifacio Hastanesi'nde (Resim 28) bir manevi tedavi biçimini benimsetmeye çalıştı. Bu reform girişimleri, 1820'deki ölümünden sonra kesildi.

Bu az çok eski dinsel vakıflara 19. yüzyılın ilk yarısında Aversa (1813), Bologna (1818), Palermo (1827) ve Cenova (1841) gibi kentlerdeki bir avuç yeni akıl hastanesi eklendi. Özellikle Kuzey ve Orta İtalya'da akıl hastaneleri 19. yüzyılın ikinci yarısında daha da arttı ve bazıları doğrudan taşra yetkililerince kuruldu. Akıl hastanesi açma bakımından İtalya'nın Avrupa'da en geri konumda olmasından acı biçimde yakınan İtalyan akliyeci Carlo Livi'ye (1823-1877) göre, bunun sebebi "devletlerin miskinliği ve ihmali"ydi.[18] Delilere kamu hizmeti sunan İtalyan illerinin sayısı 1890'da bile ancak on yediydi. Ülkenin büyük bir bölümünde sınırlı kurumsal bakımı din esaslı hayır kuruluşları sağlamaktaydı. Toplam seksen üç İtalyan akıl hastanesinden sadece otuz dokuzu devlet desteği almaktaydı. Yüzyıl sonuna doğru bu kurumların tamamındaki hasta mevcudu (dört bine yakını daha yüksek nüfuslu Güney İtalya ile Sicilya ve Sardinya adalarında olmak üzere) ancak

17 Percy Bysshe Shelley, "Julian and Maddalo: A Conversation" (1818-1819).

18 Carlo Livi, "Pinel o Chiarugi? Lettera al celebre Dott. Al. Brierre de Boismont..., *La Nazione*, VI, 18, 19, 20 Eylül 1864, akt. Patrizia Guarnieri, 1994, s. 249.

Almanya'nın Baden bölgesindeki Illenau Akıl Hastanesi, 1865. İlk başta 400 yataklı olarak 1842'de inşa edilen kurum, kısa sürede genişletilerek çok daha fazla hastayı barındıracak hale getirildi. Siyasal parçalanmışlık içindeki Almanya rasyonel ve merkezi bir akıl hastanesi sistemi kuramadı; çoğu Alman akıl hastanesi, tıpkı Illenau gibi tenha kırsal alanlarda inşa edildi.

22 bindi; bu da oran bakımından diğer Batı Avrupa ülkelerindeki düzeyden çok düşüktü.[19]

Çarlık Rusyası akıl hastanesini benimsemede daha da ağır davrandı. Kırım Savaşı'ndan (1853-1856) sonra, Rus resmi makamları tıp eğitimini yeniden düzenlemeye çalıştı ve delileri kurumlara yatırmak için ilk kez planlar yaptı. St. Petersburg'daki itibarlı Askeri Tıp Akademisi'nde açılan bir okulda, akıl hastanelerinde görev yapacak bir avuç doktor eğitilmeye başlandı. Öte yandan, çarlık rejimi imparatorluğun her yanında taşra yönetimlerini akıl hastaneleri kurmaları için sıkıştırdı. Bunların başkentten dayatılan katı planlara göre inşa edilmesi, yerel koşulların göz ardı edildiği yönünde şikâyetlere yol açtı. Program sonuçta yavaş ilerledi. Ayak direyen Moskova, uzun süre akıl hastalarına bakımın en ilkel ve yetersiz düzeyde olduğu kentler arasında kaldı.[20] Rus psikiyatrisi diğer ülkelerdeki durumu aşan bir ölçüde, devletin bir kuklası olma özelliğini taşıdı.

İngiltere'nin Amerikan kolonileri belki de kentsel merkezleri düşük nüfuslu sınır toplumu yapısından dolayı, meczuplarla başa çıkmayı büyük

19 Silvio Tonnini, 1892, s. 718.

20 Bkz. Julie V. Brown, 1981.

ölçüde eski tarzda, yani aile bakımıyla ya da belde içindeki geçici düzenlemelerle yürütmüştü. Bağımsızlık Bildirgesi'ni (1776) izleyen yıllarda, tedrici bir değişim yaşandı. Düşkünler için kurulan evler ve yurtlar bazı yoksullara kapılarını açtı; Avrupa'da da olduğu gibi, hapishaneler ve ıslahevleri serserileri ve suça yatkın kişileri cezalandırmanın aracı olarak kullanılmaya başlandı. York Dinlenme Merkezi'ndeki Quaker hekimlerin uyguladığı manevi tedavinin uluslararası ilgi görmeye başladığı İngiltere başta olmak üzere, Avrupa'daki paralel gelişmelerin yoğun etkisiyle, hayır amaçlı birkaç küçük akıl hastanesi açıldı. Bu sözde kurumsal akıl hastanelerinde Avrupalı reformcuların teşhir ettiklerine yakın kepazelikler ortaya çıkmadı; ama bu durum en çok öne çıkan Kuzey Amerikalı reformcu, manevi tedavinin ilginç girişimcisi Dorothea Dix'i (1802-1887), tımarhane reformu davasını benimsetmeye dönük benzer örnek dehşet hikâyelerini uydurmaktan alıkoymadı.

Kendi dengesiz akli durumuna çözüm arayışıyla bir süre İngiltere'de kalan Dix, doğduğu Boston'a döndüğünde, Cambridge Hapishanesi'nde suçlularla birlikte tutulan bir dizi meczupla karşılaştı. Böylece reformculuk kariyerine derhal soyundu. Kendi eyaleti Massachusetts'in yasama meclisi üyelerine 1843'te gönderdiği ilk tezkerenin hem üslubu hem de içeriği Avrupa'da dile getirilen şikâyetleri andırır nitelikteydi: "Beyler, size, bu cumhuriyette kafeslere, helalara, ahırlara, kümeslere kapatılan akıl hastası kişilerin mevcut durumuna kısaca dikkatinizi çekmek için başvuruyorum! Onları yola getirmek için zincirliyor, çıplak bırakıyor, sopalarla dövüyor ve kamçılıyorlar!"[21] Anlattığına göre, sözgelimi Newburyport Düşkünler Yurdu'nda yıkık bir kulübeye kapatılan bir deli adam görmüştü; baraka kapısının avluya değil, morga açılması "sağlarla yarenlik etmek yerine, cesetleri seyredip düşünceye dalmasını" sağlıyordu. Yakındaki "bir bodrum"a kapatılan başka bir yurt sakini vardı; kapısına vurulan asma kilitle karanlıkta bırakılan bu deli kadın "yıllarca" aralıksız inleyip durmuştu.[22]

Sonraki yıllarda tek başına eyaletten eyalete dolaşan, Amerikan kırlarının içlerine dalan, suları taşmış Mississippi'yi sığ geçitlerden aşan ve bir Yanki reformcu olarak Güney bölgesinde ayak basmadık yer bırakmayan Dix, gittiği her yerde erkek politikacıları, tecrit edilen akıl hastalarının yaşadığı dehşetle sarstı. Her eyalette yerel örnekleri didik didik aradı ve örneklerin çok az olduğu ya da pek görülmediği durumlarda, uydurma ve abartma yoluna gitmekten geri kalmadı. Hızını alamayıp yalanlara başvurmaktan pek

---

21 Dorothea Lynde Dix, 1843, s. 4. David Gollaher, Dix'in kariyerini ilginç bir yaklaşımla anlattığı kitabında (1995) İngiliz tımarhane reformcularını doğrudan kaynak almış olmasına dikkat çeker. Burada onun örnek biyografisini esas aldım.

22 Dorothea Lynde Dix, 1843, s. 8-9. Bu tasvirin York Akıl Hastanesi'nin iç kısımlarına kapatılmış hastaların durumunu teşhir edenlerin anlatılarını çağrıştırması elbette bir tesadüf değildir.

Dorothea Dix: Yaşadığı Amerikan eyaletine akıl hastanesini getirtmek için bıkıp usanmadan kampanya yürüten bir manevi tedavi girişimcisi.

kaçınmadı. Kadınların siyasetten ve kamusal yaşamdan sıkı biçimde dışlanmış olmasına karşın, kararlılığı, azmi, kulis yapma ve sıkıştırma hevesi çoğu durumda bütün engelleri yıktı. Politikacıları defalarca dize getirdi ve onun tavsiyelerini benimsemeye bir şekilde mecbur etti. Güney bölgesindeki başarısında köleliğin kötülüklerini tamamen görmezlikten gelişinin büyük payı vardı. Akıl hastaları mazlum ve talihsiz bir sınıfın mensuplarıydı, ıstırapları acil yasal müdahaleyi ve yardımı gerektiren hemcinslerdi. Köleler onun için her nasılsa görünmez ya da dikkate değmez bir kesimdi.

ABD'nin federal yapısı akıl hastanesi açma sürecinin biraz sancılı ilerlemesine yol açtı; çünkü her eyalette ayrı yasal düzenlemelere gerek vardı. Ama Bayan Dix'in yılmayan kişiliğiyle, eyaletler teker teker hizaya geldi. Direnen son kalelerin düşmesinden sonra, Dix kısa bir süre için gayretini İskoçları ıslah etmeye yöneltti. Siyasal özerkliğin son kalıntılarını korumaya çalışan İskoç resmi makamları, delilerinin bakımını ailelerine ve şahsi hayırseverliğin kaprisine bırakmışlardı. Devlet zorlamasının ya da İngiliz Yoksullar Yasası'nın moral bozucu etkilerine katkıda bulunmaya niyetleri yoktu. Buna aldırmayan Dix, ikna gücünü yitirmediğini İngiliz politikacılar üzerindeki etkisiyle kısa sürede kanıtladı. Yabancı (üstelik kadın!) birinin müdahalesine yerel muhalefete rağmen, Westminster'ı vergilerle desteklenen akıl hastanelerine dayalı İngiliz modelini ve Meczupluk Kurulu'nun denetimini dayatarak kuzeydeki Kalvencilere yaptırması için sıkıştırdı. Doludizgin bir kampanyanın tamamlanmasından ve yasanın başarıyla çıkmasından sonra tekrar ABD'ye döndü ve son yıllarını "ilk doğan çocuk" olarak anmaktan hoşlandığı Trenton New Jersey Eyalet Akıl Hastanesi'nin bir odasında geçirdi.[23]

Dix'e göre, akıl hastanesi uygarlığın bir sembolüydü; "bütün uygar ve Hıristiyan ülkelerde çok genelleştiği için, bu görevin ihmali ağır suç sayılabilir"di.[24] Kraliçe Victoria'nın hekimi Sir James Paget (1814-1899) daha sonra aynı kanaati dile getirerek, modern akıl hastanesini "dünyanın sunabileceği gerçek uygarlığın en kutlu tezahürü" olarak nitelendirdi.[25] 19. yüzyıl ortalarının toplumu, insanlığın ve bilimin elde ettiği zaferin sembolleri sayılan akıl hastaneleriyle gurur duymaktaydı. Bu yeni kurumların doğuşunun neredeyse ütopyacı umutlarla kuşatılmış oluşu, çekiciliklerine çok büyük katkıda bulundu.

Dolayısıyla, Avrupalı reformcular gibi, Dix'in de tımarhanenin (Resim 29) ve akıl hastalarını kilit altında tutan diğer kurumların dehşetine karşı çözümü akıl hastanelerini kurmakta görmesi, dikkate değer bir atılımdı. Akıl hastaneleri elbette soruşturmalarda teşhir edilenden çok farklı bir modele göre düzenlendi. Ama sonuçta onlar da sığınma yerleriydi. Akıl hastalığının mekânındaki bu köklü değişimin dikkate değer bir hızla yerine oturması, deliler açısından yüz yılı epey aşkın süre devam edecek ve zaman içinde Batı emperyalizminin etkisiyle geri kalan dünyaya belirli bir ölçüde yayılacak büyük bir kapatılma sonucunu doğurdu.

EMPERYAL PSİKİYATRİ

Yerli toplulukların kısmen yok edildiği ya da başka yollarla etkisizleştirildiği İngiliz göçmen kolonilerinde (Kanada, Avustralya, Yeni Zelanda) Britanya'daki kurumları örnek alan akıl hastaneleri nispeten hızlı bir süreçte ortaya çıktı.[26] İlk göçmenlerdeki erkek ağırlığı, akıl hastanesine düşen erkek hastaların fazla oluşuna yansıdı ve görünüşe bakılırsa azılılar Avrupa'ya nazaran daha yüksek orandaydı. Güney Afrika'daki Kap Kolonisi'nde delileri hastaneye yatırma

---

23 Dix'in İskoçya gezisi için bkz. Andrew Scull, Charlotte MacKenzie ve Nicholas Hervey, 1996, s. 118-121.

24 Dorothea Lynde Dix, 1845, s. 28-29.

25 George E. Paget, 1866, s. 35.

26 Örneğin bkz. Stephen Garton, 1988; Catherine Coleborne, 2001; Thomas Brown, 1980.

daha geç başladı. Sonradan Nelson Mandela'nın ve diğer Afrikalı milliyetçilerin *apartheid* [yasal ayrım] politikası uyarınca kapatıldığı hapishane kolonisi olarak nam salacak Robben Adası, 1846'da cüzamlı, kronik hasta, akıl hastası gibi baş belası sayılan kişilerden oluşan heterojen bir kitlenin kapatılacağı bir "genel revir", daha doğru ifadeyle bir "çöplük" olarak seçildi. Ama buranın akıl hastası mevcudu iki yüz düzeyine bile ancak 1890'larda ulaştı.[27]

Sadece ufak bir beyaz idareci sınıfın bulunduğu sömürgelerde akıl hastaneleri genellikle daha da geç sahneye çıktı. Örneğin, Nijerya'da ilk akıl hastaneleri 20. yüzyıl başlarında kuruldu ve o dönemde bile gözetim yerleri olmanın ötesine geçmedi. 1930'ların ortalarında bir tedavi düzeni oluşturmaya dönük girişimlerde bulunulsa bile, aslında hiçbir temel değişiklik olmadı.[28] Çoğu "yerli" bazen *rauvolfia* adlı bitkiden türetilmiş bir şifalı otu kullanan geleneksel Yoruba şifacılarının biraz yardımıyla, ailelerinin denetimi ve bakımı altında kalmaya devam etti. İşin garibi, Batılı psikiyatrlar 1950'lerde hastalarını tedavide, sakinleştirici etkilerinden dolayı Hint halk hekimliğinde de bir delilik devası olarak kullanılan aynı kaynaklı bir alkaloitle (rezerpin) deneylere girişecek (Resim 27) ama kısa bir süre sonra kendi geliştirdikleri psikotropik ilaçları tercih edeceklerdi.[29]

Hindistan'da İngiliz Doğu Hint Kumpanyası, deliren memurlarının yarattığı sorunu çoğunlukla onları Londra'ya geri göndererek çözdü ama beyaz delilerin sayıca artmasıyla bu çare işe yaramamaya başladı. Aklını kaçırmış Avrupalıların varlığı beyaz üstünlüğü ideolojisi için bariz bir tehdit oluşturduğundan, akıl hastası Raj temsilcilerinin gözlerden uzakta güvenle tutulabileceği mekânlar kurmak için önemli bir saik sağladı.[30] Sömürge makamları deliren "yerli"lere sınırlı bir bakım sunmaya daha sonra yöneldiler; üstelik bu kurumlarda Batı tedavi modellerine ve tekniklerine yavaş bir süreçle geçildi.[31]

Fransa da Magrip'te, Çinhindi'nde ve başka yerlerde sömürge akıl hastaneleri açtı; bunlar güya hizmet verdikleri toplumlardan neredeyse tamamen kopuktu.[32] Bunlardan biri olan Cezayir'deki Blida-Joinville Hastanesi 1953'te Martinik asıllı genç bir siyah olan Frantz Fanon'u (1925-1961) psikiyatri bölümünün şefliğine getirdi. Daha önce siyah aydının beyaz dünyadaki yerine ilişkin sert bir eleştiri niteliğindeki *Black Skin, White Masks* [Siyah Ten, Beyaz Maskeler, 1952] kitabını yayımlamış olan Fanon, idaresindeki akıl hastanesinde ırk ayrımını ortadan kaldırmaya hemen girişti. Ama Cezayir

---

27 Harriet Deacon, 2003, s. 20-53.

28 Bkz. Jonathan Sadowsky, 1999.

29 *Rauvolfia serpentina* Batı tıbbında yüksek tansiyon tedavisi için hâlâ küçük bir ölçekte kullanılıyor.

30 Waltraud Ernst, 1991.

31 Böyle bir kurum üzerine ilk kapsamlı inceleme için bkz. Waltraud Ernst, 2013.

32 Richard Keller, 2007; Claire Edington, 2013; daha genel bir değerlendirme için bkz. Sloan Mahone ve Megan Vaughan (ed.), 2007.

Bağımsızlık Savaşı'nın patlak vermesinden sonra, Fransızların işkenceye başvurduğunu (gerek işkenceyi uygulayan gerekse işkenceye uğrayan hastaları sayesinde) öğrenince, derhal görevinden ayrılarak Cezayir Ulusal Kurtuluş Cephesi'nin yanında yer aldı. Kısa ömrünün son aylarında yayımladığı *Les Damnés de la tere* [Yeryüzünün Lanetlileri] kitabında, sömürgeci zalimlerin ancak şiddet dilinden anladığını savundu. Uluslararası düzeyde yüksek satışa ulaşan ve bağımsızlık mücadelesi veren toplumlarda bir süre olağanüstü etki yaratan kitap, metropollerdeki birçok kişiyi de ırksal tahakkümün psikolojik sonuçları üzerine yeniden düşünmeye yöneltti. Sömürge psikiyatrisi çoğu kez emperyal devletlerin çıkarlarına hizmet ederken, en azından bu örnekte öyle olmadığı kesindi.

Batı emperyalizmine doğrudan boyun eğmeyen Çin ve Japonya gibi ya da sömürgeci boyunduruğu kıran Arjantin gibi ülkelerde bile akıl hastanesi modeli zamanla kökleşti. Modelin savunucuları, uygar bir toplumun işareti olduğunu ileri sürdüler. Arjantin'in 1810'da İspanya'dan bağımsızlığını kazanmasına karşın, ulusal bütünleşme ancak yüzyılın ortalarında sağlanmaya başladı. İç ve dış savaşların bitmesiyle birlikte, ülke Avrupa'dan göçmen akınına uğradı. Buenos Aires'in yeni ortaya çıkan Porteño elit tabakası, uygar bir ulusun mensupları olarak görülme ve Avrupa'nın beğenisini kazanma hevesiyle, akıl hastanesi sistemini çarçabuk benimsedi. Eğitimli Arjantinlilerin bir barbarlık ara dönemi olarak gördükleri Rosa diktatörlüğüne denk gelen 1854'te kadınlar için bir kurum açıldı; bunu kısa bir süre sonra Buenos Aires'te erkekler ve kadınlar için hayır kurumları izledi.[33]

Çin'in Batı tarzındaki ilk akıl hastanesi, Amerikalı misyoner John G. Kerr (1824-1901) tarafından 1898'de Kanton'da (bugün Guangzhou) açıldı. Bunu 1912'de bir Pekin belediye akıl hastanesi izledi; ancak ilk yıllarında bir Batı akıl hastanesi modelinden ziyade, geleneksel doğrultuda polisçe yönetilen bu kurum düpedüz bazı delilerin yol açtığı kamusal zararları bertaraf etmenin bir yoluydu. 1920'lerde ve 1930'larda kısmen Rockefeller'in akıttığı parayla (bkz. s. 323) belediye akıl hastanesini "ıslah" etmeye ve Batı psikiyatrisinin kuşkulu yararlarını, bu yaklaşımı büyük ölçüde anlamayan Çin toplumuna sunmaya yönelik sonraki girişimler ancak sınırlı ve son derece kısa süreli etki yarattı. Modernleşmeden yana olan elitler, Batı tıbbını Cumhuriyetçi Çin'in ülkeyi güçlendirme ve yırtıcı Batılı devletlerle başarılı şekilde rekabet etmesini sağlama uğraşının can alıcı bir bileşeni olarak gördüler; ama çok az ilerleme sağlanmasında, bunun kültür emperyalizmi izlenimi uyandırmasının küçümsenmeyecek payı vardı.[34]

33 Jonathan Ablard, 2003; E.A. Balbo, 1991.

34 Bu hususlarda harika ve ayrıntılı bir açıklama için bkz. Emily Baum, 2013.

Aşağı yukarı aynı kalıp Japonya'da da gözlemlenebilir. Meiji rejimi delilere dönük kurumsal tedaviyi öngören Akıl Hastaneleri Yasası'nı ancak 1919'da, yani Avrupa'da ve Kuzey Amerika'da benzer çabalara girişilmesinden yaklaşık yüz yıl sonra çıkardı. O aşamada, anlaşıldığı kadarıyla, Japonya'daki akıl hastalarının üç bin kadarı zaten bir tür kurumda yatmaktaydı. Yeni yasanın kapatılan hasta sayısında hızlı bir artış sağlamasıyla, böyle kurumlardaki hasta mevcudu 1940'ta 22 bine ulaştı. Ama 55 milyon nüfuslu bir toplum olduğu göz önünde tutulursa, hastaneye yatırma oranının on katın epey üzerinde olduğu Britanya'ya ya da ABD'ye kıyasla, Japonya'da bu rakam delilerin ancak küçük bir kesimine denkti.[35] Delilerin birçoğu hâlâ ailelerinin sorumluluğundaydı ve bir rahatsızlık yarattıklarında, özellikle de azılı ve şiddete eğilimli olduklarında sıkı gözetim altında tutulmaktaydılar. Batı psikiyatrisinin ilkelerine göre değil, daha ziyade geleneksel kocakarı usulü devalarla ve din esaslı müdahalelerle tedavi yaklaşımı ağır basmaktaydı.

Japonya, Batı modelinde akıl hastanesini Avrupa'dan ve Kuzey Amerika'dan yaklaşık yüz yıl sonra benimsedi. Ev hapsindeki bir hastanın görüldüğü 1910 tarihli bu fotoğraf, 19. yüzyıl reformcularının Avrupalı ve Amerikalı ailelerin akıl hastası bir akrabayla başa çıkma tarzına ilişkin tasvirlerini yansıtıyor.

Gerek siyasal gerekse kültürel yönüyle emperyalizm, delileri kuruma yatırma anlayışını yerkürenin her yanına yaydı; ama anavatana çok benzeyen ve onun yolundan giden göçmen koloni devletleri bir yana bırakılırsa, psikiyatrik büyük kapatmayı ihraç etmeyi sadece birkaç yerde başardı. Hiç kuşkusuz, Batılı hekimler yerli inançlara ve âdetlere tepeden bakan bir tutum içindeydiler. Bunların güçlü olduğu, akıl bozukluğuna ve tedavisine ilişkin geleneklere dönüştüğü her yerde, yerel halk iyiliği karşılıksız bırakmadı. Emperyal psikiyatri böyle ortamlarda yaygın yerel âdetleri dönüştürmede neredeyse genelde muazzam güçlükle karşılaştı. Yerli tutumları göz ardı etme, bastırma ve geçersiz kılma yönünde ne kadar uğraşılırsa uğraşılsın, bu çabalar boşa çıkmaya mahkûmdu.

35 Akihito Suzuki, 2003.

MANEVİ TEDAVİ

İngilizce konuşulan dünyada, Bölüm Beş'te kısaca değinildiği gibi, 1792'de küçük bir kurum olarak ortaya çıkan York Dinlenme Merkezi olağanüstü bir etki yarattı. Öncülük ettiği yönetim tekniklerinin aynı dönemde İngiltere'nin içindeki ve dışındaki başka yerlerde de keşfedilmesine karşın, çay ve kahve ticaretiyle uğraşan Tuke ailesinin önerdiği versiyon, reformcular için ilham ve model işlevini gördü. York Dinlenme Merkezi'nde zincirler bir tarafa bırakıldı ve her türlü fiziksel şiddet ve zorlama yasaklandı. Tek çatı altında toplanmış delilerle başa çıkma göreviyle karşı karşıya kalan başkaları da önceki konsensüsten kopmaya başlamışlardı ve "kendini tutma alışkanlığını kazandırma"yı öne çıkarıyorlardı. Kendi tecrübelerinden çıkan sonuç, bunun zorlamadan ziyade küçük ödüllerle, hastaların kendilerini denetleyebileceğine güveni ima eden davranışlarla ve bunu başardıklarında övgü yoluyla sağlanabileceği yönündeydi.[36] William Tuke ve torunu Samuel bu gözlemleri sistemleştirip yaygınlaştırdılar.[37]

Görünüşe bakılırsa, deliler teşviklere ve duygulara aklı başında kişiler kadar duyarlı olabilirdi. Hemen herkeste var olan akıl kalıntılarından, aksi eğilimleri bastırmayı özendirecek ortamın ustalıkla düzenlenmesiyle yararlanılabilirdi. Aslına bakılırsa, "hastaya zihin durumu elverdiği ölçüde rasyonel bir varlıkmış gibi davranmak", onun kendini eğitip disiplin altına alması umudunu verecek tek yoldu. Özenle düzenlenmiş bir tedavi ortamı içinde yürüme, konuşma, çalışma, bakıcıyla birlikte çay içme yoluyla, hastalara kendilerini dizginlemeleri öğretilebilirdi. "Marazi eğilim"leri yüze vurma ya da kötüleme yoluna gidilmemeliydi. "Tam tersi bir yöntem izlenir. Zihni, hoşa giden ama mutsuzluk veren derin düşüncelerden caydırmak için her yola başvurulur."[38]

William Tuke'un yeni kurumu için "dinlenme merkezi" adını seçmesi bile öngörülen rolüne işaret eder: Dünyayla başa çıkamayanların rahat edebileceği insanca ve şefkatli bir ortam sağlamak. Ortamın çok önemli bir unsuru, meczubun kendini içinde bulduğu binanın fiziksel mimarisiydi; çünkü akıl hastaları çevrelerine çok duyarlıydı ve hapishane havasını hatırlatan şeylerden her ne pahasına olursa olsun kaçınılmalıydı. Dinlenme merkezine ev görünümünün verilmesi, pencerelerdeki parmaklıkların ahşapmış gibi görünecek şekilde gizlenmesi ve bahçenin etrafında yüksek ve ürkütücü bir duvarın yerine gizli bir hendeğin yer alması bu yüzdendi. Çalışmaya önem

36 John Ferriar, 1795, s. 111-112 (Ferriar Manchester Akıl Hastanesi'nin hekimlerindendi). Başka bir tımarhane müdürünün benzer görüşleri için bkz. Thomas Bakewell, 1805, s. 56-56, 59, 171.

37 Özellikle bkz. Samuel Tuke, 1813 (Kitabın Amerikan baskısı birkaç ay içinde Philadelphia'da çıktı).

38 Samuel Tuke, 1813, s. 133-134, 151-152.

İngilizce konuşulan dünyada tımarhane reformcularının gözünde örnek kurum olan York Dinlenme Merkezi'nde binayı dış dünyadan ayıran yüksek duvarlar ya da parmaklıklar yoktu.

verilmesinin amacı, sonradan benimsenecek yaklaşımla, masrafları kısmak değil, "hastaları kendilerini dizginlemeye yöneltebilecek metotlarla, düzenli istihdamın belki de genel olarak en etkili yol" olmasıydı.[39]

> [Yararı gözeten bir bakışla] hastanın mutluluğuna katkıda bulunabilecek her şeyin, hazlardan yoksun kalmama isteği uyandırarak ve akli dengesizliğe sıklıkla eşlik eden sinirliliği azaltarak, kendini dizginleme arzusunu artırdığı saptanmıştır. [...] Dolayısıyla, tedaviye dönük bir bakış açısından, hastaların rahatı en önemli husus sayılmaktadır.[40]

İngiliz tımarhane reformcularına yön veren ve onlarda akıl hastanesine dönük şevk uyandıran şey, York Dinlenme Merkezi tecrübesiydi. İskoç akliyeci William Alexander Francis Browne (1805-1885) gibi tanıtımda becerikli kişiler, böyle bir manevi tedaviye, geleceğin akıl hastanesinin, delileri akıl sağlığına kavuşturacak "manevi mekanizma"nın temeli olarak destek verdiler.[41] Yeniden düzenlenen ilk Amerikan akıl hastaneleri, Tuke'un kurumunu dış görünüşüne varıncaya kadar örnek aldılar. Philadelphia'da ve New York'taki Quaker'lar aileyle doğrudan yazıştılar ve onlardan aldıkları tavsiyeleri ya-

---

39 Samuel Tuke, 1813, s. 156.

40 Samuel Tuke, 1813, s. 177.

41 William A. F. Browne, 1837.

yımladılar. Onların kurduğu Frankford Dinlenme Merkezi ve Bloomingdale Akıl Hastanesi, daha sonra Connecticut'taki Hartford Dinlenme Merkezi ve Boston McLean Akıl Hastanesi tarafından esas alındı.[42] Dorothea Dix akıl hastanesi sisteminin yararlarını her yerde tanıtmaya dönük kampanyasında, yeniden düzenlenmiş bu akıl hastanelerinin varlığına işaret etti ve onların istatistiklerine başvurdu.

Philippe Pinel devrim sonrası Paris'in elverişsiz ortamında çok benzer ilkeleri keşfetmişti. Onun ortaya attığı *traitement moral* [ahlaki iyileştirme] ağırlıklı olarak Bicêtre'nin idarecileri Jean-Baptiste Pussin'in ve karısı Marguerite'in tecrübelerine dayanmaktaydı (bkz. Bölüm Beş); karı koca çok daha büyük ve daha gizli bir ortamda olsa bile delileri tedavi konusunda Tuke'la aynı sonuçların birçoğuna kendi başlarına varmışlardı.[43] Onların yönlendirdiği Pinel, şunu kabul etti:

> Demir zincir kullanmanın psikiyatri hastaları üzerindeki etkilerini çok dikkatle inceledikten ve demir zinciri kaldırmanın sonuçlarıyla karşılaştırdıktan sonra, daha akıllıca ve yumuşakça dizginleme konusunda artık hiçbir kuşkum yok. Uzun yıllar zincirlere bağlanmış ve sürekli bir azgınlık halinde kalmış hastalar, basit bir deli gömleği içinde sakince yürür ve herkesle konuşur duruma geldiler; oysa daha önce hiç kimse büyük tehlikeye düşmeksizin onlara yaklaşamazdı. Tehditkâr bağırmalar ya da yüksek sesli tehditler son buldu ve gergin halleri gittikçe geçti.[44]

İngiliz meslektaşları gibi, Pinel de "dengesiz hastaların aile sinesinde pek iyileşemeyeceği [...] tam tecrit edilmiş hastaların en kolay şekilde iyileştikleri" görüşünü ısrarla savundu. Ona göre, yakın akrabaların varlığı "onların gerginliğini ve uslanmaz karakterini her zaman artırırken", bir akıl hastanesindeki vasıflı personelin elinde, hastalar "uysal ve sakin" hale gelirlerdi.[45] Bu sürece yardımcı olma açısından, akıl hastanesinin iç düzeni büyük öneme sahipti. En dengesizlerden başlayıp, deliliğin gerilemeye yüz tuttuğu aşamaya ve nekahet koğuşlarına kadar varmak üzere, fiziksel bakımdan ayırma manevi sınırları pekiştirmeye yarardı. Daha geniş özgürlükle, çalışma ve eğlenme fırsatıyla birlikte, bu sistem hastaları bozulmuş melekelerini ve duygularını denetim altına almaya yöneltmenin daha kapsamlı yollarını sağlardı. Örneğin, bu sürecin ara aşamalarında hastalara yaklaşım şöyleydi:

---

42 Andrew Scull, 1981b.

43 Madam Pussin'in çalışmalarına övgülerinin bir örneği için bkz. Philippe Pinel, 2008 [1809], s. 83-84.

44 Philippe Pinel, 2008 [1809], s. xxiii, n. 2.

45 Philippe Pinel, 2008 [1809], s. 101-102.

Arızi bir sebebe bağlı bazı geçici gerginlik durumları dışında, serbest bırakılırlar ve tam hareket özgürlüğünden yararlanırlar. Ağaçların altında veya bitişikteki ferah bir çitli alanda dolaşırlar; içlerinde nekahet aşamasına yaklaşanlar hizmetçi kızların çalışmalarına katılarak, su çekmeyle, binadan çöp çıkarmayla, parke taşlarını yıkamayla ve az çok enerji gerektiren başka ağır işlerle oyalanırlar.[46]

Manevi tedavinin çeşitli savunucularının hepsi, her bir hastasının özelliklerini bilen, tedaviyi her vakanın özgün yönlerine göre hızla değiştirebilen ve akıl hastanesi personelinin hastalara kötü davranma eğilimine karşı sürekli bir denetim uygulayan tek bir müdürün kurumu yönetmesine ağırlık vermede hemfikirdi. Pinel'in ölümünden sonra en etkili Fransız akliyecisi haline gelen baş asistanı Esquirol, bu konsensüsü şöyle ifade etmişti: "Akli dengesizler için, doktor bazı bakımlardan bir hastanenin hayat ilkesi olmalıdır. Her şeyin harekete geçişi onunla başlamalıdır. Bütün düşüncelerin düzenleyicisi olduğuna göre, bütün eylemleri düzenleyen de o olmalıdır."[47]

Yeniden düzenlenen ve manevi tedavi ilkelerine göre yönetilen akıl hastanelerinin daha önce akıl hastalarının çürümeye bırakıldığı tımarhanelerle ve zindanlarla nasıl hiçbir benzerliği yoksa, yeni kuşak müdürler de öncellerinden gayet farklı olmalıydı. Geçmişte "akıl hastalarına bakımın tıp ve başka alanlardan gelme vurguncuların tekelinde olması, mazbut ve iyi eğitimli hekimleri rekabete girmekten ve hatta kendilerini aynı şeyi yapacak ehliyette görmekten caydıran rezilce bir damga" yaratmıştı. Sonunda böyle şarlatanların yerini "üstün dürüstlüğe ve onura" sahip meslekten kişiler almaya başladı.

> [Onların] manevi ve maddi cesareti ve metaneti, tehlikenin ortasında sakinliği ve kararlılığı sağlar; [...] bunun bütün karaktere aşıladığı denetleyici nüfuz, [...] yol gösteriyor gibi görünürken, sorunlu kişileri çekip çevirir, emirlerinin sertliğiyle ve aynı zamanda berraklığıyla, en vahşi ve azgın kişilere hükmeder.[48]

Böyle kişilerin yönetiminde, insanca yaklaşım ve devalar her bakımdan güvence altında sayılırdı.

Savunucularının iddialarına bakılırsa, yeni kurumlar "modern yaşamın bütün nahoş kusurlarının olabildiğince dışlandığı minyatür dünyalar"dı.[49] Victoria dönemi ortalarının en tanınmış İngiliz akliyecisi John Conolly'nin (1794-1866) ifadesiyle:

46 Philippe Pinel, 2008 [1809], s. 140.
47 J.-E. D. Esquirol, 1818, s. 84.
48 William A. F. Browne, 1837, s. 50, 180.
49 İsimsiz, 1836-1837, s. 697.

> [böyle yerlerde] sükûnet doğar; umut canlanır; hoşnutluk ağır basar; [...] sinsi ya da vahim intikam ya da intihar düşüncelerine hemen her türlü yatkınlık ortadan kalkar; [...] temizlik ve incelik sağlanır ya da yeniden kazanılır; bizzat kederin bazen yerini neşeye ya da sağlam huzura bıraktığı görülür. Yeryüzünde merhametin üstün geleceği belki de tek yer [burasıdır].[50]

Hemen her yerde akıl hastanesi sisteminin benimsenmesine böyle ütopyacı beklentiler eşlik etti. Bu sayede çok şey başarılabileceği duygusunun doruğa çıktığı yer Yenidünya'ydı. İlk Amerikan akıl hastanesi müdürlerini, manevi tedaviyle sağlanabilecekler konusunda bir coşku ve iyimserlik dalgası sardı. Yeni vakalarda iyileşme oranının % 70'i hatta 80'i, 90'ı bulduğu bildirildi; Virginia'dan Dr. William Awl (1799-1876) hepsinden daha baskın çıkarak, önceki on iki ayda baktığı yeni vakaların % 100'ünü iyileştirdiğini öne sürdü ve ona "Dr. Cure-Awl" lakabı takıldı. Dorothea Dix eyalet yasama meclislerinde kulis çalışmaları yürütürken, bu "tedavi edilebilirlik kültü"nün ortaya attığı istatistiklerden çok etkili biçimde yararlandı. "Bütün tecrübeler gösteriyor ki, makul yaklaşımla ele alındığında, akıl hastalığı nezle ya da ateş kadar tedavi edilebilir bir durumdur," dedi onlara. Böylece akıl hastaneleri büyük bir insancıl atılım olmanın yanı sıra, uzun vadede gerçek bir tasarruf yolu gibi sunuldu.[51]

Manevi tedavi doğrultusunda yönetilen akıl hastanelerinin en berbat geleneksel tımarhanelerden daha insanca bir ortam sağladığı savına çok az kimse karşı çıkar. Fransız felsefeci Michel Foucault'nun ve takipçilerinin bakışı doğrusu böyleydi. Foucault'nun "manevi tedavi"yi "devasa manevi hapis" uygulamasının bir biçimi olarak küçümsediği herkesçe bilinir; ne kadar abartılı olursa olsun, bu görüş en azından bir gerçeklik payı taşır. İskoç akliyeci ve propagandacı W. A. F. Browne açıkça şunu belirtmişti: "Manevi tedavinin akıl hastasına karşı şefkatli ve insanca olmaya dayandığı görüşünde bile bir yanılgı vardır."[52] Yeni yaklaşımın amacı akıl hastanesini "otorite etkisinin asla ortadan kalkmamasını ve her işleme damga vurmasını" sağlayacak "büyük bir manevi makine"ye dönüştürmekti.[53] Kendi hastanesinde "aktif uğraşlar sırasında uygulanan disiplini ve denetimi geceleyin sessizlik ve uyku anlarında" sürdürmeye çalışmak, Browne için övünç kaynağıydı. "Böylece kontrol duygusu, akıl hastasının bizzat rüyalarına kadar sinebilir."[54] Derin bilinçsizlik durumuna düşen kişilerde bile, taşkın hayal gücü dize getirilmeli, ehlileştirilmeli ve medenileştirilmeliydi.

---

50 John Conolly, 1847, s. 143.
51 Örneğin bkz. Dorothea Lynde Dix, 1845, s. 9-10.
52 William A. F. Browne, 1864, s. 311-12.
53 Crichton Kraliyet Akıl Hastanesi, *7th Annual Report*, 1846, s. 35.
54 Crichton Kraliyet Akıl Hastanesi, *10th Annual Report*, 1849, s. 38.

19. yüzyıl reformcuları akıl hastanelerinde cinsiyet ayrımı konusunda katıydı. Ancak 1848 tarihli bu resimde görüldüğü gibi, titizlikle düzenlenen meczup baloları, yeni manevi tedavinin delileri ehlileştirme gücünün örneği olarak sunulurdu.

Philippe Pinel böyle abartılı iddialara başvurmamakla birlikte, manevi tedavinin ikiyüzlü niteliği konusunda aynı ölçüde açık sözlüydü. Ona göre, şefkat [*douceur*] her zaman "dayatmacı bir baskı aygıtıyla [*appareil*]", meczuplara "gerektiğinde önce boyun eğdirecek, daha sonra [onları] özendirecek" bir iradeyle desteklenmeliydi.[55] Tuke'un versiyonunda olduğu gibi, Pinel tarzı manevi tedavi, delilikle başa çıkmanın üstün bir yöntemiydi ve zamanla kalıcı çekicilik kazanması, başka yollarla denetlenemeyen kişileri açık şiddete başvurmaksızın denetlemedeki yararlılığı sayesindeydi.

DELİLİKTEN AKIL HASTALIĞINA

Bir başka deyişle, manevi tedavinin gerek ideolojik gerekse pratik düzeyde birçok üstün yanı vardı. Ne var ki, akıl hastalığı tedavisini gittikçe bir tıbbi tekele dönüştürmeye çalışan hekimler açısından ciddi bir sakıncası bulunuyordu: Hekimlerin neden bu işe en uygun kişiler oldukları açık değildi. Fransa'da din adamlarınca yönetilen akıl hastanelerinin hâlâ var olması bu soruyu özellikle öne çıkardı; ama yeni akıl hastanelerinin kurulduğu hemen her yerde de aynı durum güçlü biçimde hissedildi.

55 Akt. Jan Goldstein, 2001, s. 86.

Ne de olsa, Pinel akıl hastalarıyla başa çıkmaya ilişkin pratik derslerini, meslekten olmayan ve işi doğrudan tecrübeyle öğrenen iki kişiden almıştı. İkilinin uzun süreli hizmetleri "akıl hastalığına özgü bütün olguları sürekli izlemelerini" sağlayarak, onlara hastalarla etkileşimi kısa süreli, "çoğu kez [...] geçici muayenelerle sınırlı" bir "hekimin yoksun kaldığı çok zengin ve etraflı bir bilgi birikimi" kazandırmıştı.[56] Dahası, Pinel hacamatın yanı sıra, küçümser bir dille "akıl hastalığını alt etmeye yönelik tozlara, özütlere, sıvılara, şuruplara, iksirlere, merhemlere vs. dayalı geniş envanter"i kapsamak üzere, deliliğe dönük tıbbi tedavilerin çoğuna karşı gayet kuşkucu biriydi. Hastaların "ampirik bir tarzda uygulanan karışık ilaç tertiplerinin ağır çileleri"ne katlanmak zorunda bırakıldığı birçok örneği hayıflanarak işaret etmişti.[57] Hekimler "şatafatlı ilaçlar dizisine duydukları kör inanç"tan vazgeçmeliydi ve "ilacın genel plana ikincil bir araç olarak girdiğini ve ancak ondan sonra oldukça nadir durumlarda uygun düştüğünü" görmeliydi.[58]

Paris'teki meczupların kapatıldığı yerler arasında Pinel'in bağlantılı olduğu kurumların yanı sıra (daha önce belirtildiği gibi Marquis de Sade'ın da yatırıldığı) Charenton'da akıl hastanesi de vardı. Frères de la Charité'nin [Hayırseverlik Tarikatı] 1641'de kurduğu bu hastane, *ancien régime* döneminde *lettres de cachet* yoluyla derdest edilen kral düşmanlarının meczuplarla ve acizlerle birlikte tutulduğu bir yer olarak kötü bir şöhret kazanmıştı. Öyle ki devrimciler buranın kapatılması emrini verdi. Ancak iki yıl geçmeden, taburcu edilen delilerle başa çıkma sorunu, bu sefer tam bir seküler kurum olarak yeniden açılmasını zorunlu kıldı. Buradaki sakinlerin günlük gözetimi büyük ölçüde hekimlik vasfı olmayan François Simonet de Coulmier (1741-1818) adlı bir rahip tarafından yürütüldü ve Direktuvarlık yönetiminin Charenton'a bir hekim atamasına karşın, hastalara dönük manevi tedavinin uygulanışı Coulmier'e bırakıldı. Yıllarca "Charenton'da rahip-hekim kavgası bir sonuca varmaksızın içten içe sürdü."[59]

Manş'ın öbür yakasında, William Tuke'un torunu Samuel aşağı yukarı aynı sıralarda şunları belirtti: "Dinlenme merkezi tecrübesi [...] tıp biliminin şerefine ya da mertebesine çok fazla şey katmayacaktır. İlaca dayalı yöntemler içinde, başarıya ulaşanlardan ziyade başarısızlığa uğrayanlardan bahsetmekten [...] esef duymaktayım."[60] York'ta tedavi rejimine ilişkin değerlendirmesinde manevi tedavi ile tıbbi tedavi arasında keskin bir ayrım yapan Samuel'e göre, hastaları tedavi etmeye çağrılan hekimlerin bile "tıbbın insan hastalıklarının en ıstırap vericisine çare bulmada henüz çok yetersiz araçlara

56 Philippe Pinel, 1801, s. xlv-xlvi.
57 Philippe Pinel, 2008 [1809], s. 123-30, 136.
58 Philippe Pinel, 2008 [1809], s. 139.
59 Bkz. Jan Goldstein, 2001, s. 113-116.
60 Samuel Tuke, 1813, s. 110.

sahip olduğu"nu kabullenme noktasına varmıştı.[61] Kurumun iyileştirme konusundaki gıpta edilir sicilini sağlayan şey, tıp mesleğinin dışındaki kişilerin gözetiminde yürütülen manevi tedaviydi; nitekim ABD'de New York'un Bloomingdale Akıl Hastanesi ve Philadelphia'nın Frankford Dinlenme Merkezi de müdürlüğü böyle kişilere bırakma ilkesini benimseyecekti.

Akıl hastanelerinin yaygınlaşmasının yeni kariyer fırsatlarına kapı açmasıyla birlikte, akıl hastalığı tedavisine ilgi duyan ve sayıları gittikçe artan hekimler açısından, bu durumun yarattığı tehdit açıktı: Hekimlerin yapabildiği tek şey bedensel hastalıkları tedavi etmek olduğuna göre, *akıl* hastalığı tedavisinde ne diye ayrıcalıklı bir konumu hak etsinlerdi? İtibarları, dört başı mamur teorileri, bizzat geçimleri tehdit altındaydı.[62] İngiliz parlamentosunun açığa çıkardığı en korkunç rezaletlerden bazılarının hekimlerce yönetilen kurumlarda yaşanmış olması pek de işleri kolaylaştırmadı. Yeni bir devlet akıl hastanesi sistemi için öneriler geliştirmede daha fazla emeği geçenler, tıbbın akıl hastalarının tedavisiyle ilgisine çok kuşkucu bakanlar arasındaydı.

Gelgelelim, tıbbın akıl hastalığı tedavisinde üstünlük kazanma süreci neredeyse çeyrek yüzyıl içinde tamamlandı. Evet, Fransa'da rahiplerin yönetimindeki akıl hastanelerinin süren varlığı, Fransız akliyecilerine yönelik eleştirilere kurumsal bir temel sağladı. Ama York Dinlenme Merkezi 1837'ye doğru bir hekim müdür edindi; Kuzey Amerika'da da Bloomingdale Akıl Hastanesi 1831'de ve Frankford Dinlenme Merkezi 1850'de aynı yola gitti. Fransa'da, İngiltere'de ve ABD'de akıl hastanelerinin personellerine tıp insanlarını atamaları yasalarla zorunlu kılındı. Sembolik ve pratik düzeyde, bu değişiklikler uzun süreden beri deliliğe yakıştırılmış çok sayıda anlamın yerini tıbbi bir perspektifin üstünlüğüne bıraktığı son derece önemli dönemecin işaretiydi. Nitekim "delilik" tıpkı daha önce "deli doktoru" kelimesinde olduğu gibi, sakıncalı bir terim, hastalara bir hakaret olarak görülmeye başlandı.

Bazı tıp insanlarının manevi tedaviye düşmanca ve horgörülü yaklaşmasına karşın, böyle bir stratejinin başarı şansı düşüktü. Bunun yerine, akıl hastalığı sorunuyla ilgilenenlerin çoğu, tıbbi ve manevi tedavinin makul bir bileşimiyle, her ikisinin tek başına uygulanışından çok daha büyük başarıya ulaşılabileceğini ileri süren yeni yaklaşımı benimseme noktasına geldi. Pinel ve Bedlam'de 1795'ten 1816'ya kadar eczacılık yapan John Haslam (1764-1844) gibi adamlar, verem ve zatürree gibi hastalıkların patolojisini çözmeye başlayan otopsilerin, akıl hastalığı vakalarında benzer başarıları yakalayamadığını açıkça kabul etmişlerdi. Çoğu delinin ve aklı başında kişilerin beyinleri arasında bir farklılık belirlenemediği için, akıl hastalığının varsayılan

61 Samuel Tuke, 1813, s. 111, York Dinlenme Merkezi'nin ilk konuk hekimi Thomas Fowler'ın sözlerinden alıntı.

62 William F. Bynum, 1974, s. 325.

biyolojik temeli şüphe götürmez anatomik bulgularla desteklenmeyen bir hipotez olarak kaldı. Aslına bakılırsa, Pinel daha da ileriye giderek, çoğu deliliğin organik temelini açıkça sorguladı:

> İnsanlık açısından, neredeyse bütün akıl hastalarının düştüğü terk edilmişlik durumunun belki de müessif sebebi olan en vahim önyargılardan biri, onların hastalığını tedavi edilemezmiş gibi görmek ve beyindeki ya da kafanın başka bir kısmındaki organik bir lezyonla ilişkilendirmektir. Sizi temin ederim ki, tedavi edilemez noktaya varmış ya da başka bir ölümcül hastalıkla sonuçlanmış hezeyanlı cinnetle ilgili derlediğim vakaların çoğunda, vücudu açarak elde edilmiş sonuçlar tezahür etmiş arazlarla karşılaştırılınca, bu akıl hastalığı biçiminin genellikle tamamen sinirsel bir mahiyet taşıdığı ve beyin maddesindeki organik bir kusurdan kaynaklanmadığı görülür.[63]

Ama tehlike tam da buydu. Deliliğin bir bedensel temelinin olmadığı, hem kaynağının hem de tedavisinin sosyal ve psikolojik alanda yattığı doğruysa, akli dengesizlik vakalarını tıp insanlarına bırakmanın gerekçesi neydi? Aslında, doktorların deliyi aklı başında kişiden ayırt etmede yegâne ehliyetli insanlar olduklarına inanmak için bir sebep var mıydı?

Bedlam'de cerrahlık yapan William Lawrence (1783-1865) gibi bazı tıbbi indirgemeciler, tıp biliminin "insanın büyük ayrıcalığı aklın [...] fizyolojik anlamda" beynin bir işlevinden ibaret olduğunu kesin saptadığında direttiler. Bedensel ve zihinsel yapıların ayrılığı bir efsaneydi, bir kategori hatasıydı. İşin gerçeği, "kusma, hazımsızlık ve ekşime mideyle, öksürük ve astım akciğerle, her türlü işlev bozukluğu ilgili organla" nasıl ilişkiliyse, akıl hastalığı arazları da "beyinle aynı ilişki" içindeydi.[64] 18. yüzyıl Fransız hekimi ve filozofu Pierre Cabanis'in (1757-1808) daha kısa ve özlü ifadesiyle, karaciğer nasıl safra salgılarsa, beyin de öyle düşünce salgılardı.[65] Ama Britanya'da böyle görüşlerin Fransız Devrimi'nin kanlı aşırılıklarıyla ilişkilendirilmesi yüzünden, katışıksız materyalizme dayalı bu savlar en saygın yurttaşların nefretini çekti. Başkalarının bunları benimseme dürtüsüne kapılmaması için, tıp camiasının tepkisi hızlı ve acımasız oldu. Örneğin, Lawrence bir ateist, ahlaki düzen için bir tehdit kaynağı, ölümsüz ve maddeden yoksun ruhun varlığını zımnen inkâr eden biri olduğu gerekçesiyle sert eleştirilere uğradı. Mesleki kariyerinin mahvolması tehlikesi üzerine, kızgınlık yaratan görüşlerin yer aldığı kitabın mevcut nüshalarını toplatıp imha etmeye razı oldu. Bu geri adım başarılı sonuç verdi: Daha sonra Kraliçe Victoria'nın cerrahı oldu ve baronet unvanı aldı; ama aldığı ders aklını başına getirdi.

---

63 Philippe Pinel, 1801, s. 158-159.

64 William Lawrence, 1819, s. 112.

65 Pierre Cabanis, 1823-1825.

İşin garip tarafı, Atlantik'in her iki yakasındaki tıp insanları, akıl bozukluklarının bedensel kökenini kuşkuya yer bırakmayacak şekilde gösterdiği ileri sürülen ve tam da Kartezyen zihin-beyin ayrımına dayanan cazip bir sav geliştirdiler. Fransızcada "zihin" ve "ruh" tek ve aynı terimle, *l'âme* kelimesiyle ifade edilir. Dolayısıyla zihnin ya da ruhun hastalığa, gidişat budalalık ya da bunaklık durumuna vardığında da ölüme yatkın olduğunu ileri sürmek, bizzat Hıristiyanlığın ve böylece uygar ahlakın temelini tartışmalı hale getirecek bir yaklaşımdı. Buna karşılık, deliliği bedensel temele dayandırmak böyle sorunlara yol açmazdı. W. A. F. Browne 1837'de şöyle yazmıştı: "Bu ilkenin kabul edilmesiyle, akli dengesizlik artık kavrayışla ilgili bir hastalık değil, kavrayışın sağlam durumda kalmasını sağlayan merkezi sinir sistemiyle ilgili bir hastalık sayılır. Kusurlu olan zihin değil, beyindir."[66] Kişi hayattayken ölümsüz ve maddeden yoksun olan zihin, maddi olan beyne ve böylece bozuk duyusal aygıta tamamen ve sıkı sıkıya bağımlıydı. Nitekim John Conolly'nin Londra University College'da hâlâ tıp profesörü olduğu 1830'daki saptaması şöyleydi:

> Hayır, maddeden yoksun ruh hem aldığı hem de aktardığı şeyler açısından maddi organlara öylesine bağımlıdır ki, sinir maddesinin farklı kesimleri yoluyla kan dolaşımında ortaya çıkan hafif bir bozukluk bütün duyumu, her türlü duyguyu, dış ve canlı dünyayla her türlü ilişkiyi aksatabilir.[67]

Browne'a göre, bu durum tıbbi tedavinin devaları nasıl ortaya koyabileceğini de açıklayıcı nitelikteydi; çünkü beyin tahrişinin hafifletilmesiyle "sakin, zedelenmemiş, değişmez, ölümsüz" zihin günlük hayat üzerinde tekrar hüküm sürebilirdi.[68]

İlahiyatçıların hemen benimsediği, müthiş çekici bir kıyastı bu. Tıp doktoru William Newnham (1790-1865) *Christian Observer* dergisinde, akıl bozukluğu sorununa bu çözümü sıcak bir tavırla karşıladı:

> Beyin bozukluklarını zihinsel kaynaklı saymakla, çok büyük bir hata ortaya çıkmış ve günümüze kadar sürdürülmüştür; beynin bizzat zihin değil, sadece zihin organı olması nedeniyle, [...] sadece manevi devalar gereklidir ve haliyle benimsenmelidir; beynin işlev bozukluğu, hükmeden ruhun değişken etkisinin ve isteğinin dışavurumu için uygun bir araç olmaktan çıkmasından kaynaklanır.[69]

---

66 William A. F. Browne, 1837, s. 4; neredeyse tıpatıp aynı bir görüş için bkz. Andrew Halliday, 1828, s. 4.

67 John Conolly, 1830, s. 62.

68 William A. F. Browne, 1837, s. 4.

69 William Newnham, 1829, s. 265.

Amerikalı akliyeci John Gray'in (1825-1886) yarım yüzyıl sonra, meslektaşlarının 1820'lerde ortaya attıklarıyla neredeyse aynı savlara hâlâ başvurması, akliyecilerin yetki iddiaları açısından bedene ilişkin bu metafizik kavrayışın ne kadar önemli olduğunun bir işaretidir.[70]

YUMRULAR VE TÜMSEKLER YA DA BEDENSEL ACILARA MANEVİ DEVALAR

Peki, akıl hastalığı temelde tıbbi bir hastalık olduğuna göre, manevi tedavinin dayandığı sosyal ve psikolojik silahların başarısı nasıl açıklanabilirdi? Manevi tedaviler bedensel bir hastalığı nasıl iyileştirebilirdi? Birçok kişiye göre, bu güçlüklerin çözümü 19. yüzyılın ilk on yılında Viyanalı hekim ve beyin anatomisti Franz Joseph Gall (1758-1828) ile çalışma arkadaşı Johann Spurzheim'ın (1776-1832) geliştirdikleri doktrinlerde yatmaktaydı. Frenoloji günümüzde çoğunlukla "yumrular ve tümsekler" üzerine kurulu sözde bir bilim, insan karakterini ve davranışlarını beynin temel yapılarını yansıttığı varsayılan kafatası şekliyle ilişkilendirmeye dönük bir girişim olarak hatırlanır. Ama bir panayır eğlencesine ve alay vesilesine dönüşmesinden önce, birçok kesim için ciddi bir düşünsel uğraş gibi görülürdü. Avrupa ve Kuzey Amerika genelinde önde gelen kişiler, doktrinlerine ilgi duyar, insan davranışını ve psikolojisini anlamada değerli sayarlardı.

Gall araştırmalarının sonucunda, beynin bir organlar demeti olduğuna ve her zihinsel işlevin beynin belirli bölgelerinde yer aldığı kanısına varmıştı. Onun ve Spurzheim'ın yürüttüğü titiz ve teknik açıdan yenilikçi beyin teşrihleri, beynin anatomik ve işlevsel farklılaşmasına ilişkin savlarına ampirik temel sağladı. Bu ikiliye göre, belirli bir organın büyüklüğü ilişkili zihinsel işlevin ne kadar güçlü olduğunun göstergesiydi; kasların geliştirilmesine ya da körelmesine oldukça benzer biçimde, verili bir zihinsel işlevin çalıştırılması ya da savsaklanması ölçüsünde bu büyüklük artırılabilir ya da azaltılabilirdi. Tıpkı görme, işitme ve benzeri yetiler gibi, açgözlülük, kindarlık, temkinlilik, kavgacılık, yani her türlü psikolojik eğilim beynin belirli bölgelerindeydi. Bebeklik döneminde beyin gelişirken, kafatası kemikleri beynin farklı kesimlerinin temeldeki nispi gelişimine uyardı. Yani, kişinin karakteri ve zihinsel yetileri, kafanın şeklinden anlaşılabilirdi (Resim 30). Zihin muamması artık çözülebilirdi. Beyni oluşturan çeşitli organların dengesizleşmesi, karakteri, düşünceleri ve duyguları etkilerdi. Sonuç olarak, zihinsel dengesizlik uç örneklerde bir akıl hastalığı biçimine dönüşebilirdi.

İlk bakışta, ortaya atılan şey, tutucu düşünürlere göre sosyal ve ahlaki açıdan istikrarı bozucu bütün sonuçlarıyla katışıksız materyalizme elverişli

---

70 John P. Gray, 1871.

bir dizi doktrindi. Gall'in ve Spurzheim'ın bulgularının yayılmaya başlamasının Viyana resmi makamlarını rahatsız etmesi hiç de şaşırtıcı değildi; hükümetin "din ve ahlak için oluşturduğu tehlikeden dolayı" Gall'in teorisini öğretmesini yasaklaması, ikiliyi Paris'e gitmek zorunda bıraktı.[71] Fransız başkentinde sağın direnişiyle karşılaşırken, kilise karşıtı soldan teşvik gördüler. Görüşlerini benimseyen kitle büyük ölçüde Spurzheim'ın konferans turlarıyla ve (1828'de yayımladığı *On the constitution of Man and Its Relationship to External Objects* [İnsanın Yapısı ve Dış Nesnelerle İlişkisi Üzerine] kitabı dokuzuncu baskıya ulaşarak 200 binden fazla satılan) İskoç George Combe (1788-1858) ve İtalyan Luigi Ferranese (1795-1855) gibi kişilerin teoriyi basitleştirip tanıtmaya dönük gayretli çabalarıyla kısa sürede Avrupa ve Kuzey Amerika geneline yayıldı.

Gall ve Spurzheim, daha önce yaşadıkları olaylardan dolayı, doktrinlerine materyalist yaftasının vurulması tehlikesinin gayet farkındaydılar. Suçlamayı savuşturmak için dikkatli bir tutum takındılar. Beyni oluşturan çeşitli organların "yetinin dışavurumunu mümkün kılan maddi durumu" sağladığını belirttiler. Yetinin kendisi ise "ruhun [*l'âme*] bir özelliği"ydi.[72] (Ama bunu tam olarak nasıl bildikleri ya da ruhun ve bedenin nasıl birlikte var olduğu meselesini diplomatik bir tavırla ve bilinçli olarak muğlak bıraktılar.) Spurzheim bir yıl sonra akıl hastalığı üzerine yazdığı kitapta daha doğrudan bir dil kullandı: "Maddeden yoksun olması itibariyle, zihnin ya da ruhun hastalığı ya da bozukluğu konusunda bir fikrim yok. Ruh nasıl ölmezse, hasta da düşmez."[73]

Herkes bu kıvırtmalara inanmadığı gibi, her akliyeci de yeni doktrini benimseyecek kadar cesur değildi; ama çoğu kimse için çekici yanları ağır bastı. Fransız akademisyenlerden çoğunun hâlâ kuşkuyla yaklaşmasına karşın, bir sürü tanınmış Fransız akliyeci bu fikirleri coşkuyla benimsedi. İngiltere'de ve İskoçya'da frenoloji daha da büyük ilerleme sağladı; hem akıl hastanesi müdürlerinin hem de tıp mesleği dışındaki önde gelen reformcuların doğruluğunu ve yararlılığını savundukları ABD'de de aynı şey geçerliydi. Fransa'da Esquirol, Britanya'da Conolly ve Browne, ABD'de Amariah Brigham (1798-1849) ve Samuel B. Woodward (1790-1838), yani tanınmış akıl hastanesi doktorlarından oluşan bir yıldızlar geçidi frenoloji kavramını destekledi.

Sonuçta, akıl hastalığı beynin maddi bir bozukluğu olduğuna göre, hiç tartışmasız bir tıbbi meseleydi. Spurzheim'ın özgün doktrininde yaptığı ufak tefek değişiklikler, özellikle manevi tedavinin uyuşuk ve azgelişmiş beyin kısımlarını çalıştırma ve güçlendirme yoluyla, akıl hastalığının gidişatını

71 Georges Lantéri-Laura, 2000, s. 126-127.
72 Franz Gall ve Johann Spurzheim, 1812, s. 81-82.
73 Johann Spurzheim, 1813, s. 101.

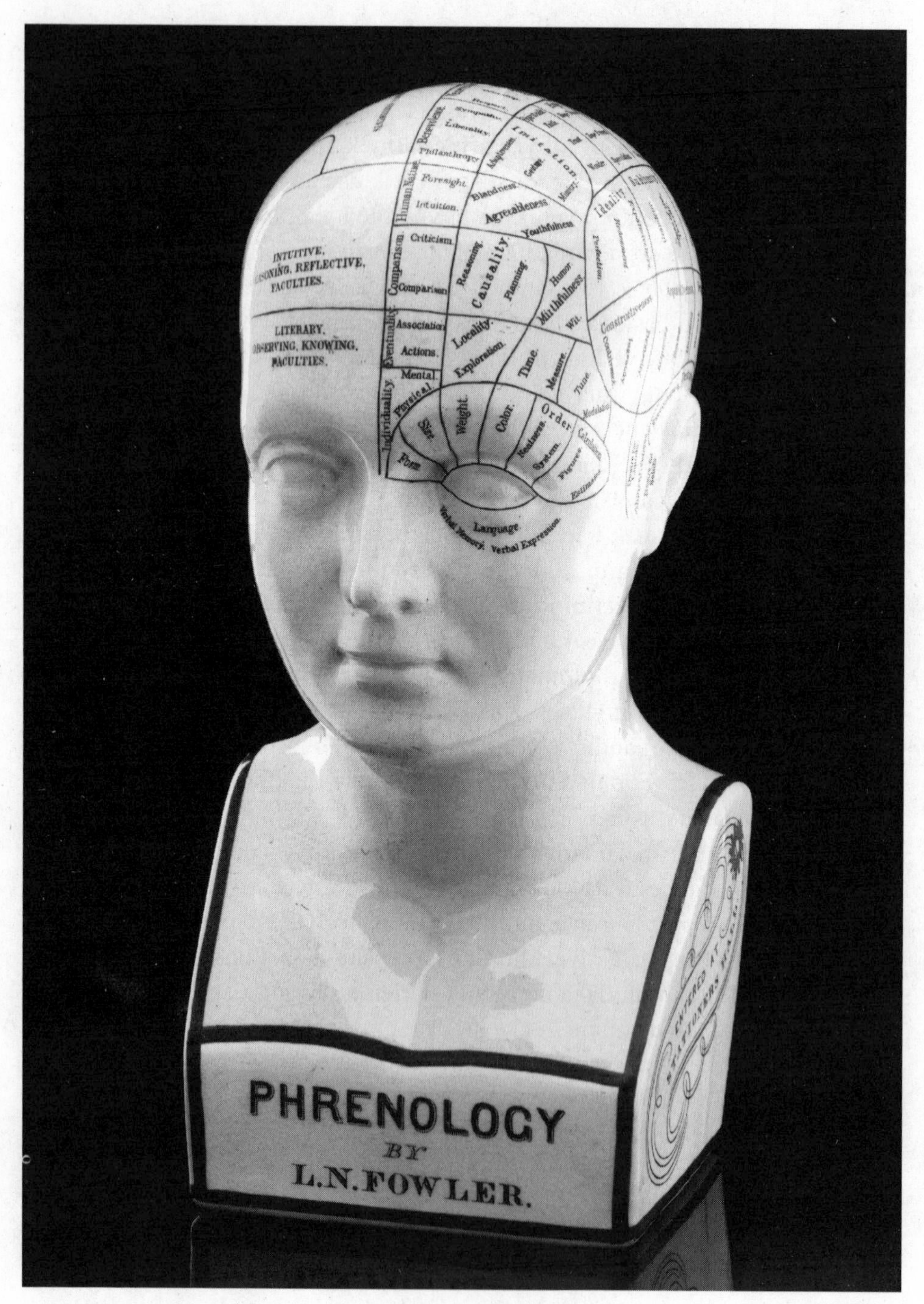

L. N. Fowler'ın bir frenoloji büstü; kurduğu firma bunları seri üretecekti.

niçin etkileyebileceğini açıklama açısından yararlı oldu. Ama frenoloji, bedene dönük daha göreneksel tıbbi tedavilere de aynı ölçüde açık kapı bıraktı. Teorik düzeyde, beynin işlemleri konusunda, normal ve anormal zihinsel işleyişin tek bir tarifine olanak veren berrak bir fizyolojik açıklama sağladı. Tıp dünyasının hastalık teorilerini morgdaki patoloji anatomistlerinin bulguları çerçevesinde bir bütün olarak yeniden düzenlediği bir dönemin en ileri beyin anatomisine dayanması, deli doktorluğundan gelme marjinal bir uzmanlığın mensuplarını bilimsel tıptaki en yeni gelişmelere sıkıca bağlama vaadini sundu. Ayrıca yakın dönemde ortaya çıkan akıl hastalığı vakalarının kronik vakalara kıyasla niçin daha tedavi edilebilir olduğunu açıkladı; çünkü birincisindeki işlevsel değişikliklerin ikincisinde yapısal değişikliklere dönüştüğünü ve belli bir noktanın ötesinde, beyin düzeni kusurlarının artık onarılmaz olduğunu gösterdi. Akıl hastalığıyla ve tedavisiyle ilgilenen birçok tıp insanının rağbet ettiği şu görüşlere geçerlilik kazandırmaya da katkıda bulundu: Akıl hastalığı topyekûn değil, kısmi olabilir ve zihinsel yaşamın bazı yönlerini etkilerken, öbürlerini olduğu gibi bırakabilirdi; cinnet topyekûn akli dengesizlikten ziyade tek bir patolojik saplantı şeklinde tezahür edebilirdi. Akıl hastanesinin ortaya çıkması ve akıl hastalığı tedavisinde uzmanlaşanlar çok sayıda istikrarlı mevki yaratması, meczupluğa ilişkin anlayışa damgasını vurduğu gibi, delilik coğrafyasını da çarpıcı yollarla dönüşüme uğratmaktaydı.

Frenolojinin ciddi bir bilim sayıldığı dönem kısa, ancak kırk yıl sürdü. Her zaman hicve elverişliydi ve panayırlarda şarlatanlarca istismar edilişi, halk arasındaki popülerliğinin yansımasıydı; ama bu durum savlarını daha ağırbaşlı çevrelerde sarstı. Birçok frenoloji destekçisinin gizlemeye ya da inkâr etmeye çalıştığı materyalizm, dinsel ve siyasal tutucular nezdinde çekiciliğini daima sınırladı. William Carpenter (1813-1885), François Magendie (1783-1855), Jean Pierre Flourens (1794-1867) ve başkalarının beyin ve sinir sistemi fizyolojisi üzerine gittikçe genişleyen yeni araştırmaları, frenolojinin özgül savlarının gittikçe mantıksız görünmesine ve ardından savunulamaz hale gelmesine yol açtı ve tutumlar katılaştı. Dayandığı doktrinlerin saçmalık gibi görülmeye başlaması kaçınılmazdı (Resim 31).

Mark Twain gençlik yıllarında Missouri'nin Hannibal kentinde gezgin frenologlarla karşılaşmış ve gösterilerini kendine has kuşkuculuğuyla izlemişti; ileri yaşlarında frenolojik muayenelerin bir tuzak ve kandırmaca olduğunu teşhir etme fırsatı çıkınca, bunu değerlendirmekten geri kalmadı. Amerika'ya sonradan göç etmiş ve seramik frenoloji büstlerini seri üreterek bir servet kazanmış frenolog Lorenzo Fowler'ın Londra şubesine kimliğini belirtmeksizin başvurarak, kafasındaki yumruların ve tümseklerin incelenip yorumlanmasını istedi. "Fowler beni kayıtsızlıkla karşıladı, ilgisiz bir şekilde kafamı parmaklarıyla yokladı, monoton bir ses tonuyla bendeki vasıfları belirleyip değerlendirdi." Görünüşe bakılırsa, Twain'in çeşitli mükemmel vasıfları vardı, ama "yüz vasfın her biri, etkisini bütünüyle ortadan kaldıran karşıt bir kusurla eşleşmekteydi." Fowler daha sonra Twain'in kafatasının belirli bir bölgesinde telafi edici şişkinliği bulunmayan bir oyuk saptadığını bildirdi. On binlerce muayenesinde daha önce hiç karşılaşmadığı bir şeydi bu: "Oyuk mizah duygusundan tamamen yoksunluğun işaretiydi!" Twain oradan ayrıldı ve uygun zamanı kolladı. Üç ay sonra bu sefer kendi adıyla başvurdu. Her şey tersine döndü: "Yok olan oyuğun yerinde (mecazi anlamda) 9.300 metre yüksekliğinde bir Everest Dağı, o zamana kadar karşılaştığı en yüce mizah tümseği vardı."[74]

DELİLİK VE MORG

Akliyecilerin gözünde, ciddi bilimden uzaklaşıp yergili şakaların hedefi olmaya doğru bu gidişatın pek önemi yok gibiydi. Frenolojinin itibarını yitirdiği sırada, doktrinleri manevi tedavinin temsil etmiş olabileceği tıbbi güvenilirliğe itirazı bertaraf etmede zaten kullanılmıştı. Tıp insanları akıl hastanesi sistemi üzerinde yasalara yazılan, görenekte yer edinen ve kurumlarda sayıları gittikçe artan meczuplara uygulanan günlük otoriteye sinen bir denetim elde etmişti. Deliliğin beyin ve sinir sistemi patolojilerinden kaynaklandığı önermesine kuşkuyla bakan çok az kimse vardı ve akıl hastalığı tedavisinde uzmanlaşanların saflarında böyleleri hiç yoktu. Bir akliyeci azınlık 19. yüzyıl sonlarında bu katı çizgiden ayrılmaya başladıysa da, dönüş ancak deliliğe ilişkin biyolojik açıklamaların neredeyse tartışmasız hüküm sürdüğü uzun bir dönemden sonra geldi.

Gelgelelim, 19. yüzyıl başlarında morgun delilik sırlarını çözeceği yönünde birçok akliyecinin ifade ettiği güven çoğu durumda haliyle yanlıştı. Bir istisna vardı ve o da önemliydi: Charenton'da Antoine Bayle (1799-1858) adlı genç bir asistan hekim 1822'de 200 kadar akıl hastası cesedi üzerinde otopsi yapmıştı. (Paris'in devasa devlet hastanelerinden o yıllarda sonu gelmez bir akışla ölü hastalar çıkmaktaydı.) Bunlardan bazıları Bayle'ın *paralysie générale* [genel felç] adını verdiği arazlardan mustaripti; konuşma bozuklukları, kollar ve bacaklar üzerinde denetim kaybı, ilerleyen duyum kaybı gibi arazlara bazen çarpıcı psikiyatrik arazlar eşlik etmekte, hezeyanın yerini bıraktığı bunamayı genellikle yutkunma refleksinin felce uğramasına bağlı tıkanmanın yol açtığı ölüm izlemekteydi. Bu vakaların özellikle yarım düzinesinde, beyin otopsisi karakteristik lezyonları açığa çıkardı: Beyin zarı iltihabı ve beyin dumuru.

---

74 Mark Twain, 2013, s. 336.

Genel felç hiç de nadir bir durum değildi. Hem Avrupa'da hem de Kuzey Amerika'da akıl hastanesine yatırılan erkeklerde görülme oranı 19. yüzyıl sonuna doğru % 20 ya da üzerine çıkacaktı. Birçok kişi ilk başta çoğu ya da belki bütün delilik durumlarının son aşaması olabileceğini sandı; ama zamanla bu durum patolojisi hâlâ bilinmeyen ayrı bir akıl hastalığı türü sayıldı. Tahribatı amansızdı ve gidişatı bazen dengesiz olsa bile, hep korkunç bir sona varmaktaydı. Bayle'ın keşfi uzun vadede akıl hastalığının beyin kaynaklı olduğu anlayışını pekiştirmeye büyük katkıda bulunmakla birlikte,[75] şahsen ona pek yarar sağlamadı. Charenton'daki hocası Antoine-Athanase Royer-Collard'ın 1825'te ölmesi üzerine, onun büyük rakibi Esquirol'la hiç bağı olmadığından, Bayle oradan kovuldu ve bir akıl hastanesine hekim olarak atanmayı bir türlü başaramadı. Bunun yerine ancak bir tıp kütüphanecisi olarak iş bulabildi.

Akliyeciler genel felcin erken belirtilerini (hafif konuşma güçlükleri, yürüyüşte küçük değişiklikler, gözün ışığa tepkisinde farklılıklar) saptamada çok ustalaştılar; ancak bozukluğun etiyolojisi (Bölüm Sekiz'de ele alınacağı üzere) 20. yüzyılın başlarına kadar bir tartışma konusu olarak kalacaktı. Daha 1840'larda delilerin beyinlerinde öbür akıl hastalığı biçimlerinin izlerine rastlanamadığı ortaya konuldu. Bu tür girişimlerin hepsi sonuçsuz kaldı. Başarısızlıklar akıl hastalığının somatik bir bozukluk olduğu savının yaygın biçimde sorgulanmasına yol açmadı. Buna ne gerek vardı? "Deliliğin tamamen bir beyin hastalığı" olduğuna dair agresif savın doğal sonucu "Hekimler artık meczupların sorumlu vasileridir ve öyle de kalmalıdır" görüşüydü.[76]

SORUMLU VASİLER

Bu "sorumlu vasiler" 19. yüzyılın ilk yarısında sürekli çoğalmıştı; 1840'lara doğru meslek birliklerinin kurulmaya ve akıl hastanesi yönetimi konusunda bilgi alışverişine dönük dergilerin çıkarılmaya başlanmasıyla, deliliğin patolojisi ve tedavisi üzerine bir uzmanlık literatürü ortaya çıktı. Böylece bir kolektif kimlik duygusunun oluşması tesadüfi değildi.

Britanya'da bu meslek erbabı ilk kez 1841'de bir araya gelerek, Akıl Hastanelerindeki Sağlık Görevlileri Birliği'ni kurdu; uzun olan isim çeyrek yüzyıl sonra Mediko-Psikoloji Birliği olarak değiştirildi. İlk başta bir mesleki

75 Bayle hastaların beyinlerinde marazi değişiklikler gözlemlemesine karşın, hâlâ hastalığın pekâlâ sosyal kaynaklı olabileceği kanısındaydı. Örneğin, bu arazların Napoléon ordularında askerlik yapanlarda özellikle yaygın olduğunu kabul etti ama bunu askerlerin geçirdikleri travmalara ve imparatorluğun çöküşü nedeniyle yaşadıkları hayal kırıklıklarına bağladı. Benzer bir yaklaşımla, Esquirol da fahişelerin bozukluğa özellikle yatkın göründüklerini saptamakla birlikte, bunu ahlaksız bir hayat sürmelerine bağladı.

76 *Journal of Mental Science* 2, Ekim 1858.

Yorkshire'daki West Riding Akıl Hastanesi'nde genel felçten mustarip bir kadın, 1869. Genel felce yakalanan erkeklerin sayısı daha fazlaydı. Bu fotoğrafın çekildiği sırada, durumun temelinde frengi enfeksiyonunun yattığı henüz kavranmamıştı.

dergiyi kurma ve yayına hazırlama işini üstlenecek hiç kimse çıkmadı; ama 1848'de zenginlere dönük biraz şaibeli özel akıl hastanelerinden birinin sahibi Forbes Winslow (1810-1874) *Journal of Psychological Medicine and Mental Pathology*'yi bir kişisel girişim olarak başlattı. Zenginlere dönük, kâr yönelimli ve küçük akıl hastanelerini (yarı gizli reklama dayanmasından ve mesleki hizmetleri sunmaktan ziyade ticarete benzer bir şeyden para kazanmasından dolayı deli erbaplığının parçası olarak görülme damgasını taşımakla birlikte kazançlı bir iş alanı) yönetenler ile hastaların büyük bölümünün barındığı, çok daha büyük ve hızla çoğalan devlet akıl hastaneleri şebekesini yönetenler arasında zaten bir ölçüde ayrılık vardı. Winslow'un protestolarına rağmen rakip kesim beş yıl sonra kendi dergisini kurdu. Derginin önce *Asylum Journal*, ardından *Asylum Journal of Mental Science* olan adından, "akıl hastanesi" anlamındaki *Asylum* kelimesi 1858'de tamamen çıkarıldı. Başka yerlerde olduğu gibi, meslek birliğinin adı ve dergisinin ilk başlığı, bu mesleğin ortaya çıkışının "yeniden düzenlenmiş" akıl hastaneleri şebekesi yaratmaya ne kadar sıkı bağlı olduğunu açık seçik gösterir.

ABD'de on üç akıl hastanesinin müdürleri 1844'te Philadelphia'da toplandı ve Amerikan Akıl Hastalığı Kurumları Sağlık Müdürleri Birliği'ni kurdu. Utica'daki New York Eyalet Akıl Hastanesi'ni yöneten Amariah Brigham, dizgi ve baskı işlerini bazı hastalarının yaptığı *American Journal of Insanity* dergisini hemen çıkardı (Derginin adı ancak 1921'de daha saygın görülecek şekilde *American Journal of Psychiatry* olarak değiştirildi).

Gelişmelerin arkadan takip edildiği Fransa'da akliyeciler Mediko-Psikoloji Derneği'ni kurmak için 1852'ye kadar beklediler; ama *Annales médico-psychologiques* dergisi yaklaşık on yıl önce, 1843'te kurulmuştu. Almanya'daki siyasal parçalanma, mesleklerini çok değişik siyasal ortamlarda icra etmeye mecbur kalan akıl hastanesi doktorlarını bir araya getirecek tek bir kuruluş yaratmaya dönük bir tasarıya hatırı sayılır engeller çıkardı. Daha 1827'de akıl hastalarının pratik tedavisini geliştirecek bir dernek oluşturma girişiminde bulunulmasına ve daha geniş çerçeveli Alman Doğabilimciler ve Hekimler Birliği'nin psikiyatriyle ilgili bir şubesini açma yönünde cılız bir çaba gösterilmesine karşın, ayrı bir Alman Akıl Hastalığı Doktorları Derneği ancak 1864'te, yani *Allgemeinen Zeitschrift für Psychiatrie und psychisch-gerichtliche Medicin* dergisinin birinci sayısının çıkışından yirmi yıl sonra kuruldu (Bu ad 1903'te Alman Psikiyatri Derneği olarak değiştirildi).

Bu dernekler ve dergiler her yerde benzer işlevleri gördü. Meslek birliklerinin yıllık toplantıları, akıl hastanesi müdürlerinin kurumlarından çıkmalarını sağlayan birkaç vesileden biriydi. Bu kurumların başındaki kişiler olarak elde ettikleri maaş, iç güvencesi ve yerel otorite ağır bir bedelin sonucuydu. Avrupa genelinde olduğu gibi, aşırı kalabalık, düşük maaşlı ve saygınlığı çoğu kez pamuk ipliğine bağlı bir tıp mesleğinde rekabet etmeye mecbur kalmadıkları doğrudur. Ama işin gerçeği, akıl hastanelerinde hayatlarına nezaret ettikleri hastaların durumuna yakın bir kesinlikle kapana kısılmış ve yalnız durumdaydılar. Bu arada, dergiler idari konularda (kocaman binaları ısıtma, birçok hastanın çalıştığı akıl hastanesi çiftliğini çekip çevirme, su tesisatı ve kanalizasyon sorunlarıyla uğraşma vb.) sürekli bir iletişim aracı ve akıl hastalığının patolojisi, tedavisi, sınıflandırılması ve mesleğin karşılaştığı siyasal meseleler üzerine daha yüksek düzeyde görüş alışverişi için bir vesile sağladı. Ayrıca her türden tıp dergisinin çoğaldığı bir dönemde, akliyeciliğin daha geniş tıp camiasının bir parçası olarak görülme arzusunu yansıttı ve delilikle başa çıkma biliminin canlı, sağlam ve sürekli genişlemeye açık olduğu iddiası için gerekli donanımı sundu. Yeni gelişen uzmanlık dalı kendini tek tek ve topluca ancak basın yoluyla tanıtabilirdi. Dergiler akliyecilerin kendilerini eski tarz deli doktorluğundan ayırt etmelerine de yardımcı olabilirdi. Geçmişte, tıpkı birçok sahte hekim gibi, birçok tımarhane sahibinin meczupluğu iyileştirecek gizli devalarıyla övünmesi olağandı. Buna karşılık, kişiye ait teoriler yayımlanması ve tartışılması açık ve önyargısız araştırma görüntüsünü kazandırdı.

"Psikiyatri" terimini Alman hekim Johann Christian Reil (1759-1813) ilk kez 1808'de Yunancada "ruh" (*psykhe*) ve "tıbbi tedavi" (*tekhne iatrike*) anlamındaki kelimelerin bir bileşimi olarak ortaya atmıştı; ama Almanca konuşulan dünya dışında 19. yüzyılın ta sonuna kadar çok az ilgi gördü. Aksine, delileri tedavide uzmanlaşanlar kendilerini akıl hastanesi müdürü, mediko-psikolog ya da (Fransız icadı bir terimle [aliéniste]) akliyeci olarak adlandırmayı tercih ettiler.[77] Zihin tıbbı alanındaki İtalyan uzmanlar, *psyche* teriminden can, ruh ve din çağrışımları nedeniyle hoşlanmadıkları için, kendilerince *freniatra* [deli hekimliği] terimini uydurdular. 1873'te kurdukları İtalyan Deli Hekimleri Derneği'nin adını, seküler ve bilimsel kimliğin bir sembolü olarak yaklaşık altmış yıl sıkıca koruduktan sonra, ancak 1932'de "psikiyatri" terimini benimsediler. Ama kendilerine ne ad verirlerse versinler, bu doktorların kimliği ve güvenilirliği esasen yönettikleri kurumlara bağlıydı. "Bu amaç için inşa edilmiş bir binada tam anlamıyla uygulanabilecek [...] bir tedavi yolu [...] dışında, akıl hastası bir kişinin aklını kullanma yetisini yeniden kazanmasının [...] ihtimal dışı olduğu" konusunda neredeyse genel bir kabul vardı.[78] Modern

77 Pinel kaba saydığı popüler *folie* teriminin yerine yeni *aliénation* teriminin geçirilmesi için ısrar etmişti (*Nosographie philosophique* c. 1, Paris: Crapelet, 1798); *aliéniste* de doğal olarak buna eşlik eden terimdi. Benzer bir yaklaşımla Esquirol da akliyecilerin delileri kapattıkları yer için vatandaşlarının kullandığı dili değiştirmeye çalıştı: "Bu kurumlara hiçbir can sıkıcı fikri akla getirmeyecek özgül bir ad verilmesini isterim; bence akıl hastanesi olarak anılmaları doğru olur." J.-E. D. Esquirol, 1819, s. 26.

78 Robert Gardiner Hill, 1839, s. 4-6.

akıl hastanesi "meczupluğu iyileştirmek için [tasarlanmış] özel bir aygıt"tı.[79] Amerika'daki derneğin önde gelen üyelerinden Luther Bell (1806-1876) bunu şöyle ifade etmişti: "Bir akıl hastanesi, daha doğrusu aklını kaçıranlar için kurulmuş bir hastane, tasarılarını hayata geçirme açısından, özgül bir ürünü sağlamaya dönük herhangi bir imalat yapısı kadar kendine has ve karakteristik bir mimari düzenek sayılabilir. Bir tedavi aracı olduğu kesindir."[80]

Bu yeni "tedavi araçları"nın etkililiği, çektikleri ve barındırdıkları kişi sayısına göre ölçülecek olursa, her yerde muazzam bir başarıya ulaştıkları söylenebilir. Mesmer'in *baquet*'lerinden çok daha güçlü devasa mıknatıslara benzeyen akıl hastaneleri, yığınla deliyi kendi alanına çekti. Ne kadar çok yeni akıl hastanesi açılırsa açılsın, onları dolduracak delilerin sayısı sürekli arttı. Bu kalıp yıllarca sürdü. *The Times* 1877'de şu hırçın saptamada bulundu: "Meczupluk şimdiki gibi artmaya devam ederse, akıl hastaları çoğunluğu oluştururlar ve özgürleştikları anda, aklı başında kişileri akıl hastanelerine koyarlar."[81] İskoçya'da yayımlanan *The Scotsman* şöyle yakındı: "Ne kadar yer açarsak açalım, her geçen yıl barınma konusunda aynı taleple karşılaşmaktayız; [...] dipsiz bir sürahiyi doldurmak gibi, pek sonu gelmeyecekmiş gibi görünen bir uğraş bu. [...] Akıl hastanelerini inşa etmek yapılan büyük harcamaların akıl hastalığında bir azalışa değil, aksine muazzam ve sürekli bir artışa yol açtığını görmekteyiz."[82] Otuz yıl sonra, 1908'de Alman psikiyatr Paul Schröder (1873-1941) "kurumsal bakıma muhtaç hasta" sayısındaki "rahatsız edici" yükselişten hâlâ yakınarak, bu artışın "nüfustaki artışla bir alakasının olmadığına" dikkat çekti.[83]

Ama hasta sayısı amansızca yükselirken, akıl hastanesi müdürlerinin vaat ettikleri iyileşmeler, en azından sağlanacağını ileri sürdükleri oranda gerçekleşmedi. Sadece akıl hastanelerinin sayısı değil, ortalama büyüklüğü de inatla artmaya devam etti. Bu önemli ölçüde basit bir aritmetik meselesiydi. Çoğu kurumda ortak özelliğe dönüşen bir istatistikle, her yıl alınan hastaların sadece üçte birinin ya da beşte ikisinin "düzelmiş" ya da "iyileşmiş" olarak ayrıldığı ve sadece % 10'unun öldüğü bir düzende, zamanla vakaların birikmesi ve kronik hastaların akıl hastanesi mevcudunun gittikçe büyüyen bir kısmını oluşturması kaçınılmazdı. Öte yandan, zorluk çıkaran, sakıncalı ve hatta çekilmez kişilerle ev ortamında çaresizce bir şekilde başa çıkmak yerine, onları bir kuruma yatırma alternatifinin varlığı, başka bir beklenmedik hasta kaynağı oluşmasına neden oldu. Akıl hastanesine yatırmanın

79 Joseph Mortimer Granville, 1877, c. 1, s. 15.

80 Akt. Dorothea Lynde Dix, 1850, s. 20.

81 *The Times*, 5 Nisan 1877.

82 *The Scotsman*, 1 Eylül 1871.

83 "Heilungsaussichten in der Irrenstalten", 10 Eylül 1908, s. 223.

zorunlu hale gelmesi için birinin ne ölçüde rahatsız olması gerektiği kesin ve değişmez bir standartla ölçülmediğinden, zamanla "azgın delilik" sınırları genişledi ve gittikçe artan sayıda kişi kapatılmaya muhtaç sayıldı. William Tuke'un yönettiği küçük, mahrem akıl hastanesinin ya da Esquirol'un özel hastalarına hizmet verdiği akıl hastanesinin yerini, çok zengin kesimler dışında, büyük ölçüde üç ila dört yüz, ardından bin ve daha yüksek mevcutlu akıl hastaneleri aldı.

Bu gelişmeler, akliyeciler açısından meşum sonuçlar doğurdu; çünkü vaat ettikleri iyileşmeyi sağlayamamaları kaçınılmaz bir ters tepki ve zamanla kamu yetkililerinde devlet hazinesi için hep bir yük oluşturmaya mahkûm görünen kişilere "fahiş" meblağlar harcama konusunda gittikçe artan bir isteksizlik yarattı. Bizzat akliyecilerin uzmanlığa ve bir sağlık mesleği statüsüne dönük savlarının geçerliliği tehlikeye girdi. Başka bir açıdan, bu nahoş gelişmeler mesleki ahlakta hızlı bir düşüşe, akıl hastanesinin doğuşuna eşlik etmiş umudun çöküşü için açıklamalar bulma arayışına, çoğalmış ve 19. yüzyıl manzarasının aşikâr bir unsuruna dönüşmüş delilik müzelerini kalıcılaştırmak için yeni bir gerekçe sunma çabasına yol açtı. İnsanca kurumlar, dinlenme ve iyileşme mekânları gibi sunulan yerler, halkın gözünde bir kez daha yozlaşarak, "sosyal moloz yığınlarını uygun biçimde saklamayı sağlayan"[84] yerlere, istenmeyen kişilerin kapatıldığı ambarlara, "mahallenin Mavi Sakal dolabına" dönüştü.[85]

84 James Crichton-Browne, *Annual Report of the West Riding Lunatic Asylum*, 1873.
85 "Lunatic Asylums", *Quarterly Review* 101, 1857.

Bölüm Sekiz

DEJENERASYON VE ÇARESİZLİK

UYGAR YAŞAMIN BOZUKLUKLARI

Daha hafif türden sinir hastalıklarını uygarlık için ödenen bir bedel, aslında en seçkin ve uygar kişilerin özellikle yatkın olduğu dertler olarak görmek 18. yüzyılın başlarından itibaren basmakalıp bir yaklaşıma dönüşmüştü. Yüz yıl sonra bu fikirler, azgın deliliğin en ağır ve ürkütücü biçimlerini kapsayacak ölçüde genişlemeye yüz tuttu. Akliyecilere ve yandaşlarına göre, akıl hastalığı uygarlığa ve uygar insanlara özgü bir hastalıktı. Buna karşılık, "vahşiler" ve ilkel halklar arasında neredeyse hiç görülmeyen bir durumdu. Rousseaue'nun ifadesiyle "soylu vahşiler", göründüğü kadarıyla akıl hastalığının tahribatına karşı bağışıktı.

Uygarlığın ilerlemesiyle birlikte, hayat daha karmaşık, daha "doğaya aykırı", daha hızlı, daha belirsiz, daha stresli, daha az istikrarlı hale geldi. Fransız ve Amerikan devrimlerinin en bariz örneklerini oluşturduğu siyasal altüst oluşlar ve piyasa esaslı yeni ekonomik düzenin yol açtığı sarsıcı değişiklikler, insanlarda tutkular ve hırslar uyandırdı. Kadim inançlar ve statü hiyerarşileri bir tarafa atıldı. Zenginlik peşinde pervasızca koşmak akılları karıştırdı ve hırslar kabararak zıvanadan çıktı. Siyasal yapıdaki çalkantı, yurttaşların bedenlerine ve zihinlerine yansıdı. İnsanların isteklerini ve beklentilerini belirli sınırlar içinde tutan eski kısıtlayıcı yapılar (kilise, aile, coğrafi ve sosyal durağanlık, geleneğin ağırlığı) dizginlerinden boşaldı. Lüks yaşam ve her türden aşırılık, ahlaki ve akli dokuyu zayıflattı ya da öyle olduğu sanıldı. Bu durum, tıpkı sinir hastaları gibi, çağın en hırslı, en soylu, en görgülü erkekleri ve kadınları arasından daha çok çıkan delilerin sayısındaki hızlı yükselişi açıklamayı sağladı. O dönemde epeyce endişeli yoruma konu oldu.

Philippe Pinel ve gözde öğrencisi Esquirol, *ancien régime*'i yok etmenin Fransız yurttaşlarının akıl sağlığına yararlı etkilerde bulunacağı görüşünü bir süre savunmuşlardı. Ne de olsa, "miadı dolan" bu sosyal düzenin en ayrıcalıklı unsurları "yumuşaklığa ve şatafata batmış" haldeydi. Fransız Devrimi'nin getirdiği özgürlüğün yararlı etkilerde bulunarak, can sıkıntısının ve aylaklığın yerine "zindeliği ve enerjiyi" geçireceği kesindi.[1] Ama Terör

1 Philippe Pinel, "Aux auteurs du journal", *Journal de Paris*, 18 Ocak 1790, s. 71.

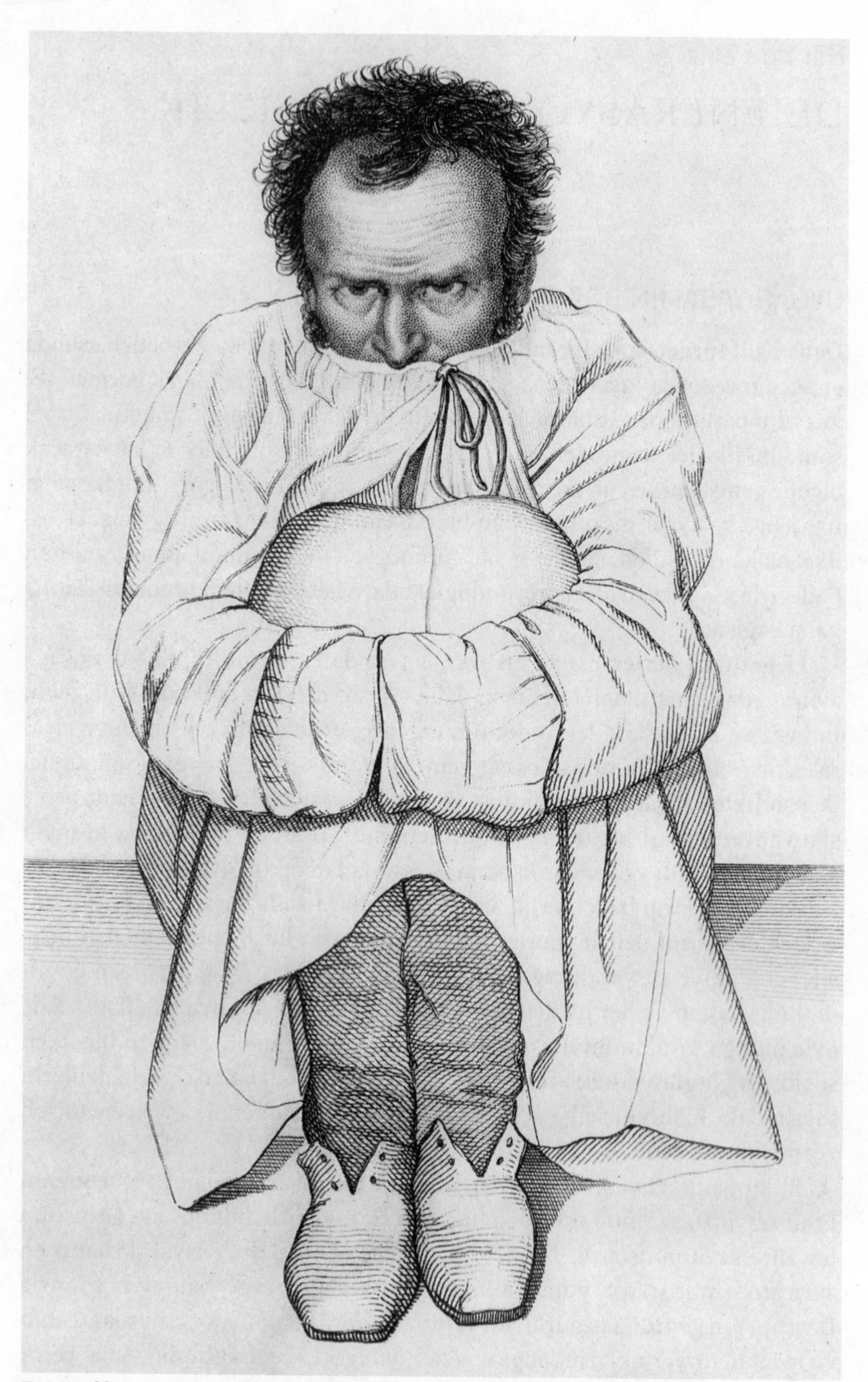

Fransız akliyeci J.-E. D. Esquirol 1838'de yayımlanan *Des Maladies mentales* [Zihnin Hastalıkları] risalesinde akıl hastalarını deliliğin pençesinde kıvranırken gösteren bu türden birçok çizime yer verdi.

dönemi böyle hülyalardan hızla sıyrılmalarını sağladı. Pinel düşüncesini değiştirdi: Fransız Devrimi'yle zincirlerinden kurtulan tutkuların sadece devletin değil, yurttaşlarının istikrarı açısından da ürkütücü sonuçları vardı.[2] Esquirol delilerin sayısındaki hızlı yükselişin en etkili sebebinin "devrimci azap" olduğundan söz etti.[3] Zamanın ona öğrettiği bu dersle, şu inancı pekişti: "Delilik toplumun, ahlaki ve fikri etkilerin ürünüdür."[4] Auxerre'deki akıl hastanesinin müdürü Henri Girard de Cailleux (1814-1884) kısa sürede konsensüse dönüşecek şu görüşü 1846'da belirtti:

> Fikirlerin ve siyasal kurumların yerinden oynaması, bir zamanların sabit ve istikrarlı mesleklerini değişime açık hale getirdi. [...] Pervasız ve sınırsız bir hırsla aşırı uyarılan birçok akıl, kendini yıpratarak ve gücünün ötesinde bir mücadeleye saparak [sonuçta] delirdi. [...] Heves kırıklığı ve perişanlık [...] başkalarını aklın ışığından uzaklaşmaya yöneltti.[5]

İşin garip tarafı, Amerikan devrim çağının önde gelen hekimi Philadelphia Benjamin Rush'ın düşünceleri, Pinel'in ve Esquirol'un geçtiğine benzer bir çizgiyi daha önce izlemişti. Ona göre, bağımsızlıkla birlikte ortaya çıkan durum şöyleydi:

> [Yurttaşlar] her yerde özgürlüğün dinçleştirici etkisi altında. Manevi, siyasal ve maddi mutluluk arasında ayrılmaz bir birlik vardır; eğer bu doğruysa, seçilmiş ve temsili yönetimler ulusal refah için olduğu kadar bireysel refah için de son derece uygundur ve bundan haliyle hayvan varlığı için de son derece uygun oduğu sonucu çıkar.[6]

Böyle kazanımlar, sadece bağımsızlığı desteklemiş yurtseverlerin payına düştü. Yanlış bir tutumla İngiliz tahtına bağlı kalanlar "*Revolutiana*" sürecinden zararlı çıkarak, bedensel ve zihinsel sağlık bakımından zayıflamanın sıkıntısını çekti. Ne var ki Pinel ve Esquirol gibi, Rush da bir süre sonra farklı bir telden çalma noktasına geldi. Varılan sonucu şöyle değerlendirdi:

> Savaşın başarıyla bitmesinin alevlendirdiği aşırı özgürlük tutkusu, birçok kişide akılla bertaraf edilemeyen ya da yönetimce dizginlenemeyen görüşler ve davranışlar yarattı [...] [ve] *Anarchia* adıyla ayırt etme cüretinde bulunacağım bir tür akıl hastalığına temel oluşturdu.[7]

---

2 Philippe Pinel, 1805, s. 1158.
3 J.-E. D. Esquirol, 1805, s. 15.
4 J.-E. D. Esquirol, 1838, c. 2, s. 742.
5 H. Girard, 1846, s. 142-43.
6 Benjamin Rush, 1947, s. 168.
7 Benjamin Rush, 1947, s. 333.

Rush'ın yeni terimleri genel kabul görmedi, daha doğrusu basbayağı görmezlikten gelindi; ama sonraki görüşünün temelindeki tepki, sonraları Amerikalı akliyeciler kuşağında tutuculuğa dönüştü. Massachusetts'te 1833'te açılan Worcester Eyalet Akıl Hastanesi'nin ilk müdürü Samuel B. Woodward'a göre, tehlike her yerde vardı:

> Siyasal kargaşa, dinsel aşırılıklar, sermayeyi aşan yatırımlar, borçlar, iflaslar, ansızın gelen aksilikler, hüsrana uğramış umutlar [...] görünüşe bakılırsa günümüzde bir araya gelmiş durumdadır ve genellikle akıl hastalığına yol açmada etkilidir.[8]

Yeni bir meslek birliği oluşturmak üzere 1844'te Philadelphia'da toplanan (s. 220) on üç akliyeciden biri olan Isaac Ray (1807-1881) "uygar toplulukların çoğunda, hatta belki hepsinde akıl hastalığının artmakta olduğunu" ısrarla savundu.[9] Meslektaşı Pliny Earle (1809-1892) "toplumun ilerleyişi ve akıl bozukluklarının artışı arasındaki sürekli paralelliğe" işaret ederek, "toplumdaki en üst kültürün içine düştüğü durumun bedeli olan cezalara değip değmediği" sorusunu açıkça gündeme getirdi.[10] En çalışkanlar, en hırslılar, en başarılılar en çok risk altındaydı:

> Akıl hastalığı toplumun yabani halinde nadirdir. Şimdiki farklılığın sebeplerinden biri, hiç kuşkusuz, daha basit ve doğal hayat tarzlarının yerini lüks ve yapay hayat tarzlarına bırakmasıdır. Daha önemli başka bir sebep, cahil ve görgüsüz kesimlerde zihinsel yetilerin uykuda yatması ve dolayısıyla akli dengesizliğe daha az yatkın olmasıdır.[11]

İngilizlerin gözünde Devrimci Fransa siyasal istikrarsızlığın tehlikelerini gösteren bir ibretti (Atlantik'in öbür yakasındaki eski koloniciler hakkında pek konuşmamak daha iyiydi); ama İngiliz akliyeciler Kıta Avrupası'nda ve Kuzey Amerika'da dile getirilen görüşlere sevinçle katıldılar. Thomas Beddoes (1760-1808) "akıl hastalığına el verecek kadar uygar"[12] uluslardan söz ederken, Alexander Morison (1779-1866) (Resim 32) deliliğin "Güney Amerika'da ve Yerli kabileler vs. arasında çok küçük çapta" görüldüğünü bildirdi. Morison'ın ciddi ciddi vardığı sonuç şuydu: "Ülkemizde artan uygarlığın ve lüksün, kalıtsal yatkınlıkla birlikte, genelde [...] nüfusla oran-

---

8 *Tenth Annual Report of the State Lunatic Hospital at Worcester*, 1842, Boston: Dutton ve Wentworth, s. 62.

9 Butler Akıl Hastanesi, *Annual Report* 1854, s. 13.

10 Pliny Earle, 1868, s. 272

11 *Thirteenth Annual Report of the State Lunatic Hospital at Worcester*, 1845, Boston: Dutton ve Wentworth, 1846, s. 7. Ayrıca bkz. Amariah Brigham, 1833, s. 91.

12 Thomas Beddoes, 1802, s. 40.

tılı olarak sayıyı artırıyor olması muhtemeldir."[13] Zenginliğin akıl hastalığı salgınına karşı koruma sağlaması şöyle dursun, "akıl hastalığından büyük ölçüde bağışık" olan kesim tarımsal nüfus ve özellikle kırsal yoksullardı. Buna karşılık, "heyecana, [...] akıl dinginliğini ve sağlığını koruma açısından zararlı düşünce ve davranış alışkanlıkları"na hep açık olan burjuvazide ve zenginlerde böyle bir bağışıklık yoktu.[14]

Sosyal delilik coğrafyasına ilişkin bu savlar halktan kabul gördükleri ölçüde, elit tabakanın akıl hastaneleri inşa etmeye destek vermesi için başka bir dizi gerekçe sağladı. Görünüşe bakılırsa, delilik heyulasından korkmaları için en çok sebepleri olanlar, hayat yarışında en sert çekişmeye girenler ve artan rekabetin, alaverenin ve hırsın zararlı etkilerine en sıkça ve en doğrudan maruz kalanlardı. Sınıf atlamaya hevesliler risklerin en büyüğüyle karşı karşıyaydı:

> Piyanolar, güneş şemsiyeleri, Edinburgh Review dergileri ve Paris'e gitme arzuları eskiden böyle şeylerin farklı bir sınıfa ait olduğunu düşünen kişiler arasında rağbet buluyor; bunlar asabiyetin ve akıl rahatsızlıklarının asıl kaynağıdır.[15]

Oysa deliliğin sosyal konumuna ilişkin bu öngörülerin yanlış olduğu her yerde ortaya çıktı. Sayıca hızla artan tescilli meczupların doğrudan çıktığı kesimler aslında yoksullar ve orta hallilerdi. Devletin akıl hastanelerini dolduran hasta kitlesini fakir meczuplar olarak nitelendirmek bir ölçüde yanıltıcıydı; bunların hepsi hiç de lümpen proleter değildi. Ama şöyle ya da böyle devlet hazinesi desteğine dayanmak fakir sayılmak için yeterliydi ve delilik kişinin geçimini sağlamasını neredeyse imkânsız kılan bir şeydi. Deliliğin tahribatı en varlıklılar dışında herkesi kısa sürede yoksulluk tehlikesine düşürecek düzeydeydi; akıl hastalığının aile yaşamına yüklediği sıkıntılarla bu durum ağırlaşırdı. Başlangıçta bir ölçüde ekonomik güvencesi ve bağımsızlığı olanlar bile çok geçmeden yoksullaşır ve devlet desteğine dayanmaya mecbur kalırdı. Böylece deliler genelde "saygın" sınıfları ürküten bir sıfat kazandılar, ama o şartlarda pek seçenekleri yoktu. Çaresizlik onları gururu bir yana bırakmaya yöneltti. Ama "fakir akıl hastası" yaftasının sosyal heterojenliği oldukça örttüğünü görmek, temel gerçekliği değiştirmez. 1850'lere varıldığında, resmen akıl hastası sayılanların alt tabakalara mensup, yani geçimini sağlamak için çalışmaya mecbur kişiler olduklarından kuşku duyabilecek çok az kişi kaldı.

13 Alexander Morison, 1825, s. 73.
14 William A. F. Browne, 1837, s. 56, 59.
15 David Uwins, 1833, s. 51.

AZALAN GÜVEN

Aynı dönemde delilerin akıbetine ilişkin kötümserlik bir kez daha arttı. Akliyecilerin vaat ettikleri yüksek iyileşme oranını sağlamaktan aciz oldukları ortaya çıktı ve kronik hastaların birikmesi kaçınılmaz olarak akıl hastanelerinde yığılmalar yarattı. Bu biçareler ordusu ve kroniklik heyulası, 1860'ların ortalarından itibaren psikiyatri dünyasını usandıracak ve deliliğin mahiyetine dışarıdan bakışı etkileyecek noktaya vardı. Philadelphialı seçkin nörolog Silas Weir Mitchell (1829-1914) şimdiki Amerikan Psikiyatri Birliği'nin öncüsü olan meslek derneğinin kuruluşunun ellinci yıldönümü vesilesiyle toplanmış akliyecilere hitap ederken, psikiyatrları azarlayarak, bir "canlı ceset" topluluğunun, "umudu hatırlamayı bile unutmuş, kederi bilemeyecek bir donuklukla, bakıcıların gözetiminde sıra sıra oturan, hayatları yiyip uyumakla, uyuyup yemekle geçen sessiz ve korkunç makineler görünümündeki" zavallı hastaların başında öylece durmalarından yakındı.[16] Uzmanların varlığına rağmen delilik göründüğü kadarıyla manevi tedaviyle (hatta manevi ve tıbbi tedavinin makul bir bileşimiyle) iyileştirilebilecek bir şeyden ziyade, ezici ve acımasız bir ömür boyu cezaydı.

Akliyecilerin sundukları devalara azalan güven her yerde kendini belli etti. Kariyerlerine büyük iyimserlik içinde başlamış olanlar, mesleki ufukların hızla daraldığı gerçeğiyle bir şekilde başa çıkmak zorunda kaldılar. Sözgelimi, W. A. F. Browne akıl hastanesini yeniden düzenleme fikrinin en tanınmış ve en etkili propagandacıları arasında yer almıştı. Avrupa'da bağış kaynakları en zengin akıl hastanelerinden birini, İskoçya'nın güneybatı kesimindeki Dumfries kasabasının akıl hastanesini yönetme talihine ermiş, işine bağlı ve yetenekli bir idareciydi. Hastalarını tedavi etmek için çok büyük gayretle çalıştı. Arapça, İbranice, Yunanca, Fransızca ve Latince dil kursları açtı. Hastaların katkıda bulunduğu bir tiyatro topluluğu oluşturdu ve bir edebiyat dergisi çıkardı. Can sıkıntısını savuşturmaya ve onları canlandırmaya yönelik konser, dans, toplu okuma, konferans ve başka bir sürü aktivite sundu. Uzun İskoç kış akşamlarını aydınlatmak için lüks lambaları kullanmaya öncülük etti. (Bu lambaları yaktığında, kasaba ahalisi ışıltılı manzarayı seyretme beklentisiyle akıl hastanesi kapılarında toplanırdı.) Var gücüyle çalışmasına karşın, hastanesindeki iyileşme oranı beş yıl içinde hastaların üçte birinin biraz üzerinde bir orana indi. Daha on yıl dolmadan, ütopyacı beklentileri bir yana bırakarak, şöyle hayıflandı:

> Akıl hastalarının bakımıyla görevli herkes, tıbbın etkililiği ya da sakin ve sağlıklı aklın tedirgin ve sapkın akıl üzerindeki gücü temelinde belirlenmiş ilk standartlara

16 Silas Weir Mitchell, 1894.

göre, sağlanan somut yararın ne kadar düşük olduğunun, [...] hastalığın ne kadar inatçı çıktığının ve aklın toparlanmış gibi göründüğü durumlarda bile tahribatın ne kadar kalıcı olduğunun bilincinde olmalıdır.[17]

Bu cinnet ve melankoli görüntüleri Alexander Morison'ın hem kendi kariyerini, hem de meczuplukla başa çıkmada uzmanlığa dair tıbbi savları geliştirmek için yıllarca bir dizi olarak sürdürdüğü *Outlines of Lectures on Mental Diseases* [Akıl Hastalıkları Derslerinin Esasları] kitabının 1826 baskısının ön sayfası olarak kullanılmıştı.

Buradaki "toparlanmış gibi göründüğü" ibaresi anlamlıdır. Durum zamanla daha da kötüleşti. 1852'ye varıldığında, Browne "sağlığa yeniden kavuşturmada, düzeni ve huzuru yeniden sağlamada çok az şey yapılabildiğini" ve bütün çabalarından çıkan sonuçların "gösterilen yakınlığa ve özene rağmen, perişanlığın, şiddetin ve kindarlığın ağır basmasına yol açacak kadar kısır ve yetersiz olduğunu" umutsuzca belirtti.[18] Beş yıl sonra Meczupluk Kurulu'nun bir üyesi olarak, İskoçya'daki akıl hastanelerini denetleme gibi iyi maaşlı bir işe geçmek üzere akıl hastanesinin boğucu ortamını nihayet geride bıraktığında, hâlâ sözünü sakınmaz bir tutum içindeydi:

> Çok sıklıkla bir akıl hastalığı arazı olan mizaç bozulmasının üstüne bir örtü çekmek alışılagelmiş tutumdur. Oysa çok sayıda akıl hastasını idare etmenin somut güçlüklerini açığa vurmak gerektiği doğrudur. Birçok iradi davranışın genelde vardığı irade dışı alçalmayı, hayvanileşmeyi, dehşeti ortaya koymada yarar vardır. Eski ruh göçü teorisini, yani cinle çarpılmaya inancı, müstehcenlikle ve yakışıksız şekilde çılgınca övünmek kadar tam somutlaştıran, açıkça haklı çıkaran hiçbir kör cinnet ya da kindar gaddarlık işareti yoktur; çöp ya da dışkı yemek, vahşi insana kalıtım yoluyla ve batıl itikat olarak geçmiş olabilecek canavarlıkları geride bırakır. [...] Böyle alışkanlıklar hastalığa kaba göreneklerle, kötü ya da eksik terbiyeyle veya asli karakter unsurlarıyla işlenmez. Toplumun en seçkin ve en kibar kesimlerinde, en pürüzsüz yaşamı sürdüren ve en ince duyarlılığı

17 Crichton Kraliyet Akıl Hastanesi, *9th Annual Report*, 1848, s. 5.
18 Crichton Kraliyet Akıl Hastanesi, *13th Annual Report*, 1852, s. 40

> taşıyan kesimlerinde bunlara rastlanır. Soylu kadınlar idrarlarını içerler. [...] Yüksek sanatsal özenti taslaklarının dışkıyla resmedildiği, şiirlerin kanla ya da daha iğrenç araçlarla yazıldığı görülür. [...] Çılgınca hayallerinin akla getirebileceği iğrençlikle duvarları kirletip ıslatan, vücutlarını dışkıyla ovan ya da sıvayan, odadaki her çatlağı, kulaklarını, burunlarını ve saçlarını dışkıyla dolduran, bu değerli boya maddelerini döşeklerinde, eldivenlerinde, ayakkabılarında saklayan ve mal varlıklarını korumak için kavgayı göze alan [...] hastalar karşımıza çıkar.[19]

Browne'ın daha güneydeki meslektaşlarından birinin, Exeter'daki Devon İli Akıl Hastanesi'ni yöneten ve *Journal of Mental Science* dergisini çıkaran John Charles Bucknill'in (1817-1897) akliyecilerin "hayatlarını marazi bir zihinsel ortamda geçirmeleri"nden ve "akıl hastalığının görünüşteki bulaşıcılığından mustarip olan",[20] bir başka deyişle deliren akıl hekimlerinin çokluğundan yakınmasına pek şaşırmamak gerekir.

Bu itirafın resmen hâlâ hastaların tedavisine dönükmüş gibi sunulan bir kurumun onu yönetenler için böylesine zehirli olabildiğini göstermesi açıkça tuhaf bir durumdur. Sadece İngiltere'de ve İskoçya'da değil, akıl hastanesi çözümünün yayıldığı her yerde sorunlar benzerdi. Perişanlık, monotonluk, pek önlenemeyen şiddet, aşırı kalabalık ve sefalet kaçınılmazdı; (akliyecilerin hastalarına bakışını nadiren paylaşan) karışık bir bakıcı ekibini denetlemenin güçlükleri ve iradeleri dışında konuldukları hastanedeki yaşamın kısıtlamalarıyla ve sıkıcılığıyla düpedüz boğuşan hastaların çoğu kez sessizce bile olsa inatçı direnişi bu durumu ağırlaştırmaktaydı.

DELİLERİ SUSTURMAK: RESİMLİ VE EDEBİ PROTESTOLAR

Akıl hastanesi sistemi akıl hastalarını ikili anlamda kıstırırdı. Onları toplumdan koparmanın yanı sıra genelde seslerini boğup kısardı; yani, okuryazarlıktan yoksun kalmayla ya da zihinsel gerilemenin derinliğiyle zaten seslerini gelecek kuşaklara duyuramayacak oluşları yeterli bulunmazdı. Yeni akıl hastaneleri şebekesinin özelliklerinden biri çok sayıda istatistiğe kaynaklık etmek olsa da, bu istatistikler bize kapatılanlardan ziyade kapatanlar hakkında bilgi verir. Vaka notları kapatılanların durumunu biraz daha açığa vurur: Kapatılma noktasına nasıl geldikleri; meczup olarak tescil edilmelerinden önceki ve sonraki arazları ve davranışları; akıl hastanesi düzenine tepkileri. Ancak çok seyrek durumlar dışında, hastaların akıl hastanesi sistemine nasıl tepki verdiklerine dair bilgilerimiz hemen her zaman doktorların gözlerine ve kulaklarına dayalı bir süzgeçten geçmiştir.

---

19 Crichton Kraliyet Akıl Hastanesi, *18th Annual Report*, 1857, s. 24-26.

20 John C. Bucknill, 1860, s. 7.

Ebenezer Haskell tamamen aklı başındayken zorla akıl hastanesine konulan ve ardından korkunç muameleye maruz kalan çok sayıda hastadan biriydi. Başından geçen şeyleri bizzat bastırdığı bir broşürle anlattı. Bu çizimde tedavi kisvesi altında cezalandırılışı görülüyor.

Hastaların akıl hastanesine niçin getirildiklerine ilişkin anlatımlar, kapatılmaya meşruiyet kazandıran akıl hastalığı belgelerine kaydedilir ve genellikle kütük defterine geçirilen nüshaları ara sıra hasta ailesinin bildirdiği ayrıntılarla genişletilirdi. Daha sonra rutin gereğince periyodik olarak ya da olağandışı bir şey vuku bulduğunda kayıtlar eklenirdi. Kronik hastalarda zamanla bu kayıtlar kesilirdi ya da basmakalıp şekle bürünürdü. Gittikçe azmanlaşan akıl hastanelerinde, hastalar anonim kalabalığın birer parçası haline gelirlerdi. Uzun süre kalan hastalara ait kayıtların çoğu kez birden fazla defterde ayrı tutulması, akıl hastanesi sicillerinin seyrini izlemeyi güçleştirirdi. Vaka kayıtlarını tek tek kâğıtlara işleyip dosyalara koyma yöntemine ancak çok sonraları geçildi.

Kafatası şeklinin temelde yatan akıl hastalığıyla ilgili bir şeyi açığa vurabileceği yönündeki frenoloji anlayışının etkisiyle, hastaların görünüşüne ve yüz ifadesine ilişkin kayıtlar önce çizimlerle ve gravürlerle tutturuldu. Fotoğrafçılık teknolojisinin ilerlemesiyle birlikte, hastalar kendilerini kamera objektifleri önünde buldular. Hastanın yatırılışı sırasında ve daha sonra "iyileştiği" dönemde çekilmiş ilk cam levha negatifleri Bethlem Hastanesi arşivlerinde ve başka kaynaklarda hâlâ bulunabilir. Darwin *The Expression of the Emotions in Man and Animals* [İnsanlarda ve Hayvanlarda Duyguların İfade Edilişi, 1872] kitabını yazmaya başlarken konuya ilgi duyunca, Yorkshire'daki West Riding Akıl Hastanesi'nin müdürü James Crichton-Browne'la (1840-1938) Mayıs

1869-Aralık 1875 arasında kapsamlı bir yazışmaya girerek, güçlü duyguların pençesinde kıvranıyor gibi görünen hastalara ait çok sayıda fotoğraf edindi.

Seyrek ama çok seyrek olarak, rollerin tersine döndüğü ve hastaların doktorlarına, hasta arkadaşlarına ve kapatıldıkları akıl hastanelerine dair izlenimlerini kaydettiği olurdu. Bazen bunlar kâğıda geçirilirdi. Bir Ticehurst hastası, kendini herkesin tepip durduğu "insan biçimli bir futbol topu" gibi hissedişini dile getirdi.[21] Pennsylvania Akıl Hastanesi'nden 1868'de kaçan ve kapatıldığı kuruma dava açan Ebenezer Haskell, kendi bastırdığı bir broşürde tutsak edilişini sertçe eleştirdi. Bir hastanın Dört Temmuz Bayramı'nda kayışlarla bağlanıp sırtüstü yatırıldığı ve bakıcılar tarafından dövüldüğü çarpıcı bir sahneyi çizdi. Arkasına kendisini kurumu çevreleyen yüksek duvardan atlarken silindir şapkasıyla kafa üstü yere çakılışını gösteren bir resmi ekledi.[22] Onun ya da yukarıda ele alınan diğer protestocu hastalardan birinin kendi kapatılışına bakışından pek kuşku duyulamaz.

Başka bazı hastalar yaşadıkları hezeyanlara bir ölçüde şekil veren çizimler sundular; bunlar birçok durumda kaba ve sakarca olmakla birlikte, çarpıcı ve etkileyici örnekler de vardı. Bazen hastalar çevrelerini ve hatta başlarındaki akıl hastanesi müdürünü çizdiler ya da resmettiler. Bu türden malzemelerin büyük bölümü basbayağı kayıplara karışmıştır; ancak tek tük örnekler akıl hastanesi arşivlerinde durmaktadır. Mesleki eğitimden geçmiş ve bir ölçüde tanınmış sanatçıların kapatıldıkları dönemde bazen ürettikleri oldukça ilginç ve dokunaklı eserler ise korundu ve ara sıra daha geniş bir kesime sunuldu.

Richard Dadd (1817-1886) geleceği son derece parlak bir sanatçı olarak görüldüğü 1840'ların başlarında, bir gün babasının kafasını kesti ve ardından kaçtığı Paris'te sonunda Fransız makamlarınca yakalandı. Bedlam'e (ve daha sonra suç işlemeye eğilimli akıl hastaları için 1863'te Broadmoor'da açılan uzmanlık hastanesine) kapatıldığı dönemde, resim çalışmalarını sürdürmesine izin verildi. Deliliğin pençesinde kıvrananlara ilişkin eskizlerin ve düş âlemlerine özgü, ince ayrıntılarla dolu fantastik sahnelerin (Resim 1) yanı sıra, 1852'de Bedlam'de konuk hekim olarak bulunan ve muhtemelen resim çalışmalarına sürdürmesini sağlayan Sir Alexander Morison'ın bitkin haldeki ve çok zor unutulur bir portresini yaptı (Resim 32). Anlaşıldığı kadarıyla bunun karşılığı olarak, akıl hastanesi yetkililerinin çektiği fotoğrafı sayesinde, onun *Contradiction: Oberon and Titania* [Çelişki: Oberon ve Titania, 1854-1858] tablosu üzerinde çalışmasını günümüzde görebiliyoruz.

Kırk yıl kadar sonra, Vincent van Gogh (1853-1890) Arles'da onu tedavi eden akliyeci Félix Rey'in (Resim 33) ve Saint-Rémy'deki özel akıl hastane-

21 Charlotte MacKenzie, 1985.
22 Ebenezer Haskell, 1869.

Richard Dadd bir Yerli oğlan konusunda Oberon ile Titania'nın tutuştuğu ağız kavgasını özgün çapraşık üslubuyla işlediği Contradiction: *Oberon and Titania* [Çelişki: Oberon ve Titania] tablosunu yapıyor. Erken dönemden kalma bu fotoğraf hem Dadd'i, hem de yapılış aşamasındaki bir eseri göstermesi açısından şaşırtıcıdır.

sinden taburcu edilmesinden sonra bakımını üstlenmeye çalışan Dr. Paul Gachet'nin portrelerini yapacaktı. Rey'in portresi van Gogh'un Arles'daki kapatılış döneminde yaptığı bir dizi tablodan biriydi. Öbürlerinin konusu akıl hastanesi bahçesinden bir manzara, hastaların yalnızlığını ve dalgınlığını vurgulayan koğuş ortamı (Resim 35) ve kederli bir hastanın dokunaklı portresiydi. Van Gogh akli durumunun çalışmalarını etkiliyor olabileceği endişesi içindeydi ve kardeşine bir mektubunda "aşırı delice şeyleri kimseye göstermemesini" rica etmişti.[23] Ama onun akıl hastanesine kapatılışını

23 Vincent van Gogh'tan Theo van Gogh'a, Mayıs 1890.

ve çoğu kez ıstıraplı ruh halini bilmeyen biri için, tablolarında bunu işaret eden çok az şey vardır. Bir akıl hastanesinde hiç kalmamış olan Otto Dix'in 1922'de Alman asabiyeci Heinrich Stadelmann'ı resmettiği portre tam aksine çok daha huzursuz ve huzur bozucu bir görüntüdür: Stadelmann ellerini sıkıca kenetlemiş halde, karşısındaki kişiyi süzüyor gibidir (Resim 34). Bir deli doktoru olduğu besbellidir.

Hastaların yazdığı ya da çizdiği ufak tefek şeylerin günümüze ulaştığı durumlarda bile, bunlar bakıcılarınca tutulan şeyler oldukları için, hastaların akıl hastanesindeki yaşama dair düşünceleri ve tepkileri konusunda bir kanıya varmayı sağlayacak temsili bir temel olmaktan uzaktırlar. İşin doğası gereği, bu tür kayıtlar taraflı ve kısmidir. Taraflılık sınıfsal kökenden gelir; çünkü zengin hastalar çok sayıda personelin üzerlerine titrediği ve ihtiyaçlarını karşıladığı küçük kurumlara kapatılırlardı; çok daha yüksek olan doktor-hasta oranı, iyileşme açısından daha fazla yarar sağlamasa bile daha fazla ilgiyi ve olup bitenleri kayda geçirmeye daha eğilimli olmayı getirirdi. Tabii, bir de bu hastalar yoksul akranlarından birçoğunun aksine okuryazardı. Binlerce meczup arkadaşlarıyla birlikte ambarlara tıkılan delilerden oluşan büyük kitle hakkında daha az şey bilmekteyiz.

Ama azlık yokluk değildir. Akıl sağlığına kavuşturulmalarından dolayı şükranlarını ifade eden hastalara ait bazı mektuplar da günümüze ulaşmıştır. Daha yaygın görülen durum ise bir protesto edebiyatıdır. Hastaların hepsi acılarına sessizce katlanmadılar. Bazıları çektikleri azapları resimle ya da yazıyla dile getirdiler, bazıları da akıl hastanesinde aylarca ve yıllarca nasıl tutulduklarını anlattılar. Ancak bunlar hiç kuşkusuz taraflı bir kesimdi, çünkü çoğunun yakındığı şey sebepsiz yere meczuplarla birlikte kapatılmaktı; delilikten bir ölçüde etkilendiklerini kabul edenler bile gördükleri tedaviden iğneli dille söz etmekteydi.

Akıl hastanesinde delilik cinleriyle boğuşan bir hasta olmanın insanda nasıl duygular uyandırmış olabileceğine dair nadir bir kavrayışı, Northamptonshire'ın köylü şairi John Clare'in (1793-1864) şiirlerinde görebiliriz. Clare ömrünün son yirmi yedi yılını birkaç ay dışında iki akıl hastanesinde geçirdi. Matthew Allen'ın Essex'teki özel akıl hastanesi High Beach'te 1837'den 1841 başlarına kadar kalışını izleyen birkaç aylık kaçak özgürlüğün ardından, ölene kadar Northampton Genel Akıl Hastanesi'nde kaldı. Çok az resmi eğitim görmüş[24] ve geçimini büyük ölçüde ırgatlıkla sağlamaya mecbur kalmış biri olarak, 1820'lerde şiirleriyle bir yayımcının ve bazı hamilerin ilgisini çekmeyi başarmıştı. Ama kısmen içkiye düşkün-

24 Clare gazetelere yazdığı mektuplarda "Bir Northamptonshire Sülünü" imzasını atardı; heceleme ya da geleneksel imla konusunda hiç yetkinlik kazanamadı.

lüğünden, kısmen 1830'lardaki ekonomik sorunların etkisinden dolayı geçim sıkıntıları arttı. Doyurmak zorunda olduğu bir karısı ve yedi çocuğu varken, tırpancılık, bostan korkuluğu, kemancılık ve elinden gelen her işi yapması, edebi destekçilerinin gönderdiği küçük bir gelirin yardımıyla bile iki yakasını bir araya getirmesine yetmedi. Artan sıklıkla depresyonlar ve panik ataklar geçirdi, mahzun, kuruntulu ve çevresinden kopuk biri haline geldi ve gittikçe tedirginleşen ruh hali üzerine, sonunda kendi iradesiyle bir tımarhaneye yattı. Orada yazmayı sürdürerek, kapatılışına açıkça olmasa bile isyan etti. O dönemden kalan en ünlü şiirleri insanda kâh derin iz bırakır, kâh rahatsızlık uyandırır; onlarda hem benlik duygusunu koruma çabalarını, hem de kapatılmanın ve bir meczup olarak nitelendirilmenin anlamına dair bazı derin düşünceleri görmemek zordur.

Invitation to Eternity [Sonsuzluğa Davet] şiiri bunun bir örneğidir. Meçhul bir genç kıza gelip hayatını paylaşması için yalvarır gibi görünmekle birlikte, insanda sürüncemeli sosyal ölüm, kaçış yolu olmayan bir dünyaya kısılıp kalma imgelerini ürkütücü biçimde uyandırır – tıpkı Clare'in akıl hastanesinin klostrofobi yaratıcı dünyasından kaçamayışı gibi. Şu dizeler başka nasıl yorumlanabilir?

> [...] Var mısın benimle gelmeye,
> Garipçe yaşarken ölmeye,
> Ölümü tadarken eski kimlikle
> Maziyi, evi, ismi bırakıp geride
> Varlığını sürdürmeye yokluk içinde [...]

"Geceye ve karanlık belirsizliğe" terk edilmiş Clare, şiirin devamında hiç değişmeksizin sürüp giden bir hayatı bize şöyle sunar:

> [...] Anne babaların yaşarken unutulduğu,
> Bacıların bizden bihaber yaşamını sürdürdüğü
> O hazin kimliksizliğe var mısın?

Yitim duygusu, yani kimliğini yitirme, dünyayla, aileyle, dostlarla, ait olunan daha geniş toplulukla irtibatı yitirme duygusu, kişiyi "yokluk içinde varlık" durumunda bırakan garip akıbet biraz daha erken tarihli *I Am!* [Ben Varım!] şiirinde daha da öne çıkar. Başlık kavgacı bir tutum, kişisel özerkliğe ve bireyselliğe dönük güçlü bir sav izlenimi verir. Onu izleyen dizelerde ise tam tersi bir hava eser. Buruk bir terk edilmişlik ve çaresizlik duygusunun damgasını vurduğu bir ağıtla karşılaşırız:

BEN VARIM: Kimsenin varlığımı umursadığı veya bildiği yok,
Dostlarım beni unutulmuş bir hatıra gibi yüzüstü bırakıyor;
Dertlerimle baş başa kalıp kendimi yiyip bitiriyorum,
İlgisiz mihmandarlıkla bir belirip bir yok oluyorlar,
Aşktaki değişken tayfla ve ölümün unutkan dalgınlığıyla;
Oysa boşa gitmiş gölgelerle varım ve yaşıyorum.

Dalıp gittiğim tahkir ve velvele hiçliğinde,
Uyku kaçırıcı kâbusların capcanlı denizinde,
Ne hayattan, ne de neşeden bir eser kalmış,
Ömür boyu değerlerimin koskoca enkazı var yerinde;
Başımın tacı olan o en sevdiğim kişi bile artık
Bana yabancı, herkesten çok daha uzak.[25]

Akıl hastanesine bırakılan birçok kişi, duygularını böylesine etkileyici şekilde dile getirmeyi becerememiş olsa bile, aşağılanma ve terk edilme duygusunu, gözden çıkarılmış ve unutulmuş, umutları harap olmuş ve varlığı ebediyen gölgelere karışmış halde bir "kâbus" ve dert dünyasında yaşama duygusunu herhalde paylaşmış olmalıdır.

GOTİK MASALLAR

Deli olarak tescil edilmek, kişinin medeni haklarını ve özgürlüğünü yitirmesi demekti. Ama aileler açısından, tımarhanelerin sunabileceği kilit yararlardan biri, deli bir akrabanın varlığına bir örtü çekme gücüydü. İngiltere'nin 18. yüzyılda artan refahının böyle kurumları doğurmasının önemli sebeplerinden biri, bu sayede ailelerin hayatlarını, mal varlıklarını, huzurlarını ve itibarlarını tehlikeye atan çekilmez ve katlanılmaz kişilerden kurtulmasıydı. Ama delilerin güya tedavi edici bir tecride tabi tutuluşu kolayca daha meşum bir bakışla sunulabilirdi. Birçok hasta yaşadığı durumu canlı bir mezara, hâlâ nefes alıp verenlere uygun bir mezarlığa gömülmeye benzetmekteydi. Dahası, dönemin tımarhaneleri parmaklıklı pencereleriyle, yüksek dış duvarlarıyla, toplumdan kopukluklarıyla ve zoraki ketumluklarıyla, gözlerden uzak neler dönüyor olabileceğine dair gotik hayallerin kamuoyunda uyanmasını davet eder nitelikteydi. Böyle kurumların ortaya çıkmasıyla birlikte 18. yüzyılda ortalıkta dolaşmaya başlayan bu gotik masallar, 19. yüzyılda kapatılan delilerin sayıca artması yüzünden hiçbir tavsama belirtisi göstermedi.

---

25 Burada alıntılanan şiir metinlerinin kaynağı *The Poems of John Clare*, yayıma hazırlayan ve giriş bölümünü yazan: J. W. Tibbie, Londra: J. M. Dent & Sons Ltd ve New York: E. P. Dutton & Co. Inc., 1935. John Clare Derneği'nin başkanı Linda Curry'nin yardımıyla.

Bazı hikâyeler açıkça kurmacaydı. Döneminde neredeyse Dickens kadar popüler bir romancı olan Charles Reade (1814-1884) *Hard Cash* [Peşin Para, 1863] adıyla karalayıcı ve son derece tutulan bir melodram yarattı. Bu romanda akıl hastanelerini ve yöneticilerini töhmet altında bırakmak üzere, parlamento soruşturmalarında ve basında açığa çıkmış ve sürekli işlenmiş dehşet örneklerini bir araya getirip ördü. Çağın en ünlü İngiliz akliyecisi John Conolly, hafifçe gizlenmiş bir kisveyle beceriksiz Dr. Wycherly olarak karşımıza çıkar; tamamen aklı başındaki roman kahramanı Alfred Hardie'nin hastaneye kapatılmasında işbirliği yapmakla suçlanır. Hardie onu alaycı bir dille, akıl hastanesinde "işkence, kelepçe, pranga, vahşet" bulunmayan "katışıksız insanlık timsali" diye tanıtır. Ama "tavrındaki engin iyilikseverlik" ve konuşmalarındaki "yaltakçı laf kalabalıklığı" aslında "çıkarla körleşmiş" ve "baktığı her yerde akıl hastalığı görmeye" yatkın ikinci sınıf bir zihniyeti yansıtır. Reade'in acımasız hicvinde, pek matah olmayan doktorun beyefendilik statüsü özentileri alaya alınır ve çok övülen psikolojik sezgisi softaca bir sahtekârlık olarak teşhir edilir. Bu "nazik ve dazlak" ruh-beyin uzmanı "çok okumuş ve bunu çıkarlarına yarayacak şekilde kullanma hünerine sahip bir adam" ve "belli tıbbi konularda velut bir yazar"dır. "Bir deli koleksiyoncusu olarak, [...] çıkarları doğrultusunda işleyen zihniyeti, onu kendisinden üstün zekâya sahip olduğu besbelli herkese meczup damgası vurmaya yöneltir"; aklı başında birine meczup teşhisi koymaya kolayca kanar ve daha sonra talihsiz hastanın "Hamlet'in deli olduğunu" kabul etmeye razı olmasına kadar görüşünü inatla sürdürür.[26]

Ama meczup erbaplarının eline geçme korkusuna dair öbür hikâyeler oldukça gerçekti ya da yazarlarının iddiası o yöndeydi. Tımarhane neredeyse ortaya çıkar çıkmaz, bir hasta protestosu edebiyatı belirdi. Tımarhane reformcularının akıl hastalarının gerçek büyük kapatılışını sağladığı ve binlerce hastanın büyüyen akıl hastaneleri imparatorluğuna yığıldığı 19. yüzyılda, bu tür protestolar hızla arttı. "Deli doktoru" teriminin fazlasıyla muğlak ve belki fazlasıyla münasip olmasından dolayı, kendilerine akliyeci ya da tıbbi psikolog sıfatını yakıştırmaya çalışanların bütün uğraşları sonuçsuz kaldı. Teşhis uzmanları olarak şaşmaz yeteneklere sahip olduklarına halkı inandıramadıkları gibi, özgür doğmuş İngiliz erkeklerinin (ve kadınlarının)

26 Charles Reade, 1864. Reade'in gayet iyi bildiği üzere, kısa bir süre önce Conolly hakkında "danışmanlık ücreti" aldığı bir akıl hastanesine onun verdiği meczupluk belgesiyle kapatılan Bay Ruck adlı bir alkoliğin uğradığı hasarla bağlantılı olarak dava açılmıştı. Jüri bu ücretin bir rüşvet olduğu sonucuna vardı ve Conolly'nin kırbaçlamaya bağlı hasardan dolayı 500 sterlin tazminat ödemesine karar verildi. Conolly'nin Londra'daki akıl hastanelerinde mekanik kıstırma aletini kaldıran adam olarak tanınması nedeniyle, dava kamuoyunda geniş ilgi gördü. Bu olay Conolly'nin yasalarla başının derde girmesinin son örneği olmadı. Hamlet'e gelince, Prens'in deli olduğunun Dr. Conolly'de bir sabit fikre dönüştüğü herkesçe bilinirdi.

haklarını çiğnemek üzere art niyetli akrabalarla birlikte dolaplar çevirmeye fazlasıyla teşne bir vicdansız paralı asker güruhu oldukları yönünde, haylaz eski hastaların ortaya attığı iddiaları çürütmeyi başaramadılar. Akliyeciler broşürlerde, mahkeme salonlarında, gerek popüler gerekse ağırbaşlı gazete sayfalarında karalamalara maruz kaldılar; becerilerinin ve güdülerinin alay konusu olmasıyla, geçimleri tehlikeye girdi.

Victoria dönemi insanları, meczuplar içindeki aklı başında oyuncuların bu masallarına karşı doymak bilmez bir iştahla ilgi gösterdi. Şikâyet eden taraflar neredeyse istisnasız zengin ve çoğu kez sosyal açıdan tanınmış kişilerdi. Büyük bir bölümünün kapatılış hikâyesini genişçe yazması, ailelerini perişan ederdi; mülk sahibi insanların deli olmakla suçlandığı bazı durumlarda, Temyiz Mahkemesi tarafından yürütülen ve harika bir mizahla "meczupluk engizisyonları" adı takılan davalara maruz bırakırdı. Bu yargılamalar Charles Dickens'ın *Bleak Hause* [Kasvetli Ev, 1853] romanında unutulmaz bir dille hicvettiği[27] yıkıcı hukuki faturalar doğurmanın yanı sıra, açık mahkemede yapıldığı için kamuoyuna da yansırdı. Üstelik bu iş zevkle seyreden seyircilerin oluşturduğu bir kalabalıkla sınırlı da kalmazdı; *The Times* ve *Daily Telegraph* (ayrıca sansasyonel basın) için, beyefendilerin (ve hatta hanımefendilerin) kahvaltı sofrasında okuyacağı ilginç noktaları yakalamaya çalışan gazetecilerin duruşmaları didiklemeleriyle, on binlerce sanal tanıktan oluşan bir kitle ortaya çıkardı.

Bu edebiyata katkıda bulunanların toplumda belki de en çok tanınanı, suikasta uğramış tek İngiliz başbakanı Spencer Perceval'ın oğlu John Perceval'dı (1803-1876). Genç adam 1830'da Oxford'da öğrenciyken bir fahişeyle yatıp kalkmıştı. Dindar bir Evanjelik Hıristiyan olarak, frengi kapmış olma korkusuyla kendince cıva tedavisi uygulamaya kalkışınca, kısa sürede dinsel sanrılar görmeye başladı. Bunun üzerine ailesi onu önce Edward Long Fox'un Bristol yakınlarındaki tımarhaneye Brislington Evi'ne, ardından İngiliz üst sınıflarının gözde akıl hastanesine dönüşecek olan Sussex'teki Ticehurst Evi'ne kapattı. Bu kurumlar dört başı mamur olmakla birlikte, onun beklentilerine uyacak konforu sağlayamadı. Perceval bakıcıların şiddetine maruz kalmasından ve seçkin, soylu hastalarına yeterli saygıyı göstermeye yanaşmamalarından yakındı:

> [Onların gözünde] sanki bir mobilya parçasıydım, yargılama gücünün yanı sıra arzudan ve iradeden yoksun bir tahta surettim. [...] Bedenim, canım ve ruhum adeta fenalıklarını ve aptallıklarını işleyebilmeleri için onların denetimine bırakılmış gibi

27 Roman kibar Bayan Flite'ın şahsında avukatların sonu gelmez tekrarlarıyla saplantılı bir deliliğe sürüklenen bir karakterin unutulmaz portresini de içerir.

davranıyorlardı. [...] Yatağa bağlanıyordum; bana yavan bir diyet uygulanıyordu; yemekler ve ilaçlar zorla yutturuluyor ya da kusturuluyordu; iradem, isteklerim, iğrendiğim şeyler, alışkanlıklarım, duyarlılıklarım, eğilimlerim, ihtiyaçlarım konusunda bir kere olsun bana danışılmıyordu, hatta diyebilirim ki gözetilmiyordu. Bir çocuğa bile genellikle gösterilen saygıyı görmedim.

Ailesini dehşete düşürecek bir gelişmeyle taburcu edilmesini sağlayan Perceval, gördüğü tedavi konusunda, sadece biri isimsiz olmak üzere iki metin yazdı; hoşnutsuz olan diğer eski hastalarla ve akrabalarıyla birlikte Sözde Meczuplar Dostluk Derneği'ni kurdu.[28]

En tanınmış şikâyetçi kişilerin birçoğu kadındı. ABD'de rahip kocası tarafından 1860'ta Jacksonville'deki Illinois Eyalet Akıl Hastanesi'ne yatırılan Elizabeth Packard (1816-1897) onlardan biriydi. O dönemde Illinois hukuku, evli kadınların diğer durumlarda zorunlu olan, akıl hastalığına ilişkin bağımsız delile gerek kalmaksızın kocaları tarafından kapatılmalarına izin vermekteydi. Bayan Packard aklı başında olduğunu ve tamamen aykırı spiritüalist görüşler taşımasından dolayı kapatıldığını yana yakıla ileri sürdü. Taburcu edilmesini sağladıktan sonra, kapatma yasalarında reform için ülke çapında bir kampanyaya girişti ve birkaç eyaleti ileride yatırılacak hastalara jürili yargılanma hakkını tanıyan yasalar çıkarmaya ikna etmeyi başardı. Akliyeciler bunun akıl hastalarını zanlılarla ve akıl hastanelerini hapishanelerle bir tutma sonucunu doğuracağını boş yere savundu. Benzetmeler rahatsız edecek kadar yakındı.

Peder Packard başına buyruk ve özgüvenli bir kadını tımarhaneye kapatarak susturma çabalarından pişmanlık duyacak tek adam değildi. "Karanlık ve fırtınalı bir geceydi" şeklindeki giriş cümlesiyle nam salan romancı ve politikacı Sir Edward Bulwer Lytton (1803-1873) güçlü iradeli ve müsrif karısı Leydi Rosina'dan (1802-1882) zamanla bıktı. Romanlarının çok satılması sayesinde, metreslerle gönül eğlendirmeyi alışkanlık edindi. Evli çiftin aile saadeti son buldu. Bulwer Lytton ara sıra Rosina'yı dövüyor ve belki anal ilişkiye zorluyordu. Evliliklerinden dokuz yıl sonra, 1836'da resmen ayrıldılar. Leydi Lytton daha sonra yazarlığa soyundu; yazdığı şeylerin büyük bir bölümü, ayrıldığı kocasına yönelik pek örtük olmayan eleştirilerdi, öfke ve ihanete uğrama duygusuyla doluydu. Kocası bunu sürdürmesi halinde, onun hayatını mahvedeceği tehdidini savurdu. Dublin'deki bir gönül ilişkisi, kadının çocukları üzerindeki vesayetini yitirmesine mal oldu; bozulan bir Victoria dönemi evliliğinin hazin serencamı, Leydi Lytton'ın tifodan can çekişen kızının harabe bir pansiyona konulduğunu öğrenmesiyle daha da kötüleşti.

28 John T. Perceval, 1838, 1840, s. 175-176, 179. Dernek için bkz. Nicholas Hervey, 1986.

Leydi Rosina Bulwer Lytton'ın İrlanda ekolüne bağlı meçhul bir sanatçı tarafından yapılmış portresi. Buradaki çekingen bakış yanıltıcıydı.

Rosina, çevresi geniş kocasını ve güçlü dostlarını müstehcen yakıştırmalar ve karalamalarla dolu mektuplarla bombardımana tuttu: Zina ve gayrimeşru çocuk, ensest, riyakârlık, açıkça belirtilmeyen rezaletler. Bulwer Lytton'ın *Not so Bad as We Seem* [Göründüğümüz Kadar Kötü Değil] adlı oyununun açılış gecesine katılma ve kraliçeye, kendi ifadesiyle "şehvetli küçük Domuz Kraliçe"ye çürük yumurtalar atma tehdidinde bulundu. Sonunda Bulwer Lytton'ın Hertford'dan tekrar parlamentoya girmek üzere seçim yarışına girdiği 1858'de ortaya çıktı ve onu seçmenlerin önünde yaklaşık bir saat süren nutukla yerin dibine batırdı.

Kızgın eşin tepkisi gecikmedi. Karısına zaten aralıklarla ve çok isteksizce ödediği nafakayı kesti ve oğluyla görüşmesini yasakladı. Ardından daha sonra pişman olacağı bir adım daha attı. İtaatkâr iki doktordan aldığı meczupluk belgeleriyle, Rosina'nın bir arabaya konulup Robert Gardiner Hill'in (1811-1878) yönettiği tımarhaneye gönderilmesini sağladı. Hill mekanik kıstırma

25 ÜSTTE *Albrecht Dürer ilk gravürlerinin birinde frengili bir adamı tasvir ediyor (1496). Hastalığın günümüze ulaşmış en eski görüntüsü budur. Adamın başının yukarısındaki küre, illetin astrolojik bir sebepten kaynaklandığını işaret eder; frenginin belli akıl bozukluklarıyla bağlantılı olduğu yüzyıllar sonra anlaşıldı.*

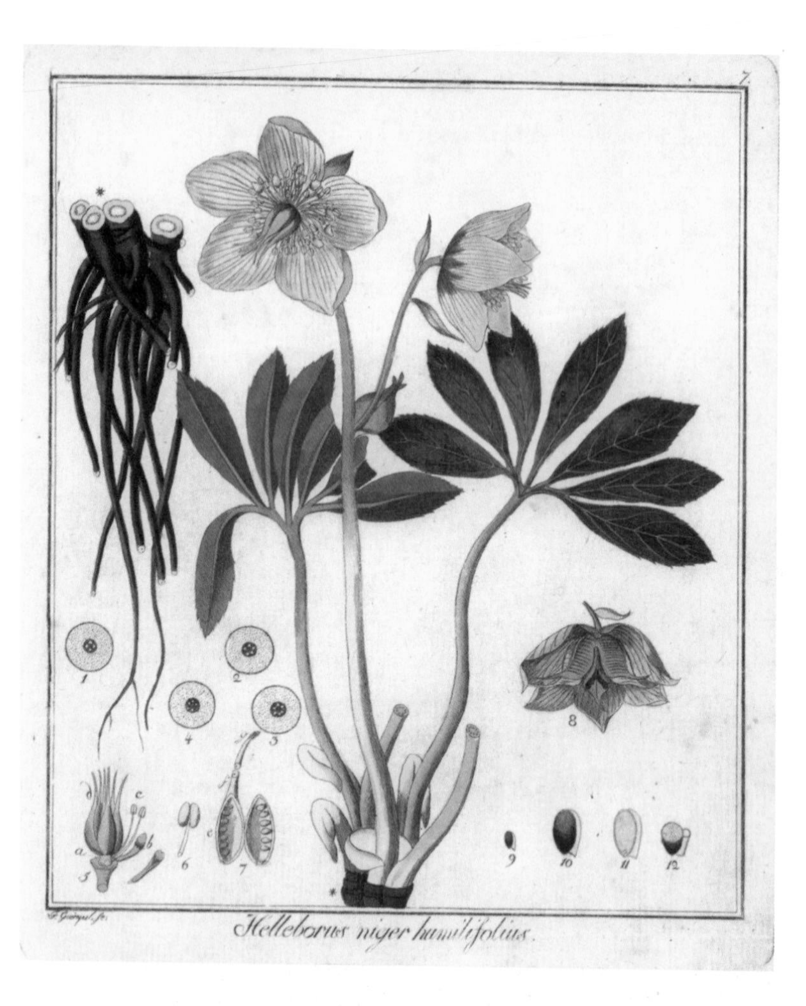
7.
1
2
3
4
5
6
7
8
9
10
11
12
a
b
c
d
e
Helleborus niger humilifolius.

Rauwolfia serpentina Bth.
APOCYNACEAE
Tsjovanna Amel Podi
Mal.
Arab.

26 KARŞI SAYFADA ÜSTTE *Düğünçiçeğigillerden zehirli bir bitki olan ve cinneti önleyici özellik taşıdığı sanılan karacaot* (Helleborus niger) *antik Yunan döneminden beri hem hekimler hem de halk şifacıları tarafından delilik için bir deva olarak kullanılmıştı.*

27 KARŞI SAYFADA ALTTA *Hint hekimliğinde kurtluca* (Rauvolfia serpentina) *başka hastalıkların yanı sıra akıl hastalığı için bir deva olarak kullanılırdı. Bu bitkiden elde edilen bir alkaloit 1950'lerde rezerpin adıyla Batı psikiyatrisine geçti, ama kısa bir süre sonra yerini başka ilaçlara bıraktı.*

28 ÜSTTE *Telemaco Signorini'nin* San Bonifacio's Hospital, Florence *[San Bonifacio Hastanesi'nin Deli Kadınlar Koğuşu, 1865] tablosu. Floransa'da 1577'de kurulan San Bonifacio Hastanesi 18. yüzyılda Grandük I. Pietro Leopoldo döneminde bir akıl hastanesine dönüştürüldü.*

29 ÜSTTE *Francisco Goya'nın* The Yard of a Madhause *[Bir Tımarhane Avlusu, 1793-1794], tablosu. Goya bu sahneyi delirmekte olduğu korkusuna kapıldığında çizmişti. Kavga ederken bakıcıları tarafından dövülen iki çıplak adamın yer aldığı iç karartıcı ve rahatsız edici görüntü, aklını kaçırmanın yol açtığı acıları ve çaresizliği yansıtıyor.*

30 SAĞDA *Histeri tedavisinde uzmanlaşmış Fransız nörolog Jean-Martin Charcot'a ait frenoloji büstleri. Franz Joseph Gall'un ve Johann Spurzheim'ın frenoloji teorilerine temel oluşturan beyin işlevinin çeşitli bölgelere dağıldığı fikri, nörolojik hayal gücünde halen süren bir etki yarattı.*

31 ALTTA *1825'te yayımlanan bu hicivli resimde, Franz Joseph Gall çekici bir genç kadının kafasını incelerken, üç beyefendi karakterlerini yorumlatmak için sıralarını bekliyorlar.*

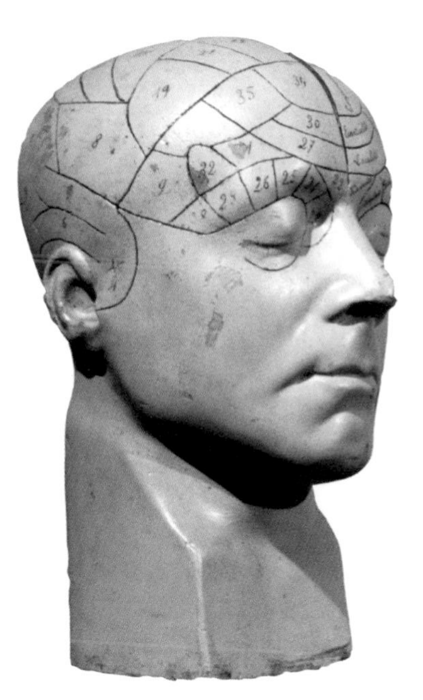

32 ÜSTTE *Bedlam hekimlerinden Sir Alexander Morison'ı İskoçya'daki malikânesinin dışında bitkin çehresiyle gösteren bir portre (1852). Ressam Richard Dadd bu kır manzarasını eskizlerden edindiği izlenimle çizmişti.*

33 SAĞDA *Dr. Félix Rey delilikten dolayı Arles'daki hastaneye yatırılan Vincent van Gogh'un bir şükran nişanesi olarak yaptığı bu portresini (1889) görünce "düpedüz dehşete düştüğünü" belirtmişti.*

34 KARŞI SAYFADA *Bir psikiyatr, hipnozcu ve asap bozukluğu tedavisi uzmanı olan Dr. Heinrich Stadelmann'ın Otto Dix tarafından yapılmış portresi (1922).*

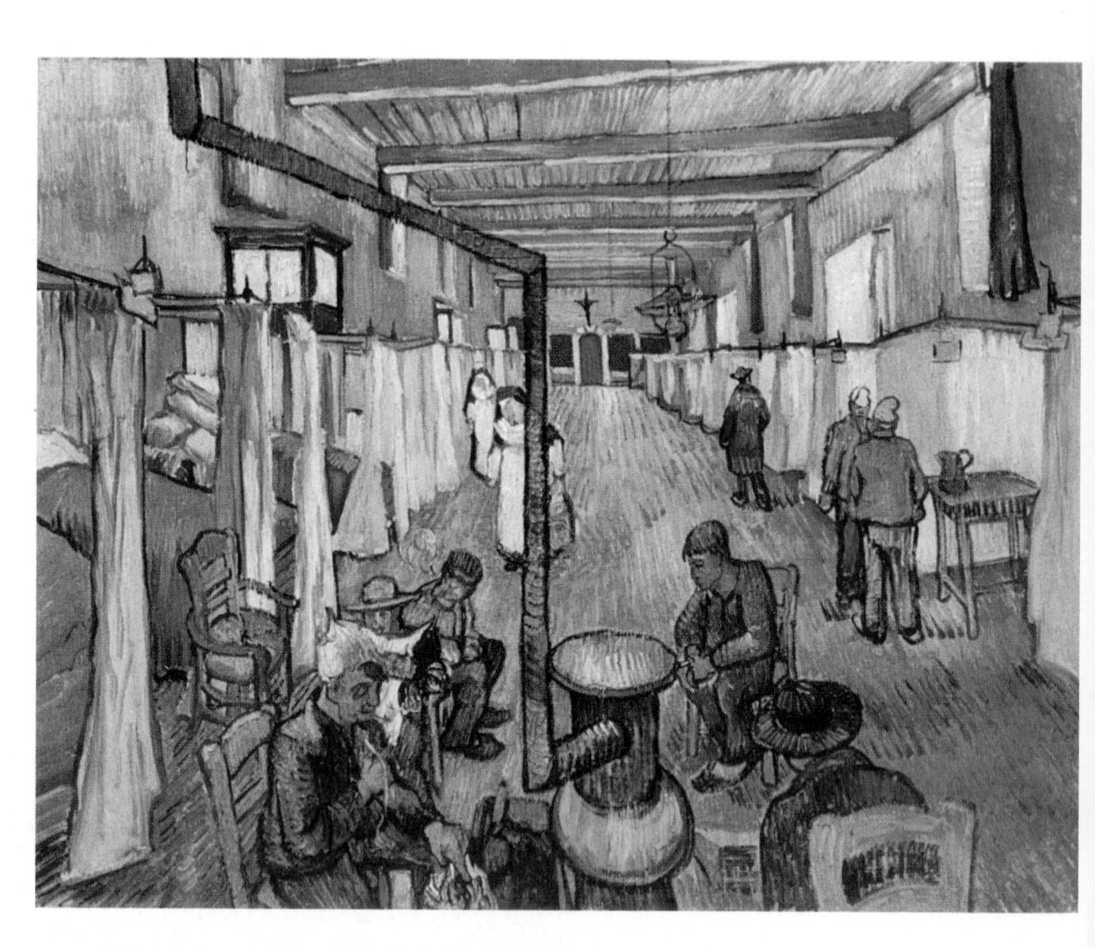

35 ÜSTTE *Vincent van Gogh'un* The Ward in the Hospital at Arles *[Arles Hastanesi'ndeki Koğuş, 1889] tablosu. Van Gogh Aralık 1888'de sol kulağının bir kısmını kesip koparmasının ardından kısa süre kaldığı bu hastaneye Şubat 1889'da tekrar yatırıldı. Bu koğuş sahnesini Nisan ayında doktoru Félix Rey'in dairesindeki bir odada kalırken çizdi.*

aletini kaldırma payesini alması gerekirken, bunu Bulwer Lytton'ın başka bir dostu John Conolly'ye kaptıran akliyeciydi[29] (Leydi Rosina'ya göre, Conolly "para için annesini satacak" biriydi).

Rosina'yı kapatma onu susturma amacına dönük olsa bile, tam tersi bir etki yarattı. Bulwer Lytton besbelli ki çok sayıda bağlantısı, sözgelimi Meczupluk Kurulu üyelerinden John Forster'la (1812-1876) ve (nitekim rezaletle ilgili her türlü haberi bastırarak onu korumaya çalışacak olan *The Times*'ın yayın yönetmeniyle yakın dostluğu sayesinde, her şeyi örtbas edeceğini sanmıştı. Ama *The Times*'ın (garip bir cilveyle, bizzat varlığını Bulwer Lytton'ın gazetelerden alınan damga vergisini azaltma çabalarına epeyce borçlu olan) büyük rakibi *Daily Telegraph* açık saçık skandalın peşine düşmekten büyük keyif aldı. Bir kötü tanıtım çığıyla karşı karşıya kalan Bulwer Lytton birkaç hafta sonra pes ederek, yurtdışına çıkması şartıyla karısını taburcu ettirdi. Şarta kısa bir süre uyan Leydi Lytton, ülkeye dönüp geri kalan ömrünü onun adını karalamakla geçirdi; kulak ameliyatını izleyen komplikasyonlar yüzünden ölümünden sonra bile bundan vazgeçmedi.[30]

DEJENERELER

Fransa'da hem iyileştirme oranının düşüklüğünden hem de şikâyetçi hastaların teranelerinden kaynaklanan psikiyatrik geçerlilik krizi özellikle ağır hissedildi. Psikiyatri karşıtı duygular 1860'lar ve 1870'lerin başları boyunca artarak, devlet sansüründen yeni kurtulmuş liberal ve tutucu popüler basında, akliyecilerin uzmanlığını ve aklı başında kişileri deli diye kapatmaya yatkınlığını sertçe eleştiren bir dizi kitapta ve politikacılardan gelen baskılarda su yüzüne çıktı. Tanınmış akliyeci Jules Falret (1824-1902) dayanamayıp 1864'te şöyle yakındı: "1838 tarihli yasa ve akıl hastaneleri her yandan saldırıya uğruyor. Her şeyin tersine çevrilmesi, her şeyin yok edilmesi öneriliyor."[31] Tıp mesleğinde psikiyatrinin uzmanlık iddialarına kuşkuyla bakan birçok kişi, kınama korosuna katılmaya eğilimli gibiydi. Akliyeciler akıl hastalarının öngörülemez biçimde şiddete yatkın ve toplum için önemli bir tehdit olduğunu vurgulasalar da artık savunma konumuna geçtikleri açıktı.

Bir çıkış yolunu, deliliğin tıbbi bir sorun olduğu savını pekiştirmenin bir aracını ve aynı zamanda delileri akıl hastanesine yatırmanın yeni bir gerekçesini bulan da Fransız akliyeciler oldu. Bu anlayışlar çok çekici bir ideolojik temele dayandığından, Avrupa ve Kuzey Amerika genelinde çarçabuk ya-

29 Conolly'ye ve Hill'e ilişkin değerlendirme için bkz. Andrew Scull, Charlotte MacKenzie ve Nicholas Hervey, 1996, s. 70-72.

30 Gördüğü eziyetlere ilişkin polemiğe açık anlatımı için bkz. Rosina Bulwer Lytton, 1880; daha dengeli bir değerlendirme için bkz. Sarah Wise, 2012, s. 208-251.

31 Akt. *Annales médico-psychologiques* 5, 1865, s. 248. Bkz. Ian Dowbiggin, 1985a.

yılarak, kamu politikalarını ve algılarını kuşaklar boyunca etkiledi. *Treatise on the Intellectual, Moral, and Physical Degeneracy of the Human Race*'i [İnsan Soyunun Düşünsel, Manevi ve Maddi Dejenerasyonu Üzerine Risale] 1857'de yayımlayan Bénédict-Augustin Morel'in (1809-1873) fikirleri on ila on beş yıl içinde genelgeçer bilgi niteliğini kazandı. Diğer sosyal patoloji biçimleri gibi, delilik de dejenerasyonun ve çürümenin ürünü olarak görülmeye başladı. Böylece deliler uygarlığın ve yarattığı streslerin kurbanları değil, uygarlığın antitezi, toplumun biyolojik açıdan aşağı bir kesime giren tortusu sayıldı. Bu aşağılık halinin her durumda olmasa bile, birçok durumda fizyonomilerine yansıdığı kabul edildi. York Dinlenme Merkezi kurucusunun torununun oğlu Daniel Hack Tuke'a (1827-1895) göre, akıl hastaları "insanlığın sakat bir türü"ydü ve "hastaneye yatırıldıklarında 'işe yaramaz' oluşları alınlarından açık seçik okunur"du.[32]

Darwin'in *Türlerin Kökeni* kitabı 1859'da, Morel'in *Risale*'sinden iki yıl sonra çıktı. Ne var ki, akliyecilere cazip gelen yaklaşım Darwinci doğal seçilim anlayışı değil, Fransız doğabilimci Jean-Baptiste Lamarck'ın (1744-1829) savunduğu ve sonradan edinilmiş özelliklerin kalıtımla geçmesini öne çıkaran alternatif teoriydi. Bu görüş benimsendiğinde, delilik günahın bedeli, bazen zina, ayyaşlık gibi günahları ya da diğer göreneksel ahlak (ya da savunucularının tercih ettiği ifadeyle "doğal yasa") ihlallerini ilk işleyenlerin değil, çocuklarının, torunlarının ya da torunlarından doğan çocukların ödediği bir bedel olarak görülebilirdi. Evrimi ileriye götürücü bir güç saymak alışılagelmiş durum olsa da, burada söz konusu olan şey daha karanlık yanıydı: Dejenerasyon bir kez başladı mı, kuşaktan kuşağa hızla geçerdi. Delilik, daha sonra aptallık, ardından kısırlık bu aşağı varlıkların nihai yok oluşuna giden yolun basamaklarıydı, kötülük ve ahlaksızlık nedeniyle ödenen en büyük cezaydı; çünkü Henry Maudsley'nin (1835-1918) 1871'de *Journal of Mental Science*'ta yazdığı gibi, "ahlak yasaları tıpkı fizik yasaları gibi, çiğnendiğinde acısı sonuçlarıyla ortaya çıkan doğa yasaları"ydı. "Yağmur damlasının oluşması ve fizik yasasına uyarak aşağıya düşmesi nasıl kesinse, yeryüzünde ahlakın ve ahlaksızlığın ortaya çıkışında ve dağılımında nedenselliğin ve yasanın hüküm sürdüğü de o ölçüde kesindir."[33] Böyle bir yaklaşımda aynı şey akıl sağlığı ve delilik için de geçerli sayılabilirdi.

Bir önceki kuşağın uygarlık ve akıl hastalığı arasındaki bağa ilişkin genelgeçer bilgisi böylece birdenbire baş aşağıya çevrildi: "En çok delilik fikirlerin en az, duyguların en basit, arzuların ve adabın en kaba olduğu yerde ortaya çıkar."[34] Ama ideoloji olarak, yeni dejenerasyon teorisinin akliyeciler

32 Daniel Hack Tuke, 1878, s. 171.

33 Henry Maudsley, 1871, s. 323-324.

34 Henry Maudsley, 1895, s. 30.

açısından, belki böyle anlayışların hızla yayılıp kabul görmesini açıklamayı sağlayan emsalsiz yararları vardı. Meslek erbabı için, akıl hastalığına ilişkin bu açıklamalar bedensel patoloji çerçevesine oturtuldu. Deliliği melankoli, cinnet, bunama ve çeşitli tekil maniler (nemfomani, kleptomani vb.) olarak gören ve bir önceki akliyeciler kuşağının geçerlilik kazandırmaya çalıştığı araz esaslı yorumlar yerine, en hafif biçimlerinden en sıkıntılı biçimlerine kadar her türlü deliliği bozuk beyinlere bağlayan değişken bir açıklama geçirildi. Bu bozuk beyinlerin doğada gözlemlenememesinin pek önemi yoktu. Bu ufak sorunun mikroskopinin geçici teknik sınırlılıklarının sonucu olduğu kesindi. Akıl hastanelerine yatırılanlardan birçoğunun fiziksel bakımdan bozulmuş dış görünüşü, işleyen etkenlerin açık seçik kanıtıydı ve artık modern fotoğrafçılıkla "belgelenir" durumdaydı. Akliyeciler açısından önemli olan nokta, delilik için ellerinde daha genel olarak tıp teorisindeki güncel gelişmelere denk düşen ve kökleri açıkça vücuttaki meczuplukta yatan bir açıklama bulunmasıydı.

Dahası, dejenerasyon teorisi delileri akıl hastanelerinde tecrit etmek için yeni bir gerekçe ve psikiyatrinin tedavideki belirgin başarısızlıkları için bir açıklama sağladı. Sorun mesleğin acizliğinde değil, bizzat akıl hastalığının mahiyetindeydi. Aslına bakılırsa, psikiyatrinin "başarısızlık"ları bir gizli lütuftu, Hegel'in belirttiği aklın hilesinin bizzat doğa tarafından benimsendiğinin bir tezahürüydü. Sert gerçeklerle yüzleşmek zor olsa bile, psikiyatri bilimi şunu ortaya çıkarmıştı:

> Aklın bozuluşu sadece mevcut yetersizliği değil, hastalığın gelecekteki bir duyarlılığını, nüksetmeye bir yatkınlığı kapsar. [...] Zihin bu çileyi hiç değişmeksizin atlatmaz. [...] İyileşme [...] sapkınlık ve aşırılık belirtilerini gizlemede, özdenetim dediğimiz büyük beceriyi kullanmanın ötesine pek geçmeyebilir.[35]

Taburcu edilmeyi daha kötüsünün izleyeceği kesindi. Ne de olsa, deliler tanım gereği irade gücünden ve özdenetimden yoksun olan "kusurlu yaratıklar"dı. Durumlarını bilmeyen bir toplumun içine salındıklarında, "akılsız hayvanlar gibi içgüdülerine ve tutkularına uymaları" ve "sonraki kuşağa ebeveynlik etmeleri, [...] bilinçli serbest bırakılmış enfeksiyon merkezleri işlevini görmeleri" muhtemeldi. O zaman da "sinir hastalıklarının artmasına hayret etmek" durumunda kalınırdı.[36]

Dejenerasyon kavramına akıl hastalığının çok ötesinde şeyleri açıklamak için başvuruldu. Modern yaşamın bütün patolojileri ona yüklendi: Fuhuş,

35 W. A. F. Browne, Crichton Kraliyet Akıl Hastanesi, *18th Annual Report*, 1857, s. 12-13.
36 S. A. K. Strahan, 1890, s. 337, 334.

Surrey'deki Brookwood İli Akıl Hastanesi'nin müdürü Hugh W. Diamond (1809-1886) akıl bozukluklarını tedavide fotoğrafçılıktan yararlanmanın ilk savunucularından biriydi. Oradaki hastaların 1850-1858 arasında çekilen bir dizi görüntüsünden biriydi bu. Deliliğin çehreden belli olabileceği fikrinin uzun bir geçmişi vardı ve Darwin psikiyatri hastalarının fotoğraflarına büyük ilgi göstermişti.

suç, suç işleme, alkoliklik, intihar, sara, histeri, zekâ geriliği, alt sınıflardaki birçok kişide (aslında fakirliğin ve kötü beslenmenin yol açtığı) bedensel şekil bozukluğu. Onun tahribatına bağlanamayacak ne vardı ki? 19. yüzyıl sonundaki ulusal çürüme ve gerileme korkularını besleyen bir anlatıydı bu. Böyle korkular özellikle Fransa'da 1870-1871'de Prusya karşısından alınan küçük düşürücü yenilgiden sonra güçlü olmakla birlikte, her yerde hissedildi. Max Nordau'nun *Entartung* [Dejenerasyon, 1892] kitabının canlı biçimde yansıttığı ve gözler önüne serdiği gibi, Almanya'da bile aynı şey geçerliydi.[37] (Harvardlı felsefeci ve psikolog William James epeyce tartışmaya yol açan kitabı alaya aldı. Nordau'nun Yahudi ve Siyonist olduğu göz önünde tutulunca, kitaptaki fikirlerin daha sonra Naziler tarafından alınıp kullanılması ironik bir durumdu.) Ama hiçbir yerde dejenerasyon teorisi, gerçekmiş gibi

37 Max Nordau, 1893. Nordau'nun kitabının İngilizce çevirisi 1895'te çıktı ve özellikle dejenere sanatı ve sanatçıları kınamasından dolayı uluslararası bir başarı kazandı.

görünmesini sağlamak için "psikiyatri bilimi"nin seferber edildiği delilik alanındakinden daha güçlü değildi.

SANATSAL SAPKINLIK

En uç tezahürleri dizginsiz tutkular, şiddet ve delilik olan biyolojik kaynaklı sosyal tehdide ilişkin bu anlayışları yaymada, hiçbir şey Émile Zola'nın kurmaca eserlerinden, özellikle de yirmi romanlık *Rougon-Macquart* dizisinden daha etkili olmadı. Bir düzeyde Balzac'ın *İnsanlık Komedyası*'ndan belirgin yansımalar taşımakla birlikte, Zola'nın odağı çok daha dardı: Dönemin toplumunun genel gidişatı değil, tek bir ailenin tarihi. *Rougonların Serveti* (1871) romanının önsözünde belirttiği gibi, "doymak bilmez iştah"ın belirlediği ve bozduğu bir ailedir bu. Zola ailenin bedensel kaynaklı kaderinin izlerini, "ilk organik [histerik] lezyondan sonra bir soyun başına gelen" ve geri dönülmez biçimde cinsel bozukluğa, enseste, cinayete ve deliliğe yol açan "sinirlerle ya da kanla ilgili kazalar zinciri üzerinden" sürmeyi tasarlar. Aşırılık ve çürüme her yerde, *Meyhane*'nin (1877) ayyaşlık, *Nana*'nın (1880) fuhuş ve hovardalık, *Thérèse Raquin*'in sayfalar dolusu cinayet ve delilik sahnelerinde karşımıza çıkar. İlkel ve denetimden çıkmış tutku, vicdana ve akla ağır basar; Zola'nın karakterleri, tıpkı kuklalar gibi, biyolojik esaslı kaderlerini canlandırırlar.

Thérèse Raquin dizinin 1867'de, Morel'in dejenerasyon üzerine *Risale*'sinden tam on yıl sonra yayımlanan ilk romanlarından biridir. Thérèse'in birlikte büyüdüğü kuzeni Camille'le evliliği enseste yakındır ve halası tarafından dayatılmıştır. Bir süre sonra kocasının çocukluk arkadaşlarından biriyle ateşli bir gönül ilişkisine girer; kaçamaklarının açığa çıkması tehlikesi üzerine, ikili Camille'i bir tekne gezisine çıkarıp boğar ve ölümünü bir kazaymış gibi bildirir. Camille'e ve ölümle pençeleşmesine dair kâbuslar ve sanrılar iki âşığı delirme tehlikesiyle karşı karşıya bırakır. Bu arada, aynı evde kaldıkları Camille'in annesi bir dizi inme geçirmiş ve ikincisinde gözleri felç olmuştur. Âşıklar onun önünde ağız kavgasına tutuşurken, işledikleri suçu açığa vururlar; perişan olan anne, nefretini bakışıyla saçmanın ötesinde bir şey yapamaz. Ancak pişmanlıkla kıvranan iki katil, birbirlerini öldürmeye dönük tertiplere girişirler, karşılıklı olarak akıllarından geçenlerin farkına varınca, çektikleri azaba son vermek için zehir içerler ve sonunda intikamını alan amansız Madam Raquin'in gözleri önünde can verirler.

Bu romanın sayfalarında hiç eksik olmayan şiddet, cinsel tutku ve delilik, *Rougon-Macquart* dizisinin tekrarlanan bir unsurudur. Zola'nın anlatımındaki açıklık, o dönemde epeyce tartışmaya yol açmakla birlikte, romanlarının satışına pek zarar vermedi. Böylece kurmaca eserleri, dejenerasyon teorisine ilişkin soyut açıklamaların daha geniş bir kitleye anlaşılır dille ulaşmasına büyük katkıda bulundu. Karakterlerinin çektikleri bütün eziyetlerin, deliliğe ve intihara sürüklenişlerinin kökeni 18. yüzyılda yaşamış bir aile büyüğünün, Adelaide Fouque'nun görünüşte önemsiz zihinsel kusurlarına dayandırılabilir. Kuşaklar boyunca aktarılan bu ilk noksanlık, tam Morel'in ileri sürmüş olacağı gibi, düzeyi gittikçe yükselen patolojiler yaratır. İlkel içgüdülerin, tutkular ve fiziksel saldırganlığın açığa çıkışı romanların sayfalarını doldururken, buna alkoliklik, sara nöbetleri, histeri, aptallık, delilik ve ölüm kaçınılmaz biçimde eşlik eder.

Hayvanlaşan İnsan (1890) romanının adı daha baştan içeriğine işaret eder. Vücuttaki tikler ve havaleler, istem dışı kasılmalar, aklın denetiminden çıkan tutkuların yön verdiği içgüdüsel ve dürtüsel davranışlarda psikolojik karşılıklarını bulur. Karşı-kahramanlardan biri olan Jacques Lantier hakkında şunu öğreniriz: "Arzu onu daima deliye çevirir, gözlerini döndürürdü." Arzuladığı kadına saldırır ve bluzunu yırtarak açar. "Ardından nefes nefese kalmış halde durdu, ona sahip çıkmak yerine gözlerini dikip baktı. İçini bir öfke sarmış gibiydi." Bu olayda kaçmayı başarsa da kendini tutamayacak bir bünyesi vardır: "Her şeyin şeklini bozan bir tür kalın sis perdesi içinde gerçek benliğinin ondan kaçmasına yol açan çatlaklara, deliklere benzer ani denge bozuklukları yapısında var olan bir şeydi. O artık kendinde değildi, kaslarına, içindeki kızgın hayvana uymaktaydı.") Sonunda Lantier arzuladığı kadınlardan birini öldürür ama işlenen suçlar sırf bununla kalmaz. Aksine, romandaki bir sürü sefih ve dejenere karakter ortalığı yakıp yıkar; kıskançlık, şehvet, hırs ve ayyaşlık önüne geçilemez biçimde şiddete, cinayete, intihara ve masum insanların ölümüne yol açar.

Başka hiçbir romancı Zola kadar çarpıcı ve sürükleyici dille irdeleyemese bile, bu dejenerasyoncu fikirler Avrupa'nın her yanında kurmaca eserlere ve tiyatro oyunlarına yansıdı. Gerhart Hauptmann bir köylü ailesinin içkiyle körüklenen dejenerasyonunu sahneye aktardığı *Vor Sonnenaufgang* [Gün Doğmadan, 1889] oyunuyla, ona edebiyat dalında Nobel Ödülü kazandıracak yazarlık kariyerine ilk adımını attı. Arthur Schnitzler'in daha da açık olan *Reigen* [Çember, 1900] romanı, yüzyıl başının Viyanası'ndaki yaşamı bir dizi cinsel temas aracılığıyla sunar: Fahişe ve asker; asker ve hizmetçi; hizmetçi ve genç beyefendi; genç beyefendi ve genç karısı; koca ve küçük kız; küçük kız ve şair; şair ve aktris; aktris ve kont; kont ve fahişe. Buradaki alt-metin, frenginin birinden ötekine bulaşarak yayılmasıdır. Oyunun kitap halinin hızla satılmasına karşın, Viyanalı sansürcüler sahneye konulmasını derhal yasakladılar; Berlin'de Aralık 1920'ye ve Viyana'da da ertesi yılın Şubat ayına kadar halka açık olarak oynanmadı. Bu geç tarihte bile oyunun insanlık haline alaycı bakışı sert tepkiler çekti ve yazarı bir Yahudi pornocu diye eleştirildi. Schnitzler Almanca konuşulan ülkelerde sahnelenmesi için izin başvurularını geri çekmek zorunda kaldı; ancak bu jest Avusturyalı anti-Semitiklerin önemli bir hedefi haline gelmesini önleyemedi (Hitler daha sonraları onun eserini sanat kisvesi altındaki "Yahudi pisliği"nin başlıca örneklerinden biri olarak gösterecekti).

Aynı dönemin İngiliz sansasyoncu kurmaca eserleri, "sarsıcı konular, yani zihinsel dengesizlik, ahlaki akıl hastalığı, zührevi hastalıklar, bunların evlilik ve aile kurumlarının kutsallığı ve saflığı için yarattığı tehdit" üzerine kurulu benzer örneklerden yoğun biçimde yararlandılar.[38] Ama bozuk kalıtımın kirletici etkileri ve insan kaderleri üzerindeki feci sonuçları, başta Thomas Hardy'nin romanları olmak üzere, daha ciddi edebi eserlerde de ortaya çıkar. Örneğin, *Tess of the d'Urbervilles* [Kaybolan Masumiyet, 1891] romanında Tess'in dejenere d'Urberville ailesiyle bağlantıları, onu çaresizce uçuruma sürükleyerek, cinayete ve mahvoluşuna götürür. "Elimde değil," diyerek ağlar ve durumu gerçekten de öyledir. Tess'in babası John Durbeyfield, aptal adam Sir John d'Urberville'in soyundan geldiğini öğrenince, bunu bir seçkinlik belirtisi sayar. Aslında, düşük statüsü tam da dejenerasyon kavramını, servet, statü ve iktidar düzeyinden karşı konulmaz bir gerilemeyle köylüler arasında bir yere inişi somutlaştırır.

D'Urberville ailesinin soyu neredeyse tükenmek üzeredir. Tam da biyolojik gerileme teorisinin öngördüğü gibi, Tess ve babası soyun son temsilcileridir. Tess portrelerdeki aristokrat d'Urberville kadınlarını andırır; ama onda bu benzerlik kötü hisle doludur çünkü vahim bir kusuru örter. Düğün gecesinde, sonradan çiftçiliği seçmiş bir rahip oğlu olan kocası Angel Clare'in eski bir gönül ilişkisini itiraf etmesi üzerine, bakire olmadığını açıklar. Bunun sebebi eski bir patavatsızlık değil, d'Urberville soyadını taşıma hakkını satın alan adamın hovarda oğlu Alec'in tecavüzüne uğramış olmasıdır. Angel bu "günah" yüzünden bir türlü bağışlayamadığı karısını terk ederek, Brezilya'ya doğru talihsiz bir yolculuğa çıkar.

Hardy hiç kuşkusuz olay örgüsünün bu kısmında, cinsel çifte standartlara karşı şiddetli bir eleştiriyi amaçlamıştır. Yine de dejenerasyon teması bütün roman boyunca karşımıza çıkar. Angel'ın acıyla Tess'e belirttiği gibi, ondaki sorunların sonuçta ailesinden kaynaklandığı görüşündedir. "Zayıf aile zayıf irade, zayıf ahlak demektir. [...] Seni doğanın yeni sürgün vermiş bir çocuğu sanırken, kısır bir aristokrasinin gecikmeli fidesi olduğunu gördüm." Üstelik geçmişinde cinayet olan bir aristokrat ailedir bu. Angel karısının atalarından birinin "aileye ait atlı arabada korkunç bir suç işlediği"nden haberdardır. Tess daha sonraları tecavüzcüsü Alec d'Urberville'den şunu öğrenir: "Söylendiğine göre, zorla arabaya atıp götürmek istediği güzel bir genç kadın

38 William Greenslade, 1994, s. 5.

kaçmaya çalışmış; bu boğuşma sırasında biri ötekini öldürmüş ama hangisi olduğunu unuttum." Tess sonunda Alec'in usandırıcı ısrarlarına ve kocasının kaybolduğuna dair sözlerine teslim olarak, onun metresi olur. Gelgelelim, Angel tavrını yumuşatmış olarak dönüverir.

Kader mahkûmu kadının "elinden bir şey gelmez". Kurtulmak için Alec'i bıçaklar ve kocasına kaçar; uyumsuz çift birkaç günlük saadet yaşar. Derken, umutsuzluğa kapılınca ve geçici saklanma yerinden zorla çıkarılınca, bir geceliğine Stonehenge'e sığınır. Tess taş bir sunağın üstüne adak kurbanı gibi uzanıp uykuya dalar. Ertesi sabah akıbetinin sonuna gelir. Alec d'Urberville'i öldürdüğü pahalı pansiyonda, suçunun kanıtları çarçabuk ortaya çıkmıştır: "Dikdörtgen beyaz tavan, ortasındaki kıpkırmızı lekeyle kocaman bir kupa ası görünümündeydi." Pansiyoncu kadın cesedi bulur. Polisin izini sürüp kuşattığı Tess, kaderiyle yüzleşmek üzere uyanır: Wintoncester (Winchester) Hapishanesi'ne kapatılış ve darağacında ölüm. Asıldığını simgeleyen kara bir bayrağın çekilmesiyle, infazı dünyaya ve kocasına duyurulur. Ölümüyle dejenere d'Urberville soyu son bulur. Ailenin gerileyişi ve düşüşü artık tamamlanmıştır.

Bir de Ibsen'in ayyaşlığa, enseste, irsi frengiye ve deliliğe korkusuzca odaklanan *Hortlaklar* (1882) oyunu vardır. Burjuva seyirci kitlesinin ikiyüzlülüklerini gözler önüne sererken, duyarlılıklarını da sarsar. Alving'ler zengin ve saygın bir ailedir. Yontulmamış bir zampara olan Kaptan Alving, yerel rahibin bize anlattığına göre, karısının toplumda gözden düşmek pahasına terk edemediği bir adamdır. Kadın kocasının ölümü üzerine, bir yetimhane kurmaya karar verir. Bu müsrifçe hayırseverlik girişimi görünüşte kocasının anısını yaşatmak içindir; ama asıl amacı ondan kalan mal varlığını tüketmektir, çünkü oğulları Oswald'ın dejenere babasından maddi ve başka açılardan olabildiğince az şeyi miras almasını istemektedir. Oysa Oswald başka bir şeyi, irsi frengiyi çoktan miras almıştır. Dahası, gönlünü kaptırdığı aile hizmetçisi Regina Engstrand, aslında babasının bir kaçamağından doğan üvey kız kardeşidir. Bedenen ve ahlaken mayası bozuk Oswald Alving, dejenerasyonun canlı timsalidir; gerçekten ziyade görünüşe ve göreneksel ahlaka bağlı kalmayı önemseyen annesi sonunda "görev" aşkının yarattığı durumla yüzleşmek zorunda kalır.

Ibsen'in kasten incitici oyunu, muhtemelen beklemiş olduğu hararetli tepkiyi çekti. Onuruna düzenlenen bir resepsiyonda, mahcup düşen İsveç kralı, oyunu çok kötü bulduğunu yüzüne söyledi. Ibsen tınmadı. *Daily Chronicle* tiyatro eleştirmeni, İngilizceye çevrilen oyunu "iğrenç derecede müstehcen ve hakaretâmiz" diye yerdi; *Era*'daki meslektaşı "bir İngiliz tiyatrosunun sahnesini rezil etmesine şimdiye kadar göz yumulmuş en pis ve kirli tertip" olarak nitelendirdi. Her zaman burjuva duyarlılıklarının çıngıraklı koçu olmuş *Daily Telegraph*, geride kalmamak için, öfkesini gereğince duyurdu. *Hortlaklar* "açıktaki bir lağımın, sarılmamış haldeki pis bir yaranın, alenen işlenen kirli bir eylemin [...] tiksindirici temsili, [...] kaba ve neredeyse kokuşmuş terbiyesizlik, [...] edebi leş"ti. Görünüşe bakılırsa, dejenerasyon teorisi alt sınıfa özgü patolojiyi ve deliliği açıklamak için kullanıldığı sürece harikaydı; ama gözünü ahlaklı orta sınıflara diktiğinde o kadar harika değildi.

Garip bir cilveyle, dejenerasyoncu fikirleri benimseyen Zola, kendini Nordau'nun dejenere sanatçılar olarak karaladığı edebi şahsiyetler takımı içinde buldu. Bazıları bu yaftayla övünme yolunu tuttu. Sapkınlığı, kirliliği ve aykırılığı benimserken, göreneğe karşı çıkmanın örnekleri, Baudelaire, Rimbaud, Oscar Wilde, Toulouse-Lautrec gibi yazarların Parisli yoz kibar fahişelere göndermlerinde görülebilir. Birçoğu bu işin içinde de yer aldı. Baudelaire ve metresi Haitili Jeanne Duval, ayrıca son günlerini delirmiş halde geçiren Maupassant ve Nietzsche frengiden öldü.[39] Bir de akliyecileri, hastaları ve akıl hastanelerini konu alan tablolarıyla daha önce karşılaştığımız "kızıl kaçık" Vincent van Gogh vardı. Alkolikliğiyle, sarasıyla, nükseden zührevi enfeksiyonlarıyla, fahişelere ve genelevlerine dadanışıyla, deliliğiyle, bir akıl hastanesine kapatılışıyla, kendini sakatlamasıyla ve intiharıyla, dejenerasyoncular için bir poster çocuğu olan bu ressamın sanatına ancak erken ölümünden sonra değer verildi.

Modern sanatın ve sanatçıların dejenere olduğu fikri haliyle sürerek 20. yüzyıla da taştı. Hitler nefret ettiği dışavurumcu sanatı ve türevlerini, ırksal saflığı yitirmenin ve "Yunan-Kuzey Avrupa" geleneğini terk etmenin ürünü olarak yerden yere vurdu. Onun emriyle 1937'de resim ve heykel alanındaki "dejenere sanat" (*entartete Kunst*) ürünleri toplanıp Münih'e getirildi. Toplam 15.997 parça içinde 112 sanatçıya ait eserler seçilerek, Bolşeviklerin ve Yahudilerin yaratıcı sanatlara haince etkisini teşhir etmek üzere düzenlenen "Dejenere Sanat Sergisi"nde gösterildi. Daha sonra Picasso, Braque, Kandinsky, Gauguin, Mondrian gibi sanatçıların el konulmuş binlerce eseri yakıldı – içlerinde para kazanmak için el altından satılanlar da oldu.

BOZUK AHLAKLILARLA BAŞA ÇIKMAK

Akıl hastalarının akıbeti açısından, dejenerasyoncu fikirlere yönelişin verdiği mesaj açıktı. Salvation Army adlı hayır kuruluşunun ilk lideri William Booth (1829-1912) bunu vahiy anlayışına uygun bir dille şöyle ifade etti:

39 Günümüzün bazı uzmanları Nietzsche'nin frengiye yakalanışının doğruluğunu sorgulamışlardı. Geçmişe dönük teşhisteki tehlikelerin açık olmasına karşın haklı olabilirler. O dönemde Nietzsche'nin akıl hastanesi doktorları genel felçten ya da üçüncü evre frengiden mustarip olduğu kanısındaydılar.

> Meczup, ahlaken bunak, kendini idareden aciz hale geldiği saptanan birine [...] serbestçe bırakılmaya uygun olmadığı bir dünyadan kalıcı tecrit cezası uygulanmalıdır. [...] Böyle müzmin biçimde ahlakı bozulmuşlara dışarıda dolaşma, hemcinslerine hastalık bulaştırma, toplumun başına dert olma ve soylarını çoğaltma özgürlüğünü tanımak insanlığa karşı bir suçtur.[40]

Büyük çaplı delilik müzelerinin inşa edilmesi, dejenerasyon teorisinin ortaya çıkmasını beklememişti; ama bu fikirlerin yayılmasının ardından, akıl hastaneleri önceki sınırlarından taşmaya başladı. Londra resmi makamları Hanwell, Colney Hatch, Banstead ve Cane Hill'de önceden yönettikleri kocaman akıl hastanelerine ek olarak, iki bin küsur hasta için Caterham ve Leavesden'de, Darenth, Sutton ve Tooting'de akıl hastaneleri kurdular. Bunlar yetmeyince, biri Essex'teki Claybury'de, diğeri Bexley'de olmak üzere iki geniş bina topluluğu inşa ettiler. Yine de talep karşılanmış gibi değildi. Epsom yakınında 250 hektarlık arazi satın alındı ve 12 binin üzerinde hastayı barındıracak kışla tarzı tam beş akıl hastanesi kuruldu.

Kendi su şebekesi, kolluk gücü, itfaiyesi, elektrik jeneratörleri, mezarlıkları vb. (yatırılıştan mezara gömülüşe kadar hastaların ihtiyaçlarını karşılamak için gerekli her şey) bulunan böyle devasa akıl hastaneleri hiç de bir İngiliz tekeli değildi. Örneğin, Viyana'da Avusturya makamları 1907'de, 2.200 hasta için düzenlenmiş ve kısa bir süre sonra daha fazlasını barındıracak Am Steinhof adlı yeni bir akıl hastanesi açtılar; bu kurum geniş bir alana yayılmış altmış "pavyon"dan oluşmaktaydı. Almanya'daki akıl hastaneleri çoğu durumda daha da büyüktü. Örneğin, Kuzey-Ren Vestfalya'daki Bielefeld beş binden fazla hastayı alacak kapasitedeydi; bunlara mahpus demek belki daha doğru bir terim olabilirdi. ABD'nin Georgia eyaletindeki Milledgeville 14 binin üzerinde sakiniyle pek de küçük olmayan bir kasabayı andırmaktaydı. Ama bunlar bile New York eyaletinde bir dizi akıl hastanesinin kurulduğu Long Island'daki gelişmelerin yanında gölgede kalırdı. Central Islip, Kings Park ve Pilgrim adlı bu kurumlar, New York'taki delilerin 30 bininden fazlasını barındırmaktaydı.

Artık anakronizme düşmeden kullanabileceğimiz bir yaftayla, psikiyatrlar kendine yeterli bu dünyaların bir açıdan otokratik efendileriydi. Başka bir açıdan ise, tedavideki belirgin acizliklerinin ve dejenerasyoncu fikirleri benimsemelerinin, delileri aklı başında kişilerden güvenilir şekilde ayırt etme yetileri konusunda halkın kuşkuculuğuyla birleşmesi, çok geçmeden psikiyatrları son derece hassas bir konuma düşürdü. Mikrop teorisinin, aseptik cerrahinin ve laboratuvarın devreye girmesiyle temel tıbbın itibarı

40 William Booth, 1890, s. 204-205.

ve geleceği büyük hızla düzeldi. 19. yüzyılın ilk yarısında, başlangıçtaki iyimserlik ve bir akıl hastanesi müdürlüğünün sağladığı güvence ortamında, akıl hastalarına bakmak çekici bir kariyer izlenimi uyandırmıştı. Yüzyılın son çeyreğine doğru, durum tam tersine döndü.

Birçok bakımdan, psikiyatrlar hastaları kadar gözetim kurumlarına kısılıp kaldılar ve akıl hastalarına vurulan damgayı paylaştılar (Çoğu akıl hastalığının biyolojik kaynaklı bir sosyal tehdit olduğu yönündeki ısrarları haliyle bu damgayı pekiştirdi). Aşağıda ele alınacak farklı bir modelin geçerli olduğu yegâne istisna Almanya dışında, mesleğin dar görüşlülüğü tıp okullarıyla ya da modern bilimsel tıbbın güçlü sembolleriyle herhangi bir somut bağlantının yokluğunda yansımasını buldu. İşe alım düşük ücretli asistan hekimlikle başlayan çıraklığa dayalıydı ve akıl hastanelerinin büyümesiyle birlikte, tam bir asistanlar hiyerarşisi ortaya çıktı. Bu durum dönemin birçok eleştirmenine göre, akıl hastalığını araştırmaktan ve tedavi etmekten ziyade akıl hastanesi çiftliği ve kanalizasyon gibi işlerle ilgilenen yavan bir idari uzmanlığa yol açtı.

Psikiyatrlar New Yorklu nörolog Edward Spitzka'nın (1852-1914) 1878'deki alaycı ifadesiyle "akıl hastalığının teşhisi, patolojisi ve tedavisi hariç her şeyde uzman"dı.[41] Mesleğin önde gelen simalarının ihtiyatsız anlardaki itirafları aynı ölçüde açıktı. York Dinlenme Merkezi'nin müdürü Bedford Pierce (1861-1932) "akıl bozukluklarının bilimsel sınıflandırmasını yapmanın henüz mümkün olmadığı" yönündeki "küçük düşürücü düşünce"den söz etti.[42] Victoria döneminin en seçkin beyin fizyolojisi araştırmacıları arasında yer alan ve meslekteki ilk yıllarını Yorkshire'daki West Riding Akıl Hastanesi'nde geçiren David Ferrier (1843-1928) karamsar bir dille şuna işaret etti:

> Akıl hastalığının çeşitli biçimlerinin semptomatolojisi ve sınıflandırması üzerine epeyce şey yazılmış durumda ama gerçekte bu tezahürlerin temelinde yatan maddi şartlara dair hiçbir şey bilmediğimiz görüşündeyim; [...] gerçek anlamda bilgi sahibi olduğumuz söylenemez.[43]

On beş yıl sonra, 1907'de Amerikalı psikiyatrların bir toplantısında, başkan sıfatıyla kürsüye gelen Charles Hill'in ifadesi daha da kısa ve özdü: "Tedavi yollarımız düpedüz bir çöp yığınıdır.[44]

41 Edward Spitzka, 1878, s. 210.

42 York Dinlenme Merkezi, *Annual Report* 1904.

43 Akt. Henry C. Burdett, 1891, c. 2, s. 186, 230.

44 Charles G. Hill, 1907, s. 6. İki yıl sonra Amerika Nöroloji Birliği'nin başkanı Silas Weir Mitchell benzer yorumlarda (1909, s. 1) bulundu: "Mesleğimizin muazzam kazanımlarının yanı sıra, akıl hastalığı tedavisinde mutlak sekteyi ve zihinsel illetlerin teşhisi konusunda en yetenekli teşhis uzmanının, otopsi cerrahının nispi başarısızlığını esefle itiraf etmek zorundayız."

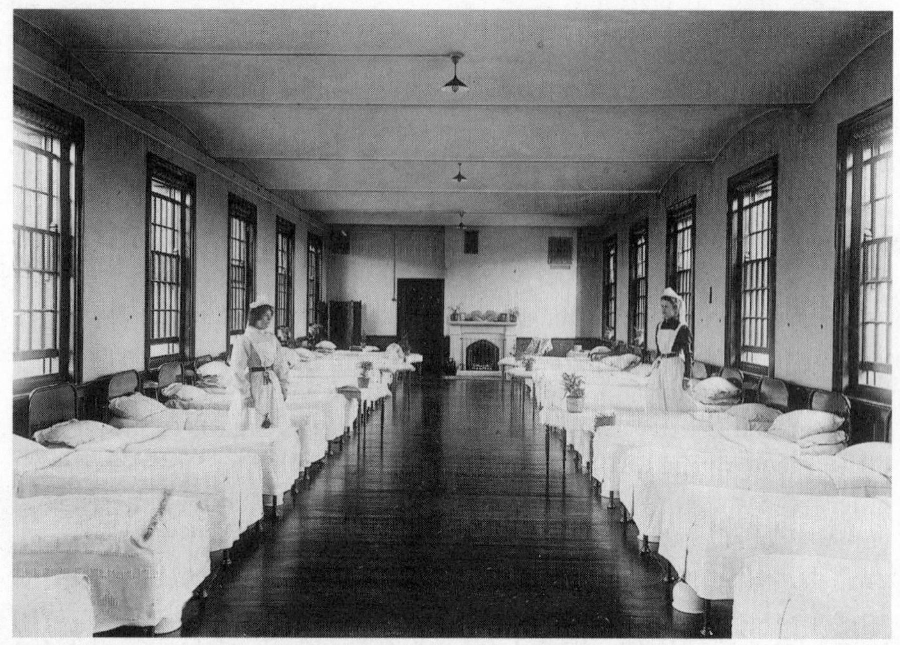

Essex'teki Claybury Akıl Hastanesi iki bini aşkın meczubun ve birkaç yüz personelin yaşadığı geniş bir koloniydi. Bu fotoğrafta (1893) karyolaların iki duvar boyunca sıralandığı ve ciddi tavırlı hemşirelerin kaskatı dikildiği tipik bir yatakhane görüyoruz; hiç hasta olmayışı dikkat çekicidir.

DELİLİĞİN KÖKLERİ

Sadece Almanya'da meslek için alternatif bir yol geliştirmeye ve akıl hastalığının etiyolojisi üzerine kararlı sürekli araştırmalar yürütmeye dönük ciddi bir girişimde bulunuldu. Alman psikiyatrisi 19. yüzyılın ikinci yarısında Alman genel tıbbını dünyada ilk sıraya çıkaran yaklaşımı izlemeye çalışmıştı. Almanya'nın birleşmesi ancak 1870'te tamamlandı ve 19. yüzyıl ortalarında birçok prenslik üniversitelere destek verme yoluyla öne çıkmak ve itibar kazanmak için yarışma yoluna gitti; bilimin ilerlemesi ona hamilik edenlere ihtişam kazandıran bir şeydi. Bu cömertlikten yararlanan akademik enstitülerin bilgi fabrikalarına dönüşmesi, Alman bilimini ve tıbbını uluslararası düzeyde başı çekecek noktaya taşıdı. Üniversite esaslı klinikler ve enstitüler öğretimi ve araştırmayı yeni yaklaşımlarla bir araya getirerek, hastalığa ilişkin anlayışta çığır açmaya ve yeni bilgi üretiminde laboratuvarı ve mikroskobu esas almaya büyük katkıda bulunan bir kültür yarattı.

Alman psikiyatrisi bu modeli benimsedi. Daha önce öbür ülkelerde olduğu gibi, kışla tarzı akıl hastaneleri vardı; ama Wilhelm Griesinger'in (1817-1868) Berlin'de 1865'te psikiyatri profesörü olarak atanmasıyla birlikte, üniversitelere bağlı ve yoğun araştırmaların yapılabileceği daha küçük klinikler de ortaya çıktı. Kariyerinin büyük ölçüde dahiliye alanında geçmesine karşın, Griesinger daha 1845'te psikiyatri üzerine etkili bir ders kitabı yazmıştı. Kitabın gözden geçirilmiş baskısı 1861'de çıktığında büyük övgü topladı ve Griesinger'in "sözde 'akıl hastalıkları' olan hastaların, aslında sinir ve beyin hastalıkları olan kişiler"[45] oldukları yönündeki ısrarı, sonraki kuşak için yol gösterici ilke haline geldi. Henüz elli bir yaşındayken apandis patlaması yüzünden ölmesi, öncülük ettiği yaklaşımın yayılmasında hiçbir sekte yaratmadı.

Sonraki yıllarda Alman psikiyatrlar, görünüşe bakılırsa, genel tıptaki meslektaşlarıyla aynı türden araştırmalara giriştiler ve belli açılardan vardıkları sonuçların çarpıcı olması, başka ülkelerdeki akliyecileri uzmanlık alanları için Almanca terimi benimsemeye ikna etmede muhtemelen etkili oldu. Beyin ve omurilik anatomisi üzerine ayrıntılı araştırmalar yürütüldü. Mikroskobik inceleme için hücreleri saptayıp boyamaya dönük yeni tekniklere öncülük edildi. Kimi zaman bunlar büyük akıl hastanelerinin sakinlerinden bazılarının sahiden beyin kaynaklı hastalıklardan mustarip olduklarını gösteren keşiflere varmayı sağladı. 1906'da Almanya'da Alois Alzheimer (1864-1915) günümüzde onun adını taşıyan bunama biçimiyle ilişkili plakaları ve nörofibriller yumakları saptadı. 1913'te ABD'de Hideyo Noguchi (1876-1928) ve J. W. Moore yirmi küsur yıldan beri tahmin edildiği gibi, genel felcin aslında frenginin üçüncü evresi olduğunu kesin biçimde ortaya koydu. Genel felce uğrayanlar için çoğu kez kullanılan terimle, paretikler beyinlerinde frengili spiroketlerin saptanması her türlü makul kuşkuyu giderdi.[46]

Zihinsel arazlar ve temelde yatan doku patolojisi arasındaki bu bağlar, biyolojik araştırmalarla delilik etiyolojisinin ortaya çıkarılabileceği kanaatini pekiştirdi; ama çoğu akıl hastalığında, varsayılan beyin lezyonları eskisi kadar anlaşılmaz kaldı. Daha da kötüsü, Alzheimer hastalığının bulunması ve genel felcin frengiden kaynaklandığının saptanması genelde psikiyatri mesleğini saran kötümserliği ve umutsuzluğu hafifletmekten ziyade pekiştirdi. Tıpkı 19. yüzyıl başlarının Paris'inde hastane hekimliğine öncülük eden ve Batı dünyasının suyuk hekimliğine köklü sevdasına son veren patologlar gibi, bu Alman klinik uzmanları da hastaları tedavi edip iyileştirme gibi çetrefilli bir işe çok az ilgi duydular. Onların gözünde akıl hastaneleri, teşrih masası ve mikroskop için patoloji örneklerinin alındığı bir kaynaktan ibaretti. Canlı hastalar hiç ilgilerini çekmedi ve esasen kaderlerine terk edildi.

Bu genellemenin önemli bir istisnası vardı. Dönemin Alman psikiyatrlar kuşağından Emil Kraepelin (1856-1926), görüş yetisinin zayıflığından dolayı laboratuvar esaslı kariyerinden yoksun kalmıştı. Bunun yerine, Almanya'daki akıl hastanelerini dolduran binlerce hastanın akıbetlerini inceleyerek şöhrete

45 Akt. Edward Shorter, 1997, s. 76.
46 Hideyo Noguchi ve J. W. Moore, 1913.

Emil Kraepelin'in 1926'da çekilmiş bir fotoğrafı. Freud alaycı tavırla onu psikiyatrinin "büyük papası" olarak nitelendirmişti.

kavuştu; akıl hastalığına bir doğa tarihçisi gibi yaklaşarak, patolojilerinde kalıplar aradı ve farklı delilik türlerinin nozolojisini, yani bir listesini ya da sınıflandırmasını tümevarım yöntemiyle oluşturmaya çalıştı. Ders kitabı art arda baskılarının gösterdiği gibi, gittikçe itibar kazandı. Sonu gelmez not kartlarından vardığı sonuç, deliliğin iki temel türe ayrılabileceğiydi: Çok düşük iyileşme ihtimaliyle kötüye giden bir seyrin ardından habis ve muhtemelen kalıcı bir durum niteliğindeki erken bunama ve bazen hafiflemesinden dolayı biraz daha umut verici manik-depresif psikoz.

Karmaşık nozolojiler 19. yüzyılda her yerde psikiyatrinin bir unsuru olmuştu. Sahip oldukları özgün bilgileri sıradan insanların delileri aklı başında kişilerden ayırt etmek için öteden beri örtük biçimde dayandıkları ortak varsayımlardan ayrıştırmaya çalışan akliyeciler, tekil manileri ve ahlaki akıl hastalığı gibi kavramları uydurmuşlardı. İkincisi, kişinin akıl yürütme yetisini koruduğu ama "doğal duygular, düşkünlükler, eğilimler, huylar, alışkanlıklar, ahlaki tavırlar ve doğal dürtüler açısından marazi bir sapkınlık" sergilediği bir durumdu.[47] Mahkemelerin ve kamuoyunun çoğu kez kuşkuyla baktığı böyle

47 James Cowles Prichard, 1835, s. 6.

doktrinler, delilik ve akıl sağlığı arasındaki belirsiz sınırın göreneksel ahlaki ve sosyal standartlardan her türlü sapmayı akıl hastalığıyla bir tutmakta kullanılacağına dair periyodik endişe spazmlarında ifadesini bulan sürekli bir tedirginliği besledi. Klinik uzmanları açısından, bu kelime oyunları bir dizi farklı sorunu gündeme getirdi. Hepsinin pratiğe geçirilmesi düpedüz imkânsızdı. İngiliz akliyeci Henry Maudsley kendine has sertliğiyle, "basit şeyleri belirtmek için korkunç zevzeklikle uydurulmuş [...] birçok allame işi isim kadar yorucu ve zımnen mahkûm edildiği üzere işe yaramaz [...] sayısız ve ayrıntılı sınıflandırmanın neredeyse dikkat dağıtacak ölçüde peş peşe resmen önerilmesi"nden iğneleyici bir şekilde söz etti.[48]

Kraepelin'in açıklaması farklıydı ya da öyle olma iddiasındaydı; çünkü klinik tecrübelerden tümevarım yöntemiyle çıkarılmıştı. Erken bunamanın hebefrenik (düzensiz), katatonik ve paranoit alt türlere ayrılmasıyla kısa sürede daha karmaşık hale geldi ve uygulamada istikrarsız bir çizgi izledi. İyileşen bir hastayla ilgili teşhis manik-depresif psikoza çevrilebilirken, bir türlü iyileşmeyen bir hastaya pekâlâ erken bunama teşhisi konulabilirdi. İkinci yafta İsviçreli psikiyatr Eugen Bleuler'in (1857-1939) 1910'da kelime anlamı "zihnin yarılması" olan şizofreni terimini ortaya atmasıyla değişti. Burada karakteristik arazları bir felaketler geçidi olan bir bozukluk söz konusuydu: Tutarsızlık, tedirginlik, başkalarıyla ilişki kurma güçlüğü, hezeyanlara ve sanrılara varacak kadar bozulan düşünme süreçleri, zamanla fena halde çorak bir zihinsel evrene gerileyiş, yani Kraepelin'in bozukluğa verdiği ilk adla ima edilen bunama. Böyle bir yaklaşımda psikiyatriyi ve hastalarını saran kasveti hafifletecek hiçbir şey yoktu.

Delilikten mustarip kişilerden söz ederken kullanılan dilin kendisi onlara bakıştaki sertliğin göstergesidir. Bir İngiliz psikiyatr "enikleri atların sulandığı havuzlarda [boğulmaya] mahkûm edecek nesepler"le her yıl dejenerelerin doğmasına hayıflanmaktaydı.[49] Akıl hastaları "lekeli kişiler", "cüzamlılar", "ahlaki süprüntüler", "ilkel barbarlık döneminin vahşilerinden on kat habis ve muzır, adam olmaktan çok daha aciz" ve "özel itici karakterler"e sahip olarak nitelendirilmekteydi.[50] Üstelik bunları söyleyenler güya onları tedavi etmekle uğraşan kişilerdi. İlerleyen uygarlığın beraberinde getirdiği yufka yürekliliğin "doğal yaşamın her kademesinde hastalıklı ve başka açıdan uygunsuz unsurları ayıklayan ve yok eden yasaların işleyişini" aksatmasında pek de fısıltılı sayılmayacak şekilde yakınan yorumlar vardı.[51] Bazıları işi "canlı zehirler taşıyan soyların kanını dökmek" gibi karanlık ifadeler kullanmaya kadar götürdü.[52]

---

48 Henry Maudsley, 1895, s. vi.
49 S. A. K. Strahan, 1890, s. 334.
50 Henry Maudsley, 1883, s. 241, 321.
51 S. A. K. Strahan, 1890, s. 331.
52 *Annales médico-psychologiques* 12, 1868, s. 288, akt. Ian Dowbiggin, 1985, s. 193.

Bu tür düşüncelerin rağbet görmesinin sonuçlarından biri, yoksulların ve kusurluların üreme eğilimini dizginlemeyi ve daha sağlam kişilerin üremesini teşvik etmeyi öngören öjeniğin doğuşuydu. Francis Galton (Darwin'in kuzeni), George Bernard Shaw, H. G. Wells ve John Maynard Keynes gibi önde gelen aydınların, ayrıca seçkin Amerikalı iktisatçı Irving Fisher'ın, hatta Winston Churchill'in ve Woodrow Wilson'ın çekici bulduğu bir fikirdi bu. Birçok Amerikan eyaletinde zihnen uygunsuz kişilerin evlenmesini yasaklayan ve yeni kusurluların doğmasını önlemek üzere, bazı durumlarda istem dışı kısırlaştırma yolunu açan yasalar çıkarıldı. Sonunda 1927'de, bu kısırlaştırmalara bir itirazla başlayan Buck-Bell Davası ABD Yüksek Mahkemesi'nin önüne geldi. Bire sekiz gibi bir çoğunluk, bir Amerikan yurttaşının istem dışı kısırlaştırılmasına anayasal engel bulunmadığı yönünde yankı uyandıran bir karara vardı. Ülke tarihindeki en seçkin hukukçular arasında sayılan Oliver Wendell Holmes, Jr, hüküm gerekçesini yazmakla görevlendirildi ve eyalet yönetiminin tutumunu çarpıcı bir dille onayladı: "Toplum doğacak dejenere çocukları suç işlemekten dolayı infaz etmeyi ya da eblehlik sonucunda açlıktan ölmeye terk etmeyi beklemek yerine, açıkça uygunsuz kişilerin soylarını sürdürmelerini önleyebilirse, bütün dünya için daha iyi olur. Zorunlu aşılamaya dayanak oluşturan ilke, dölyatağı borusunu kesmeyi kapsamaya yetecek genişliktedir. [...] Üç ebleh kuşağı yeterlidir."[53] O zamanki kırk sekiz Amerikan eyaletinden kırkının 1940'a doğru zorunlu kısırlaştırmayı yasal mevzuata almasına karşın, yasayı ancak bir avuç eyalet ciddi tarzda uyguladı. İlerici California eyaletinin onlar arasında yer alması dikkat çekiciydi.

Başka ülkelerde dinsel topluluklar muhalefeti ve demokratik siyasal yapıdaki güçler ayrılığı, benzer yasaların çıkarılmasını ve uygulanmasını önledi. Ama Nazi Almanyası'nda durum öyle değildi. Irksal "saflık" fikirleri haliyle Nazi ideolojisinin özünde vardı. Tanınmış Alman psikiyatrlar 1920'lerde öjeniğin coşkulu savunucusu kesildiler ve akıl hastalarının devasız aşağı biyolojik örnekler olduğu inancının gerektirdiği mantıksal sonuçlara varmakta tereddüt etmediler. Daha 1920'de Alman psikiyatr Alfred Hoche (1863-1943) ve hukukçu arkadaşı Karl Binding (1841-1920) "yaşanmaya değmez hayatları" yok etme çağrısında bulunmuşlardı. Hitler Temmuz 1933'te iktidara gelişinden neredeyse hemen sonra, California ve Virginia emsallerini açıkça örnek alan Irsi Hastalıklı Çocukları Önleme Yasası'nın geçirilmesini sağladı.[54] Önde gelen birçok Alman psikiyatrın aktif ve coşkulu

53 *Buck v. Bell*, 247 US 200, 1927.

54 "Irksal hijyen" görüşünün Nazi savunucular ile Amerikalı öjenikçiler arasındaki bağlara ilişkin bir değerlendirme için bkz. Stefan Kühl, 1994. Stanford Tıp Okulu mezunu ve Stockton'taki California Eyalet Hastanesi'nin müdürü Margaret Smyth şunu ileri sürer: "Alman kısırlaştırma hareketinin liderleri, söz konusu yasayı California deneyini titizlikle inceledikten sonra hazırladıklarını defalarca belirtmişlerdir." Margaret Smyth, 1938, s. 1234.

T-4 ötenazi programında kullanılan Hadamar adlı psikiyatri hastanesinin personeli, yak. 1940-1942. Nazilerin "yaşamaya değmez" saydığı kişileri bertaraf etmekle geçen zorlu bir günün sonunda rahatlamış ve mutlu görünüyorlar.

katılımıyla, 1934-1939 arasında 300 ila 400 bin kişi kısırlaştırıldı.[55] Ardından Hitler Ekim 1939'da bir kararnameyle T-4 programını başlattı. Psikiyatrlar yeni politikanın uygulanmasına yine şevkle katıldılar. Nazi terminolojisinde "işe yaramaz yiyiciler" olarak anılan akıl hastaları toplanıp bir dizi akıl hastanesine gönderildi. Onları "dezefenkte" etmek, yani yok etmek için ilk başta öldürücü iğne yapma ya da kurşuna dizme yoluna gidildi. Sürecin çok yavaş ve ağır ilerlediği görülünce, gaz odaları oluşturuldu ve akıl hastaları karbon monoksitle öldürülmek üzere topluca "duş" bölmelerine dolduruldu. Bir buçuk yılda 70 bini aşan ölü sayısı savaşın sonuna doğru çeyrek milyona ulaştı; iş orada da durmadı, çünkü Nazi rejiminin yıkılışından sonra bile, işgal kuvvetlerinin haberi olmadan, bazı psikiyatrlar "lekeli" saydıkları kişileri öldürmeyi sürdürdüler.[56] Uygarlık içinde delilikti bu sahiden!

55 Bkz. Robert Proctor, 1988; Aly Götz, Peter Chroust ve Christian Pross, 1994.

56 Bkz. M. von Cranach, 2003; Michael Burleigh, 1994.

Bölüm Dokuz

YARI DELİLER

AKIL HASTANESİNDEN KAÇINMAK

Kâr amaçlı ilk tımarhaneler asıl pazarlarını zengin ve hali vakti yerinde kesimler arasında bulmuşlardı. Bu pek şaşırtıcı olmasa gerek. Amerikalı banka soyguncusu Willie Sutton'ın belki de yakıştırma olan ölümsüz sözleriyle, para oradaydı. Yine de bu paradoksal bir durumdu; zira 19. yüzyılın sonuna ve aseptik cerrahi tekniklerin icadıyla birlikte sağlanan ilerlemelere kadar, zenginler bedensel hastalıklarda hastane tedavisinden vebaymış gibi kaçındılar. Yoksullar ve yoksul düşenler genel hastanelerde tedavi edilirken, zenginler evde tedaviyi seçtiler.

Kurumdan uzak duruş, deliliği tedavide de sürdü. Victoria döneminden kalma mektuplar, günceler ve otobiyografiler, akıl hastanelerinden duyulan korkunun ve akrabaların böyle yerlerde göreceği bakım konusundaki düşük beklentilerin kanıtlarıyla doludur. Para alternatif yolları satın alabilirdi ve bunlara başvurmak için hatırı sayılır ayartma vardı. Bir aristokrat malikânesinin gözden ırak bir köşesinde akıl hastası bir akrabayı kapatacak bir kulübe kurulabilir ve gerekli personel tutulabilirdi. Rahatsız kişi bir bekâr pansiyonuna yerleştirilebilirdi. (Böyle kurumlar için gözde bir yere dönüşen St. John's Wood, ketum sosyete hekimlerinden kolayca tavsiye alma gibi ilave bir avantaja sahipti; Wilkie Collins *The Woman in White* [Beyazlı Kadın, 1859] romanında buranın böyle kaçak kapatmalar için bir sığınak olarak elde ettiği şöhreti kullanmıştı.)[1] Bir başka yol, hastaları dosdoğru yurtdışına, meraklı resmi gözlerin erişim alanının ötesine göndermek ve dedikodu, skandal, damga ihtimaline karşı bazı ek korumalar sağlayan kurumlara yerleştirmekti.[2] Örneğin, Fransa ve İsviçre akıl hastaneleri böyle müşteriler çekme çabasıyla Londra'da ve Paris'te açıkça reklama giriştiler.

Böyle çarelere başvurmanın belki de en çarpıcı örneği, Shaftesbury yedinci kontu Anthony Ashley Cooper'ın 1851'de yaşadığı olaydı. Kurulduğu 1845'te İngiliz Meczupluk Kurulu'nun başkanlığına getirilen ve görevini 1885'teki ölümüne kadar sürdüren Shaftesbury, konumu itibariyle akıl hastanesini

1 Akihito Suzuki, 2006, s. 103.

2 Morison'ın aile psikiyatri hekimliğine ilişkin değerlendirme için örneğin bkz. Andrew Scull, Charlotte MacKenzie ve Nicholas Hervey, 1996, Bölüm 5.

akıl hastalığı vakalarına yegâne çözüm olarak destekledi. İngiliz meczupluk yasalarının işleyişini soruşturmak üzere 1859'da oluşturulan parlamento komitesine ifade verirken, aklen dengesizleşme gibi bir durumda, karısını ya da kızını insanca bakım ve tedavi için olası en iyi ortamı sunan modern bir akıl hastanesine derhal yatıracağını belirtti. Örnek olarak onları vermesi belki de bilinçliydi, çünkü davranışı kamuoyuna açıklamalarıyla uyumlu değildi. Üçüncü oğlu Maurice saralı ve aklen dengesizdi. Ömrü boyunca yüksek sesle karşı çıktığı bir uygulamayla, onu özel bir yere gizlice kapattı. Bu durumun açığa çıkma ihtimali belirdiğinde ise yurtdışına gönderdi. Önce Hollanda'da, ardından İsviçre'nin Lozan kentinde kalan zavallı genç adam 1855'te henüz yirmi yaşındayken öldü.

Varlıklı aileler akli rahatsızlığı olan akrabalarını kapatma yolunu seçmeden önce, olağanüstü bir uğraşla başka bir çözüm aramaya çoğu kez yatkındı. İngiltere'nin sosyal açıdan dışa en kapalı özel akıl hastanesi Ticehurst'ün hastalık seyir raporlarından alınma iki vaka, bunu göstermeye yeterlidir.[3] Bir hanımefendi olarak tarif edilen Bayan Anne Farquhar 1844'te gebeyken bir yerden düşmüştü. Zamanla kendini sakat sayarak eve kapandı, sonunda 1854'te ya da 1855'te bütün gün yatağa bağlanır hale geldi. Çekildiği "kocaman" yataktan düşeceği yönünde marazi bir korkuya kapıldı. Dolayısıyla hizmetçilere bu ihtimale karşı tedbir olarak, yatağın etrafına "masalar, kanepeler, sandalyeler vs." yığma talimatını verdi. Gariplikleri sırf bununla da kalmadı:

> Son üç yıldır hep yatakta uzanıyor ve gereğince yıkanmasına ya da bakımının yapılmasına izin vermiyor; elbiseleri ve yatak çarşafları aylarca değiştirilmiyor, elleri ve kolları kurumuş dışkılarla kirlenmiş halde, kepenkler ve pencereler sıkıca kapalı, yatağının etrafında çepeçevre çekilmiş perdeler var, sıcak havalarda harlı bir ateş yakılırken, soğuk havalarda içerisi hiç ısıtılmıyor, üstünü kirli şallarla ve eski pazen iç eteklíklerle örtüyor, [...] gündüz çoğu zaman uyurken, gece uyanık kalıp yemek yiyor, bir insandan ziyade bir hayvan gibi gece gündüz her saatte besleniyor, hayvansal yiyecekleri genellikle çiğnedikten sonra tükürüp atıyor.

Bunlara benzer şeyler. Kadıncağız yıllarca "İngiltere'nin en seçkin tıp insanları tarafından muayene edilirken ya da onların bakımında kalırken", resmen akıl hastası olarak tescil edilmemişti. Sosyete hekimler Bayan Farquhar'ın akli durumu konusunda müsamahalı davranmanın yanı sıra, bedensel sağlığını korumak için de pek fazla şey yapmamışlardı. Ticehurst'e yatırıldığında, pis durumdaydı, vücudu çıbanlarla kaplıydı, sarılığa yakalanmıştı ve kabız-

3 İsviçre'den yakın örnekler için bkz. Edward Shorter, 1990, s. 178.

dı.[4] İdrarını tutamayan hastalarla uğraşma sorununu kanıksamış Ticehurst personeli bile bu vakada güçlük çekti. Bakıcılar onu Londra'nın güneydoğu kesimindeki Blackheath'te bulunan evinden getirdikten üç gün sonra, hâlâ odasına girince mide bulantısından yakınıyorlardı.

II. Charles ile Nell Gwyn'in bir gayrimeşru oğlunun soyundan gelen ve Eton mezunu olan Charles de Vere Beauclerk'in durumu bir başka örnekti. Beauclerk yirmili yaşlarının başındayken, anne babasının onu zehirlemeye çalıştığı yönünde paranoit hezeyanlara kapıldı. Bir akıl hastalığı uzmanının "akıldan sakat" olduğunu bildirmesi üzerine, alışılmış çözüm yoluna başvuran anne babası tarafından gönderildiği kolonilerde büyük kumar borcu altına girdi. Avustralya'da sıfırı tüketmesinden sonra, rüşvetle bir askeri göreve atanması ve ardından biraz düzeldiği düşüncesiyle, hatırlı tanıdıklar sayesinde Hindistan genel valisi Lord Elgin'in emir subaylığına nakledilmesi sağlandı. Bu oldukça şaşırtıcı bir hatalı karardı, çünkü bariz akli tuhaflıkları bir rezalete yol açma tehlikesi yarattı. Anne babasının alelacele devreye girmesiyle İngiltere'ye döndü. Bir süre sonra kelleşmesine sebep olduğu gerekçesiyle, St. Albans Onuncu Dükü babasına dava açmaya kalkışınca, istenmeyen biçimde dikkatleri üzerine çekti. Garip davranışları arttı: Tamamen hareketsiz bir yaşama yöneldi ve her öğünde dört beş porsiyon yer hale geldi; işin rahatlatıcı yanı, çoğu zamanını uykuyla geçirmesiydi. Aile büyük serveti sayesinde onu tecrit edilmiş halde evde tutmanın bir yolunu buldu, ta ki dükün 1898'de ölümü tedbir alma gereğini dayatıncaya kadar. Artık On Birinci Dük unvanını taşıyan Charles, resmen akıl hastası olarak tescil edildi ve Ticehurst Akıl Hastanesi'ne gönderildi; *Debrett's Peerage* yıllığının kibar ifadesiyle "soyundan kimse bırakmaksızın" öldüğü 1934'e kadar orada kaldı.

Şiddet, deli bir akrabanın aile parasını çarçur edeceği korkusu, zorlu ya da katlanılmaz akrabalarla başa çıkmaya çalışmanın beraberinde getirdiği yorgunluk ya da aile sırrının açığa çıkması tehlikesini yaratan bir olay gibi etkenlerin hepsi, en varlıklı aileleri dahi zamanla evde bakıma kurumsal bir alternatifi benimsemeye yöneltebilirdi. Akliyecilerin akıl hastalığını dejenerasyonun ve biyolojik düşüklüğün sonucu olarak açıklamaya başlamalarıyla birlikte, aile soyunda akıl hastalığı lekesinin varlığını gizleme gereği, sürdürülmesi zor olsa bile, daha acil hale geldi. Akıl hastanesi dışında bir yolu seçme dürtüsü de aynı şekilde güçlendi: Bir sanatoryum, özel ya da hidropatik bir klinik, bir huzurevi ya da bir sarhoş sığınma evi, kısacası akıl hastalığı töhmetine karşı kılıf sağlayacak herhangi bir yer. Romancı Virginia Woolf'un (1882-1941) rahatsızlığının köklü olmasına ve daha önce intihar eğilimi

4 Ticehurst Akıl Hastanesi Hastalık Seyir Raporu 5, 2 Temmuz 1858, Dönemin Tıp Arşivleri, Wellcome Tıp Kütüphanesi, Londra.

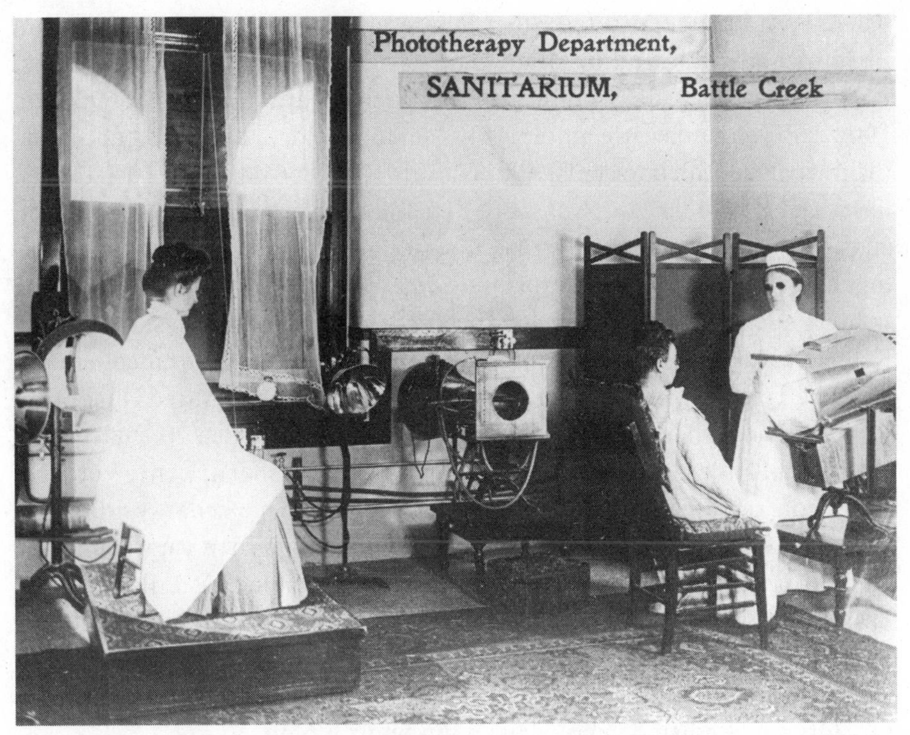

Battle Creek Sanatoryumu'nun sunduğu birçok tedavi yönteminden biri olan fototerapinin uygulanışı.

göstermesine karşın, psikiyatrı George Savage (1842-1921) akıl hastanesine yatırılma damgasına maruz kalmasını istemediği için, onu Twickenham'daki bir huzurevi olan Burley'ye gönderdi. Woolf iştahsızlık, uykusuzluk ve depresyon durumuyla başa çıkmak için kocası Leonard'la birlikte tuttuğu dört hemşire varken bile, rahatsızlığının evde artık dizginlenemediği birkaç sefer daha oraya döndü. Sinir tedavisine dönük böyle kurumlar 19. yüzyılda Avrupa'nın her yanında, özellikle de "sinir" hastalarının şifalı sular için gittikleri söylenebilecek olan Fransa'daki Lamalou-les-Bains ve Almanya'daki Baden-Baden gibi kaplıca kasabalarında çoğaldı.[5] Kraliçe Victoria, Kayzer I. Wilhelm, III. Napoléon, Hector Berlioz, Fyodor Dostoyevski, Johannes Brahms ve İvan Turgenev, Baden-Baden'e giden birçok şöhretin sadece en tanınmışlarıydı.

Benzer kurumlar ABD'de de ortaya çıkmaya başladı. Bunların en büyüğü ve en başarılısı, Michigan eyaletindeki Battle Creek'teydi. Battle Creek Sanatoryumu'nun başlangıcı talihsizce oldu. ABD'de 19. yüzyılda pıtrak gibi biten birçok yeni dinden ya da mezhepten biri olan Yedinci Gün Adventist

5 Edward Shorter, 1990, s. 190-192.

Kilisesi'nin kurucularından Ellen White tarafından Batı Sağlık Reformu Enstitüsü adıyla kuruldu. Onun müritlerinden John Harvey ve William Kellogg kardeşlerce devralınıncaya kadar güçlükle ayakta kaldı. İlk binasının 1902'deki yangında yerle bir olmasına karşın, yeniden inşa edildi, adı değiştirildi ve büyük ölçüde genişletildi (Resim 36). 1866'da ancak 106'yı bulan hasta sayısı 1906'da 7.006'ya ulaştı. Zamanla arındırıcı bir vejetaryen diyet, sıkça uygulanan lavmanlar, gelişkin statik elektrikli makinelerin kullanıldığı hidroterapi ve elektroterapi, ayrıca masaj ve açık havada bolca egzersiz yoluyla enerji depolamaya gelen her türden varlıklı sinir hastasını çekti. Kellogg kardeşler daha az tanınan bir sürü kişinin yanı sıra, Lincoln'ın dul eşi Mary Todd Lincoln'dan meşhur pilot Amelia Earhart'a, Alfred Dupont'tan John D. Rockefeller'e, ABD başkanı Warren G. Harding'den 20. yüzyılın ilk yarısındaki önde gelen Amerikalı iktisatçısı Irving Fisher'a, Henry Ford'dan (daha çok Tarzan adıyla tanınan) Johnny Weissmuller'e kadar çeşitli hastaları ağırladılar. Hepsinin geliş sebebi oradaki hizmetlerden yararlanmak ve sinirlerini yatıştırmaktı. Kellogg kardeşler ek iş olarak, müşterileri düzgün beslemeye ve "müdavim" haline getirmeye yönelik bir kahvaltılık gevrek imparatorluğu kurdular; müthiş başarılı olan bu işletme, 1920'lerin sonlarında, Büyük Bunalım'ın hemen öncesinde yanlış büyüme girişimiyle batan sanatoryum kendisinden çok daha uzun ömürlü oldu.

AKIL HASTALIĞININ SINIRLARI

Son derece taşkın, intihara yatkın, özdenetimden büsbütün yoksun ya da şiddete eğilimli olanlar sanatoryuma ya da başka yerlerdeki benzer kurumların çoğuna pek uygun değildi. Ama bu kurumlar için çok sayıda aday ve hatta ayakta tedaviye, muayenehanede tedaviye dönük gelişen bir pazar vardı. 19. yüzyılda delilik hikâyesinin daha çarpıcı özelliklerinden biri, akıl hastanelerindeki mevcudun büyük hızla artmasıydı. Mesele sadece kronik hastaların kurumlarda yığılma yaratması değildi; hastaneye yatma oranında da o dönemde derin sıkıntı yaratan ve günümüze kadar sürecek akademik tartışmalara yol açan bir yükseliş söz konusuydu. Bazıları artan hasta mevcudunu deli sayısında gerçek bir yükselişin belirtisi, hatta belki dünyaya salınan gizemli bir yeni virüsün sonucu gibi görme eğilimindedir.[6] Benim de aralarında bulunduğum bazıları ise bu teorilerin boş spekülasyonun ötesinde bir şeye dayanmadığına işaret etmiş ve asıl etkenin birini akıl hastası olarak nitelendirme kriterlerinde sürekli bir genişleme olduğuna dair kanıtlar göstermişlerdir. George Cheyne'in geçmişte varlıklı hastalarını "İngiliz marazı"ndan mustarip olduklarına ikna etmekle bir kazanç kapısı bulduğu

6 Edward Hare, 1983; Edwin Fuller Torrey, 2002.

bir "teşhis sapması" süreciydi bu. İleride göreceğimiz üzere, son çeyrek küsur yüzyılda bu süreç aynı ölçüde belirgindir. Bu dönem akıl hastalığına ilişkin yeni resmi kategorilerin çoğalmasına sahne olmuş ve ana topluluğa yeni saptamaları gerektiren daha muğlak vakaların eklenmesiyle, çift kutuplu bozukluk ve otizm gibi hastalık salgınları doğurmuştur.[7]

Fransızlar "yarı deli"lerden söz ederken, İngiliz akliyeciler akıl hastalığı sınırlarında yaşayan, şaşkınlık, sersemlik ve sapkınlık alanlarına giren kişileri işaret etmeye başladılar.[8] "Gizli beyin hastalığı" taşıyan bu "başlangıç evresindeki meczuplar" arasında nevrotikler, histerikler, anoreksikler ve nevrastenikler vardı. Bu son kategoriye sinir zayıflığı anlamında "nevrasteni" adı verilen yeni moda bir bozukluktan mustarip kişiler girmekteydi. Terimi popülerleştiren Amerikalı nörolog George M. Beard (1839-1883) sadece hastalığa ad koymakla kalmayıp, kendisini de mağdurlarından biri ilan etti. Söz konusu bozukluklar artık psikiyatri olarak anabileceğimiz daldaki bazı kesimlerin akıl hastanesi dünyasının dönüştüğü kasvetli ve dışa kapalı "cadı şenliği gecesi"nden kurtulmaya[9] ve yeni bir muayenehanede tedavi biçimi bulmaya girişmesine temel oluşturdu. Böylece asap bozukluğunun daha hafif biçimlerinden mustarip olan, Philadelphialı jinekolog William Goodell'in (1829-1894) ifadesiyle "histeriyi akıl hastalığından ayıran dar sınırda [...] gezinen" müşterileri tedavi açısından hayal kırıklığına uğratsa bile maddi açıdan kazançlı bir uğraş ortaya çıktı.[10]

"Asap bozukluğu" kendi mesleklerinin parametrelerini genişletme peşindeki sömürücü bir doktor grubunun uydurmasından ibaret değildi. Aksine, camianın Alman mensuplarının kendilerine yakıştırdıkları adla *Nervenarzt* ["asabiyeci"] arayan hevesli bir müşteri kitlesinin var olduğu ortaya çıktı. ABD bu yönelimin bir istisnası olmadığı gibi, bazı bakımlardan öncülük de etti. Endüstriyel yeni savaş tarzının ilk örneklerinden biri Amerikan İç Savaşı (1861-1865). Yarım milyonu aşkın askerin öldüğü ve toplam zayiatın bir milyonun üzerine çıktığı bu kıyımda, beyin ve sinir sistemi yaraları alanların çok oluşu, onları tedavi edenlere gözlemlerinden bazı şeyler öğrenme fırsatını bolca sağladı. Onların tanık oldukları durumları ve tıp açısından sonuçlarını anlatan klasik metin, S. W. Mitchell, G. R. Morehouse ve W. W. Keen'in 1864'te yayımlanan *Gunshot Wounds, and Other Injuries of Nerves* [Kurşun Yaraları ve Diğer Sinir Zedelenmeleri] kitabıydı. Savaşın bitmesinden

7 Andrew Scull, 1984; David Healy, 2008; Michael A. Taylor, 2013; Gary Greenberg, 2013.

8 Andrew Wynter, 1875; J. Mortimer Granville, Andrew Wynter, 1877, s. 276; Granville ikinci baskının beş bölümüne katkıda bulunmuştur.

9 John C. Bucknill (1860, s. 7) akıl hastanesi hekiminin "marazi bir düşünce ve duygu ortamında, [...] akıl hastalığının görünüşteki bulaşıcılığı açısından [onu büyük risk altında bırakan] korkunç hezeyan ortamı"nda kalmaya mecbur edilmesinden yakınır. Acaba hastalar ne durumdaydı?

10 William Goodell, 1881, s. 640.

sonra, doğu kıyısındaki kentlerde birçok askeri cerrah nörologluğa, yani sinir sistemi hastalıklarının tedavisinde uzmanlığa soyundu. Muayenehanelerinin bekleme odaları dolup taştı. Gelenler arasında sadece dramatik bedensel travma geçirenler değil, daha yaygın asabiyet şikâyetleri olan askerler de vardı. Üstelik hastalar sırf askerlerle sınırlı kalmadı. "Nörolog Silas Weir Mitchell" ya da "Nörolog William Alexander Hammond" yazılı pirinç levhalar, erkek ve kadın çok sayıda sivili de çekti. Aslına bakılırsa, kadınlar sayıca belki erkeklerden daha fazlaydı.

Mitchell ve meslektaşları bu hastalarla uğraşmayı bezdirici buldu. Mitchell birkaç vesileyle histeriyi nöroloğun "nahoş külfeti" olarak nitelendirdi. Bekleme odalarını dolduranların şikâyetleri sayısızdı ama bunları Mitchell'in ve başkalarının çizmeye başladığı sinir sistemi tablosuna oturtmak ya da bağlamak zordu. Mitchell uğradığı hüsranla, bu sinir hastalarından birçoğunun mustarip olduğu sonucuna vardığı histeriye aslında "esrari" gibi yeni bir ad vermek gerektiğini belirtti. Ama sonuçta ne o ne de meslektaşları böyle kişileri kapıdan çevirmeye kalkışacak durumda değildi. Bu hastalar fazlasıyla kazanç getirici olmanın yanı sıra, yaygın şikâyetlerinin somatik gerçekliğinin asabiyeciler tarafından saptanması taleplerinde fazlasıyla ısrarcıydılar. Bölüm İki'de gördüğümüz üzere, histeri antik tarihsel kökleri olan bir terimdi.[11] Amerikalı nörologlar buna yeni bir bozukluğu, nevrasteniyi eklemişlerdi.

Daha önceki İngiliz marazı gibi, Amerikan asabiyeti de Amerika'nın daha ileri uygarlığının ürünü ve bedeli gibi sunuldu. Elektrikli telgrafıyla, yüksek hızlı trenleriyle, maddi başarıya dönük hummalı uğraşıyla, hatta bazı kadınların yükseköğrenim görmelerine izin verme gibi şaibeli kararıyla modern yaşamın temposu sinir sistemini olağanüstü baskılara maruz bırakmaktaydı. Bu baskıların en yoğun yaşandığı kesim ise işadamları ve serbest meslek sahipleriydi. Münhasıran olmasa bile büyük çoğunlukla varlıklı ve seçkin insanlara özgü bir hastalıktı bu. Bekleme odalarında bekleyenlerin başına gelenleri tarif etmek için, sinir sistemine aşırı yüklenme, pilleri boşaltma, rezervleri tüketme, hesaptan aşırı çekimle akli bilançoyu çökertme gibi mecazların kullanılması hem onları pohpohlamaya, hem de utanç kaynağı saymaktan ziyade neredeyse onur nişanı gibi taşıyabilecekleri bedensel kaynaklı gerçek bir hastalıktan mustarip olma düşüncesiyle, içlerini rahatlatmaya yönelikti. Mitchell'in yüksek satışa ulaşan *Wear and Tear* [Yıpranma ve Aşınma, 1871] adlı öğüt kitabı, nevrasteniklerin neden mağdur olduklarını daha baştan özetlemekteydi. Çektikleri sıkıntılara çözüm de çok yakındaydı. Bir devam niteliğindeki *Fat and Blood* [Yağ ve Kan, 1877] kitabının adından

11 Andrew Scull, 2011.

anlaşılacağı üzere, nevrastenikler iyi beslenmeye, böylece tükenmiş zihinsel güç ve enerji rezervlerini yenilemeye özen göstermeliydi.

Beard'in nevrasteni teşhisi, sinir hastalarının yakındıkları yorgunluğu, endişeyi, baş ağrılarını, uykusuzluğu, iktidarsızlığı, nevraljiyi ve depresyonu açıklar nitelikteydi. Beard nevrasteniye tıbbi statü kazandırma ve müstakbel hastaları çekme açısından can alıcı bir saptamayla, "asabiyetin zihinsel değil, bedensel bir durum olduğu ve tezahürlerinin duygusal aşırılıktan ya da kolay heyecanlanmaktan kaynaklanmadığı" görüşünde diretmişti.[12] Ama en pratik, daha doğrusu yeterince zengin olanlar için en pratik, tedaviyi ortaya koyan Mitchell oldu. Onun önerdiği yatak istirahati, tanım gereği, çalışan erkek ya da kadın için pek de pratik bir çözüm değildi. Maddi gücü yetenler için ise, bitkin düşmüş işadamına, serbest meslek sahibine ya da toplumda sivrilmiş karısına her bakımdan eski bedensel görünüşüne tekrar kavuşmayı vaat etmekteydi.

Virginia Woolf bir dizi İngiliz psikiyatr ve nörolog aracılığıyla da olsa, Mitchell'in tedavisine tabi tutulanlardan biriydi. Bu tedavinin nevrasteni terimiyle birlikte Avrupa'da hızla yayılması o dönemde son derece olağandışı bir şeydi; çünkü ABD (haklı olarak) tıp açısından geri sayılmakta ve hekimleri genellikle aşağılanmaktaydı.[13] Woolf'un tedaviye ilişkin sert yergisi, kendi yaşadığı şeylerin yol açtığı öfkeyi yansıtmakla birlikte, tedavinin ana unsurlarını doğru biçimde saptar. "Ölçülülük istenir; yatakta istirahat talimatı verilir; yalnızlık içinde istirahat; sessizlik ve istirahat; dostlar, kitaplar, mesajlar olmaksızın istirahat; altı aylık istirahat; ta ki bu işe elli kiloyla başlayan biri yetmiş beş kiloyu aşıncaya kadar".[14] Alabildiğine yağ ve kan almak için tam sosyal ve maddi tecrit, egzersiz yerine masaj, zoraki bir bedensel aylaklık, yüksek kalorili bir beslenme şarttı. Woolf'un protestoda bulunan tek kişi olmamasına karşın,[15] diğer hastaların sürece ilişkin daha yumuşak bir görüş taşıdığı söylenebilirdi.[16] Bilimsel ve somatik esaslı bir yaklaşım sağlamasından dolayı, hekimler nezdinde rağbet gördüğü kesindi; yaklaşımın cezalandırıcı ve disiplin altına alıcı bir yönü fazlasıyla taşıması belki de tesadüfi değildi.[17]

12 George M. Beard, 1881, s. 17.

13 Nitekim Beard'in saptadığı hastalık 1893'te *Handbuch der Neurasthenie* (ed. Franz Carl Müller) kitabının yayımlanmasıyla dönemin en üst düzeyde ödülünü aldı.

14 Virginia Woolf, *Mrs Dalloway* (1925). Sir William Bradshaw tipi, psikiyatri hekimliği esas olarak gevezelik derslerine dayanan Sir George Savage'nın acımasız bir sunuluşudur.

15 Krş.. Charlotte Perkins Gilman, *The Yellow Wallpaper*. Bu kısa hikâyede kimliği pek gizlenmemiş Mitchell (Gilman'a şahsen yatak istirahati vermiş kişi) hastasını delirtir. Mitchell'in başka bir hastası Edith Wharton'ın tedavisi, ilk romanının yayımlanmasından bir yıl önce son buldu.

16 Anne Stiles (internet sayfası). Suzanne Poirier (1983, s. 21-22) "Eski kadın hastalarının mesajlarını övgü ve hayranlık mektupları sağanağıyla karşıladığını" ileri sürer.

17 Erkeklere de yatak istirahati verilmesine karşın, bu durum kadınlar gibi tamamen hareketsiz kalmalarına nadiren yol açardı. Mitchell konuyla ilgili yazılarında, sinir hastalarından söz ederken ağırlıklı

Elektrik, Mitchell'in tedavi yönteminin bir unsuru, meslektaşlarınca öteden beri yaygın biçimde kullanılan tedavi amaçlı bir müdahaleydi. Sarsmaya yönelik elektrik kullanımı bir 20. yüzyıl icadı olarak sonradan gündeme gelecekti. Bu yöntemin esası, parlak krom ve pirinç parçalarla dolu, çarpıcı ve karmaşık makinelerle çıtırtı ve kıvılcım halinde düşük voltajlı ya da statik elektrik vermekti. Sinir tepileri elektrik yüklü olduğuna göre, başvurulacak daha iyi tedavi yolu ne olabilirdi ki? Böylece modern fiziğin harikaları, sinir hastalarını yaşadıkları bozuklukların bedensel kaynaklı olduğu konusunda rahatlatmak ve hastalık numarası heyulasını savuşturmak üzere seferber edildi. Tedavinin yadsınamaz somatik mahiyeti, nevrasteniğin manevi durumuna kuşku düşürmeye eğilimli herkese etkili bir cevap vermeyi sağladı.

Asabiyet bir Amerikan tekeli değildi. Atlantik'in öbür yakasında nevrasteninin ve yatak istirahatinin şimşek hızıyla yayılmasının ve gerek tımarhanedeki yaşamın dehşetine son verme yolunu arayan psikiyatrlar, gerekse sinir ve akıl bozukluklarıyla başa çıkmada daha da zayıf bir uzmanlık alanı oluşturmaya çalışan nörologlar açısından, asabiyecilerin uzmanlık uygulamalarında vazgeçilmez bir konum kazanmasının sebebi tam da buydu. Akıl hastanesi müdürleri nörologların rekabetinden hoşlanmazken, nörologlar da ilk başta kurumsal meslektaşlarını hor gören bir tutum takındılar. Mitchell keskin bir dille, "Bizim yaklaşımımız, sizin yaklaşımınıza benzemez," dedi. Ona göre, akıl hastanesi doktorları meslektaşlarından kopmuş ve bilimsel tıptaki ilerlemelerle her türlü irtibatı yitirmişti.[18]

Ancak zamanla bir tür uzlaşma ortaya çıktı. Böyle açık ağız dalaşı her iki kesimin de itibarını sarsabilirdi; zaten sonunda iki ayrı hekimlik tarzı belirmeye başladı. Akıl hastaneleri en ağır delilere yönelik tedavi merkezleri olarak yarım küsur yüzyıl daha varlıklarını sürdürdüler. "İşlevsel" akıl hastalığı biçimlerinin tedavisinde uzmanlaşmaya başlayan nörologlar ise kurum hekimliğinin monotonluğundan bıkan akliyecilerle aynı girişim alanında kısa sürede buluştu; bu akliyecilerin birçoğu psikiyatri elit tabakasındandı ve daha kazançlı, daha az dengesiz, muhtemelen daha kolay tedavi edilebilir bir hasta topluluğundan paylarına [düşeni] almaya istekliydi.[19]

---

olarak dişil zamir kullanır. İç Savaş sırasında cerrahlık yaparken, hastalık numarası yaptıklarından kuşku duyduğu askerlere sert davranmıştı. Nevrastenik ve histerik kadınlarla ilgili yorumları, sadece özenli hekim tavrının yüzeysel olarak örtülmüş halde, böyle kanaatlerin sürdüğüne işaret eder. Sözgelimi, hastaların kendi evlerinden çıkarılmasında ısrar ederken şunu belirtmişti: "Bir aileyi tam olarak perişan edebilme açısından, üst düzeyde sinirli ve çıtkırıldım, acınmaya özlem duyan ve gücü seven aptal bir kadından daha sağlam bir insan reçetesi yoktur". Silas Weir Mitchell, 1888, s. 117. Freud daha sonraları "ikincil kazanım" terimini ortaya atacaktı. Besbelli ki Mitchell daha o zamanlar hasta rolünün, bir güç kaynağı olarak nasıl istismar edilebileceğinin farkındaydı.

18 Silas Weir Mitchell, 1894.

19 Sonraki bu gelişmelere ilişkin bir değerlendirme için bkz. Andrew Scull, Charlotte MacKenzie ve Nicholas Hervey, 1996, Bölüm 7-9. En azından ilk başta "işlevsel" terimi "psikolojik" anlamına gelme-

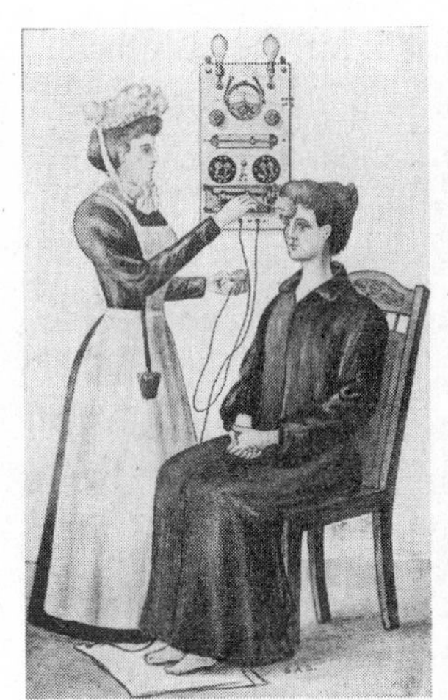
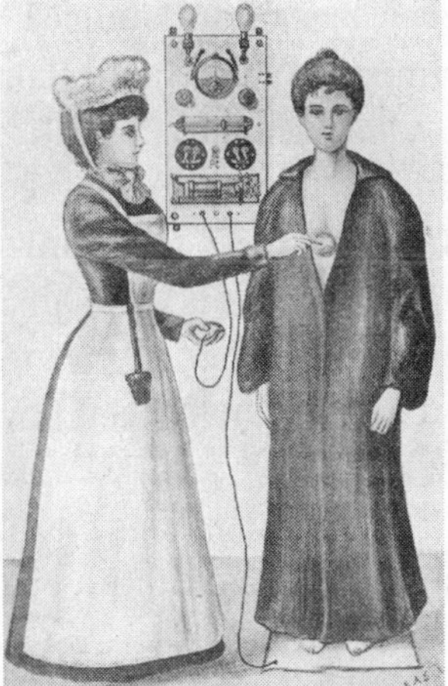
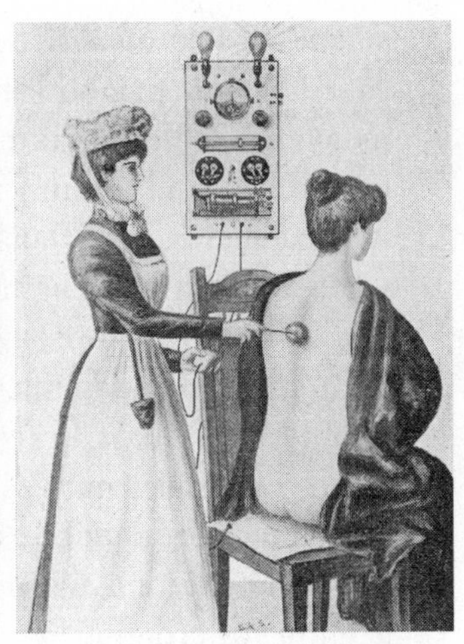

Elektrikli vibratörle tedavi (1900): Bir hemşirenin kadın bir hastaya indüklenmiş akım uygulayışı.

HİSTERİ SAHNEDE

Atlantik'in her iki yakasında nevrasteninin revaçta bir teşhise dönüşmesine karşın, histeri 19. yüzyıl sonu Avrupası'nda en seçkin konuma ulaşan asap bozukluğuydu. İlk başta en çok rağbet gördüğü Paris'te, seçkin Fransız nöroloğu Jean-Martin Charcot (1825-1893) özgün bir Paris sahnesinde, Salpêtrière Hastanesi'nde "Salı Dersleri" adıyla uzun soluklu bir gösteri sundu. Akıl hastanesi sistemine özgü zihin tıbbıyla hiçbir irtibatının olmamasına karşın, orada her türlü nörolojik işlev bozukluğunu kapsayacak şekilde eklektik bir hasta topluluğunun kaldığı koğuşlardan sorumluydu. (Charcot'nun eski öğrencisi Sigmund Freud'un, ileride anlatılacağı üzere, bir dizi hastayla karşılaşması sayesinde, akıl bozukluklarının etiyolojisine ilişkin alternatif bir modeli ve tamamen psikolojik türden yeni tedavi yollarını oluşturduğu Viyana'da histerinin daha da büyük rağbet görmesi daha sonra ortaya çıkan bir gelişmeydi.)

Charcot'nun nörolog olarak ilk şöhreti skleroz, omurilik zafiyeti (üçüncü evre frenginin komplikasyonlarından biri), Parkinson hastalığı, diğer beyin ve omurilik bozuklukları üzerine çalışmalarına dayalıydı.[20] Histeri konusuna yönelişi kademeli ve büyük ölçüde Salpêtrière'nin iç düzenindeki yeni yapılanmanın tesadüfi bir sonucu olarak gerçekleşti. Hastanede yatan gariban patolojik tiplerin geniş havuzu içinde, Charcot saralı ve o dönemdeki

---

mekteydi. Aksine, sinir sisteminde yapısal olmaktan ziyade fizyolojik değişiklikleri ifade etmekteydi. George Beard (1880, s. 114) ayrımı şöyle belirtir: "Mikroskopla görebildiğimize yapısal, mikroskopla göremediğimize işlevsel deriz." Her ikisi de somatik durumlardı.

20 Jean-Martin Charcot'nun kariyeri için bkz. Christopher Goetz, Michel Bonduelle ve Toby Gelfand, 1995.

adlandırmayla histerili-saralı hastaların kaldığı karışık bir koğuşun başına getirildi. Paris'in fakir kesiminden gelen bu hastalar, Amerikalı nörologların muayenehanelerine akın eden hastalarla ancak bu kadar çarpıcı biçimde tezat olabilirdi. (Onun için dert değildi. Son derece kazançlı özel hekimliği Avrupa'nın her yanından hastaların ona gelmesini sağlamaktaydı; bunlar arasında dönemin en zengin kadınlarından Viyanalı Barones Anna von Lieben, bir dizi Rus, Alman ve İspanyol milyoneri, ayrıca tek tük Amerikalılar vardı.)

Charcot başından itibaren ve bütün kariyeri boyunca, histerinin sklerozla ve öbür bozukluklarla aynı kategoriye girdiği kanısındaydı. Ona göre, histeri beyin ve sinir sisteminde henüz çözülememiş bir dizi lezyondan kaynaklanan gerçek bir nörolojik bozukluktu. Kendi klinik gözlemleri bazı histerik felçlerin sinir anatomisiyle ilgili mevcut bilgilere doğrudan ters düşen yollar izlediğini gösterdiğinde ve vücut yapısıyla ilgili yaygın anlayışların yanlışlığını ortaya koyduğunda bile bu görüşüne sıkı sıkıya bağlı kaldı. Ölümünden üç yıl önce şunu ısrarla savundu: "Histerinin anatomik lezyonu mevcut araştırma yordamımızla hâlâ çözülememiş olsa da merkezi sinir sistemindeki organik lezyonlarda görülenlere benzer tropikal bozukluklar aracılığıyla, dikkatli gözlemciye aşikâr biçimde görünür." Ayrıca "anatomi-klinik yönteminin halen birçok maddi etki arasında bilinen asıl sebebi, anatomik sebebi açığa çıkarmada günün birinde nihayet başarıya ulaşacağı" yolundaki kanaatini dile getirdi.[21]

Böylece Charcot histeriyle ilgilenmeye başladığı andan itibaren, hatırı sayılır düzeydeki mesleki ağırlığını bozukluğun hastalık numarası ya da rol yapma değil, (belirgin psikolojik izler taşısa bile) gerçek bir somatik rahatsızlık olduğu iddiasını destekleme yönünde kullandı. Histeri bu iyiliğin karşılığını verdi. Sonuç belki hemen görülmedi; ama Charcot'nun (yeni mesmerizm biçimi için ilk kez İskoç cerrah James Braid'in [1795-1860] birkaç yıl önce önerdiği adla) hipnozun tıbbi geçerliliğini benimseme kararı[22] ve Salı Dersleri'nde histerik hastalarını bir gösteriyle sunuşu büyük yankı uyandırdı. Herkes histeri sirkini izlemeye geldi ve Charcot'nun şöhreti katlanarak arttı.

Histerinin (bizzat adının kökeninde somutlaşan bir bağla) genelde kadın cinsiyle ilişkilendirilmesine karşın, Charcot tıpkı nevrasteni gibi, onun da erkekleri ve kadınları aynı ölçüde etkileyen bir bozukluk olduğu kanısındaydı. Üstelik bazı erkek hastaları, Wilkie Collins'in *The Woman in White* [Beyazlı Kadın] romanında sunulan (incelikli sinir sistemi küçük oğlanlara şehvetli ilgisiyle yakından bağlantılı Frederick Fairlie gibi) efemine histerik erkek tipinin antiteziydi. Örneğin, aralarında demirciler ve başka güçlü zanaatkârlar vardı. Ne var ki seyircileri Charcot'nun klinik gösterilerine çeken şey erkek

21 Jean-Martin Charcot, "Preface", Alex Athanassio, 1890, s. i.
22 James Braid, 1843.

"Nevrozların Napoléon'u" Jean-Martin Charcot evde beslediği maymununu koynunda taşırken görülüyor.

histerikler değil, büyüleyici erkek bakışlarının etkisiyle, histerik nöbetin çeşitli aşamalarını defalarca canlandıran çekici ve yarı giyinik kadınlardı. Tutkulu tavırlar, duygusal jestler, şaşmaz biçimde erotik imaları sergileyen bağırışlar ve fısıltılar, nöbet faslından ve görünüşte katlanılmaz bedensel kıvranmalardan daha da eğlendiriciydi. Bir gazetecinin haberine göre, özel seyircili bir seansta Charcot "muhteşem endamlı ve gür sarı saçlı genç ve güzel bir kıza" yumurtalık kompresini uygulamıştı. Ardından sahnede "hastanın yattığı sedyenin bir spot ışığının yardımıyla salonun her tarafından görülebileceği" ve "haykırışlarının [herkesçe] duyulabileceği" şekilde, genel seyirci kitlesine yönelik gösteri başlamıştı.[23]

Dönemin birkaç feminist eleştirmeni "ne sebebi ne de tedavisi bilinen bir hastalığı inceleme bahanesiyle kadınların böyle deney konusu yapılması"nı protesto etti.[24] Charcot "Salpêtrière'de meczuplara ve histerik hastalara uygulanan iğrenç deneyler"in düzenleyicisi olarak kınandı.

> Hemşireler bu talihsiz kadınları, bağırışlarına ve direnmelerine aldırmaksızın sürükleyerek, katalepsi durumuna düşmelerine yol açan erkeklerin önüne çıkarıyorlar. Akıl sapkınlığının ve tutku bozukluğunun her türünü sunmaya mecbur birer araçmış gibi, oyuna getirilerek dengesizleştirilen bu bedenler üzerindeki deneyler, sinir sistemini zorluyor ve marazi durumları ağırlaştırıyor. Arkadaşlarımdan biri bana, kendisinin ve P. düşesinin [...] çok meşhur bir doktorun bedbaht bir hastayı uhrevi saadetten yüz kızartıcı şeheviliğe dosdoğru geçirişine tanık olduğunu anlattı. Üstelik edebiyatçılardan, sanatçılardan ve görgülü adamlardan oluşan bir topluluğun önünde.[25]

Aralarında Tolstoy'un ve Maupassant'ın bulunduğu erkek edebiyatçılar bu durum karşısındaki horgörülerini dile getirmek için araya girdiler. Ama böyle durumlarda sıkça olduğu gibi, anlaşıldığı kadarıyla bu eleştiriler sadece gösteriyi izlemeye can atanların sayısını artırmaya yaradı.

Hekim Axel Munthe (1857-1949) otobiyografik nitelikteki *The Story of San Michele*'de [Aziz Michele'in Hikâyesi] bizzat gözlemleyip yer aldığı bir sahnenin canlı tasvirini şöyle sunar: "Kocaman anfitiyatro Paris'in her kesiminden rengârenk bir seyirci kitlesiyle ağzına kadar doluydu; yazarlar, gazeteciler, önde gelen aktörler ve aktrisler, moda düşkünü demimondaines oradaydı." Hepsi gösteriyi seyretmek için toplanmıştı. Derken sahneye önce temaşanın takdimcisi, gri paltolu ve asık suratlı Charcot, ardından besbelli ki hipnoz transının etkisi altında onun emirlerini yerine getirecek kadınlar çıktı:

23 Akt. Christopher Goetz, Michel Bonduelle ve Toby Gelfand, 1995, s. 235-36.

24 Celine Renooz, 1888.

25 İsimsiz, 1877; Ağustos 1887'deki bir konferansta deney için canlı hayvan kesimi üzerine konuşmasını aktaran bir haber.

> Bazıları içinde gülsuyu bulunduğu söylenen bir amonyak şişesini keyifle kokladı, bazıları çikolata diye sunulan bir parça kömür parçasını yedi. Başka biri, ona köpek olduğu bildirilince, dört ayak üstünde emekleyerek azgınca havladı; kimliği güvercine çevrilince, uçmaya çalışırcasına kollarını çırptı; ayaklarının dibine fırlatılan eldivenin yılan olduğu bildirilince, bir dehşet çığlığıyla eteğini kaldırdı. Başka biri ise bebeği diye kucağına verilen silindir şapkayı ileri geri salladı ve yumuşakça öptü.[26]

Sergilenen şey kesinlikle erkeğin üstünlüğü karşısında kadının aptallığı ve kırılganlığıydı.

Bozukluğun pençesinde eğlenen hastalar, kamera objektifleriyle de kayda alındı. Sirkteki sahne göstericilerinin fotoğraflarından oluşan *İkonografiler* adlı koleksiyonlar geniş çapta dağıtıldı ve Charcot'nun histeriyle ilgili görüşünü, Paris sahnesine ancak sanal olarak tanık olabilen bir kitleye yaydı. Halkın histeriye bakışını düzeltmeye ve belki de nevropatik bir bozukluğun güya nötr, doğalcı kayıtlarını davetkâr biçimde yaymaya büyük katkıda bulundu. Fotoğraf (en azından dijital manipülasyon çağından önce) doğruyu, doğrudan ve aracısız bir portreyi, hatta doğanın bir aynasını, kamera objektifleri önünden olup bitenlerin anlık tasvirini sunma yanılsamasını taşımaktaydı.

Ama aydınlatmanın getirdiği sınırlamaların yanı sıra ıslak kolodyum levhalarıyla ve hatta daha sonraki gümüş jelatin-bromür kaplamayla resim çekmenin teknik gerekleri, bazen levha başına yirmi dakikaya varan uzun poz verme sürelerini zorunlu kılmaktaydı. Charcot'nun ölümünden sonra (ileride göreceğimiz üzere, çalışma arkadaşlarını ve yanında yetişenleri bile, daha doğrusu özellikle kapsayan) eleştirmenlerin klinik gösterilerini düzmece saydıkları göz önünde tutulunca, bizzat patolojileri kaydeden "nesnel" fotoğrafların kaçınılmaz olarak sahnelenmiş, poz verilmiş ve üretilmiş kurgular olmaları belki de gereğine uygundu. Bunların "olgu" statüsü güya kayda geçirdikleri canlı gösteriler kadar kaygandır.[27]

Charcot'nun yaşadığı dönemde, taşra kenti Nancy'de hekimlik yapan Hippolyte Bernheim (1840-1919) gibi önemli bir istisna sayılmazsa, çalışmalarına yönelik eleştiriler çoğunlukla yurtdışından geldi; bunun sebebi hem güçlü hem de alıngan olması, ona karşı çıkan daha düşük konumlu kişilerin kariyerlerini mahvedebilmesiydi. "Nevrozların Napoléon'u" diye nam salması boşuna değildi. Ancak 1893'teki ölümünden sonra işler değişti. En yakınındaki kişiler bile aleyhine dönerek, sahnelenmesine yardımcı oldukları oyunların gerçekliğini inkâr ettiler. Axel Munthe'ye göre, Salı Dersleri "absürt bir maskaralık, doğrunun ve dalaverenin içinden çıkılmaz biçimde karıştığı bir arapsaçı"ydı.[28]

26 Axel Munthe, 1930, s. 296, 302-303.

27 Son iki paragrafın bazı ufak değişikliklerle alındığı kaynak Andrew Scull, 2011, s. 122-123.

28 Axel Munthe, 1930, s. 302.

Planche XXIII.

ATTITUDES PASSIONNELLES

EXTASE (1878).

Attitudes passionelles: extase [Ateşli Tavırlar: Esriklik, 1878]. Charcot'nun Salpêtrière'deki histerik hastalarına ilişkin resimlerin erotik imaları hiçbir yerde bundan daha bariz değildir.

FREUD VE PSİKANALİZİN DOĞUŞU

Charcot'nun şöhretin doruğunda olduğu 1885'te, feyiz ve belki destek alma beklentisiyle bu büyük adamın etrafında pervane olan yabancılar içinde, kariyeri çıkmaza girmiş genç bir Avusturyalı hekim vardı. Beş aylığına onun yanında çalışmaya gelirken, can havliyle sarıldığı umut, Viyana'ya döndüğünde talihini tersine çevirmekti. Sigmund Freud (1856-1939) adlı bu genç ilk başta histeriye odaklanma niyetinde değildi. Sinir anatomisi ve nöroloji alanında geleneksel öğrenim görmüştü, emelleri de bu yöndeydi. Ama başka birçokları gibi, o da histeriyi çekici buldu. Viyana'ya döndükten ve akademik kariyer umutlarından isteksizce vazgeçip özel hekimliğe yöneldikten sonra, alışılagelmiş nörolojik vakalara, özellikle beyin felci geçirmiş çocuklara bakmayı sürdürdü. Ama bunların sayısı, yeni karısını ve hızla genişleyen ailesini geçindirmeye yetmeyecek kadar azdı; bu bakımdan hekimliğinin bir dizi histerik hastayı da çekmesi talihli bir gelişmeydi. Tıpkı Amerikalı nörologlar gibi, aksini dilemiş olsa bile, histerikler vazgeçilmez bir gelir kaynağı sağlayınca, yine de çabalarını o yönde yoğunlaştırmaya başladı.

Freud Paris'teyken Charcot'nun yakın çevresinde bir yer edinmek için her türlü çabayı göstermiş, *Leçons sur les maladies du système nerveux* [Sinir Sistemi Hastalıkları Üzerine Dersler] adlı eserinin üçüncü cildini (bizzat kabul ettiği kısıtlı Fransızcasıyla) Almancaya çevirmeyi gönüllü üstlenerek, üstadın ona minnet duymasını sağlamıştı. Viyana'ya dönüşünde histerinin somatik köklerine ağırlık veren yaklaşımının yanı sıra, histeri tedavisinde hipnozdan yararlanma yöntemini beraberinde getirdi. Bunlardan ilki, iç dünyanın karmaşıklıklarını temel sinir süreçlerine bağlama gibi bir iddia taşıyan büyük "Bilimsel Psikoloji Projesi"den gönülsüzce vazgeçtiği 1890'ların sonlarında düşünce tarzının temeli olarak kaldı. Hipnozdan vazgeçişi ise bundan kısa bir süre önceye denk geldi. Bu teknikte zaten hiç ustalaşmamıştı. Hipnozu "sırf" telkinden ibaret gören Viyanalı meslektaşlarının, nüfuzlu nöropatolog Theodor Meynert'in (1833-1892) yolundan giderek, bu yaklaşımı sahte hekimlik olarak küçümsemeleri de kararında etkili oldu.

Aksini ortaya koymaya çalışan Charcot, sadece histeriye özgü bozuk sinir sistemi olanların hipnoz transına duyarlı olduğunda diretmişti. Bu görüşü benimsemek başkalarının telkine dayalı psikolojik bir tedavi olarak gördükleri yöntemi uygularken, histerinin temelde somatik bir hastalık olduğu fikrini ısrarla sürdürmesini sağladı. Bu yaklaşımı benimseyen Charcot'nun birçok İngiliz hayranına göre, akıl bozukluğuna ilişkin psikolojik açıklamalarla flört etmek, tıp bilimi disiplininden kopup sahte hekimliğe, kendini kandırmaya ve sahtekârlığa yöneliş demekti. Böylece İngiliz asabiyeci ve nörolog Horatio Donkin'in (1845-1927) ifadesiyle, "İnsanların sinir dengesizliğiyle doğrudan orantılı olarak hipnotize edilebildikleri genel tecrübeyle sabittir" şeklinde bir konsensüse varıldı.[29]

Hippolyte Bernheim'in çalışmaları bu görüşü çürütmeye büyük katkıda bulundu; çünkü yürüttüğü deneyler "psikolojik açıdan normal" olanların bile hipnotize edilebildiğini gösteriyor gibiydi.[30] Charcot'nun görüşleri Avusturyalı hekimler arasında da pek sempatiyle karşılanmadı. Dolayısıyla Freud'un hipnozdan vazgeçişi kaçınılmaz sayılabilirdi. Bernheim'in kitabını 1888'de Almancaya çevirirken araya yorumlar katması, görüş ayrılığının işaretiydi; ama birkaç ay içinde, Charcot'nun bu konudaki tutumunu artık savunmamaya ve muhtemelen psikolojik süreçler ile akıl hastalığı arasındaki bağlantıları bir çerçeveye oturtma yolunu tasarlamaya başladı.

Freud akademik kariyer umutlarının boşa çıkması üzerine, nörolog olarak özel hekimliğe yöneldiğinde, geçimini sağlamakta güçlük çekti. Ta 1890'lara kadar, seçkin Viyanalı hekim Josef Breuer'in (1842-1945) sevk ettiği hastalara (ve hatta verdiği borçlara) hatırı sayılır ölçüde bağımlı kaldı; ondan neredeyse on beş yaş büyük olan bu kişiye, işlerinin iyi gitmesi sayesinde bakabileceğinden daha fazla hasta gelmekteydi. Bunun incitici bir bağımlılık olması nedeniyle, Freud 1890'ların ortalarında aralarının bozulmasından sonra, Breuer'den nefret eder bir noktaya geldi. Ama Freud'un histerili hastalarla ilk kez karşılaşması Breuer sayesindeydi; ayrıca 1895'te birlikte yayımladıkları *Studien über Hysterie* [Histeri Üzerine Çalışmalar] Freud'un psikoterapistlik kariyerine temel oluşturdu ve çok kısa bir dönem içinde hem akıl bozukluğunun tedavisine yeni bir yaklaşım, hem de etiyolojisine ilişkin yeni bir kavramlaştırma olan psikanalizi yaratmasının yolunu açtı.

Psikanaliz tarihinin en ünlü hastası olduğu söylenebilecek "Anna O." aslında Freud'un değil, Breuer'in hastasıydı. Gerçek adı Bertha Pappenheim'dı (1859-1936); Breuer'in (ve Freud'un) birçok hastası gibi, Viyana'nın yüksek burjuvazinde seçkin yer edinmiş zengin bir Yahudi ailesindendi. Breuer'in dikkatini ilk muayeneye geldiği 1880'de çekti. Anna / Bertha ölüm döşeğindeki babasına aylarca fedakârca bakmıştı. Onun ölümü üzerine, o dönemde genellikle histeri teşhisi konulan bazı şaşırtıcı ve korkutucu arazlar gösterdi. Sürekli bir öksürüğe, uykusuzluğa, ardından nöbeti andıran kasılmalara yakalandı; bunları sağ kolunda ve bacağında felç izledi. Görüş yetisi bozulmaya başladı. Eskiden iyi huylu bir kadınken, denetlenemeyen öfke ataklarına kapılır oldu. Almancası geriledi ve çok geçmeden sadece İngilizce konuşur ve anlar hale geldi. Yemeden içmeden kesildiği dönemler vardı.

29 Horatio Donkin, 1892, s. 625-626; Charcot konuya ilişkin görüşlerini kısa bir süre önce aynı kitabın İngilizce baskısında dile getirmişti: J.-M Charcot ve Gilles de la Tourette, 1892.
30 Bkz. Hippolyte Bernheim, 1886.

Sigmund Freud 1891'de, otuz beş yaşında.

Breuer'in tedavisi, onunla sıkça ve uzun süreli sohbetlere dayalıydı. Zamanla dikkate değer hafızasını geçmişe dönük olarak taramaya ve tekil arazlarıyla bağlantılı travmatik olayları hatırlamaya başladı; Breuer'in aktardığına göre, bu sahneleri kafasında canlandırması boşaltıcı bir erki yarattı. Dramatik patolojileri teker teker kaybolmaya yüz tuttu. Yine Breuer'e göre, buna "konuşma tedavisi" adını veren bizzat Anna'ydı.[31] On yıl sonra Breuer'in histerik arazları olan bir dizi kadın hastasını havale ettiği genç dostu Freud da aynı durumu saptadığını ileri sürdü:

31 Günümüz uzmanları Anna O. tedavisine ilişkin bu anlatımların, çoğu açıdan uydurma olduğunu göstermişlerdir. Kadıncağız Breuer'in boşalma yöntemiyle iyileşmediği gibi, ondan kurtulduktan sonra on küsur yıl dengesiz kaldı ve İsviçre'deki bir sanatoryuma birkaç kez uzun sürelerle kapatıldı. Nihayet toparlandığında, konuşma tedavisi üzerine söyleyecek hiçbir olumlu sözü yoktu. Psikanalizin ilk vakası bir efsanedir, birçok düzeyde bir dizi kurmacadan ibarettir.

Asıl adı Bertha Pappenheim olan ve psikanalizin ilk hastası sayılan "Anna O."nun Joseph Breuer tarafından uygulanan sözde başarılı tedavinin ardından akıl hastası teşhisiyle yatırıldığı Kreuzlingen'deki Bellevue Sanatoryumu'nda çekilmiş bir fotoğrafı (1882).

> İlk başta şunu büyük şaşkınlıkla gördük ki, *ortaya çıkışına vesile olan olaya ilişkin anıyı berraklıkla günışığına çıkarmayı ve olaya eşlik eden duygulanımı uyandırdığımızda, hastanın olayı olabildiğince ayrıntılı anlatmasından ve duygulanımı sözlere dökmesinden sonra, her bir histerik araz hemen ve kalıcı biçimde yok olmaktaydı.*[32]

Freud'u, Breuer'e histeri üzerine bir kitabı birlikte yazıp yayımlamayı önermeye yönelten Anna O., Bayan Emmy von N., Bayan Elisabeth von R., Bayan Lucy R., Katherina ve Bayan Cäcilie M. gibi hastaların geçmişleriydi. Kitap için öngördüğü format ise kısa hikâyeler ya da detektif hikâyeleri gibi rahatça

32 Josef Breuer ve Sigmund Freud, 1957, s. 255, italikler yazara ait.

okunabilecek, psikolojik anlam yüklü bir dizi skeçti. Zira *Histeri Üzerine Çalışmalar*'ın ana mesajı "*histeriklerin esas olarak hatıralardan mustarip*"[33] olduklarıydı; bilinçli hatırlamanın ötesinde bir şekilde sürüp giden bu anılar, zihni zehirlemekte ve böyle hastaları tedavi etmeye çalışan birçok hekimi yıldıracak kadar kafa karıştırıcı arazlara yol açmaktaydı. Yarı ölü anıların tekrar canlandırılması gerekirdi, çünkü bu başarıldığında, patolojik etkileri ve aynı zamanda hastanın histerisi yok olacaktı.

Kendi anlatımına göre, Breuer 1890'ların başlarında histeri vakalarını tedaviyi sürdürmeye ilgi duymaz hale geldi.[34] Başarılı genel hekimliği ona kazançlı bir geçim sağlamıştı; ayrıca zaman alıcı boşalma yöntemiyle uğraşamayacak kadar meşguldü. Freud ise muayenehanesine akın etmeye başlayan "nevrotik kitle"yi hoş karşıladı ve "bünyesel sinir hastalıklarını tedavi"den hemen vazgeçti.[35] Aşağı yukarı aynı sıralarda hipnozu da bıraktı; boşalma yöntemini aşırı basit olduğu gerekçesiyle kesti; Breuer'le sosyal ve fikri açıdan bozuştu; hastanın "serbest çağrışım" haline geçirilmesini esas alan alternatif bir tedavi yolu geliştirmeye koyuldu; psikolojik olayları temelde yatan nöropatolojiye indirgeme çabalarından vazgeçti; bunun yerine akıl bozukluğunun kökenine ilişkin gittikçe karmaşık bir psikodinamik açıklamayı seçti.

BASTIRMA

Bunlar gayet riskli hamlelerdi; hastalardaki arazların kökenine ilişkin yeni bir açıklamayı aynı sıralarda benimsemek riski daha da artırıcıydı. Freud'un vardığı kanıya göre, rahatsızlıkların kökeninde seks, daha doğru ifadeyle cinsel travma, yani çocukluktaki cinsel taciz ve ensest saldırılarına ilişkin bastırılmış anılar yatmaktaydı. Her zaman ve her yerde histerinin kökeninde bu olaylar vardı. Bu iddiası Viyana'nın önde gelen psikiyatrı ve seksoloğu Richard von Krafft-Ebing (1840-1902) tarafından hemen alaya alınmasına yol açtı. Ona göre, Freud'un fikirleri "bilimsel bir peri masalı"ydı.[36]

Freud bir yıl içinde farklı bir yola saptı: Açıklamasında seks hâlâ temel unsurdu; ama seksin devreye girişi fiili travmalardan ve saldırılardan ziyade, çocukluk fantezileri ve bunların bastırılışı yoluylaydı. On küsur yıl içinde modelini yetkinleştiren Freud, bilinçaltı cinsel itkilerin sağladığı enerji anlamındaki libidonun, her türlü karmaşık psikolojik rahatsızlığın ve çatışmanın kaynağı olduğunu ileri sürdü. Determinist bir mantığı izleyen zihinsel yaşam, laboratuvarda incelenen fizyolojik olgular kadar bilimsel

---

33 Josef Breuer ve Sigmund Freud, 1957, s. 7, italikler yazara ait.

34 Bkz. *Studies on Hysteria*'nın ikinci baskısına önsöz, *The Standard Edition of the Complete Psychological Works of Sigmund Freud*, c. 2, Londra: Hogarth Press, 1981.

35 Sigmund Freud, 1963, s. 15-16.

36 Akt. Jeffrey Masson, 1985, s. 9.

incelemeye ve analize elverişliydi. Rüyaları, dil sürçmelerini ve hastaları özendirmeye uyandırılan serbest çağrışımı titizlikle didiklemek, temelde yatan sorunların kaynaklarını açıklığa kavuşturmayı sağlayabilirdi; böylece bilinçaltının bilince çıkarılması sürecinde, hasta kendini iyileştirmeye yönlendirilebilirdi.

Freud'un sunduğu şekliyle, bilinçaltı ürkütücü bir yerdi. Yeni doğmuş bebeğin zihinsel evreninde ebeveyn figürlerinin beliren varlığıyla, hayatın daha ilk haftalarında ve aylarında (genellikle lekelenmiş halde) oluşurdu ve tablo bebeklik dönemi boyunca daha da kararırdı. Aile, çocuğun bilinçaltını dolduran, ondaki bastırmaları kışkırtan ve psikopatolojileri yaratan bir sürü ürkütücü ve tehlikeli psikodramın yaşandığı alandı. Kabul edilemez arzuları bastırmaya ve karşı cinsten ebeveyni elde etme, aynı cinsten ebeveyni bertaraf etme yönündeki Oidipus fantezilerini yadsımaya ya da bilinçaltının daha derinliklerine itmeye zorlanan çocuklar, gizli bir ruhsal çatışma dünyasında yaşarlardı. Burada zihin patolojileri ile uygarlığın ilerleyişi arasında bağları açıklamada yeni bir yaklaşım söz konusuydu. Özlemler ve sindirmeler, ikame tatminler arayışı, güvenle belirtilemeyecek şeyleri yüceltme yolları, yalandan unutma, "uygar" ahlakın bütün çarpıtıcı kısıtlamaları çok az kişinin incinmeden ve berelenmeden çıkabildiği bir mayın tarlası yaratırdı.

Freud'un psikiyatri alanındaki çağdaşlarının ezici çoğunluğu, hastaları üzerine böylesine dirençli bir etki sergileyen çılgınlıkları, bozuk algıları, azgın duyguları parazitten ibaret saydı. Bunların yegâne anlamı, bozuk beyinlerin arazları olmalarıydı. Bunun dışında, tamamen ikincil olgular olarak, üzerlerinde durmaya değmezdi. Freud'a ve takipçilerine göre ise, bunlar can alıcıydı. Kökleri anlamlarda ve sembollerde yatan deliliğin anlam düzeyinde tedavi edilmesi gerekirdi. Dengesiz davranışlar, kavrayışlar ve duygular son derece anlamlıydı; doktorun ve hastanın karşı karşıya kaldığı cidden zorlu iş, bunların sunduğu ipuçlarını didiklemek ve ruhun gömdüğü muazzam enerjiyi açığa çıkarmaktı. Bu kazı çalışması kaçınılmaz olarak yoğun ve yüklü bir süreçti. İç engelleri ve direnişi aşıp bilinçaltını bilince çıkmaya zorlamak için aylarca, hatta bazen yıllarca sondaj yapmak gerekirdi.

Freud'un düşünsel kurgusunun en çekici yanlarından biri, zihin modelinin ve zihnin dengesiz tezahürlerine yaklaşım tekniğinin sıkı sıkıya iç içe geçmiş ve karşılıklı pekiştirici olmasıydı. İlk başta, nevrotik hastalıklardan mustarip yaftası vurulan, dengesiz ve sıkıntılı olmakla birlikte, (zar zor da olsa) işlev görebilen hastaları teşhis ve tedavi etmek üzere geliştirilmiş olmasına karşın, psikozları açıklamak üzere genişletilebilirdi ve sonraki yıllarda öyle de olacaktı. Yelpazenin karşıt ucunda ise, "normal" kişiliğe ilişkin bir yorum sunma iddiasındaydı. Freud'un alaylı biçimde psikiyatrinin "büyük papası" diye andığı Emil Kraepelin akıl hastanelerinin arka koğuşları dolduran, biyolojik bakımdan dejenere ve bedensel bakımdan aşağı tipler ile aklı başında yurttaşların çoğunluğu arasına görünüşte aşılmaz bir engel dikmişti. Buna karşılık, Freud deliliğin sırf ötekinin sorunu olduğunu yadsıdı. Görünüşe bakılırsa, delilik hepimizde en azından bir ölçüde pusuya yatmış bir şeydi. Bir kişiyi zihinsel sakatlığa yönelten aynı güçler, başka bir kişinin emsalsiz kültürel öneme sahip başarıları ortaya koymasını sağlayabilirdi. Freud'a göre, uygarlık ve ondan hoşnut olmayanlar, kaçınılmaz ve geri dönülemez biçimde sıkıca sarmaş dolaş olmuştu.

Bölüm On

UMARSIZ DEVALAR

TOPYEKÛN SAVAŞIN ÇİLELERİ

Dünya 28 Temmuz 1914'te delirdi. Daha doğrusu Avrupa delirdi ve çok geçmeden geri kalan dünyanın bu akıl hastalığından nasibini almasını sağladı. Alman kayzeri genç askerlerine, deliliğin Noel'e doğru son bulacağı teminatını verdi; oysa bu ancak dört Noel sonra gerçekleşti. Avusturya-Macaristan tahtının vârisi, beceriksiz ve son derece sevimsiz Arşidük Franz Ferdinand'ın 28 Haziran'da Bosnalı Sırp militan Gavrilo Princip'in suikastına uğramasının hızla yol açtığı savaş ilanı kısa sürede kıtayı sardı ve zamanla çatışmayı dünya geneline yaydı. Modern dünyanın devasa sanayi gücünün yıkım işine koyulmasıyla birlikte, çok büyük çaplı, daha doğrusu dehşet verici çapta bir savaş yaşandı. Çarpışan kuvvetler Flandr çamuruna hızla saplanıp kaldı. Kuzey Fransa çorak bir araziye çevrildi. Siperler kazıldı, savunma amaçlı dikenli teller çekildi ve ardından bir yıpratma savaşına geçildi. Her iki taraf da uygarlık için savaşma iddiasındaydı. Tanklar, toplar, makineli tüfekler ve süngüler kanlı ve bedenleri paralayıcı marifetlerine giriştiler; sanki bu yetmezmiş gibi, bilim uzmanları zehirli gazı sağladılar ve uygarlığın bekçileri gaz dehşetini muharebe alanına saldılar. Milyonlar can verdi. Daha milyonlarcası korkunç yaralar (uzuv kaybı, körlük, felç, şekil bozukluğu) aldı. Her iki taraftaki generaller, vicdandan yoksun kalmışçasına, alt rütbeli subayları ve diğer rütbelerdeki askerleri milyonlar halinde kıyma makinesine sürerek, neredeyse bütün bir genç kuşağı bedenen ya da zihnen yok ettiler. Askeri isyanlar, Rusya'da çarlık rejiminin çöküşü, kıyımın çapı, çarpışmanın beyhude oluşu, kısacası hiçbir şey politikacıları sarsacak gibi değildi. Uygarlığın yok olmaması için delilik sürmeliydi. Oysa tam da yok oluşun eşiğine geldi.

Dört yıl boyunca üzerlerine ölüm ve yıkım yağan askerler siperlerde sinip kaldı. İntihar saldırılarına girişildi. Makineli tüfekler ilerleyen askerleri bir biçerdöverin önünde boyun eğen başaklar gibi biçti. Ulaşılamayan ağır yaralılar ıstırap içinde çığlıklar attılar ve inlediler, ta ki ölüm onların feryatlarını susturana kadar. Büyük can kaybı pahasına, hiçbir özelliği olmayan yüz metrelik alanlar aralıklarla el değiştirip durdu. Çamur ve kan, kan ve çamur. Derken devreye giren zehirli gaz, beraberinde akciğerleri kanla ve suyla

Alman askerleri 1914'te "Münih'ten Metz yoluyla Paris'e" yazılı trende neşeyle savaşa giderken. Kayzer onlara çarpışmaların Noel'e doğru biteceği teminatını vermişti; bu iş çok kolay olacaktı.

dolarken, bağırsakları büzülürken, gözler şişip yanarken ve ağızlarından köpükler saçılırken boğulan silah arkadaşlarının görüntülerini getirdi; bunu izleyen şey yavaş ve kıvrandırıcı bir ölümdü. Kâbustan kaçış imkânsızdı. Firar etmenin ucunda, yakalanınca korkaklık gerekçesiyle kurşuna dizilmek vardı. Cephede kalmanın sonucu ise günlük travmayı yaşamak, akıl almaz işlere tanık olmak ve katılmak, sakatların ve can çekişenlerin ıstırap dolu inlemelerini, hıçkırıklarını ve çığlıklarını duymak, bedenlerin parçalanışını ve ardından çürümeye bırakılışını görmekti: Kabaran, pis kokan, kararan, davul gibi olan cesetler.

Gidişat birçok kişinin kaldıramayacağı düzeydeydi. Şanlı maceranın biteceği öngörülen 1914 Noel'inden önce, askeri strateji uzmanları ağır ve hiç öngörülmemiş bir sorunla başa çıkmak durumunda kaldılar. Amerikan İç Savaşı'ndan ve İngilizlerin yüzyılın başında Güney Afrika'da yürüttüğü Boer Savaşı'ndan çıkarılmış olabilecek dersler göz önünde tutulunca, aslında bu durum hiç beklenmedik olmamalıydı. Bu uyarı işaretleri göz ardı edilmeseydi, Birinci Dünya Savaşı'nın başlarında askerler arasında ortaya çıkan sorunlar belki yaşanmayabilirdi. İngiliz şair Wilfred Owen (1893-1918) "Kafadan Çatlaklar" şiirinde bunu şöyle ifade eder:

Akılları ölülerce çalınmış insanlar bunlar.
Geçmişte şahit oldukları sürüyle cinayetin
Hatıraları kıvrım kıvrım dolaşıyor saçlarında.
Bu biçareler dolanırken et balçıkları arasında,
Buruşmuş ciğerlerden sızan kana basıyorlar.
Kulaklarında topların gümbürtüsü ha bire çınlarken,
Havada uçuşan kasların dağılışını seyrediyorlar,
Emsali görülmemiş kıyım ve insan israfı içinde
Sıkışıp kalmış bu insanlara yok bir kurtuluş yolu.

İşte bu yüzden büzüşmüş gözlerinde hâlâ duran azap
Ta beyinlerinin içine işleyerek duyularına sindiği için,
Günışığı onlara parlayan bir kan lekesi gibi görünüyor,
Gece karanlığı simsiyah bir kan perdesi gibi iniyor;
Şafak yeniden kanayan bir yara gibi söküyor.
İşte bu yüzden hep gülümser gibi duran cesetlerin
Komik, iğrenç rezil sahteliği silinmiyor kafalarından.
İşte bu yüzden ellerini çekiştiriyorlar koparırcasına;
Başlarındaki belanın kamçısını ucundan tutup çekiyorlar;
Kardeş diyerek o darbeyi indiren bizleri tutup yakamızdan,
Başlarına sardığımız savaş ve delilik yüzünden pençeliyorlar.[1]

Çoğu sonraki kuşaklara seslerini duyuramayacak insanların "davar gibi telef oluşu"na[2] tanık olan bazı askerler, savaşın dehşetini sözlerle ve görüntülerle bir ölçüde aktarmanın yolunu buldular. Şiirleri ve sanat eserleri, silah arkadaşlarını ve çoğu kez onları da çekip yutan kıyımı ve çılgınlığı çarpıcı biçimde hatırlatma işlevini görür. Bazıları savaşta can verdi; Owen savaşın son anlarında, 11 Kasım ateşkesine sadece bir hafta kala öldü. Orduya gönüllü olarak sıhhiyeci yazılan Alman sanatçı Max Beckmann'ın (1884-1950) da aralarında bulunduğu bazıları ise çatışmanın ruhsal zayiat safında yer aldı. Beckmann 1915'te hastaneye yatırıldı ve çürüğe çıkarıldı. Savaşın hemen ardından çizdiği *Die Nacht* [Gece] tablosu, anlamsız ve korkunç şiddet, tecavüz, cinayet, işkence görüntüsünü güçlü biçimde çağrıştırır (Resim 38). Tasvir sanatının "uygar" teamüllerinden uzak biçimde kahverengi ve kırmızı tonların yer aldığı görüntü, gerçekliğin çılgınca bir çarpıtılışını, bozulmuş bir perspektif duygusunu sunar; sivri, köşeli, kâbus gibi oluşu, kaçışın olmadığı bir psikoz cehennemi havasını verir. Kübizmin paleti, parçalı yapıya başvurma tarzı ve sıkıntılı geometrik düzeninin yanı sıra, adını vahşi hayvan anlamındaki

1 Wilfred Owen, "Mental Cases", 1918.
2 Wilfred Owen, "Anthem for Doomed Youth", 1917.

Fransızca kelimeden alan fovizm akımının "hayvansı" niteliği ve çılgınca çizgileri Beckmann'a yararlanabileceği bir dizi yeni sanatsal olanak sağladı. Tablonun düz ve kaotik panoraması, sertliği ve derinlik belirtisinden yoksun oluşu, içindeki figürlerin ezilip tuvale yapıştırıldığı izlenimini uyandırır – tıpkı savaşın ezdiği insanların ve uygarlığın dövülerek aynı deli düzlemine inişi gibi.[3] Bir çıkış, makul bir kaçış yolu yoktur. Hepimiz lanetlenmiş durumdayız.

Beckmann'ın alegorik görüşünün tersine, çağdaşı Otto Dix (1891-1969) bize "Şeytan'ın marifetleri"ne yalın bir bakış sundu. "Bitler, fareler, dikenli teller, pireler, mermiler, bombalar, yeraltı mağaraları, cesetler, kan, içki, sıçanlar, kediler, zehirli gaz, toplar, pislik, kurşunlar, havanlar, ateş, çelik: İşte savaş budur!" Artois'da, Champagne'de ve Somme Muharebesi'nde makineli tüfekçi olarak çarpışan Dix, "yanı başındaki kişinin dosdoğru çarpan kurşunla birdenbire yere serilip ölüşünü" gördü.[4] Bu anılar bir türlü aklından çıkmadı ve savaşın bitişinden on küsur yıl sonra *Der Krieg* [Savaş] ve anıtsal boyutlardaki *War Triptych* [Savaş Triptiği] (Resim 39) gibi bir dizi oymabaskı resim yaptı. En talihlilerin hiç tanık olmadığı olayları önce çarpıcı siyah-beyaz tonlarla, ardından canlı renklerle işledi. Alman üniformalarının kemer tokalarında "Tanrı bizimle!" sözleri yazılıydı. "Köpüğe boğulmuş akciğerden gargarayla kan fışkırırken [...] rengi solan, nefesi kesilen, boğulan"[5] askerlerin, ardından solucanların ve kurtçukların doluştuğu, sineklerin üşüştüğü, tamamen çürüyüp gidince beyaz kemiklerin ve sırıtkan kafataslarının ortaya çıktığı cesetlerin görüntüleri karşısında, buna yeryüzündeki cehennem demek daha doğru olurdu.

Sakatlarla ve ölülerle karşılaşmak, generallerin beklediği bir durumdu. Peki, ya başkaları? Dili tutulan askerler. Kendini tutamayıp korkudan titreyenler. Kâbuslar yüzünden uykusuz geceler geçirenler. Kesinlikle görebilmelerine karşın, birdenbire kör olduklarını bildirenler. Asker kuruntusu olarak bilinen durumun etkisiyle, kalp çarpıntısından yakınanlar. Ortada felce yol açmış gibi görünen bir bedensel olay yokken, felç olduğunu bildirenler. Vücutları kıvrılıp bükülenler, tuhaf ve anormal bir tarzda yürüyenler. Ağlayanlar ve hiç durmaksızın çığlık atanlar. Hafızasını kaybettiğini ileri sürenler. Bunlara yol açan şey, generallerin gözünde belliydi: Hastalık numarası, irade zayıflığı. Bu adamlar vatani görevlerini yerine getirmekten kaçınan korkaklardı. Kurşuna dizilmeleri gerekirdi. Öbürlerine cesaret vermek için de bazıları sahiden kurşuna dizildi.

---

3 Metnimin içindeki başka bir dizi yerde olduğu gibi, burada da dostum Amy Forrest'ın görüşlerine ve telkinlerine özellikle borçluyum.

4 Otto Dix'in savaş güncesi, 1915-1916, akt. Eva Karcher, 1987, s. 14; *Otto Dix 1891-1969* sergi kataloğu, Tate Galerisi 1992, s. 17-18.

5 Wilfred Owen, "Dulce et Decorum Est" (1917-1918).

Otto Dix siper savaşının gerçeklerini *Der Krieg* [Savaş] adı altında bir dizi vahşice portreyle resmetti; kâbus gibi çirkin görüntüler, savaşın insanlar üzerindeki etkilerini görsel bir yolla hatırlatmaya yönelikti. Bu örnek İngilizce kaynaklarda *Night-time Encounter with a Madman* [Geceleyin Bir Deliyle Karşılaşma] adıyla anılır.

MERMİ ŞOKU

Askeri tabipler farklı bir sonuca vardılar. Böyle kişiler akıl hastasıydı; moralleri çökmüş, sinirleri bozulmuştu. Askerliğe layık değillerdi. Alman doktorlara göre, hepsi dehşet nevrozundan (*Schreckneurose*) mustaripti. İngilizlerin aynı şeye verdiği mermi şoku adı, aksamanın nerede olduğuna dair ilk tıp teorilerini özetler nitelikteydi: Yüksek güçteki patlayıcıların sarsıcı etkileri beyinde ve sinir sisteminde travma yaratarak, bedenen incinmemiş görünen kişilerde görünmez yaralara yol açmaktaydı. Omurilik yırtıkları, hafif beyin kanamaları en azından canlı bedende saptanamaz olsa bile, doktorların yeni karşılaştığı değişken arazların gerçek maddi sebebiydi.

Bu, herkese inandırıcı gelmedi. Birçok psikiyatrın başlangıçtaki eğilimi, geleneksel düşmanı, yani dejenerasyonu suçlamak oldu. Savaşın başlamasından hemen önce, Britanya'nın önde gelen psikiyatrlarından Charles Mercier (1815-1919), sinir krizlerinin "akli yapısı sağlam kişilerde ortaya çıkmadığı"nı ısrarla savunmuştu. "[Akıl hastalığı] çiçek ve sıtma gibi, zayıf-güçlü ayrımı yapmadan gelişigüzel yüklenmez. Esas olarak akli yapısı başından beri kusurlu olanlarda ortaya çıkar ve bu kusur özdenetim gücünden yoksunlukla ve anlık duygulara kapılmayla kendini belli eder."[6] Charcot'nun öğretilerini özümsemiş Fransız nöropsikiyatlar onunla hemfikirdi: Zihinsel arazlar gösteren bütün bu askerler kusurlu dejenerelerdi, zayıf iradeli, korkmuş ve takatsiz kişilerdi; geçirdikleri sinir krizleri tamamen öngörülebilirdi ve savaşın zorluklarıyla pek ilgili değildi.[7] Alman psikiyatrlar da çoğunlukla benzer bir kafa yapısındaydı.

Mermi şokunun daha yakından izlenmesi, arazlarının sinir sistemini sarsıcı olaylardan kaynaklandığı savlarıyla ilgili kuşkuları artırdı. Cephenin yakınında hiç bulunmamış askerlerde de bozukluğa özgü arazlar ortaya çıkmaktaydı. Bedensel hastalığı olanlar ve sakatlar bozukluğun hasarlarından oldukça bağışık gibiydi. Cephe risklerinden uzak savaş tutsakları da mucizevi biçimde tahribatı atlatmaktaydı. Mermi şokunun kökenine ilişkin önceki tıbbi spekülasyonlardan kuşku duymak için bir kötümser ya da bir subay olmak şart değildi.

Beyinde ve merkezi sinir sisteminde hasar olmadığına göre, bu askerlerin durumu neyle açıklanabilirdi? Eğer sorunları sırf hastalık numarası idiyse, aşırı baskının bile arazları bırakmalarını sağlayamaması tuhaftı. Örneğin, "kör" asker, yanan bir mum iyice yaklaştırıldığında bile gözlerini kırpmı-

---

6 Charles Mercier, 1914, s. 17.

7 Bazı psikiyatrlar nörolojinin daha yüksek itibarından yararlanma çabasıyla, akıl hastalığının hiç tartışmasız bedensel bir bozukluk olduğu algısını sembolik düzeyde pekiştirici melez bir terim olan nöropsikiyatriyi kullandılar.

yordu. "Sağır" asker ani ve beklenmedik gürültüye tepki vermiyordu. Acı veren uyarımlara rağmen dilsizlik sürüyordu. Mermi şokunun bir histeri biçimi olabileceği anlayışı birçok kişiye çekici geldi. Çarpışmanın ruhsal streslerinin sıradan metaneti çözen tetikleyici unsur olabileceği gittikçe akla yakın görünmeye başladı.

Savaşan bütün ülkelerdeki psikiyatrlar, böyle teorileştirme girişimlerini, akıl hastalarının biyolojik açıdan aşağı bir topluluk olduğu anlayışına süren bağlılıkla pek güçlük çekmeden birleştirebildi. Charcot'nun ve ekolünün Paris'te geliştirdiği bu görüş, Alman ve Avusturyalı asabiyeciler arasında aynı ölçüde yaygındı. Ne var ki, vatan için çarpışanlara dejenere yaftası vurma konusundan biraz rahatsızlık vardı, özellikle de mermi şokunun subay kesiminde de ortaya çıkmasından ve büyük cesaret sergilemiş bazı askerlerin birçok ay sonra bozukluğa yenik düşmesinden dolayı. Yeterince stres altına girdiğinde, en güçlü dimağın bile pes ettiği fikrini benimseyen askeri tabiplerin sayısı gittikçe arttı. Delilik ve zihinsel travma birbirine sıkı sıkıya bağlı gibiydi; her ne kadar bu travma Freud'un öne çıkardığı cinsel türden olmasa da, onun bilinçaltı çatışma ve ruhsal sorunların bedensel arazlara dönüşmesi kavramlarının bu savaş dönemi tecrübeleriyle en azından kısmen doğrulandığı söylenebilirdi. Korkunç tehlikeler karşısında hastalığa sığınma oldukça anlamlıydı. Daha önce "normal" olan on binlerce, yüz binlerce insanın travmatik anıların sıkıntısını çekmeleri, gördükleri ve yaşadıkları şeyleri çaresizce batırmaya çalışmaları, rüyalardan ve kâbuslardan kurtulamamaları söz konusuydu; psikolojik baskıların ve çatışmaların bedensel arazlar biçiminde açığa çıktığının kitlesel ölçekte bir kanıtı söz konusuydu.

Bazı durumlarda, akıl bozukluğunun psikolojik köklerine daha büyük ağırlık vermeye yöneliş, psikolojik esaslı bir tedaviyi benimsemeyle ilişkiliydi. Karizmatik Alman psikiyatr Max Nonne (1861-1959) başvurduğu hipnotizmayla büyük başarıya ulaştığını ileri sürdü. Craiglockhart'taki subay hastanesine (Edinburgh yakınında dönüştürülmüş eski bir hidropatik kurum) atanan Cambridge nörologlarından W. H. R. Rivers (1864-1922), aralarında savaş şairleri Siegfried Sassoon'un (1886-1967) ve Wilfred Owen'ın da bulunduğu hastaları, Freudcu tarzı değiştirilmiş psikoterapi teknikleriyle ve epeyce yakınlık göstererek tedavi etti.[8] Sassoon yeni yuvasına "kaçıklar köyü" anlamında Dottyville adını taktı (Resim 37).

Ama psikiyatrların mermi şokunun ortaya çıkışında psikolojik etkenlere daha büyük ağırlık vererek, mutlaka daha sevecen davrandıklarını varsaymak

---

8 Rivers'ın kendi anlatımı için bkz. "An Address On the Repression of War Experience", *Lancet* 96, 1918. Rivers'ın Craiglockhart'taki çalışmaları Pat Barker'ın *Regeneration* (1991), *The Eye in the Door* (1993) ve *The Ghost Road* (1995) adlı roman üçlemesine temel oluşturmuştur; Sassoon'ın yarı kurmaca hatıratı *Sherston's Progress*'te (1936) kendi adıyla geçer.

gayet yanlış olur. Aksine, bu adamlardaki arazların telkine açık olmalarından, psikolojik zaaflarından kaynaklandığının doğru olmasından çok farklı sonuçlar çıkarılabilirdi. Alman psikiyatr Karl Bonhöffer (1868-1948) işin aslı konusunda hiç yanılmadığı kanısındaydı:

> [Mermi şokuna uğrayanların] histerik tepkileri, kendini koruma yönündeki az çok bilinçli isteğin sonucudur. Ateş hattından sahra hastanesine doğrudan gelen Almanlar ile Fransız savaş tutsakları arasındaki davranış farklılığı çarpıcıydı. Almanlarda histerik tepkilerin bildik biçimleri çok sıkça görülürken, aynı cephe şartlarından gelen Fransızlarda histeriden hiçbir iz görülmemekteydi. [...] "Ma guerre est fini" ["Benim için savaş bitti"] ortak anlatım tarzıydı. Dolayısıyla hastalığa yakalanmak için artık bir sebep yoktu.[9]

Böyle görüşleri mermi şoku "mağdur"larının hiç de öyle olmadıklarını, sempatiyi değil, cezayı hak eden kaytarıcılar ve korkaklar olduklarını düşünen askeri üst kademenin görüşlerinden sadece ince bir çizgi ayırır. Hastaların birçoğuna uygulanan tedavi türleri, psikiyatrlarının böyle bir sempati taşımasının askeri üstlerindeki izlenimden ibaret olduğuna işaret eder. Uygulamalarındaki sadizm, cezalandırıcı unsur fazlasıyla aşikârdır. Onlara göre, gerek mermi şokuna uğrayanların histerik felçleri, gerekse yalandan hastanın düzmece felci gerçek bir nörolojik bozukluktan aynı ölçüde yoksundu; her ikisi de zayıf bir iradenin tezahürleriydi. Ayrıca, hastaları cephe hattına geri gönderme yönünde muazzam baskı ve ölüme gönderilenlerin uzun vadeli psikolojik sağlığı konusunda çok az resmi kaygı vardı. Arazların geçici olarak hafiflemesi yeterliydi. Birçok psikiyatrın otokratik, bazen gaddarca tedavi yöntemlerine başvurma yönündeki ayartmaya boyun eğmesine ve tedavi adına yaptığı şeyleri rasyonelleştirme yolunu bulmasına pek şaşırmamak gerekir.

Alman, Avusturyalı, Fransız ve İngiliz psikiyatrlar, birbirlerinden ayrı ve anlaşıldığı kadarıyla bağımsız olarak, hastalarını arazlarından zorla caydırma, dilsizleri konuşturma, sağırları işitir hale getirme, topalları yürütme çabasıyla, büyük acı veren güçlü elektrik akımlarından yararlandılar. Alman psikiyatrların en ünlüsü Fritz Kaufmann'ın (1875-1941) icadı olan Kaufmann tedavisi, görünüşte felçli uzuvlara şiddetli acı veren elektrik şoklarını her seferinde saatlerce uygulamayı, askeri talimlere dönük yüksek sesli komutlarla birleştirme üzerine kuruluydu. Amaç, hastayı pes ettirmek, arazlarındaki ısrardan vazgeçirtmek ve ölüm tarlalarına dönmeye hazırlamaktı. Avusturya-Macaristan ordusunda, Viyana Üniversitesi'nin psikiyatri profesörü Julius Wagner-Jauregg (1857-1940) benzer bir tedaviyi bizzat uygulamaya

9 Akt. Paul Lerner, 2001, s. 158.

tenezzül etmedi; ama emrindeki Dr. Kozlowski'nin hasta askerlerin ağızlarına ve hayalarına güçlü elektrik şokları verişine dikkatle nezaret etti. Mermi şokuna uğramış diğer askerler tedavi masasında sıralarını beklerken, bunu seyretmeye zorlanmaktaydı.

İngilizlerin Hunlar diye aşağıladığı Almanların böyle barbarca bir tedaviye başvurmasına kim şaşırabilirdi ki? Gelgelelim, Fransız ve İngiliz nöropsikiyatlar tamamen aynı yaklaşımdan şevkle yararlandılar. Tours'da Fransız nörolog Clovis Vincent (1879-1947) *torpillage* adını verdiği bir indüklenmiş elektrik tedavisini uyguladı. Bu yöntemde ürkütücü derecede şiddetli galvanik akım verecek şekilde özenle tasarlanmış elektrotlar, görünüşte "felçli" uzuvlarını oynatmaya teşvik etmek üzere hastanın vücuduna bağlanırdı ve buna hastadaki korkuyu artırmaya dönük başka teknikler eşlik ederdi. Tedavi hızlı ve acımasız olmak zorundaydı. Vincent kesinlikle bağışlamaz bir tavırla hastanın başında durarak, pes etmesine kadar bu acıyı çekeceğini ısrarla belirtirdi. Genç ve hevesli öğrencilerinden André Gilles'in ifadesi şöyleydi: "Seslerinde, kollarında veya bacaklarında güç kalmamış gibi görünenlerde aslında sadece irade güçsüzlüğü vardır; onlar adına iradeyi çalıştırmak doktorun görevidir."[10] Tek seferle sınırlı kalan unutulmaz bir olayda, bu "tedavi amaçlı müdahale" Baptiste Deschamps adlı bir hastasının Vincent'e saldırmasına yol açtı. Deschamps çektiği acılar nedeniyle divanıharbe verildi.

Genç bir Kanadalı nörolog olan Lewis Yealland (1884-1954) Londra'nın Queen Square semtinde sinir hastalıkları için kurulan ilk İngiliz hastanesinde görevliydi. Daha sonra Nobel Ödülü kazanacak meslektaşı Edgar Adrian'la (1889-1977) birlikte, otoriter bir yaklaşımı benimsedi. Bu tedavide mermi şokuna uğramış hastaya "felçli kolunu kaldırıp kaldıramayacağını sormak yerine, kaldırma emrini vermek ve bunu kusursuz yapabileceğini bildirmek" esastı; "çabukluk ve otoriter bir tavır yeniden eğitme sürecinde başlıca etkenler"di.[11] Ne yazık ki bunlar her zaman yeterli olmadığı için, daha sonra alternatif tedbirlere de başvurulurdu.

Dili tutulmuş bir asker, karartılmış bir odaya alınıyor. Bir sandalyeye bağlanıyor ve ağzına bir dil bastırıcısı yerleştiriliyor. Ona binadan çıktığı anda, sesine tekrar kavuşacağı hiçbir belirsizliğe yer bırakmaksızın bildiriliyor. Suskunluk. Diline elektrotlar iliştiriliyor. Akımın gücü kamburunu çıkarmasına yol açıyor; bu sert hareketle elektrotlar dilinden sökülüp çıkıyor. Suskunluk koyulaşıyor. Konuşması yönündeki emre uymayı beceremiyor. İşlem tekrarlanıyor. Bir saat adamın ağzından zar zor işitilebilir bir "ah" sesi çıkıyor. Yealland hiç yılmadan sıkıştırıyor. Saatler geçiyor. Asker kekelemeye ve

10 Akt. Marc Roudebush, 2001, s. 269.

11 E. D. Adrian ve L. R. Yealland, 1917, akt. Ben Shephard, 2000, s. 77.

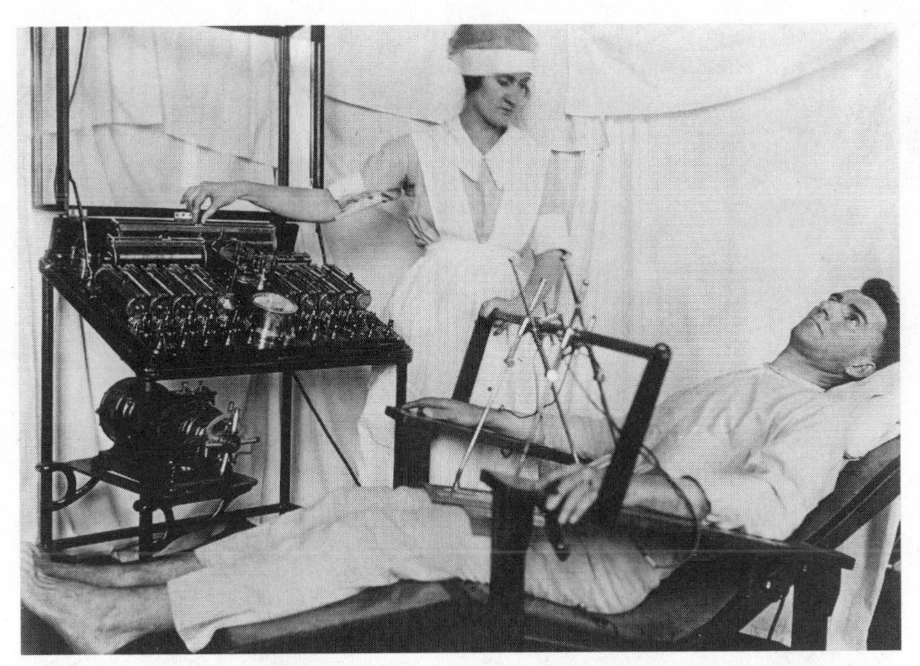

Mermi şokuna karşı elektrik tedavisi: Elektrotlar adamın uyluğuna bağlanmış durumda ve bacaklarındaki titremeleri ya da felci tedavide kullanılacak elektrik verilmek üzere.

bağırmaya başlıyor. Şoklar artıyor. Sonunda konuşuyor, ama çıkmasına izin verilmeden önce terapistine ve işkencecisine "teşekkür etmesi" gerekiyor.[12]

Vincent ve Yealland, sürüncemedeki savaş sona yaklaşırken kazanan taraftaydılar. Hastaları onların tedavisinden ne kadar nefret etmiş olursa olsun, artık konu kapanmıştı. Avusturya-Macaristan İmparatorluğu'nun çöktüğü ve yenilgiyi buruk bir havanın izlediği savaş sonrası Viyana'sının kargaşasında ise, Julius Wagner-Jauregg çok farklı bir akıbet ihtimaliyle karşı karşıya kaldı. Kırgın eski muharipler onun hastalarına yaklaşımındaki zalimliği ve uyguladığı işkenceleri gerekçe göstererek, savaş suçlarından dolayı hakkında soruşturma açılması için baskıda bulundular. Wagner-Jauregg tamamen saf saiklerle davrandığında ısrar etti. Sadece yardımcı olmaya çalışmıştı. Sigmund Freud'dan lehine tanıklık yapmasını istedi ve Freud da buna uyarak, meslektaşını görevi suiistimalden akladı. Meslektaşlar kenetlendi. Yargıçlar beraat kararı verdi. Wagner-Jauregg profesörlük kürsüsüne zaferle döndü.[13]

12 Akt. Elaine Showalter, 1985, s. 176-77.

13 Naziler 1938'de Avusturya'dan kalan son parçayı Üçüncü Reich'a kattıklarında, anti-semitik Wagner-Jauregg kısa bir süre sonra Freud'u sürgüne gönderecek, dejenere bir Yahudi bilimine bağlılık gerekçesiyle psikanalizi ve psikanalizcileri yok etmek için elinden geleni yapacak partinin saflarına katıldı. Avusturya Irksal Diriliş ve Kalıtım Birliği'nin başkanı olarak, "aşağı ırksal köken"den kişileri kısırlaştırmak için şevkle çalıştı.

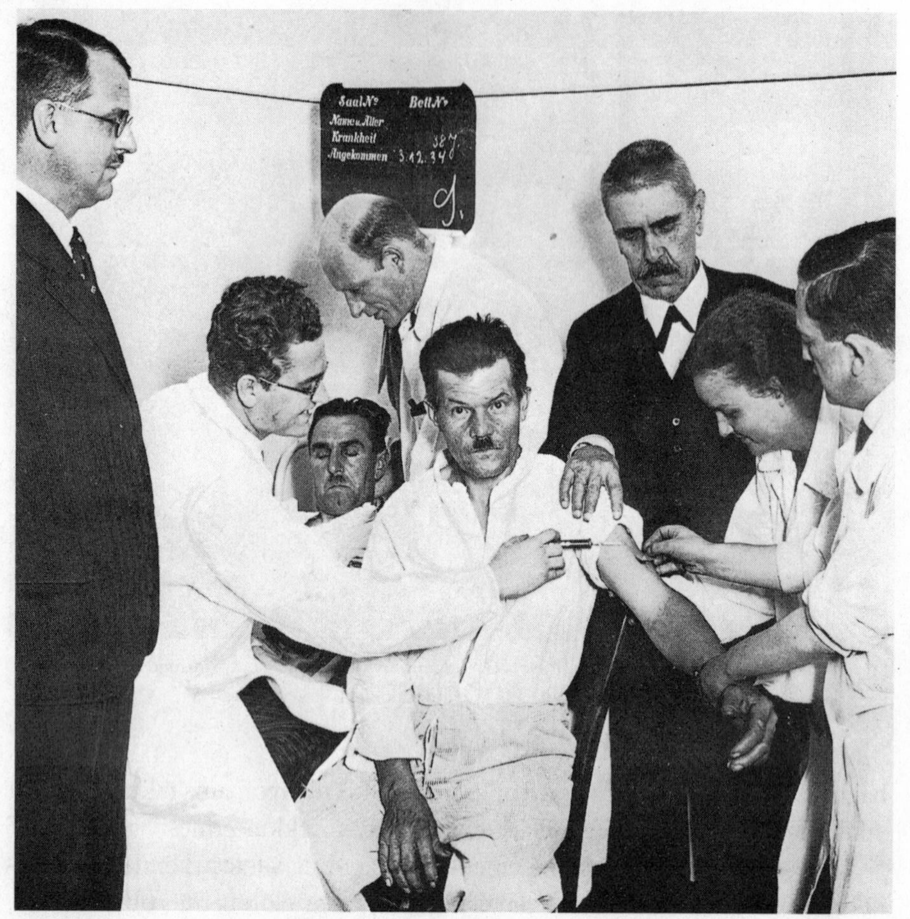

Julius Wagner-Jauregg bir hastaya sıtmalı kan enjekte edilişini denetlerken (1934). Sıtmalı bir hastadan (arka tarafta) alınan kan, üçüncü evre frengili bir hastaya (ortada) nakllediliyor. Wagner-Jauregg genel felçli hastanın hemen arkasındaki siyah ceketli adamdır.

ATEŞ

Akıl hastalığına yakalananların vücut sıcaklığını yükseltmenin durumlarını iyileştirebileceği görüşü, Wagner-Jauregg'in öteden beri savunduğu bir şeydi. 1880'lerin sonlarından itibaren, çeşitli yollarla ateşli durumlar yaratma deneylerine girişmişti; bunlar arasında hastalara *Streptococcus pyogenes*, yılancığa yol açan bir bakteri bulaştırmak da vardı (Antibiyotik öncesi çağda çok tehlikeli bir taktikti bu).[14] Can sıkıcı tedavi sonuçları Wagner-Jauregg'i pek caydırmadı. Savaşın son aylarında gün aşırı sıtmadan mustarip bir İtalyan

14 Bu streptokok enfeksiyonu hızla gelişen deri iltihabının yanı sıra ağrı, üşüme ve titremeyle birlikte seyrederek, kalıcı lenf hasarına ve hatta ölüme yol açabilirdi.

savaş tutsağıyla karşılaşınca, yeni bir deney dizisi yürütme fırsatını buldu; bu sefer dikkatini akıl hastalığına bağlı genel felçten mustarip hastalara yoğunlaştırdı. Sıtmalı hastadan aldığı kanı genel felçli hastaya enjekte ederek, bir deva sağlayacağına inandığı hızla yükselen ateş durumunu yarattı.

Genel felç teşhisi psikiyatrinin 19. yüzyılda başardığı az sayıdaki sahici atılımlardan biriydi; Birinci Dünya Savaşı öncesi yıllarda, bu durumun dehşet verici nörolojik ve psikiyatrik sonuçlarının önceki bir frengi enfeksiyonundan kaynaklandığı yönünde öteden beri duyulan kuşku kesin biçimde doğrulanmıştı (bkz. s. 263).[15] Böyle bir teşhisin işaret ettiği bireysel bedbahtlık bir yana bırakılırsa, genel felç büyük bir ilgi konusuydu, çünkü psikiyatrinin ana hasta topluluğunda buna yakalananların oranı oldukça yüksekti. 20. yüzyıl başlarında akıl hastanesine yatırılmış erkeklerin belki % 15'i ila 20'si düzeyindeydi (kadınlarda ise etkilenenler çok daha küçük bir kesimdi). Mağdurların korkunç nitelikteki sürekli çöküşünü durdurma umudunu verecek her şey, haliyle sembolik ve pratik düzeyde çok büyük önem taşıyacaktı.[16]

Wagner-Jauregg uyguladığı sıtma tedavisiyle tam da böyle bir sonuca varıldığını ileri sürdü. Yönteminin genelde ilaçların beyne ulaşmasını önleyen kan-beyin engelini bir şekilde kırarak, erken aşamadaki frengi enfeksiyonunun tedavisine dönük salvarsanın ve cıvanın merkezi sinir sistemine girmesini sağladığı görüşünü ortaya attı. Başkaları frengili spiroketin bir test tüpündeki ısıya kırılganlığına işaret ederek, sıtmayla bağlantılı ateşin paraziti yok ettiğini ileri sürdü.[17] Tartışma hiçbir zaman çözüme bağlanamadı ama savaşın bitişini izleyen birkaç yıl içinde, Wagner-Jauregg'in yeniliği dünya genelinde yayıldı. Çok geçmeden hastaneler enfekte kanın bir kaynağı olarak sıtmalı paretikleri kullanmaya ve bu değerli sıvı postayla gönderilen termos şişelerinde aktarılmaya başladı.[18] Tedaviyle ilgili 35 araştırma üzerine 1926'da

---

15 August von Wassermann 1906'da Robert Koch Bulaşıcı Hastalıklar Enstitüsü'nde frengi için bir kan testi geliştirmişti. Yedi yıl sonra Hideyo Noguchi ve J. W. Moore *Journal of Experimental Medicine*'da çıkan klasik makalelerinde, genel felce yakalanan kişilerin beyinlerine *Treponema pallidum*'un (frengiye yol açan tirbüşon biçimli organizma) bulaştığını ortaya koydular.

16 Londra akıl hastanelerinin patoloğu olan Frederick Mott, sürekli karşılaştığı son aşamadaki paretikleri şöyle anlatmıştı: "Bir sıra halinde oturan insan enkazları; başları göğüslerine inmiş, dişlerini gıcırdatıyorlar, ağızlarının kenarından salya akıyor, çevrelerinden bihaberler, bakışları donuk, elleri soğuk ve mosmor." Akt. Hugh Pennington, 2003, s. 31.

17 Bkz. Honorio F. Delgado, 1922; Nolan D. C. Lewis, Lois D. Hubbard ve Edna G. Dyar, 1924, s. 176-21; Julius Wagner-Jauregg, 1946, s. 577-78.

18 Bu uygulama ciddi etik sorunları gündeme getirdi. Wassermann testi frengiye özgü değildir. Örneğin, sistemik lupus eritematozuslu, veremli ve (ironik biçimde) sıtmalı hastalarda pozitif reaksiyon görülebilir. Dolayısıyla yanlış teşhis konulan bir hastaya sıtma bulaştırmanın yanı sıra, frengi mikrobu verilmesi küçümsenmeyecek bir ihtimaldi. Bu ihtimalden rahatsızlık duyan birkaç psikiyatrdan biri, Washington, DC'deki federal akıl hastanesinin müdürü William Alanson White'tı. Bu gerekçeyle tedaviyi yasakladığında, neredeyse tek başına kaldı.

yayımlanan bir makale, hastaların % 27,5'inin arazlarında tam bir hafifleme sağlandığını gösterdi.[19] Klinik uzmanlarının ve hastalarının yeni "deva"ya rağbeti büyüktü. Sinir-frengi hastaları daha önce (hem deli hem de cinsel yolla bulaşmış bir bozukluktan mustarip olmaktan dolayı) çifte damga yerken, kendilerini bedenen hasta olarak tanımlamaya ve yoğun biçimde tedavi aramaya yöneldiler. Onları tedavi edenler de aynı karşılığı vererek, böyle hastaları "devasız", "ahlaksız" ve "ahmak" dejenereler olarak baştan savan önceki tutumun yerine, daha anlayışlı ve olumlu bir yaklaşımı geçirdiler.[20] Sıtma tedavisi Wagner-Jauregg'e 1927'de bir Nobel Ödülü kazandırdı; psikiyatrik müdahaleler için verilen sadece iki ödülden ilkiydi bu.

Sıtma tedavisi her açıdan dehşet verici ve bedeni sarsan bir olaydı. Beraberinde getirdiği yüksek ateş ve üşüme, birçok hastada ölümün eşiğine gelme izlenimini uyandırırdı. Üstelik sıtmayı denetim altına alacağı öngörülen kinine her hasta mutlaka yanıt vermezdi. Ama vartayı atlatanlar ve aynı şekilde psikiyatrları, buna değdiği kanısındaydı. Yine de o kadar emin olamayız. Sıtma tedavisi hastalar üzerinde sıkı bir kontrollü denemeye hiç tabi tutulmadığı gibi, genel felcin belirsiz doğal seyri de tabloyu çapraşıklaştıracak nitelikteydi. Kötüye gidişin yavaşladığı ya da düz seyir izlediği dönemler, hastalığın bir özelliğiydi; doktorlarda ve hastalarda tedavinin işe yaradığı kanısının oluşması anlamlı olmakla birlikte, telkine yatkınlıkla da ilgiliydi.[21] Ne de olsa, kan alma, müshil verme ve kusturma binlerce yıl boyunca her türlü hastalık için mükemmel devalar olarak savunulmuştu. Aslına bakılırsa, on beş yıl içinde penisilinin devreye girmesi böyle soruları tartışılabilir hale getirecekti; çünkü yeni antibiyotik frengili kişilere verildiğinde sahiden sihirli bir ilaç gibi etkiliydi.

Genel felce dönük sıtma tedavisiyle ilgili "kanıtlanmamıştır" hükmü kabul edilsin ya da edilmesin, 20. yüzyılın başlarında hastalığın etiyolojisi konusundaki tıbbi buluşlardan ve Wagner-Jauregg'in sonraki tedavi yeniliğinden iki can alıcı sonuç doğdu. Birincisi, akıl hastanelerinin kalabalık koğuşlarını dolduranların önemli bir kesimindeki hastalığın enfeksiyona bağlı bir sebebe dayandığını ortaya çıkaran laboratuvar çalışmaları, akıl hastalığının bedensel kaynaklı olduğu anlayışına hatırı sayılır bir güç kazandırdı ve bakteriyolojik bir kökeni olduğu anlaşılan başka birçok hastalık gibi, deliliğin benzer bir sebebi olabileceği yönündeki daha da özgün fikir bazı çevrelerde kabul gördü.

---

19 J. R. Driver, J. A. Gammel ve L. J. Karnosh, 1926.

20 Bkz. Joel Braslow, 1997, s. 71-94.

21 *Treponema pallidum*'un deney ortamında 41°C dolayında sıcaklıklara duyarlı olması, tedavinin işe yarayabileceği olası bir mekanizmaya işaret eder; ama canlı bedende aynı şeyin olup olmadığı açık değildir. Wagner-Jauregg sıtma enfeksiyonunun bağışıklık sistemini uyardığını ve bunun bir şekilde tedavinin yararlılığını açıkladığını ileri sürdü; ama tamamen spekülasyon olan bu görüş hiçbir kanıta dayanmamaktaydı.

İkincisi, Wagner-Jauregg'in tedavisi bu varsayılan biyolojik bozukluğun bir tür biyolojik esaslı tedavi müdahalesiyle iyileştirilebileceğine ilk kez işaret ediyor gibiydi.

BİR GEÇERLİLİK KRİZİ

Birçok kişiye göre, akıl hastanelerine düşenlerin sorunları, asabiyecilerin ve psikanalizcilerin bekleme odalarını boylayanların şikâyetlerinden nitelik bakımından farklıydı. İradeleri dışında akıl hastanelerine kapatılan "tımarhanelik deliler" birçok durumda büyük çaplı ve kalıcı davranış, duygu ve zekâ bozuklukları gösterenlerdi; bunlar biz geri kalanların paylaştığı sağduyu gerçekliğiyle teması bütünüyle yitirmiş olmaya işaret eden belirtilerdi. Böyleleri başkalarının düpedüz yanlış saydıkları inançlara sıkıca sarılırlardı. Sanrılara kapılır, dış gerçekliği olmayan şeyleri görür ve işitirlerdi. Uç dereceye varmış bir sosyal kopukluğu sergilerlerdi; buna çoğu kez köklü bir duygusal esneklik yitimi eşlik ederdi ve birçoğu sonunda bunama durumuna düşerdi.

Bunlar Victoria döneminde meczup ya da akıl hastası diye anılan kişilerdi. Her iki terim de 20. yüzyılın başlarına doğru gittikçe anakronik olarak görülür oldu. Bunun yerine, bizzat deli doktorları, akliyeciler ve (gittikçe "psikiyatr" unvanıyla anılmayı tercih eden) tıbbi psikologlar, geçmişte böyle adlandırdıkları hastalarına psikozlu demeye başladılar. Bazıları Alman psikiyatr Emil Kraepelin'in önerdiği adlandırmayı (s. 263) benimsemeyerek, erken bunamaya ya da manik-depresif hastalığa yakalanmış kişilerden söz etmeye alıştı. 20. yüzyılın ilk kırk yılında ve sonrasında, bu terimler böyle akıl bozukluğu biçimlerini tanımlamada tercih edilir hale geldi. Erken bunamış hastalar için İsviçreli psikiyatr Eugen Bleuler'in 1908'de ortaya attığı terimle şizofren yaftası vurmak gittikçe yaygınlaştı; bunda erken bunamaya oranla daha az umutsuz bir prognoza işaret ediyor gibi görünmesinin küçümsenmeyecek payı vardı. Ama kafa karıştırıcı bir araz derlemesi bu iki büyük teşhis şemsiyesinden biri altında toplanır ve teşhisler arasındaki ayrımlar pratikten ziyade teoride daha kolayca yapılır oldu. Köklü biçimde ayrı iki psikiyatrik rahatsızlık biçiminin olduğu fikri herkese inandırıcı gelmedi ve bir türlü iyileşmeyen manik-depresif hastaların şizofren sınıfına konulmaları her an mümkündü. Bununla birlikte, en azından delilik için yeni adlar yaratmanın kargaşaya bir ölçüde düzen kazandırdığı ve mesleğin tedavi etmeye çalıştığı patolojiler konusunda mutabakata varmaya çalışabileceği bir temel sağladığı söylenebilirdi.

Bu tür hastaların ihtiyaçlarına cevap veren psikiyatri dalı, meslek içinde sayısal ve siyasal açıdan başat konum elde etti. Önde gelen hizip, akıl hastalığı konusunda onlarca yıl boyunca son derece kötümser ve biyolojik açıdan indirgemeci bir görüşü benimsemişti. Onlara göre, delilik hastalıklı bir bünyesel kusurun kaçınılmaz ve geri dönülemez dışavurumuydu. Bu yaklaşım, mesleği tedavideki başarısızlığın ayıbından kurtardı ve psikiyatrinin kendini paha biçilmez değerde bir sosyal işlevi yerine getiriyormuş gibi sunmasını sağladı: "İnsan soyunun hastalıklı ya da dejenere türleri"ni, gerekirse "zoraki çekip çıkarma" yoluyla "tecrit" etme.[22] Ama mesleğin misyonunu, geçici olarak dengesi bozulmuş olanları tekrar akıl sağlığına kavuşturmaktan ziyade, tedavi edilemez kişileri karantinaya alma şeklinde yeniden tanımlamak, kendini açıkça nahoş konumdaki bir şifa verme mesleğinin parçası olarak gören bir uzmanlığa alan açtı. Övülen bir pansiyon işletmecisi rolünü oynamak mesleki statüye kavuşma özlemlerine pek uygun sayılmazdı ve bunun yol açtığı sorunlar, geri kalan tıp mesleğinin durumuyla karşılaştırmaların gittikçe daha iğneleyici ve kırıcı hale gelmesiyle birlikte, daha büyük önem kazandı.

Tıp dünyası 19. yüzyılın sonlarında ve 20. yüzyılın başlarında dönüşüme uğramıştı. Çoğu hekimin tutuculuğuyla ve yüzyıllarca varlığını sürdürmüş hastalık modellerine bağlılığıyla kösteklenen bu devrim yavaş bir süreç izledi. Ama Louis Pasteur (1822-1895) ve Robert Koch (1843-1910) gibi adamların buluşları zamanla en gerici unsurları bile hastalığa ilişkin mikrop teorisini benimsemek zorunda bıraktı. Laboratuvar çalışmaları ilk başta hastaya yaklaşımın gerçeklerinden uzak gibiydi ve birçok çevrede yeni bilgilere karşı sert bir direniş vardı.[23] Örneğin, 1884'te Koch 19. yüzyılın en yıkıcı hastalıklarından koleraya yol açan bakteriyi Kalküta'daki hastalık mağdurlarının bağırsaklarında ve dışkılarında bulduğunu açıkladığında, bulguları Almanya'da kuşkuyla karşılandı ve üç seçkin hekimden oluşan resmi bir İngiliz bilim heyetince derhal reddedildi. Hekimlerden biri Koch'un çalışmalarını "talihsiz bir fiyasko" olarak nitelendirip yerdi.[24]

Ama kuduz ve difteri gibi ölümcül hastalıklara karşı aşıların geliştirilmesiyle ve yeni bir doktor kuşağının mesleklerine geçerlilik kazandırmak için laboratuvar biliminin güvenilirliğine dayanmanın yararını öğrenmesiyle birlikte, kuşkuculuk çöktü. Joseph Lister (1827-1912) ameliyathanede karbolik asidi antiseptik olarak kullanmayı gerekçelendirmek için Pasteur'ün araştırmalarından yararlanmıştı; onun bu yolla ölüm oranının azaldığı ve yara enfeksiyonunun bakteri kaynaklı olduğu savlarına da meslektaşları burun kıvırdı. Ancak çok geçmeden aseptik cerrahinin yararı geniş bir çevrede kabul gördü ve sonuçta teknik açıdan mümkün cerrahi türlerinin dikkate değer bir şekilde artmasının yanı sıra, ameliyat sonrası ölüm ve hastalık oranı büyük ölçüde azaldı. Nitekim 20. yüzyılın başlarında cerrahinin ve genel

22 Henry Maudsley, 1879, s. 115.
23 Christopher Lawrence, 1985.
24 John B. Sanderson, 1885.

tıbbın itibarı yükselişe geçti. Bu alanlardaki hekimlerin başarı şansı dönüşüm geçirdi ve tıp biliminin kısa sürede etki alanını daha da geniş bir hastalık ve zafiyet yelpazesine doğru genişletmesi güvenle beklenir oldu. Bakteriyoloji devriminin pratik sonuçları sınırsız gibiydi.

En azından Wagner-Jauregg'in geliştirdiği sıtma tedavisinin temsil ettiği atılımla övünmeye başlamasından önce, psikiyatrinin bildireceği bu tür zaferler yoktu. Disiplinin tedavideki acizliği bozuk kalıtıma göndermelerle geçiştirilebilirdi, ama bunun bedeli uzmanlığın mesleki marjinalleşmesi ve daha iddialı uygulayıcıları arasında köklü bir hayal kırıklığı duygusuydu. Bu bakımdan bir bölümünün, akıl hastalığının biyolojik kaynaklı olduğu inancına sıkıca sarılırken, düştükleri çıkmazdan bir çıkış yolu aramaları pek şaşırtıcı sayılmaz. Bazı çevrelerde arayış çok geçmeden daha umut verici istikametlerin önünü açabilecek müdahale yollarına ve akıl hastalığının kökeniyle ilgili alternatif teorilere yöneldi.

Bizzat Kraepelin delilik için olası bir alternatif etiyolojiye kafa yormuş ve gittikçe bunun önemli olduğu kanısına varmıştı. Güvenilir kaynak sayılan ders kitabının sonraki baskılarında şu görüşü ortaya attı: Acaba erken bunama ve manik-depresif hastalık aslında vücudun başka bir yerindeki kronik enfeksiyonlar yüzünden beynin kendini zehirlemesinin sonucu olamaz mı?[25] Genel tıp alanındaki bazı tanınmış kişiler çeşitli kronik rahatsızlıkları (artrit, romatizma, kalp ve böbrek hastalığı) tıpta her şeyi kapsayıcı bir güç kazanan bakteriyoloji paradigmasına oturtmaya çalışırken, benzer fikirleri benimsemeye başlamışlardı. Genel felcin frengi kaynaklı olduğunun doğrulanması, birçok psikiyatra göre, akıl hastalığının köklerine ilişkin daha genel bir hipotezi işaret ediyor gibiydi.

DELİLİK MİKROBU

Bu psikiyatrlar arasında öne çıkan Henry Cotton (1876-1933), göz kamaştırıcı akademik geçmişe sahip genç bir Amerikalıydı. İsviçre'de öğrenim gördükten sonra 1892'de ABD'ye göç etmiş bir psikiyatr olan Adolf Meyer (1866-1950), Massachusetts'teki Worcester Eyalet Hastanesi'nde 1896'da son derece seçici bir eğitim programı oluşturmuştu. Program laboratuvar araçlarını ve tekniklerini deliliği tedavide karşılaşılan inatçı soruna uygulamaya elverişli yeni bir bilimsel psikiyatrinin şok birlikleri görevini yapabilecek zinde bir hekim kuşağı yetiştirmeye yönelikti. Meyer'in yanında çalışan Cotton, 1906'da Alois Alzheimer ve bizzat Kraepelin gibi o dönemde çoğunlukla alanın en önemli simaları sayılan kişilerden ders almak üzere, onun desteğiyle Almanya'ya gitti. ABD'ye henüz otuzuna yeni girmiş bir kişi

25 Örneğin bkz. Emil Kraepelin, 1896, s. 36-37, 439; ayrıca 6. baskı, s. 154; 8. baskı, c. 3, s. 931.

olarak döndüğünde, bir eyalet hastanesi müdürlüğüne getirilerek, mesleğinin parlak ödüllerinden birini kaptı.

New Jersey eyaletinin merkezi Trenton'a 1907'de yerleşen Cotton, başında olduğu akıl hastanesini modern bir hastaneye dönüştürmeye kararlıydı. On yıldan az bir sürede, yeni bir ameliyathane kurdu, laboratuvarları geliştirdi ve mevcut tıp literatürüyle dolu, epeyce geniş bir meslek kütüphanesi oluşturdu. Daha da önemlisi, kendi bakış açısıyla ve Kraepelin'in sağladığı ipuçlarından hareketle, deliliğin etiyolojisini açığa çıkardığı kanısına vardı. Ona göre, en hafifinden en ağırına kadar bütün akıl hastalıkları, temelde yatan tek bir bozukluğun tezahürüydü: "İşlevsel psikozlarda temel bir farklılık olduğunu sanmıyorum. İncelediğimiz vakalar arttıkça, işlevsel grupta ayrı hastalık yapılarının bulunmadığı [...] sonucuna varmamız [daha] zorunlu hale geliyor."[26] Bizzat "akıl hastalığı" yanlış bir adlandırmaydı, çünkü bütün akıl hastalarının mustarip olduğu şeyin kaynağında, her hastalıkta olduğu gibi, bedensel bozukluklar yatmaktaydı. İşin iyi tarafı, söz konusu patolojilerin, psikiyatrideki meslektaşlarından çoğunun yanlış kanaatinin aksine, bozuk kalıtımın sonucu olmaması, modern tıp biliminin başka birçok hastalığın etiyolojisinde saptadığı mikroplardan kaynaklanmasıydı. Varlıkları laboratuvarda ortaya çıkarılabilirdi ve zararlı etkileri cerrahi bakteriyoloji adını verdiği hekimlikle bertaraf edilebilirdi.

Cotton vücudun çeşitli kesimlerinde pusuya yatmış halde bekleyen kronik enfeksiyonların yarattığı toksinlerin kan dolaşımıyla yayılarak beyni zehirlediğini ileri sürdü. İlk başta sorunun başlıca sebebinin dişler ve bademcikler olduğu kanısını taşıdığından, bunları geniş çapta ele alma yoluna gitti. Bu girişimin bir iyileşme sağlamaya yetmemesi üzerine, başka yerleri yokladı. "Klinik teşhisin röntgen, bakteriyolojik ve serolojik tetkikler gibi modern yöntemleri, titiz bir geçmiş incelemesi ve kapsamlı bir fizik muayeneyle birlikte, çoğu vakada hastanın genellikle gamsızca bihaber olduğu bu gizli enfeksiyonları açığa çıkaracaktır."[27] Mide, dalak, rahim boynu ve özellikle kalın bağırsak, sorunun olası kaynaklarıydı ve hepsinin cerrahi yolla tamamen ya da kısmen alınması gerekebilirdi. Bazıları bu cerrahi iç organ temizliği programının etkilerinden endişe duyabileceği için, Cotton böyle kuşkuları gidermek üzere hemen şunu belirtti: "Mide çoğu kez büyük binaları inşa etmekte kullanılan bir çimento karıştırıcısına her bakımdan benzer ve sadece o kadar gereklidir. Kalın bağırsak da benzer biçimde depolamak içindir ve tıpkı mide gibi, ondan rahatça vazgeçebiliriz."[28] Bu tarzdaki yoğun tedavi, delilerin % 85'e varan kesimini iyileştirecekti.

26 Henry A. Cotton, 1923, s. 444-445.
27 Henry A. Cotton, 1919, s. 287.
28 Henry A. Cotton, 1921, s. 66.

Cotton, akıl hastalığını kronik enfeksiyonları bertaraf ederek iyileştirme hedefi peşinde koşan tek kişi değildi. İngiltere'de Birmingham ve çevresindeki akıl hastanelerinden sorumlu Thomas Chivers Graves (1883-1964), bağımsız olarak benzer sonuçlara varmıştı. Karın ameliyatı yapacak olanaklardan yoksun olmasına karşın, atak bir yaklaşımla dişleri çekti, bademcikleri aldı, sinüsleri açıp temizledi ve uzun süreli kalın bağırsak lavmanlarıyla dışkı maddelerini vücuttan yıkayıp çıkardı. Cotton 1920'lerde iki kez Britanya'ya uğradığında, her iki adam da İngiliz tıp camiasının önde gelen simalarının tasvibini almanın keyfine vardı. Cotton'ın 1923'teki ilk ziyaretinde, gerek Kraliyet Derneği üyesi ve Londra'daki bütün akıl hastanelerinin patoloğu Sir Frederick Mott (1853-1926) gerekse Britanya'nın önde gelen psikiyatri derneğinin yeni seçilmiş başkanı Edwin Goodall (1863-1944) onun çalışmalarını abartıllı dille övdü.[29] Dört yıl sonra Cotton, İngiliz Tabipler Birliği'nin ve Mediko-Psikoloji Birliği'nin ortak bir toplantısındaki konuşmasını bitirdiğinde, Kraliyet Cerrahlar Kurulu başkanı Sir Berkeley Moynihan (1865-1936) tarafından övülürken, psikiyatrinin Fister'ı olarak nitelendirildi. Moynihan'ın bir öngörüsü de şuydu: "Gelecekte hiçbir akıl hastanesi, bir röntgen laboratuvarı, vasıflı bir bakteriyoloğu olmadığı ve aydın bir cerrahın hizmetlerinden yararlanmadığı sürece yeterince donanımlı sayılmayacaktır."[30]

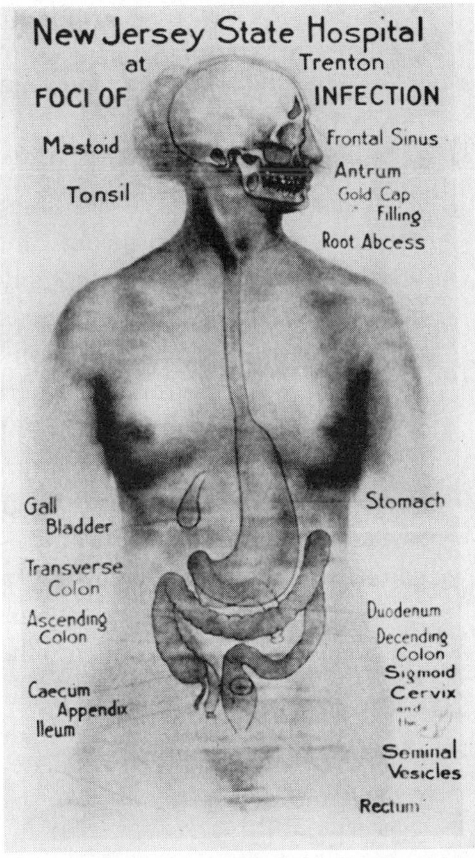

Enfeksiyon odakları: Henry Cotton'ın sıkça kullandığı bu çizelge, vücutta odak septiseminin farkına varılmaksızın pusuda yatarak, vücudu ve beyni zehirleyebileceği yerleri ayrıntılı olarak gösteriyor.

29 "Notes and News", *Journal of Mental Science*, 69, 1923, s. 553-559. Cotton'ın çalışmalarını Sigmund Freud'un yaydığı tehlikeli doktrinlere karşı bir panzehir olarak öven Goodall'a göre, bu örnek "üyeleri psikojenezin çekici ve ayartıcı otlaklarından genel tıbbın daha dar, daha dik, daha sarp ve zahmetli ama düz yollarına çekmeye hizmet etmeli"ydi.

30 Sir Berkeley Moynihan, 1927, s. 815, 817. Cotton'ın çalışmalarını Lister'ın antiseptik cerrahiye öncülük etmesine benzeten sadece Moynihan değildi; dinleyicilere 1927'nin aynı zamanda Lister'ın doğumunun yüzüncü yıldönümü olduğu ve çalışmalarının ilk başta cerrah meslektaşlarınca kuşkuyla karşılandığı hatırlatıldı.

Cotton ve Graves, aralarında Amerikalı kahvaltılık gevrek patronu ve meşhur Battle Creek Sanatoryumu'nun müdürü John Harvey Kellogg'un (bkz. Bölüm Dokuz), Amerikan Tabipler Birliği başkanı Hubert Work'ün (1860-1942) ve 20. yüzyıl başlarının en etkili Amerikan psikiyatri ders kitabının yazarı Stewart Paton'ın (1865-1942) bulunduğu bazı tanınmış hayranlar kazanırken, yüksek sesli eleştirilere de maruz kaldılar. İşin garip tarafı, muarızlardan hiçbiri Cotton'ın uyguladığı karın ameliyatlarının üçte bire yakın oranda ölümle sonuçlandığını bizzat kabul edişinin üstüne gitmedi.[31] Psikiyatrlar Cotton'ın tedavisinin vaat ettiği mucizevi devaya başvurmalarını isteyen ailelerce sıkıştırılmaktan yakındılar; onun iddialarının ölçüsüzlüğüyle ve "cerrahi ve bakteriyolojik yolla yapılabileceklere dair aşırı iyimser tahmini"yle ilgili endişelerini dile getirdiler.[32] Ama hemen hiçbiri, meslektaşlarının tutsak bedenler üzerinde böyle büyük çaplı deneylere girişmelerine izin vermenin geçerliliğini sorgulamadı ya da ameliyatların çok sayıda sakatlanmaya ve hatta ölüme yol açmasını mesele yapmamayı uygun gördü. Amerika'nın en güçlü ve en tanınmış psikiyatrı Adolf Meyer, yanında yetişen Henry Cotton'ın çalışmalarının sonuçlarına yönelik bir soruşturmayı denetleme gibi, etik açısından şaibeli bir görevi üstlendi. Ameliyatlardaki gerçek ölüm oranının % 45'e yaklaştığını öğrenmesine karşın, bulguları düpedüz örtbas ederek, hastaların hayatlarını kurtarmak üzere müdahalede bulunmak yerine, olası bir rezaletten kaçınmayı tercih etti.[33]

ŞOK TEDAVİSİ

Wagner-Jauregg'in sıtmayla deneylerinin ve Cotton ile Graves'in kronik septisemi tehdidine karşı kararlı uğraşının, akıl hastanelerine yatırılanların savunmasız bedenleri üzerinde psikiyatrik deneyler dalgasının açılış salvosu olduğu anlaşılacaktı. Avrupa'nın her yanında ve Kuzey Amerika'da 1920'li ve 1930'lu yıllar, deliliğin kökünü kazımaya ve delileri akıl sağlığına kavuşturmaya yönelik oldukça dikkat çekici çeşitlilikte somatik tedavilerin ortaya çıkışına sahne oldu. Her yerde deli akrabaları olan ailelerin kapıldığı çaresizlik duygusu, deli müzesi küratörlüğü rolünün ötesine geçmeye hevesli psikiyatrların mesleki hırsları ve kronik deliliğin siyasal yapı üzerindeki yükünden kaynaklanan mali baskılar, tedavi amaçlı deneylere girişmeyi teşvik etti ve dengeleyici hiçbir güç bunu dizginlemedi. Hiç kuşkusuz, hastalar

---

31 "Total kalın bağırsak ameliyatının uygulandığı [...] 133 vakada 33 iyileşme ve 44 ölüm. Sağ tarafta kısmi kazımanın uygulandığı 148 vakada 44 iyileşme ve 59 ölüm." Bu sonuçları keyifle bildiren Cotton'a göre, başarısızlıklar "büyük ölçüde çoğu hastanın kötü sağlık durumu" yüzündendi. Henry A. Cotton, 1923, s. 454, 457.

32 Bkz. A. T. Hobbs, 1924, s. 550.

33 Odak septisemi olayının ayrıntılı bir açıklaması için bkz. Andrew Scull, 2005.

bu konuda pek söz sahibi değildi. Manevi, sosyal ve maddi düzeyde insanlıktan koparılan, dışarıdakilerin bakışından uzak kurumlara tıkılan, ahlaki aktör statüsünden yoksun bırakılan ve akli durumlarından dolayı kendi adlarına bilinçli tercihlerde bulunma yetisinden yoksun sayılan hastalar, bizzat varlıklarını denetim altında tutanlara çoğunlukla karşı koyamayacak durumdaydılar. Ancak içlerinden bunu başaranlar çıktı.

Daha ölçüsüz müdahalelerin birçoğu kolektif hafızamızda solmuş bulunuyor. Akıl hastalarını delice düşüncelerden sıyırmanın bir aracı olarak derin ve uzun süreli uykuya yatırmak üzere kullanılan barbitüratları bugün kim hatırlıyor?[34] Yahut menenjit yoluyla ateşi yükseltmek ve vücudun bağışıklık sistemini harekete geçirmek, böylece "merkezi sinir sistemini düzgün işleyişine zarar veren toksinlerden kurtaracak hücrelerin temizleyici etkisi"nden yararlanmak üzere omurga kanallarına at serumu enjekte edilişini?[35] Yahut Harvard psikiyatrlarının akli dengesi bozulmuş Boston zenginlerinin özel dinlenme merkezi McLean Hastanesi'nde vücut sıcaklığını bilinçli olarak 29 dereceye ve altına, yani (bazen somut olarak görüldüğü üzere) yaşamı sürdürmeye pek uygun olmayan düzeye düşürmeye dayanan deneylerini?[36] Yahut striknin, koloidal kalsiyum ya da siyanür iğnelerine başvuruluşunu?[37]

Bu müdahaleler sınırlı rağbet görürken ve kısa ömürlü olurken, lobotomi ve elektroşok tedavisi gibi diğer yöntemler uzun sürdü, çok daha geniş çapta yayıldı, akıl hastalığına ve tedavisine ilişkin genel algılara çarpıcı bir etkide bulundu. İleride göreceğimiz üzere, bazı aykırı psikiyatrlar 1960'larda ve sonrasında "antipsikiyatri" çizgisini benimseyince, popüler kültürde yeni bir yansıma buldular. Romanlarda ve Hollywood filmlerinde psikiyatrlar, tedavi kisvesine büründürülmüş yöntemleri delilere boyun eğdirici silahlar olarak sadistçe kullanacak ölçüde çıldırmış bir sağlık mesleği tasviri çerçevesinde canlı biçimde işlenecekti. Oysa bu yeni tedaviler ortaya çıktığında, psikiyatri mesleği ve yeni bilim muhabirleri tarafından, tıp bilimindeki ilerlemelerin nihayet akıl bozukluğunu tedavi yollarına uygulanışının göstergeleri olarak hep bir ağızdan övüldü.

Tıptaki laboratuvar devrimi 19. yüzyıl sonlarında ve 20. yüzyıl başlarında, hastalıkların bakteriyolojik kökenini araştırmanın ötesine geçti. Tedavide en çarpıcı atılımlardan biri, endokrin sistemi üzerine çalışmaların sonucu olarak ortaya çıktı. Kanada'da Frederick Banting (1891-1941) ve Charles Best (1899-1978) 1922'de başarıyla ayırıp elde ettikleri insülini, komada ve ölüm

34 Eugen Bleuler'in Zürih'teki yardımcılarından Jakob Kläsi'nin geliştirdiği *Dauernarkose*, altı ila sekiz gün süren yapay bir uyku sağlardı. Bildirilen ölüm oranı % 6'ydı.

35 Robert S. Carroll, 1923; E. S. Barr ve R. G. Barry, 1926, s. 89.

36 J. H. Talbott ve K. J. Tillotson, 1926. Hastalarından ikisi "tedavi" sırasında öldü.

37 Illinois Sosyal Yardımlar Dairesi, *Annual Report* 11, 1927-28, s. 12, 23; 1928-1929, s. 23. T. C. Graves, 1919.

döşeğinde olan bir koğuş dolusu çocuğu hayata döndürmek için kullandılar. Bu sihirli bileşik acaba başka hangi alanlarda yararlı olabilirdi?

Nadworna (geçmişte Avusturya-Macaristan İmparatorluğu'na bağlıyken, iki dünya savaşı arasındaki dönemde Polonya'ya bırakılan ve şimdi Ukrayna sınırları içinde kalan bir eyalet) doğumlu Manfred Sakel (1900-1957), 1920'lerin sonlarında Berlin'de morfin ve eroin müptelalarının tedavi edildiği özel bir psikiyatri kurumu olan Lichterfelde Hastanesi'nde hekimdi. Yoksunluk arazlarını hafifletme ve hastalarındaki arzuları uyandırma yolunu ararken, yeni hormonu kullanmaya başladı. Hastaların bunu alınca ara sıra hipoglisemi komasına girdiklerini gözlemledi. 1933'te Viyana'ya taşındığında, şizofrenlerin kaldığı bir koğuşa atandı ve insülin şok tedavisi adını verdiği yöntemle deneyler yürüttü. Elde ettiği ilk sonuçlar Kasım 1933'te Nöroloji ve Psikiyatri Birliği'ne bildirdi. Bir süre sonra da hafifleme oranının % 70 düzeyinde olduğunu ileri sürdü; ifadesine göre, başka birçok hasta da hatırı sayılır ölçüde düzelmişti. İsviçre Psikiyatri Derneği'nin 1937'deki toplantısına[38] yirmi iki ülkeden tedavinin etkisine ilişkin olumlu raporlar sunuldu. Ne var ki, Avusturya'da yükselen anti-Semitizm dalgası karşısında, Sakel mecburen New York'a göç etti, Harlem Valley Eyalet Hastanesi'nde bir görev üstlendi ve kalp krizinden öldüğü 1957'ye kadar Amerika'da kaldı. Sakel'in yaymak için gayretle uğraştığı buluşunu tarif edişi şöyleydi:

> Temelde çok yüksek insülin dozlarıyla art arda günlük şoklar vermeye dayanır; bunlar ara sıra sara nöbetlerine yol açar, ama daha sıklıkla bolca terlemenin eşlik ettiği uyuşma ya da koma hali yaratır – her halûkârda böyle bir klinik tablo genelde endişe uyandırır. [...] Ancak bize tedavi için gelen hastalara genellikle kaybedilmiş ya da çok ağır hasta olarak bakıldığı göz önünde tutulunca, ne kadar tehlikeli olursa olsun, biraz başarı umudu veren bir tedaviye girişmek için çok sağlam gerekçenin bulunduğu görüşündeyim.[39]

Tedavi kesinkes tehlikeli ve dramatikti. Hastalar ölümün eşiğinde dolaştığı için, hekim ve hemşire dikkatinin sürekli ve aralıksız olması gerekirdi. En özenli dikkate rağmen, tedavi edilenlerin % 2 ila 5'i ölürdü. Geri kalanlar glikoz iğneleriyle hayata döndürülürdü. Tek bir vakada onlarca kürün uygulandığı bu tedavi yaygın biçimde benimsendi;[40] ancak sınırlı olanakları zorlamasından dolayı, hastaların sadece küçük bir azınlığı bundan yararlandı.

38 Batı dünyasının her yerinden psikiyatrların katıldığı bu toplantıda, 200'ü aşkın dinleyiciye insülin tedavisi üzerine altmış sekiz sunum yapıldı. Bkz. Edward Shorter ve David Healy, 2007, Bölüm 4.

39 Manfred Sakel, 1937, s. 830.

40 Örneğin, bir Amerikan araştırmasına göre, 1941 itibariyle 365 kamusal ve özel akıl hastalığı kurumunun % 72'si insülin koma tedavisini kullanmaktaydı. Bkz. ABD Halk Sağlığı İdaresi, 1941. Savaş dönemi Britanya'sında glikoz sıkıntısı tedaviye başvurmayı kısıtladı ve hastaları komadan çıkarmada glikoz yerine patates nişastası kullanılmasını zorunlu kıldı. Personel açığının işlemi uygulamayı imkânsız hale getirmesi üzerine, birçok hastane tedaviden geçici olarak vazgeçti.

Sakel "sara nöbetinin etki biçiminin bir yanıyla dirençli vakalarda engelleri kırıp aşan bir koçbaşına benzediği, böylece hipogliseminin 'nizami birlikleri'nin geçmesi için bir gedik açıldığı" kanısındaydı.[41] İlk başta birçok tanınmış psikiyatrın öfkeli tepkisini çekse bile kontrollü araştırmaların sonunda yararsız olduğu ortaya çıkan[42] insülin koma tedavisi, bazı yerlerde 1960'ların başlarına kadar uygulanmaya devam etti. Örneğin, 1994'te oyun teorisine katkılarından dolayı Nobel Ödülü kazanacak olan Princeton matematikçilerinden John Nash, 1961 gibi geç bir tarihte Trenton Eyalet Hastanesi'nde şizofreniye karşı insülin koma tedavisi gördü.[43]

Kaynak kısıtlılıklarının insülin komasından yararlanmaya her zaman sınırlamalar getirmesine karşın, bu sorunlar 1930'larda geliştirilen diğer şok tedavisi biçimlerinin uygulanmasını engellemedi. Sakel'in yeni tedavi yöntemini açıklamasından tam bir yıl sonra, Budapeşte'de çalışan Macar psikiyatr Ladislas Meduna (1896-1964), hastalarında havaleler yaratmaya dönük deneylere başladı. Dayandığı zayıf gerekçe, şizofreninin ve saranın bir arada var olmayacağı yönündeki (yanlış) savdı. Önce yağla sulandırılmış kâfur iğnelerine başvurdu, ama bünyenin pek kaldırmadığı bu iğnelerin nöbetleri tahrik etmede güvenilmez bir yol olduğunu, ayrıca beraberinde "paniğe varacak düzeyde anksiyete, saldırganca ve intihara eğilimli davranışlar" getirdiğini gördü.[44] Ortaya çıkan durumdan yılmayarak, striknінle deneylere girişti; bunun da yetersiz sonuçlar vermesi üzerine, tercih ettiği ilaç olarak, pentatilenetetrazol (bir süre sonra ABD'de verilecek adla metrazol) iğnelerinde karar kıldı.

Metrazol, etkileri bakımından biraz daha öngörülebilir olmakla birlikte, iğnenin yapıldığı kişilerde kâfurdan daha az şiddetli sonuçlar yarattığı pek söylenemezdi. Bizzat Meduna'nın ifadesiyle, "patolojik dizileri havaya uçurup parçalama ve hastalıklı organizmayı normal işleyişe kavuşturma çabasıyla, [...] tıpkı dinamit patlatır gibi, kaba gücü devreye sokmak [...] sert bir saldırı"ydı ve "hâlihazırda şizofreniye yol açan zararlı süreçler zincirini kırmaya yetecek güçte bir şokla organizmayı sarsma dışında hiçbir yol" yoktu.[45] Dönemin bir gözlemcisinin yorumu şöyleydi: "Çok belirgin tepkilerin en çarpıcısı, hastaların aşırı ürkmüş, azap çekmiş ve yakında ölme korkusuyla ezilmiş olma duygularına tanıklık eden yüz ifadeleri ve

41 Benjamin Wortis, Manfred Sakel'in Paris'te 21 Temmuz 1937'de yaptığı bir konuşmanın çevirisi, St. Elizabeth Hastanesi Tedavi Dosyası, Giriş 18, Ulusal Arşivler, Washington, DC.

42 Bkz. Harold Bourne, 1953; meslek camiasının tepkisine ilişkin bir değerlendirme için bkz. Michael Shepherd, 1994, s. 90-92.

43 Sylvia Nasar, 1998, s. 288-294.

44 L. von Meduna ve Emerick Friedman, 1939, s. 509.

45 L. von Meduna, 1938, s. 50 (Cardiazol, metrazolün Avrupa'daki ticari adıydı).

Ugo Cerletti psikiyatri hastalarına elektroşok uygulama ilhamını, Roma'daki bir mezbahada domuzların buna benzer elektrotlarla sersemletildiğini görünce almıştı.

sözlü ifadeleridir".[46] Üstelik bu varoluş dehşeti yegâne ve hatta en ağır yan etki değildi. Başka bir psikiyatr, "Bu tedavinin en ciddi sakıncası eklem çıkıkları, kırıklar, kalpte hasar, kalıcı beyin travması gibi komplikasyonların ve hatta ara sıra ölümün görülmesidir," diye belirtti. "Çoğu hastanın tedavi karşısında sergilediği aşırı korku ve endişe, ayrıca kimi zaman ortaya çıkan şiddetli havale ve ciddi komplikasyonlar nedeniyle, tatmin edici bir ikame tedavi arayışı sürmektedir."[47]

Bu tedavi oldukça hızlı bulundu. Ugo Cerletti (1877-1963) ve Lucio Bini (1908-1964) adlı İtalyan hekimler Roma'da köpeklerin vücutlarından elektrik akımları geçirerek, fizyolojik etkileri gözlemlemeye dönük deneyleri bir süreden beri yürütmekteydi. Bu hayvanların birçoğu öldü. Derken bir mezbahaya tesadüfi ziyarette, boğazları kesilecek domuzların daha önce kafalarından geçirilen bir akımla sersemletildiklerini görmek, iki adama (kesim işi hariç) benzer bir tekniği insanlarda uygulamanın tedavi olanakları sağlayabileceği fikrini verdi. Elektroşok tedavisi adı verilecek bu yöntemi insanlar üzerinde ilk kez Nisan 1938'de denediler; ilk başta çok az akım vererek, hastalarında "grand mal" tipinde bir nöbeti kışkırtmayı başardılar. Elektroşok tedavisinin metrazola nazaran daha ucuz ve daha güvenilir olduğu, etkilerinin de esasen anında ortaya çıktığı anlaşıldı. Havaleyi beklerken uzun ve belirsiz bir dehşet dönemine gerek yoktu; Cerletti'nin iddiasına göre, ayılan hasta az önce olup bitenleri hiç hatırlamıyordu. Uygulanışı dolambaçsız ve hesaplı olan elektroşok tedavisi kısa sürede uluslararası düzeyde benimsendi.[48] Onun da özellikle kalçada ve omurgada kırıklara yol açabildiği ortaya çıktı. Daha 1942'de bu sorunlardan kaçınmak için, elektroşok tedavisi önce kürar, ardından anesteziyi ve oksijen vermeyi

46 Solomon Katzenelbogen, 1940, s. 412, 419.

47 Nathaniel J. Berkwitz, 1940, s. 351.

48 Elektroşok tedavisinin uluslararası düzeyde hızla benimsenmesi için bkz. Edward Shorter ve David Healy, 2007, s. 73-82.

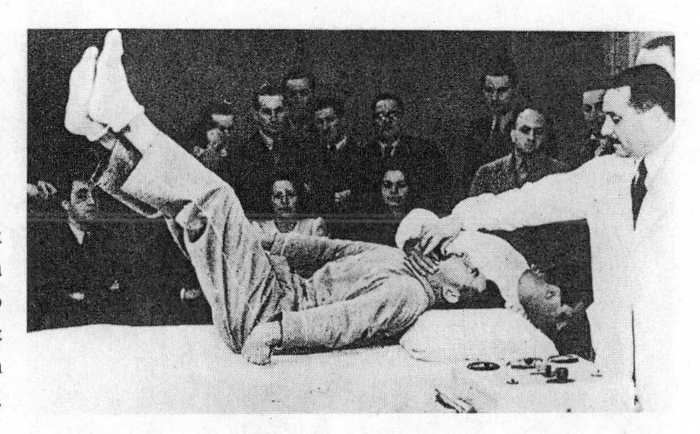

Bir hasta değişimsiz elektroşok tedavisi gördükten sonra nöbet geçiriyor (1948): Lucio Bini sağ tarafta hastanın ağız koruyucusunu kontrol eden kişidir.

gerektiren süksinilkolin olmak üzere, bir kas gevşeticisiyle birlikte uygulanmaya başladı.[49]

Tartışmalar daha çok yeni şok tedavilerinde işleyişin beyin hasarına dayanıp dayanmadığı konusu etrafında döndü. Harvard nörologlarından Stanley Cobb (1887-1968) hayvanlar üzerinde bir dizi deney yaptıktan sonra şu sonuca vardı: "İnsülinin ve metrazolun tedavi edici etkisi, beyin korteksinde çok sayıda sinir hücresinin yıkımına bağlı olabilir. Bu yıkım onarılmazdır. [...] Düzelme şansı olan psikozları ve nevrozları tedavide bu tedbirlere başvurulması bana tamamen yersiz görünüyor."[50] Sakel'in vardığı sonuç ise aksi yöndeydi. İnsülin koması sırasında beyne oksijen akışını kesmenin hasarı yarattığını kabul etmekle birlikte, hiçbir kanıt göstermeksizin, öldürülen hücrelerin psikoza yol açan habis hücreler olduklarını ileri sürdü.[51] Elektroşok tedavisinin savunucuları bu yöntemin yararlılığının beyinde hasar yaratıcı etkilerine dayanıyor olabileceği fikrini benimsemeye yanaşmadılar. Bazı muarızların halen sürdürdüğü böyle iddiaları aşağılama yoluna gittiler.[52]

BEYİNLERİ HEDEF ALMAK

1930'ların ikinci yarısında geliştirilen diğer önemli somatik tedavi biçiminin beyin hasarına yol açmadığını ise kimse ileri sürmedi; çünkü bu yaklaşımın temeli tam da beynin ön loplarına doğrudan cerrahi müdahaleye dayalıydı. Lökotomi (başlıca Amerikalı savunucularının tercih ettiği terimle lobotomi) Portekizli nörolog Egas Moniz'in (1874-1955) geliştirdiği bir fikirdi. Portekiz

---

49 Birinci Dünya Savaşı'nda kullanılan Kaufmann tedavisi gibi elektrik tedavileriyle bazen karıştırılmasına rağmen, elektroşok tedavisi kasten acı vermeye dönük uygulamalardan oldukça ayrıydı; nöbet ve geçici bilinç kaybı sağlamak için kullanıldığından, duyarlı hastada acı yerine korkuya ve tiksintiye yol açardı.

50 Stanley Cobb, 1938, s. 897.

51 M. J. Sakel, 1956.

52 Elektroşok tedavisinin iki savunucusunun yakın dönemdeki bir değerlendirmesi için bkz. Edward Shorter ve David Healy, 2007, s. 132-35. Onların iyimser perspektifini herkes paylaşmaz.

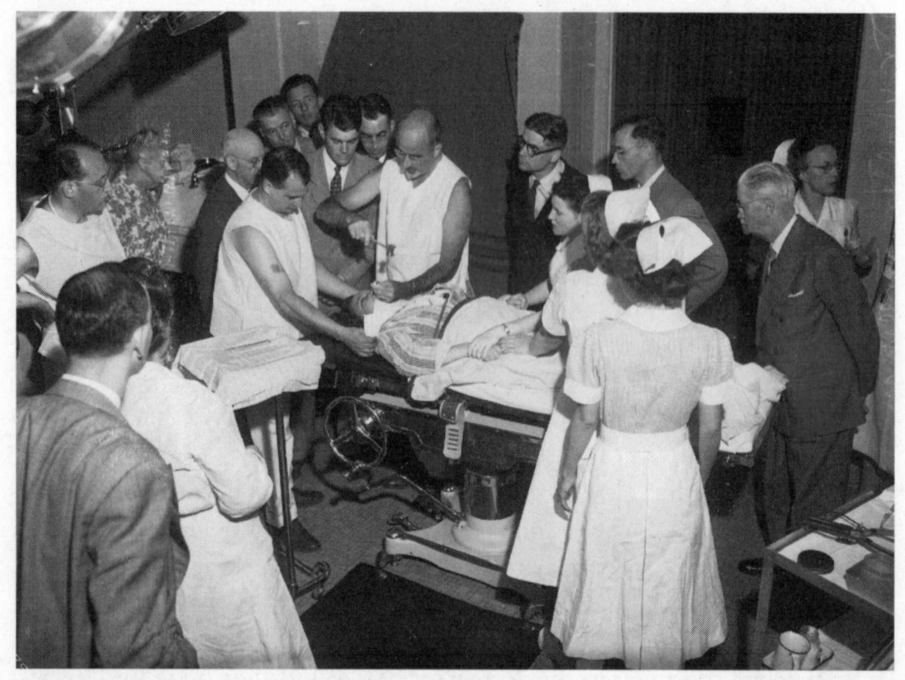

Walter Freeman 8 Temmuz 1948'de Washington eyaletindeki Fort Steilacoom Hastanesi'nde bir göz çukuru lobotomisi uygularken. Bir buz kıracağı, göz çukuru yoluyla hastanın beynine sokuluyor.

1930'ların ortalarında sağcı diktatör António Salazar'ın yönettiği geri kalmış ve yoksul bir ülkeydi ve orada yürütülen küçük ölçekli bir deney, hayatın olağan akışında pek önem taşımayabilirdi. Moniz ellerinin artrit yüzünden kötürümleşmesi nedeniyle bizzat ameliyat yapamadığı için, cerrahi işlemlerde Pedro Almeida Lima (1903-1986) adlı bir meslektaşına bağımlıydı. Az sayıdaki ilk ameliyatlar, kafatasında delikler açmak ve beyin dokusunu yok etmek üzere ön loplara alkol enjekte edilmesi şeklindeydi. En azından Moniz'e göre, sonuçlar cesaret vericiydi; ancak sonraki ameliyatlarda ön loplardaki beyaz maddenin bazı kısımlarını kesip almak üzere bıçağa benzer küçük bir araç kullanıldı. Kasım 1935-Şubat 1936 arasında cerrahi işlemin uygulandığı yirmi hasta içinde, henüz dört hafta önce "hastalanmış" olanlar da vardı. Hasta takibinin üstünkörü olmasına karşın, Moniz hastalarda sıklıkla idrar kaçırma, uyuşukluk ve yönelim bozukluğu görüldüğünü kabul etti. Ama bu etkilerin ileride geçeceğini, tedavi ettiklerinin % 35'inin önemli ölçüde düzeldiğini ve % 35'inin de biraz daha iyi durumda olduğunu ısrarla öne sürdü. Moniz'e hastaları bulan Sobral Cid (1877-1941) adlı psikiyatr, bu iddialara karşı çıktı. Ameliyat edilenlerin düzelmek şöyle dursun, köklü biçimde hasara uğradığını ileri sürdü ve ona aynı akıbeti paylaşacak başka hasta göndermeyi reddetti.

Ancak Moniz ameliyat ettiği şizofrenlerin % 70'inde düzelme sağladığını ileri süren bir monografiyi Paris'te çarçabuk yayımladı.[53] Washington, DC'de çalışan nörolog Walter Freeman (1895-1977) bu savlardan etkilendi ve Eylül 1936'da beyin ve sinir cerrahı meslektaşı James Watts'la (1904-1994) birlikte Amerika'daki ilk ameliyatı yaptı. Ertesi yıl iki adam ameliyatta ufak değişiklikler yaptılar. Kafatasını deldikten sonra içeriye soktukları tereyağı bıçağına benzer bir araçla ön loplarda süpürücü kesimler yapmaya ve beyin bağlantılarını koparmaya başladılar; bu yolla dikkate değer sonuçlar elde ettiklerini ileri sürdüler. Yeni ameliyata standart ya da "hassas" lobotomi adını taktılar; oysa hastaların beyinlerinde gelişigüzel hasar yaratmada hiçbir hassaslık yoktu.

Freeman ve Watts tam olarak ne kadar beyin dokusunu yok edeceklerine karar vermede güçlük çektiler: Çok az doku alındığında, hasta deli kalıyordu; çok fazla doku alındığında ise sonuç bitkiye dönüşmüş bir insan ve hatta ameliyat masasında ölümdü. Hastanın yönelim bozukluğu belirtileri göstermesine kadar kesimi sürdürme gibi bir çözümde karar kıldılar. Bu da haliyle ameliyatın lokal anesteziyle yapılmasını gerektirdi. Watts keserken, Freeman da bir dizi soru yöneltiyor ve cevapları kayda geçiriyordu. Daktiloyla yazılmış bu kayıtları okumak insanda rahatsızlık yaratır; Freeman'ın ameliyat masasındaki kişiye aklından ne geçtiğini sorduğunda, hastanın bir duraksamadan sonra "bıçak" karşılığını vermesinden daha irkiltici bir şey olamaz.

İki adam bu tür ameliyatların büyük bir başarıya ulaştığını, çok sayıda hastayı bir akıl hastanesinin arka koğuşlarında ömür boyu kronik hastalıkla yaşamaktan kurtardığını duyurdular. Meslektaşlarının birçoğu bunu inandırıcı bulmadı. Nitekim Freeman yaptıkları işlemi Baltimore'daki Güneyli Tabipler Derneği'nin bir toplantısında ilk kez açıkladığında, "sert eleştirilerle ve dehşet dolu bağırışlarla, [...] saldırgan bir sorgu [...] korosuyla" karşılaştı. Tepkiler ancak yakınlardaki Johns Hopkins Üniversitesi'nin seçkin psikiyatri profesörü Adolf Meyer'in araya girerek, dinleyicileri deneyin sürmesine izin vermeleri için sıkıştırmasıyla yatıştı.[54] Sonuçta deney sürdü.

Freeman'ın ameliyatla mucizeler yaratıldığı yönündeki ısrarı zamanla semeresini verdi ve ABD'deki akıl hastaneleri ameliyatı uygulamaya başladı.[55] Freeman'ın ateşli coşkusunu ve deliliğin beyin kaynaklı olduğuna dair kanaatini büyük ölçüde paylaşan İngiliz psikiyatr William Sargant (1907-1988), kazandığı bir Rockefeller Vakfı bursuyla Harvard'da kalırken, ameli-

53 Egas Moniz, 1936.

54 *Baltimore Sun*, 21 Kasım 1936.

55 "İlerici" eyalet hastanelerinde 1940'lar başlarında lobotomiye artan ilgi için bkz. Jack D. Pressman, 1998, Bölüm 4.

yatın sonuçlarını izleme fırsatı buldu. Britanya'ya dönüşünde bizzat birçok lobotomi uyguladı ve meslektaşlarını aynı yolu izlemeye teşvik etti.[56] İkinci Dünya Savaşı gidişatı yavaşlattı; daha can alıcı bir sorun, o dönemde çok az beyin ve sinir cerrahının bulunması ve "hassas" ameliyatın iki saatlik bir süreyi almasıydı.

İşlemi hızlandıracak ve ameliyatın Amerika'daki akıl hastanelerinin koğuşlarını dolduran yaklaşık yarım milyon deliyi ciddi oranda azaltacak bir yol arayan Freeman, İtalyan tıp literatüründe ön loplara ulaşmanın çok daha basit bir yolunu ana hatlarıyla anlatan bir makaleye rastladı.[57] İşlem aslında Freeman'ın daha sonraları herhangi bir salağa, hatta bir psikiyatra lobotomiyi yirmi dakikada öğretebilmekle övüneceği kadar basitti (Psikiyatri, nöroloji öğrenimi görmüş Freeman'ın ciddiye almadığı bir meslekti). Freeman göz çukuru lobotomisi adını verdiği yeni yaklaşımını önce poliklinik ortamında denedi. Hasta kısa aralıklarla verilen iki ya da üç elektroşokla bayıltılmaktaydı. Göz kapağının altına yerleştirilen bir buz kıracağına çekiçle vurularak göz yuvasında açılan gedikten ön loplara ulaşılmaktaydı. Süpürücü bir hareketle beyin dokusunun koparılıp alınmasından sonra, hastaya moraran göz çevresini kapatacak bir güneş gözlüğü takılmaktaydı. Freeman'a göre, ayılan hasta şaşırtıcı denecek kadar kısa bir sürede normal faaliyetlerine dönebilirdi.

Göz çukuru lobotomisi hemen tartışma konusu oldu. Freeman'ın uzun süre birlikte çalıştığı James Watts dehşete düştü ve iki adam arasında keskin bir görüş ayrılığı ortaya çıktı. Watts'ın Yale Tıp Okulu'ndaki hocası John Fulton (1899-1960), Freeman'a yazdığı bir mektupta, New Haven yakınlarına gelmesi halinde onu dövmekle tehdit ederek, hoşnutsuzluğunu açıkça bildirdi. Ama Freeman zerre kadar caymadı. Yeni ameliyatının beyin ve sinir cerrahlarınca geliştirilen daha özenli işlemlere kıyasla daha etkili olduğu ve beyne daha az hasar verdiği görüşünde diretti. Göz çukuru ameliyatlarının kolayca yapılabileceğini göstermek üzere ABD'de bir turneye çıktı. Standart bir "hassas" lobotominin iki ila dört saati almasına karşın, bir düzine hastayı tek bir öğleden sonrada ameliyat edebileceğini gösterdi.[58] Watts'la birlikte 1936-1948 arasında yaptığı ameliyatların sayısı 625'ti. Daha sonra 1957'ye

56 Meslektaşı Wylie McKissock Nisan 1946'da 500. ameliyatını yaptı; bu sayı 1950'de 1.300'ün üzerine çıktı.

57 A. M. Fiamberti, 1937.

58 Bu toplu lobotomi gösterilerine ilişkin bir görgü tanığı anlatımı için bkz. Alan W. Scheflin ve Edward Opton Jr, 1978, s. 247-49. Moniz'e yazdığı bir mektupta, Freeman Batı Virginia'da tek bir günde "ameliyat başına altı dakikayı bulmak üzere 22 hastayı 135 dakikada ameliyat etmek"le övünmüştü. On iki günde ameliyat ettiği hasta sayısı 228'di. Walter Freeman'dan Egas Moniz'e, 9 Eylül 1952, Beyin Cerrahisi Koleksiyonu, George Washington Üniversitesi, Washington DC.

kadar tek başına 2.400 göz çukuru ameliyatı daha yaptı ve ülke genelinde eyalet hastaneleri 1940'ların sonlarında işlemi benimsedi.[59]

Bu değişik somatik tedavi biçimlerinin benimsenmesi psikiyatrlar, akıl hastanesi idarecileri ve politikacılar için büyük bir gurur kaynağıydı. Psikiyatrinin bilimsel tıpla yeniden bağlantıya girmesinin, geçmişteki kopukluğu ve tedavi acizliğini kırmasının sembolleri artık gözler önündeydi. New York eyaletindeki toplam on sekiz akıl hastanesini kapsayan geniş şebekenin resmi dergisi, bunları ilerlemenin kesin bir işareti olarak şöyle duyurdu:

> Somatik tedaviler zihnin ve bedenin temeldeki birliğini öne çıkarmıştır. Akıl hastalıklarının "tedavi" niteliği herkesçe kolaylıkla anlaşılan işlemlere uygun bir düzeye gelişi, mağdurlarını geri kalan insanlardan, bildik hastalıklar ve tedavi kavramlarından ayıran anlaşılmaz tepkiler değil, gerçekten bütün diğerleri gibi birer hastalık oldukları yönündeki tutumun yerleşmesini sağlamış durumdadır.[60]

Psikozlara dönük somatik tedavi, genel kültürde de benzer bir övücü kabul gördü. *Time* dergisi Sakel'i "kafası karışmış kişileri insülinle iyileştiren [...] Viyanalı genç bir psikiyatr" diye övdü.[61] Birkaç yıl sonra *New York Times*'ın bilim muhabiri William Lawrence, ona "psikiyatrinin Pasteur'ü" adını taktı.[62] Hollywood, savaştan sonra Amerika'nın akıl hastanelerindeki eziyetleri yansıtırken, elektroşoku geniş bir seyirci kitlesine sempatik bir yaklaşımla sundu. *The Snake Pit* [Talihsizler Yuvası] filminin (Olivia de Havilland tarafından canlandırılan) kadın kahramanı Virginia Cunningham'ın toparlanışını hızlandırmada elektroşok can alıcı unsurmuş gibi gösterildi. Gerçi sonunda iyileşmesini sağlayan, yakışıklı psikiyatrı "Dr. Kik"in uyguladığı konuşma tedavisiydi ama şok tedavisi, onu analize açık hale getirmede vazgeçilmez bir rol oynamıştı. 1948'in gişe geliri en yüksek filmi olan *Talihsizler Yuvası* Britanya'da, ancak Sansür Kurulu'nun yer verilmesi için ısrar ettiği ve İngiliz seyircilerine bunun bir Amerikan filmi olduğunu, kendi akıl hastanelerindeki koşulların perdede gösterilen dehşet verici arka koğuşlardan çok uzak kalacak derecede harika olduğunu hatırlatan bir uyarı yazısıyla gösterime girdi.

---

59 Freeman'ın gururla bildirdiğine göre, Dr. J. S. Walen adlı bir cerrah Evanston'daki Wyoming Eyalet Hastanesi'nde sadece yazılı talimatlara bakarak, yaklaşık 200 göz çukuru ameliyatı yapmayı başarmıştı ve Dört No'lu Eyalet Hastanesi'nde (adı başlı başına açıklayıcı), Dr. Paul Schrader 200'den fazla göz çukuru ameliyatıyla, "deliler koğuşundaki bütün sorunları neredeyse çözmüştü." Walter Freeman, "Adventures in Lobotomy", yayımlanmamış yazma, George Washington Üniversitesi Tıp Kütüphanesi, Beyin Cerrahisi Koleksiyonu, Bölüm 6, s. 59.

60 *Mental Hygiene News*, akt. Jack D. Pressman, 1998, s. 182-183.

61 "Medicine: Insulin for Insanity", *Time*, 25 Ocak 1937. *New York Times* da onaylayıcı bir gürültü kopardı. Bkz. 14 Ocak 1937 tarihli başyazı, s. 20.

62 "Insulin Therapy", *New York Times*, 8 Ağustos 1943, E9.

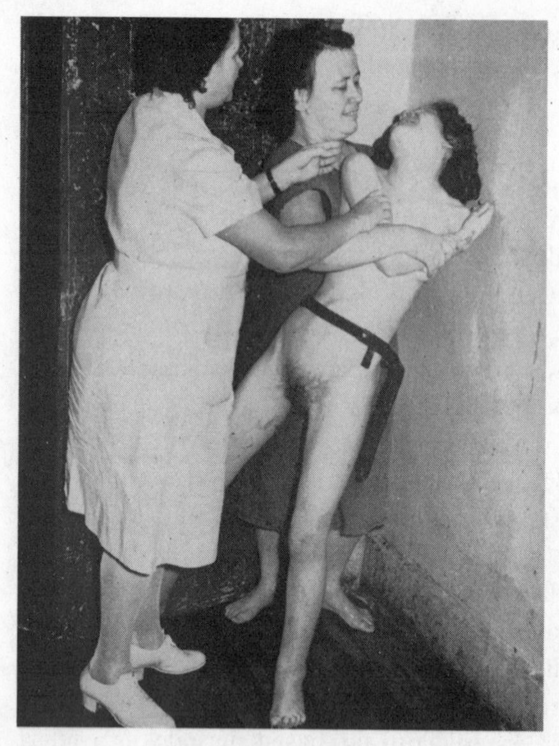

Lobotomi ameliyatına götürülen bir hasta boş yere direniyor. Freeman beyin cerrahisine direnen hastalara lobotomi uygulama hevesini gizlemedi; ne de olsa, onlar deliydi ve tercihleri göz ardı edilebilirdi. Bu fotoğraf Watts'la birlikte yazdığı *Psychosurgery* [Beyin Cerrahisi] kitabının ikinci baskısından alınmıştır.

Lobotomi ve başkahramanı Walter Freeman daha da olumlu çerçevede sunuldu. *Washington Evening Star* yeni uygulanmaya başlayan lobotomiyi okurlarına şöyle tanıttı: "Bu kuşağın en büyük cerrahi yeniliklerinden biri olduğu söylenebilir. [...] Dizginlenemeyen kederin bir matkapla ve bıçakla normal uysallığa dönüşebilmesi inanılmaz gibi görünüyor."[63] Daha sonraları bilim muhabiri Waldemar Kaempffert *Saturday Evening Post* için, ameliyat masasındaki fotoğrafları verilen Freeman'ı ve Watts'ı aziz mertebesine çıkartıcı bir makale yazdı. Devasa bir uluslararası tiraja sahip *Reader's Digest* dergisinin kısaltıp yayımladığı makale daha da geniş kitleye ulaştı.[64] *Associated Press* benzer biçimde olumlu bir haberinde, lobotomiyi "endişe sinirleri"ni kesip atan ve neredeyse tamamen güvenli bir "kişilik yenileme" işlemi olarak nitelendirdi. "İltihaplı bir dişi çekmekten sadece biraz daha tehlikeli."[65] Kısa bir süre sonra, Nobel Komitesi'nin tıp ya da fizyoloji dalında 1949 ödülünü Egas Moniz'e vermesi, hiç kuşkusuz ameliyatın yararlılığına ilişkin en kesin

63 *Washington Evening Star*, 20 Kasım 1936.

64 Waldemar Kaempffert, 1941, s. 18-19, 69, 71-72, 74. Övgülerini *New York Times*'ta (11 Ocak 1942) daha üst düzey bir okur kitlesine hitaben tekrarladı. Şunu da belirtmek gerekir ki, beyin cerrahisini değil, Freeman'ı ve Watts'ı gösteren fotoğraflar neredeyse hekimlik ruhsatlarının iptaline yol açacaktı, çünkü yasak olan "hekim reklamı"nın bir biçimi.

65 Stephen McDonough, 1941.

onay olarak görüldü.[66] Moniz'in bu başarısı, lobotomi sayısında patlamalı bir artışı getirdi. Sırf ABD'de 1949'un son dört ayında uygulanan ameliyat sayısı önceki sekiz ayın iki katına ulaştı. 1953'e kadar 20 bin Amerikalıya daha lobotomi yapıldı;[67] dünya genelinde de bu kervana binlerce hasta katıldı.

TERS TEPKİ

Gelgelelim, halkın ve meslek camiasının bu umarsız devalara dönük coşkusu uzun sürmedi. Daha 1950'lerde destek sürekli inişe geçti ve 1960'larda insülin koması, şok tedavisi ve beyin cerrahisi psikiyatrik baskının sembolleri olarak kınanır oldu. Kısa bir süre sonra, karşıt siyasal görüşlü Thomas Szasz'ı (1920-2012) ve R. D. Laing'i (1927-1989) kapsamak üzere, topluca "antipsikiyatrlar" olarak anılacak olan aykırı psikiyatrlar, bu tedaviler aleyhinde (hemen hemen) meslek içinden kanıtlar ortaya koydular ve en azından bu konuda meslektaşlarının birçoğu onlara katıldı. Edebiyat çevrelerinde ve popüler kültürde dozajı yükselen eleştiriler daha da sertti.

Ernest Hemingway (1899-1961) artan depresyonu yüzünden Aralık 1960'ta yatırıldığı Mayo Kliniği'nde bir dizi elektroşok tedavisi gördü. Ocak 1961 ortalarında taburcu edilmesine karşın, ruhsal durumundaki kırılganlığın sürmesi üzerine nisanda tekrar yatırıldı ve daha yoğun şok tedavisi uygulandı. Taburcu edildiği 30 Haziran'dan iki gün sonra, kafasına bir av tüfeği sıkarak intihar etti. Geride, gördüğü tedaviyi kınayan bir not bıraktı:

> Bu şok doktorları yazarların nasıl insanlar olduklarının [...] ve onlara ne yaptıklarının farkında değiller. [...] Kafamı mahvetmenin, sermayem olan hafızamı silmenin ve beni işsiz güçsüz bırakmanın ne anlamı var? Harika bir tedaviydi ama hastayı kaybettik.[68]

Şok tedavisi üzerine şiddetli bir eleştiriyi kaleme alan aşırı erkeksi Hemingway'in yanı sıra, şair ve feminizmin timsali Sylvia Plath (1932-1963) da bunun başka bir örneğini sundu. *Sırça Fanus* adlı romanı asıl kahramanların pek de gizlenmediği sözde bir kurmacadır; depresyon ve başarısız bir intihar girişimi yüzünden (insülin koma tedavisiyle birlikte) uygulanan elektroşok tedavisi sırasında yaşadıklarının canlı bir tasvirini içerir:

---

66 Wagner-Jauregg'e genel felcin sıtmayla tedavisi için verilen önceki ödül dışında, şimdiye kadar psikiyatri dalında verilen tek Nobel Ödülü budur; ancak Columbia nöropsikiyatrlarından Eric Kandel hafızanın fizyolojisi üzerine çalışmalarıyla 2000 yılı Fizyoloji ya da Tıp Nobel Ödülü'nü kazandı.

67 Elliot Valenstein, 1985, s. 229.

68 Hemingway bu açıklamayı biyografi yazarına yapmıştı. Bkz. A. E. Hotchner, *Papa Hemingway: A Personal Memoir*, New York: Random House, 1966, s. 280.

> Gülümsemeye çalıştım, ama tenim parşömen gibi kaskatı kesilmişti. Doktor Gordon başımın iki tarafına birer metal plaka yerleştiriyordu. Alnımı çökertecek kadar sıkıca gerilmiş bir kayışla bunları yerine oturttu ve ısırmam için ağzıma bir tel koydu. Gözlerimi yumdum. İçe çekilmiş nefes kadar kısa bir sessizlik oldu. Ardından bir şey öne doğru eğildi, beni sıkıca kavradı ve sanki dünyanın sonu gelmişçesine sarstı. Mavi ışıkla cızırdayan bir havadan vınnnnnn diye tiz bir ses çıktı ve her çakımla birlikte büyük bir sarsıntı beni öylesine hırpaladı ki, kemiklerim kırılacak ve tıpkı yarılan bir bitkiymişim gibi içimdeki özsu dışarıya fırlayacak sandım.
>
> Bunu hak edecek nasıl feci bir şey yapmıştım acaba?[69]

Plath'ın 1963'te ilk ve tek romanının piyasaya çıkmasından sadece bir ay sonra canına kıyması, on yıl önce gördüğü tedaviyle büyük ihtimalle tamamen alakasızdı. İntiharı başkalarının kocası Ted Hughes'a yönelttiği suçlamalarla çabucak ilişkilendirildi. Ama ne kadar basite indirgeyici yaklaşımla olursa olsun, vefasız bir kocanın ihanetine uğramış ve yeteneğini gösterme fırsatı bulamamış ev kadınının ve genç annenin düştüğü çaresizliğin bir sembolü sayılmasından dolayı, önceki psikiyatri tedavisi ataerkil toplumdan gördüğü baskının başka bir örneği olarak rahatlıkla yorumlanabilir.

Günümüzde birçok psikiyatrın ve hastanın kefil olmayı sürdürdüğü, buna karşılık başkalarının aynı hararetle sövdüğü elektroşok tedavisinin savunucuları, Hemingway ve Plath örneklerinin hikâyeden ibaret olmasından, elektroşok tedavisinin klinik yararıyla şöyle ya da böyle ilişkili olmamasından haklı olarak yakındılar. Ama her iki yazarın da tanıklıkları psikiyatriye, özellikle de bir önceki kuşağın bilimsel ilerlemenin kanıtı olarak kutlamaya eğilimli olduğu somatik tedavilere karşı kültürel tutumlardaki köklü bir değişime hem katkıda bulundu hem de onun bir parçası oldu. Bazı çevrelerin odak septiseminin beyni zehirlediği ve böylece akıl hastalığına yol açtığı anlayışına (bkz. s. 306) kapılmaları dışında, 1920'lerde ve 1930'larda ortaya çıkan somatik tedavilerden hiçbirinin neden işe yaradığına dair akla yakın bir gerekçesi yoktu. Her nasılsa işe yarıyorlardı. Derken öyle olmadıkları ortaya çıktı. Akıl hastalığını "iyileştirme" yolu olarak insülin komasına, elektrikle yaratılan havaleye ve beyinde geri dönülemez hasarın yararına inancın ortadan kalkmasıyla birlikte, ters tepki sert oldu.

Ken Kesey'in *One Flew Over the Cuckoo's Nest* [Guguk Kuşu, 1962] ve Janet Frame'in *Faces in the Water* [Sudaki Yüzler, 1961] türünden romanlar, psikiyatriye yıkıcı bir ışık tuttu. Daha önce California'nın Menlo Park kentindeki bir akıl hastanesinde hademe olarak çalışmış olan Kesey, hastalarını disiplin altına almak ve onlara boyun eğdirmek için elektroşoka serbestçe başvuran

69 Sylvia Plath, 2005, s. 143.

bir kurumu gözler önüne serdi. Bu tedavi, romanın taşkın kahramanı Randle P. McMurphy'yi dizginleyemeyince, eldeki son silah kullanılır ve lobotomi yapılır. Yeni Zelandalı romancı Frame'in somatik yönelimli bir psikiyatrinin uygulanışıyla çok daha yakın teması olmuştu. İnsanı robotlaştırıcı bir dizi akıl hastanesinde 1940'ların ortalarından itibaren yıllarca kalırken, insülin komalarıyla ve iki yüzü aşkın elektroşokla tedavi edildi. Seacliff Akıl Hastanesi'nde lobotomiden geçirilmesine sadece birkaç gün kala, ülkenin önde gelen edebiyat ödüllerinden Hubert Kilisesi Anı Ödülü'nü alması, cerrahını harekete geçmekten alıkoydu. Sonraki yıllarda büyük bir uluslararası şöhret kazandı. Ehliyetsiz ve sadist psikiyatrların ona uyguladığı sert tedaviye otobiyografik göndermeleri kattığı romanlarının yarattığı etki, üç ciltlik otobiyografisiyle ve Yeni Zelandalı yönetmen Jane Campion'un bunu *An Angel at My Table* [Masamdaki Melek, 1990] adıyla beyazperdeye uyarlamasıyla doruğa ulaştı.

Campion'un filmi eleştirmenlerce bir sanat şaheseri olarak övülürken ve bir dizi önemli ödül kazanırken, Miloš Forman'ın on beş yıl önce, 1975'te gösterime giren *Guguk Kuşu* uyarlaması olağanüstü bir popüler başarı yakaladı. Beş önemli dalda Oscar aldı ve aradan geçen kırk yıla rağmen hâlâ timsalleşmiş ve çok seyredilen bir filmdir. Hollywood'un lobotomiyi sadist ve vurdumduymaz doktorlarca uygulanan gaddar ve canice bir ameliyat olarak sunuşu bu filmle sınırlı kalmadı. Graeme Clifford'un çektiği ve Jessica Lange'in başrolde Hollywood yıldız adayı Frances Farmer'ı canlandırdığı 1982 tarihli *Frances* filmi aynı ölçüde serttir. Filmin kahramanı insülin komalarıyla ve bir dizi elektroşokla işkenceden geçirilir, yatağında zincirliyken defalarca tecavüze uğrar ve ardından makyajla kasten Walter Freeman'a benzetilmiş birinin gelişigüzel yaptığı lobotomiye tabi tutulur. Ama Lange'in performansı güçlü olmakla birlikte, Jack Nicholson'ın çizdiği Randle P. McMurphy portresinin yanında sönük kalır. Küçük bir kıza tecavüzden aldığı cezanın son kısmını çektiği hapishanede aylakça zaman geçirmeye kıyasla bir "tımarhane"de kalmanın daha hoş olacağını sanarak, akıl hastanesine yatırılmanın bir yolunu bulan McMurphy orada kargaşa yaratır. Esprili, serkeş ve küstah kişiliğiyle, ilk başta hasta arkadaşlarını kendisiyle birlikte isyan etmeye kışkırtır ve ruhsuz hale getirilmiş olmaları nedeniyle çabası boşa çıkar; taburcu edilme tarihi artık psikiyatri gardiyanlarının elindedir. Filmde katışıksız psikiyatrik baskı gibi sunulan uygulamalara boyun eğmeye yanaşmayınca, cezalandırma amaçlı olduğu apaçık olan elektroşok tedavisine gönderilir. Tedavi istenen sonucu vermez. Geriye kalan tek çözüm, onu insan görünümlü bir bitkiye çevirerek cesaretini yok edebilecek lobotomidir. Akıbeti de bu olur.

Bu görüntüler halkın psikiyatrideki çeşitli somatik tedavilerin konumuna ilişkin algılarını silinmez biçimde değiştirdi ve bizzat mesleğin itibarını lekeledi. Söz konusu filmlerin çekildiği sırada elektroşok tedavisinden neredeyse

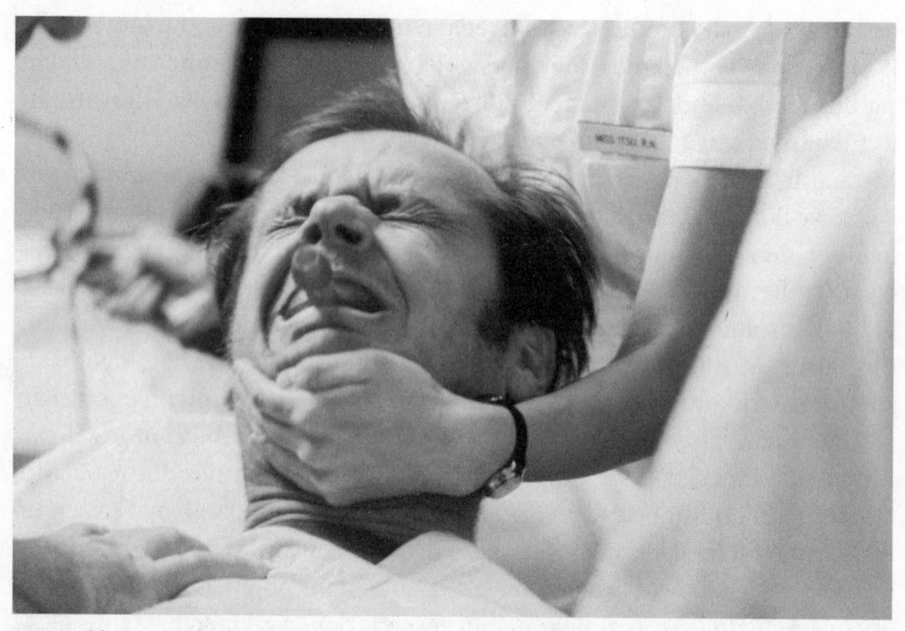

1975 tarihli *Guguk Kuşu* filminde Randle P. McMurphy'yi canlandıran Jack Nicholson, onu koğuş rutinini bozmaktan dolayı cezalandırmaya ve ortama uyum sağlaması için zorlamaya yönelik elektroşok tedavisini görüyor. Elektroşok tedavisi sonuç vermeyince, son çare olarak lobotomiye başvurulur.

tamamen vazgeçmiş olan mesleğin elinde, şizofreni ve depresyon, ayrıca daha önemsiz bir sürü akıl hastalığı (Bölüm On İki'de ele alınacak olan) için başvurulacak çeşitli psikoz ilaçları vardı. Ana-akıma bağlı psikiyatrlar, elektroşok tedavisinin kimyasal devalara direnen kötücül depresyon biçimlerine karşı tedavi araçlarında bir yeri hak ettiğini savunmayı sürdürdüler. Ama popüler kültürde hüküm verilmişti: Elektroşok tedavisi tehlikeli ve insanlık dışı bir uygulamaydı, insanların beyinlerini kavuran ve hafızalarını yok eden bir müdahaleydi. Lobotomiye gelince, bir avuç psikiyatri tarihçisi son zamanlarda itibarını en azından kısmen iade etmeye çalışıyor. Bunun umutsuz bir uğraş olduğu ortaya çıkmış durumda. Sadece bu konuda kolay ikna olan Scientology tarikatının mensupları arasında değil, kamuoyunda da konsensüs açıktır: Lobotomi bir suçtu ve başta gelen faili Walter Freeman tam bir manevi canavardı.

Bölüm On Bir

ANLAMLI BİR FASILA

ANLAM ARAYIŞI

Kurumsal psikiyatri ve bedeni hedef alan tedavilere hayranlığı, 20. yüzyılın ilk yarısında akıl hastalarının ezici çoğunluğuna dönük bakımı belirledi. Nitekim akıl hastanesi ve yöneticilerinin savunduğu tedaviler bu dönemde bütün yerküreye yayıldı. Fransızlar ve İngilizler Batı uygarlığının bu amblemlerini kendi sömürgelerine şevkle taşırken, yerlilerin bazen bu ilerleme ve modernlik belirtileri karşısında pek de büyülenmiş gibi görünmemelerine aldırmadılar. Hindistan'da ve Afrika'da,[1] özellikle de yerli halkları ortadan kaldırmayı ya da dışlamayı büyük ölçüde başarmış Avustralya, Yeni Zelanda, Arjantin[2] gibi ülkelerde akıl hastaneleri çoğaldı; buna modern bilimsel psikiyatrinin hazır kaynağı insülin koması, elektroşok, metrazol ve lobotomi yöntemlerinin yayılması eşlik etti. Batılı devletlerin tam sömürgeleştiremediği Çin bile, yarı bağımlı statüden kurtulmaya çalışmakla birlikte, Batı tarzı birkaç akıl hastanesinin dayatılmasını önleyemedi. Ancak bu kurumlar, delilik konusunda Çin'in kadim hekimlik geleneklerinde köklü yer edinmiş görüşlerle ve yaklaşımlarla sıkıntılı bir birliktelik içinde varlıklarını sürdürdüler.[3]

Ama çok farklı türden başka bir psikiyatri güç kazanmaya başladı. İki dünya savaşı arasında, Freud'un akıl hastalığına ilişkin teorileri ve tedavi yaklaşımı gittikçe artan rağbet gördü; ancak öğretileri her zaman sadece dar bir kesimin beğenisini kazandı. Siper savaşının tecrübeleri ve peşinden getirdiği sinir krizleri, travmanın ve deliliğin yakından bağlantılı olduğu fikrini akla yakın hale getirmeyi çeşitli açılardan sağladı. Geçmişte kaplıca kasabalarına akın eden ya da nörologların önerdiği yatak istirahatlerinden ve statik elektrik makinelerinden deva bekleyen hastalar, 20. yüzyıl başlarında bunların yerine psikoterapiyi denemeye eğilim duyar gibi oldu. Psikanaliz iç kavgalara ve bölünmelere maruz kalmakla birlikte, kurumsal düzeyde

1 Örneğin bkz. Jonathan Sadowsky, 1999; Jock McCulloch, 1995; Waltraud Ernst, 1991 ve 2013.

2 Catharine Coleborne, basılma aşamasında; Roy Porter ve David Wright (ed.), 2003.

3 Emily Baum, 2013. Neil Diamant (1993) Çin'in akıl hastanelerini sınırlı ölçüde benimsediğini, akıl hastalarına bakmada aileyi esas alma tutumunun sürdüğünü, Kanton'da ve Pekin'de polis ile akıl hastaneleri arasında işbirliği yapıldığını, küçük akıl hastanelerinin ağırlıklı olarak bazı can sıkıcı ve yıkıcı kişileri denetleyip dizginlemenin bir aracı olarak kullanıldığını vurgular. Daha geniş anlamda benzer savlar için bkz. Veronica Pearson, 1991.

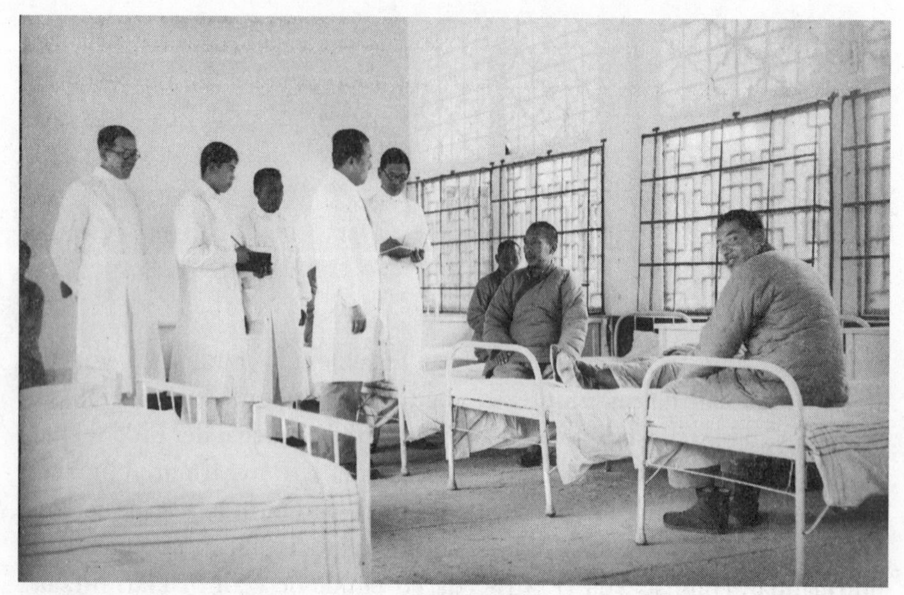

1930'larda Pekin Akıl Hastanesi'nde doktorlar ve hastalar. Batı tarzı akıl hastanesi Çin'e Rockefeller Vakfı'nın yardımlarıyla taşındı.

kendine özgü güçlü yanları ve cazibe kaynakları sayesinde varlığını sürdürüp gelişti. Bu bakımdan akıbetinin daha ayrıntılı bir irdelemesine girmeden önce, 20. yüzyılın büyük bir bölümündeki seyrini genel bir düzeyde irdelemekte yarar vardır.

Artan sayıda varlıklı hastayı psikanaliz kanepesine yönelten türden ruhsal sorunlar, onları yaşayanlar için çoğunlukla son derece can sıkıcıydı. Birçoğu, dışarıdan bakanlara, aşırı paranın ve boş zamanın nimetine ya da lanetine boğulmuş, amaçtan yoksun yaşayan ve evhamı da aşacak derecede dertlerini abartmaya yatkın narsistler gibi görünürdü.[4] Bazıları ise onlarla karşılaşanlarda sahiden aciz izlenimini uyandırırdı: Çaresizlik duygusu altında bunalma; nereden kaynaklandığı bilinmeyen, felç edici azaplarla harap olma; birlikte yaşanan kişilere aldatıcı ve neredeyse katlanılmaz gelen tavırlarla davranma. Kimin hangi kategoriye girdiğine tekil vakalarda karar vermek biraz tartışma konusuydu. Ancak aşikâr olan nokta, muhakeme gücü kimi zaman ne kadar kararsız görünürse görünsün, bu hastalardaki şikâyetlerin çoğu zaman

4 Amerikalı nörolog Silas Weir Mitchell böyle kişileri "birçok aileye musallat olan ve hekimleri çaresiz bırakan haşereler" olarak suçlarken, İngiliz akliyeci James Crichton-Browne şu karamsar görüşü belirtmişti: "Psikopat ya da nevropatik kişi [...] zırdeli değildir, kendini idare etmeye ehil bir insandır, çoğu kez mağdur edilmiş ve yanlış anlaşılmış biri gibi görünür, ama az çok ya da zaman zaman anormal, çetin, hırçın, bunalımlı, kuşkucu, kaprisli, eksantrik, fevri, mantıksız, huysuz, sapkın, her türden hayali maraza ve sinirsel gerginliğe açıktır." Her iki görüşü de akt. Janet Oppenheim, 1991, s. 293.

tutarlı düşünme ya da davranışları bir nebze denetleme yetisini mutlaka sarsmadığıydı. Bunlar yeterli maddi imkânlara sahip olduklarında, farklı bir psikiyatri hekimliği modeline dayanak sağlayabilecek bir müşteri kitlesiydi.

Psikanaliz özellikle Avrupa'nın Almanca konuşulan kesimlerinde, 1918'deki ateşkesi izleyen yirmi yılda birçok bakımdan daha önce görülmediği kadar gelişti. O yıllar ekonomik bakımdan sıkıntılı bir dönemdi. Yenilgiyle harabeye dönen İttifak devletleri, kaybeden tarafta olmanın cezası olan tazminatların yükü altındaydı. Eski parlak imparatorluk günlerinden pek eser kalmayan Avusturya'dan koparılan yeni ulus-devletler ortaya çıkmıştı. Viyana ihtişamını korusa bile eski kimliğinin küçülmüş ve yıpranmış bir kalıntısından ibaretti. Yıkıcı hiper enflasyon 1929'a doğru yerini dünya genelinde ekonomik çöküşe bıraktı. Ama bu dönemin büyük bölümünde, Freud'un düşünsel atılımı daha da güçlendi. Çekiciliği ise sınıf temeline ve (gerek hastalarda gerekse hekimlerde Yahudilerin orantısız bir ağırlık taşımasından dolayı) bir ölçüde etnik kökene bağlı olarak, ayrıca daha Birinci Dünya Savaşı'nın patlak verişinden önce, Freud'un onaylanmış veliahdı Carl Gustav Jung'un (1875-1961) kopuşuyla başlayan hizipçi bölünmeler ve kavgalar yüzünden sınırlı kaldı. Yeni bölünmeler psikanaliz atılımını yıllarca usandıracaktı.

Geçmişte psikanaliz tedavisine mermi şoku tedavisinde nadiren ve istisnai olarak başvurulmasına karşın, zihinsel karışıklığın kaynakları olarak ruhsal çatışmayı, travmayı ve baskıyı öne çıkarışı, birçok kişiye göre, çatışmanın dikkat çekici bir unsuru olan kitlesel sinir krizleri için en makul açıklamayı sağlıyor gibiydi. Mermi şokunun mağdurları savaştan sonra bu durumdan tam kurtulmadıkları gibi, aşağılanmayla ve aldırışsızlıkla karşı karşıya kaldılar. Savaşa geç girdiği için bu açıdan çok daha zayiat veren ve emekli askerlerine toplumun genelinden hâlâ esirgediği bir dizi sosyal yardımda bulunmayı geçmişteki iç savaşından beri alışkanlık edinmiş olan ABD dışında, emekli aylığı vaatleri bir tarafa bırakıldı. Genelde bu adamlar, yaşadıkları olayların daha bariz yara izlerini taşıyan silah arkadaşları gibi, bir utanç kaynağı ve bir yük sayıldılar. Savaş sırasında cesaretleri istismar edilmişti; sağlıkları ve hayatları yıkıma uğratılmıştı. Şimdi de büyük ölçüde kendi başlarının çaresine bakmak zorundaydılar.

Freud'un sembolleri, psikolojik çatışmaları ve baskıları, çağdaş kültürün gizli anlamlarını ve karmaşıklıklarını vurgulayışı, sanatçıları, edebiyatçıları, oyun yazarlarını ve film yapımcılarını onun fikirlerinden birçok açıdan yararlanmaya yöneltti. Freudcu kavramlar, özellikle New York'ta modern halkla ilişkileri kuran ve şirketleri bilinçaltı reklamın ciroda harikalar yaratabileceğine inandıran Freud'un yeğeni Edward Bernays'ın (1891-1995) çabalarıyla, reklam sektörüne sızdı. Psikanaliz modernist akıma ve kitlesel kültürün ortaya çıkışına muazzam etkide bulundu; ayrıca en azından bir süre için çocuk yetiştirme usullerinde, dilimizde ve gündelik sohbetlerimizde yaygın etkisi görüldü. Bugün bile, kanepede uzanmış hastaları konu alan sürüyle karikatüre bakılırsa, psikiyatrinin kamuoyundaki imajı hâlâ birçok bakımdan konuşma tedavisine ve psikanaliz "bilim"inin öncülerine bağlıdır. Üstelik Freud ve psikanaliz üzerine şaşırtıcı sayıda kitaplar yayımlanıyor; çok azı yeni şeyler söylüyor olsa bile bu işle uğraşanlar büyük ihtimalle bir kazanç elde ediyor olsa gerek.

Ne kadar garip! Garip, çünkü 20. yüzyılda ve 21. yüzyılın başlarında akıl hastalarının çoğu asla bir psikanalizciye yaklaşmadı. Garip, çünkü ana-akım psikiyatriye, Almanca konuşulan Orta Avrupa'da Hitler'in iktidara gelişinden önceki nispeten kısa dönem bir yana bırakılırsa, ABD'de İkinci Dünya Savaşı'nı izleyen çeyrek yüzyıl boyunca ve Arjantin'de daha da uzun süre genellikle kayıtsızlıkla, düşmanlıkla ya da horgörüyle bakıldı. Garip, çünkü akademik psikoloji, üniversite dediğimiz modern bilgi fabrikalarındaki yeri neredeyse yalnızca edebiyat, antropoloji ve ara sıra felsefe bölümleriyle sınırlı olan Freudcu fikirlere pek zaman ayırmamıştır. Garip, çünkü içtenlikle inananlardan oluşmuş küçük bir grup dışında, çok az insan ruhsal yaşamını yeniden şekillendirme arayışıyla psikanalize yöneliyor artık – günümüzde sağlık hizmetlerinin maliyetini idare eden muhasebeciler zaten böyle bir şeye izin vermez. Okumuş bir kitle, bilinçaltı benliklerimiz ve iç dünyalarımız hakkında büyüleyici hikâyeleri tasarlarken, insan psikolojinin gizli işleyişini açığa çıkarmayı sürekli vaat eden karmaşık bir düşünsel yapıya ilgi duymaya devam ediyor. Britanya'da ve Fransa'da, ayrıca birkaç büyük Amerikan kentinde, küçük bir azınlık analiz kanepesinde deva aramayı sürdürüyor. Ama dünyanın büyük bölümüde, tedaviye dönük bir müdahale anlamında psikanaliz adeta can çekişir durumdadır.

PSİKANALİZ AKIMI

Psikanalizin 20. yüzyılın ilk üçte birlik kısmında biraz destek bulduğu yerler büyük ölçüde Avrupa'nın Almanca konuşulan bölgeleri, yani Avusturya-Macaristan, Zürih, İsviçre'nin bazı kesimleri ve Birinci Dünya Savaşı'ndan sonra kurulan Weimar Cumhuriyeti döneminde Berlin başta olmak üzere bizzat Almanya'ydı. Freud yüzyılın başlarında, Zürih'teki Burghölzli Hastanesi'nin müdürü olan (ve şizofreni terimini ortaya atan, bkz. s. 265) Eugen Bleuler'in ilgisini ve yakınlığını çekmeyi kısa bir süre başarmıştı. Kuşağının çoğu psikiyatrı gibi, Bleuler de akıl hastalığının kökeni konusunda ağırlıklı olarak somatik bir açıklamaya bağlıydı, ama akıl bozukluklarının psikolojik boyutlarına bir ilgiyi tasvip etmeye çoğu çağdaşından daha yatkındı. Freud'un ve Josef Breuer'in *Histeri Üzerine Çalışmalar* kitabı hakkında olumlu eleştiri yazmış biri olarak, aralarında genç Carl Jung'un da bulunduğu personelini psikanaliz literatürünü incelemeye özendirdi. Bleuler'in aşırı dogmatik bulduğu psikanalize mesafeli bir tutum takınmasına karşın, içlerinden bazıları Freud'un yaklaşımını benimsedi. Bleuler 1911'de Uluslararası Psikanaliz Birliği'nden istifa ederken, hizipçi eğilimlerini eleştirdiği Freud'a şunu açıkça belirtti: "Bu 'ya hep ya hiç' tutumu kanaatimce dinsel topluluklar için gerekli ve siyasal partiler için yararlıdır; [...] ama bilim için zararlı olduğu görüşündeyim."[5]

Bleuler'in tavır değişikliği, anlaşıldığı kadarıyla, astlarını caydırmadı. Karl Abraham (1877-1925), Max Eitingon (1881-1943) ve bizzat Jung gibi kişiler, psikanalizin yararlarını övmeyi sürdürdüler. Jung ilk çalışmalarında bilinçaltı kompleksleri açığa çıkarmaya çalışırken, kelime çağrışımı incelemelerinden yararlandı. Laboratuvara ve nicel tekniklere başvurması, o zamana kadar klinik vaka incelemelerine dayanan bir uğraşa bilim havasını kattı ve psikanalizi ampirik psikolojiye bağlar gibi oldu. Psikanaliz camiasının dışından epeyce ilgi gören Jung'un gittikçe artan şöhreti ve ağır vakaları tedavi eden büyük bir akıl hastanesiyle bağları, Freud için hatırı sayılır değerdeydi. Böylece onu düpedüz göz ardı etmiş olabilecek bazı psikiyatrlar en azından fikirleriyle tanıştı ve Freudcu kavramlar Burghölzli'de çalışmaya gelen yabancı psikiyatrlarca özümsendi. Ama Jung'un kazandırdığı destekçiler yine de küçük bir azınlıktı. Almanya'da ve Avusturya'da Emil Kraepelin'in başını çektiği ve genel eğilime bağlı çoğu meslektaş, psikanalize dosdoğru horgörüyle olmasa bile kuşkuyla bakmaya devam etti.

Bu arada Fransız psikiyatrisi Freud'un teorileriyle ilgilenmeye yanaşmadı ve bu tutum 1960'lara kadar pek değişmedi. Görünüşe bakılırsa, Fransızların ilk başta psikanalizi reddetmelerinde milliyetçiliğin bir payı vardı. Fransa-Prusya Savaşı (1870-1871) ve Birinci Dünya Savaşı'nın dehşeti, Alman olan her şeye bir antipati yaratmıştı. Freud 1930'larda yaşanacak olaylar çerçevesinde bakıldığında ironik sayılacak bir gelişmeyle, anti-Töton tepkiden nasibini aldı. Fransızlar onun bütün ilginç fikirlerinin, Charcot'nun yanında eğitim gören Pierre Janet (1859-1947) gibi Fransızlar tarafından daha önce ortaya atıldığını ileri sürdüler. İşin aslına bakılırsa, Janet'nin teorileri ve yaklaşımı, Freud'unkilere kıyasla çok geri ve kabaydı; Janet'nin psikoterapiye yatkınlığın temelde yatan bir biyolojik dejenerasyonun kanıtı olduğu yönündeki ısrarı, varlıklı bir müşteri kitlesi çekmesini büyük çapta kısıtladı. Bununla birlikte, Freud'un fikirleri Fransız çevrelerinde ilgi görmekte zorlandı.

---

5 Akt. Peter Gay, 1988, s. 215.

Britanya'da 20. yüzyıl başlarının en tanınmış Freudcu siması olan Ernest Jones (1879-1958), daha sonraları Freud'un biyografisini yazacak ve yakın çevresinde yer alacaktı. Ama David Eder'la (1865-1936) birlikte 1911'de İngiliz Tabipler Birliği'ne psikanaliz konusunda bilgi vermeye çalıştığında, daha bildiri tartışılmadan bütün dinleyiciler dışarıya çıktı. Üstüne üstlük, Jones bir süre sonra hastalara cinsel istismar suçlamaları üzerine İngiltere'den kaçmak zorunda kaldı.[6] İngiliz psikiyatrların çoğu Sir James Crichton-Browne'ın [İngilizcede "Sahtekâr" anlamına gelecek şekildeki ufak bir yazım değişikliğiyle] "Fraud" diye andığı) Freud'a ilişkin değerlendirmesini paylaşıyor gibiydi. Ona göre, Freud'un çalışmaları, bastırılmış halde bırakmanın en uygun yol olacağı "zararlı anıları ortaya çıkarma"ya dayalıydı.[7] Edward döneminin sinir hastalıkları konusundaki en etkili yazarları arasında yer alan Sir Thomas Clifford Allbutt (1836-1925) ve Charles Mercier gibi kişiler, psikanalizin "erkekleri ve kadınları onlarda saplantı yaratan ıstıraplar içinde debelenmeye" teşvik etme eğilimine yüksek sesle karşı çıktılar. "Gömülü kalması daha uygun olacak anıları eşeliyor ya da doktorun güçlü telkinleriyle, hastalara akıllarından geçmiş olabileceğinden daha acımasızca azap çektiren uydurma anıların yaratılmasına fırsat veriyor."[8]

Esasen İngiliz psikiyatrların çoğu 20. yüzyılın başlarında, psikanalizin metin olmayı gerektiren durumlarda marazi içebakışı teşvik ettiği kanısındaydı.[9]Böylece bu alandaki önde gelen İngilizler, Alman-Yahudi saçmalığı olarak gördükleri eğilime karşı kenetlendiler. Hugh Crichton-Miller (1877-1959) İngiliz psikanalizcilere bir odak sağlamak üzere 1920'de Tavistock Kliniği'ni kurunca, Psikiyatri Enstitüsü'nün müdürü Edward Mapother (1881-1940) akademik çevrelerle yakınlaşmaması, Londra Üniversitesi'yle bağ kurmaması ve devlet hazinesinden yararlanmaması için siyasal gücünü kullandı.[10] Durumu zorlaştıran bir başka etken, Tavistock Kliniği'nin faz-

6 Jones gittiği Toronto'da beş yıl kaldıktan sonra İngiltere'ye döndü. Kanada'da kaldığı sırada yeni bir seks skandalı patlak verdi ve onu cinsel saldırıyla suçlayan bir kadını parayla susturdu; morfin müptelası olan eski hastası Loe Kann'la çarpık (yani evlilik dışı) ilişkisi epeyce dile dolandı. Bunlar kusurlarının sadece birkaçıydı, çünkü bir seri iğfalciydi. Ama söz konusu dönemde Freudcu fikirlerin yılmaz bir savunucusu oldu ve bir dizi Kuzey Amerikalının psikanaliz perspektifine ilgi duymasına büyük katkıda bulundu.

7 James Crichton-Browne, 1930, s. 228.

8 Janet Oppenheim, 1991, s. 307.

9 Michael Clark, 1988. Britanya'nın ilk psikiyatri profesörü olan Leeds Üniversitesi öğretim üyesi Joseph Shaw Bolton psikanalizi "sinsi zehir" diye küçümsedi (1926) ve Charles Mercier (1916) Freud'un sisteminin kısa sürede "ıskartaya çıkan devaların ârafında ezilmiş kurbağa ve ekşimiş süt yığınına katılacağı" öngörüsünde bulundu.

10 Mapother'in ardılı olarak Londra'daki Psikiyatri Enstitüsü'nün başına geçen Aubrey Lewis, psikanalizi dışlama konusunda aynı ölçüde kararlıydı. Usta ve acımasız bir akademik politikacı olarak, İngiliz psikiyatri [kuruluşunun] başına hiçbir psikanalizcinin getirilmemesini sağladı. Krş.. David Healy, 2002, s. 297.

lasıyla eklektik yaklaşımını beğenmeyen katı görüşlü analizcilerin ondan uzak durmasıydı.

FREUD VE AMERİKALILAR

Yenidünya bu konuda da farklıydı. Freud Birinci Dünya Savaşı'nın başlamasından tam beş yıl önce, Massachusetts'teki Clark Üniversitesi'nin kuruluşunun yirminci yıldönümünü kutlamak üzere düzenlenen konferanstaki yirmi dokuz konuşmacıdan biri olarak Amerika'ya davet edilmişti. Amerikalıları önemsemediği için ilk başta daveti geri çevirmişti. O zamanki en yakın öğrencisi Carl Jung'un ısrarı, ayrıca alacağı ücretin artırılması ve ona daha uygun bir tarihin belirlenmesi üzerine fikrini değiştirdi. Orada verilen onursal hukuk doktoru diploması, ömrü boyunca alacağı yegâne akademik paye olacaktı; bu ziyaret Kuzey Amerika'da psikanaliz için küçük ama önemli bir köprübaşı oluşturmayı sağladı.

Ancak ziyaret acı bir tecrübe oldu. Freud toplantılarda öyle çok önemli bir katılımcı olarak görülmedi; diğer konuşmacılar arasında Nobel Ödülü kazanmış iki fizikçi, Freud'dan çok daha fazla tanınan akademik psikologlar ve psikiyatrlar vardı.[11] Üstelik gördüğü takdir Amerikalılardandı; daha sonraki ifadesiyle, Amerika "bir hata, devasa bir hata"ydı.[12] Arnold Zweig'a (1887-1968) bütün ülkenin düşünsel kültürden zerre kadar nasip almamış "vahşiler"le ve üçkâğıtçılarla dolu bir "anti-cennet" olduğunu bildirdi. Taptığı tanrıya atfen, adının "Dolar Diyarı" olarak değiştirilmesi doğru olurdu. Freud'un ziyaretinden önce özel bir konuşmada Jung'a söylediği şey şuydu: "Sanırım, [...] psikoloji teorilerimizin özünü öğrendikleri anda, bizi sepetlerler."[13] Aradan geçen zaman nefretini hafifletmedi. Ernest Jones'a 1924'te sataşkan tavırla, "Para getirmeyince, Amerikalıların ne yararı var?" diye sordu. "Başka bir işe yaramazlar." Her ne kadar Freud görecek kadar yaşamasa da, psikanalizin en büyük başarıya ABD'de ulaşması büyük bir tarihsel ironidir.

---

11 Konferansı tanıtan tek sayfalı broşürde Freud neredeyse sonradan eklenmiş gibi görünür. Yeminli düşmanı William Stern yabancı konuklar arasında ilk sırada yer alır ve ancak broşürün sonunda toplam iki satırla Freud'un katılımına değinilir.

12 Freud'dan Ferenczi'ye, akt. Peter Gay, 1988, s. 564 (Kullandığım alıntılar Freud'un saldırgan Amerikan karşıtlığını uzun uzadıya ele aldığı s. 553-70'teki kısımdandır). Freud'a Clark seyahatinde de eşlik eden Macar psikanalizci Sándor Ferenczi, durumdaki ironinin tam farkındaydı. Freud'un konuya ilişkin düşüncelerini tahmin ederek ("Amerikalıları böylesine küçük görürken, Amerikalıların bana bahşettiği şerefen nasıl çok keyif alabilirim ki?"), şu yorumda bulunur: "Üniversitenin rektörüne onursal doktora diploması için teşekkür ederken gözlerinin neredeyse yaşlarla dolmasının, benim gibi saygılı bir izleyiciye bile biraz saçma gelmesi önemsiz bir duygu değil." Sándor Ferenczi, 1985, s. 184.

13 Zweig uluslararası düzeyde tanınan bir Alman yazar ve barışseverdi; Freud'la on iki yılı aşkın bir süre yazışma yaptı. Hitler'in itidara gelişinden sonra Filistin'e göç etti. Orada psikanaliz tedavisi gördü ve bir süre oranın psikanaliz camiası ile bizzat Freud arasındaki ana bağ oldu. Freud'dan Jung'a, 17 Ocak 1909, William McGuire (ed.) 1974, s. 196.

Freud'un ABD'ye ziyareti talihli bir zamana denk gelmişti. Orası bir yenilikler ülkesiydi ve Amerikalıların yeniliklerinden biri de yeni dinler ya da eskilerinin yeni çeşitlemeleriydi: Mormonluk (mensuplarının tercih ettiği adla Ahir Zaman Azizlerinin İsa Mesih Kilisesi), Battle Creek Sanatoryumu'nu kuran Yedinci Gün Adventistleri, Yehova Şahitleri vb. Bu yeni dinlerden ya da yeni Protestan mezheplerinden bazıları bedeni ve zihni iyileştirme iddiasıyla ortaya çıktılar. İçlerinden hiçbiri bu konuda Mary Baker Eddy'nin 1879'da kurduğu Bilimci Mesih Kilisesi'nden daha ısrarcı değildi. Muarızlarının zihinsel şifa kültü yakıştırmasına karşın, asabiyet şikâyetleri olanların da aralarında bulunduğu birçok kişi onun öğretilerine rağbet etti. Belki kısmen tepki olarak, geleneğe daha bağlı Protestan kiliseleri de kavgaya karıştı. Bunlardan biri olan, dışa kapalı oluşuyla tanınan ve başını Peder Elwood Worcester'ın (1862-1940) çektiği Boston Emmanuel Kilisesi, dinsel teselliyi ve psikoterapiyi tıbbi gözetim cilasıyla birleştirmeye çalıştı. Worcester'ın ilk başta saflarına katabildiği Harvard profesörlerinden William James ve James Jackson Putnam gibi kişiler, yaratılmasına katkıda bulunmuş olabileceklerini geç fark ettikleri Frankenştayn canavarını [fark edince] ürküp geri çekildiler. Psikoterapi bir an için tıp ehlinin elinden çıkıp din alanına kayacakmış gibi göründü. Böyle bir şey asla olmayacaktı. Freud'un Clark Üniversitesi'ndeki konuşmalarında "bilime ve akla" bu hakaretleri şiddetli reddetmesi, onu dinleyen tıp insanlarını haliyle memnun etti. *Boston Evening Transcript* gazetesinden Adelbert Albrecht'in onunla yaptığı bir röportajda, aynı mesajı daha geniş bir kitleye iletmeye çalıştı: "Ruh çalgısını tıngırdatmak öyle kolay değildir, benim tekniğim çok özenli ve meşakkatlidir. Amatörce bir girişim en kötü sonucu doğurabilir."[14]

Freud'un ziyareti sırasında dostluğunu kazandığı James Jackson Putnam (1846-1918) bir Harvard nöroloji profesörü olmanın yanı sıra toplumdaki ağırlığı Amerikan Bağımsızlık Savaşı'na kadar inen zengin bir Boston ailesindendi. Bu hayati önemde bir kazanımdı; çünkü Putnam'ın desteği hem psikanaliz ve cinsellik konusundaki bazı kaygıları giderdi, hem de bazı zengin hastaları çekti. Boston Psikanaliz Derneği'ni 1914'te kuran da Putnam'dı. Putnam'ın meslektaşı ve romancı Henry James'in kardeşi William James (1842-1910) ise o kadar etkilenmedi. Freud'un sadece bir konuşmasını dinlemekle birlikte, uzun bir yürüyüşte onunla sohbet etme fırsatını buldu; James'in kısa bir süre sonra ölümüne yol açacak kalp rahatsızlığına bağlı anjininden dolayı, zaman zaman kesintiye uğrayan bir fikir alışverişi oldu bu. Sohbeti ikna edici bulmayan James, Freud'u "sabit fikirlere saplantıyla bağlı bir adam" olarak nitelendirdi. "Onun rüya teorilerini kendi açımdan

14 *Boston Evening Transcript*, 11 Eylül 1909.

Clark Üniversitesi Konferansı, 10 Eylül 1909. Freud (ön sırada sağdan dördüncü) diğer katılımcılarla birlikte poz veriyor; sağında G. Stanley Hall, solunda da Carl Jung yer alıyor. William James ön sırada soldan üçüncü kişidir.

hiç anlayabilmiş değilim ve besbelli ki 'sembolizm' son derece tehlikeli bir yöntem." Sonraki bir mektupta, yaklaşımı daha da sertti: "Güçlü kuşkum o ki, Freud [...] sürekli sanrı gören biri."[15]

Ziyaret sonrası dönem Freud'un teorilerine öyle büyük çaplı bir yönelişe sahne olmadı. Almanca yaptığı Clark konuşmalarının İngilizce bir versiyonunun yayımlanması, temel fikirlerinin İngilizce konuşan bir okur kitlesine ilk kez ulaşmasını sağladı ve *Three Essays on the Theory of Sexuality* [Cinsellik Teorisi Üzerine Üç Deneme, 1905] kitabıyla birlikte, Amerikan çevrelerinde teorilerinin uzun vadede yayılmasına muhtemelen daha büyük katkıda bulundu. Başka yerlerde olduğu gibi, mermi şoku salgını da akıl bozukluğunun psikolojik köklerine ilişkin fikirlerin bazı Amerikalılara daha akla yakın gelmesine yardımcı oldu. Ama ana-akım Amerikan psikiyatrisi düşmanca tutumunu sürdürerek, bedensel bozukluklara sıkı sıkıya bağlı akıl hastalıklarından mustarip kişilerin tedavisinde, konuşma tedavisini yersiz ya da durumu kötüleştirici bir müdahale olarak gördü.

Zengin ve geveze sınıflara mensup bazı kişiler ise Freud'un fikirlerini çekici buldu ve psikanaliz tedavisine rağbet gösterdi. Gelgelelim, Freud'un

15 Akt. Ralph B. Perry, 1935, s. 122, 123.

John D. Rockefeller'ın buyurgan ve savurgan kızı Edith Rockefeller McCormick, Carl Jung'un "Dolar Teyze" adını taktığı hastalarının ilkiydi.

canını sıkacak bir gelişmeyle, bunların en zenginleri olan Edith Rockefeller McCormick (1872-1932) ve Mary Mellon (ö. 1946) ondan kopan Carl Jung'a yöneldiler ve servetlerinin yüklüce bir bölümünü (büyük ölçüde boşa çıkan) bir girişimle, Jungçu fikirleri yaymaya harcadılar.[16] Freud ile Jung arasındaki ilişkiler Amerika'dan dönüşlerinden sonra irin toplamaya başlamış ve 1912'ye doğru kesinlikle zehirli bir hal almıştı. Ocak 1913'te iki adam her türlü ilişkiyi kesti ve ertesi yıl bölünme geri dönülmez yola girdi. Psikanalizin eski veliahdı Freudcu akımla kalan bütün bağlarını kopardı ve kendi analiz psikolojisini geliştirmeye koyuldu. İzleyen dönemde Jung ve Jungçular, Freud ve takipçileri tarafından lanetlendi ve Jungçular da aynen karşılık verdi.[17]

16 John D. Rockefeller'ın müsrif kızı ve büyük biçerdöver şirketinin vârislerinden birinin karısı olan Edith Rockefeller McCormick, rüşvetle Amerika'ya yerleşmesini sağlayamadığı Jung'un yanında tedavi görmek üzere Zürih'e gitti. Jungçu bir analizci "ehliyet"i aldı, bir dizi ilişkiye girdi ve Jungçu bir eğitim merkezine çeyrek milyon dolar bağışladı. Mellon bankacılık grubunun vârisi Paul Mellon'la evli olan Mary Mellon, davaya kazandırdığı kocasıyla birlikte, günümüze kadar Jung'un mistik psikanaliz versiyonunu desteklemeye çalışan Bollingen Vakfı'nı kurdu.

17 Bu gelişmelere ilişkin yararlı bir değerlendirme için bkz. George Makari, 2008, Bölüm 7.

Gerçi Freud birkaç zengin Amerikalıyı Viyana'ya çekmeyi başardı;[18] ama hiçbiri Edith Rockefeller McCormick'in ya da Mary Mellon'un geniş maddi olanaklarına sahip değildi. Jung'un "Dolar Amca"ları ya da daha çok "Dolar Teyze"leri çekmedeki başarısıyla kırıcı karşılaştırmalar, Freud'un eski öğrencisine nefretini daha da körükledi. Büyük ihtimalle ABD'ye karşı köklü tiksintisini de azdırdı.

Oysa garip bir cilveyle, Amerika'da psikanaliz bir ölçüde başarıya ulaşma yolundaydı. Akıl hastanesinde çalışmayı boğucu bulan ve muayenehane hekimliğine özlem duyan psikiyatrların yanı sıra, frengi ve skleroz konusundaki teşhis kesinliğini tedavi acizliğiyle eşleştiren bir alt uzmanlıktan hoşnutsuz bazı nörologlar psikoterapiyi benimsemeye başladı. Yeni palazlanan bu psikiyatri dalının konulması için, Birinci Dünya Savaşı'ndan sonra ortaya çıkan evlilik ve çocuk rehberliği klinikleri gibi bazı yeni alanlar vardı. Popüler dergilerin konuya ayırdığı yere bakılırsa, halkın bilinçaltına ilişkin psikanaliz açıklamalarına dönük iştahı artıyor gibiydi. Ama ana-akım tıp, birçok kişinin bir tür sahte hekimlik saydığı mesleğe karşı kuşkucu, hatta düşmanca tutumunu sürdürdü. Derken bir de psikanalizle neyin kastedildiği sorunu ortaya çıktı.

Amerikalılar Freud'un bakışının daha karanlık yanına aşırı hayranlığa hiçbir zaman kapılmadılar. Onun 1920'lerde uygarlık ile birey arasındaki temel gerilimlerin gittikçe kasvetli bir tasvirini benimsemesi, benliği bastırmanın ve sürekli hoşnutsuzluk duygusunun belki de uygar yaşamın bedeli olduğunu öngörmesi üzerine, daha az nahoş bir alternatif aramaya yöneldiler. Freud'un *Bir Yanılsamanın Geleceği* (1927) kitabında, dinin bir nevroz ve Tanrı'nın da baba figürüne çocuksu özlemin eseri olduğunu belirtmesi, inançlılarla dolu bir toplumda birçok kişiye sevimli görünmesini sağlamaktan uzaktı. Bu ilk başta pek önem taşımadı; çünkü Freud'un yolunu izleme iddiasındaki Amerikalılar onun düşüncelerinde hoşlarına gitmeyen şeyleri yok saymakta pek sıkıntı çekmediler.

Hiç kimse katı bağlılığı dayatmadığı için, Amerikan kisveli psikanaliz tamamen eklektik bir tarzda sulandırıldı, çarpıtıldı ve yeniden şekillendirildi; ruhsal sorunlara ve iyileştirilme ihtimallerine ilişkin çok daha olumlu ve iyimser bir perspektife kavuşacak hale getirildi. İyimserlik revaçtaydı. Bu değişimin bariz bir örneği, Freud'un kişisel gözdelerinden Viyanalı mülteci Heinz Hartmann'ın (1894-1970) "ego psikolojisi" adını verdiği bir teorik gö-

18 Freud durumu alçaltıcı ve nahoş buldu. Heinrich Meng'e şunu belirtti: "Kıt mesai zamanımın kalanını pahalıya satmaya [...] maalesef mecburum. Saat başına 250 Alman Markı istemem gerekeceği için, kendi ülkelerinde normal saatlik ücreti ödeyen İngilizleri ve Amerikalıları tercih ediyorum. Yani, onlardan yana bir tercihim yok, onları almak zorundayım." Freud'dan Meng'e, 21 Nisan 1921, Kongre Kütüphanesi, Washington, DC.

rüşü geliştirmeye koyulmasıydı. Psikolojik çatışmaları ve içgüdüleri önemsiz göstererek, egoyu ve gerçekliğe uyum sağlamayı desteklemedeki rolünü öne çıkaran bu yaklaşım, birçok Amerikalıya Freud'un koyu kötümser açıklamalarından daha sevimli geldi. Daha geniş anlamda, birçok Amerikan kisvesiyle psikanaliz, endişelerden ve ruhsal sorunlardan kurtulmayı vaat etti. Böyle vaatler bir akıl hastanesinde tedavi görmeyi asla aklından geçirmemiş olacak bazı varlıklı hastaları çekti.

Film sektörünün büyük hızla genişlediği Hollywood, bu bölümün sonraki sayfalarında göreceğimiz üzere, Freudcu fikirlerle gözle görülür biçimde büyülendi. Bu saptama hem kamera önünde oynayanlar hem de işverenleri için geçerliydi; 1945 sonrasının psikanaliz sevdası, dönemin en başarılı filmlerinin birçoğunda gayet açıktı.[19] Doğu Kıyısı'nda, özellikle kuzeydoğudaki oldukça büyük Yahudi topluluğun hali vakti yerinde mensupları arasında, psikanalizciler ürünleri için hevesli tüketiciler buldular. Gittikçe kalabalık ve köhne hale gelen eyalet akıl hastanelerinin koğuşlarını dolduran yüz binlerce ağır akıl hastasına kıyasla, çok daha küçük bir pazardı bu. Ama hatırı sayılır sosyal ve kültürel sermayeye, ayrıca klasik analiz tedavisinin önkoşulu olan bolca paraya, yani aylara ve yıllara yayılmak üzere, her hafta saatlerce süren seansları karşılayacak maddi güce sahip, eğitimli ve toplumda sivrilmiş bir kesimdi. Hareketli bir yaşam süren, varlık içinde yüzen ve düşüncelerini rahatça ifade edebilen bu kesimin yakındığı köklü endişeler ve nevrozlar, kolay tedavi yollarına elvermeyen ve uzun süreli tedaviyi gerektiren nitelikteydi. Dolayısıyla akıl hastanelerinde çoğunluğu oluşturan, sosyal açıdan dışlanmış, çoğu kez yoksul, yetersiz eğitimli, kuruntulu, sanrılı, derin depresyonda, içe kapanık ya da düpedüz bunak hastalarla karşılaştırıldığında, çok daha cazip bir hasta topluluğu söz konusuydu.

Psikanalizin mesajını daha geniş bir Amerikan kitlesine yaymaya katkıda bulunan sapmalar ve sulandırmalar, Freud'un daha katı görüşlü tilmizlerinin canını epeyce sıktı; ama bunun önüne geçecek güçleri yoktu. Clark Üniversitesi'nde Freud'u dinlemeye gitmiş olan Isador Coriat (1875-1943) daha 1921'de, "Psikoterapi diye bir şey yoktur, psikanaliz vardır ve Freud onun peygamberidir," deyip durduğunu ama bu nakarata kimsenin kulak asmadığını şaka yollu belirtti.[20] Bunun yerine, psikolojik düzelme ihtimaline ağırlık veren bir yaklaşım, gerek (Kansas'ın Topeka kentinde psikoterapi sunan bir aile işletmesi kurmuş) Menninger kardeşler gibi yerli Amerikalı analizciler, gerekse Doğu Kıyısı'nda yaşayan göçmen analizciler arasında

---

19 Örneğin bkz. Stephen Färber ve Marc Green, 1993; Krin Gabbard ve Glen O. Gabbard, 1987. Bu olguyu bölümün sonraki sayfalarında daha etraflı inceleyeceğim.

20 Isador Coriat'tan Ernest Jones'a, 4 Nisan 1921, Otto Rank Belgeleri, Nadir Kitap Bölümü, Columbia Üniversitesi, New York City.

revaç buldu. Kendilerini birer üstün varlık gibi gören ikinci kesim, başka açılardan Amerikalı meslektaşlarını görkemli Freudcu yapının anlayışındaki ışıltıyı pek taşımayan maddiyatçı dönmeler sayıp küçümsediler.

SÜRGÜNE GİDİŞ

Derken sahneye Hitler çıktı. Nazilerin iktidara gelişi çok geçmeden Almanya'da psikanalize son verdi ve bir bölümü Londra'ya, daha büyük bölümü başta New York olmak üzere ABD'nin doğu kentlerine yönelik bir mülteci akınını başlattı. Yahudilerin ağırlıkta olduğu Berlin ekolü baskıya uğrayan ilk çevre oldu ve önderleri 1930'ların başlarında Amerika'ya kaçtı. İzleyen yıllarda onlara Avusturyalılar ve Macarlar katıldı.[21] Göçmenlerin kısa sürede New York Psikanaliz Derneği'ne hâkim olmasıyla, Viyana ekolü haliyle Manhattan'da dirilmiş oldu.[22]

Almanya'nın Avusturya'yı ilhakı (*Anschluß*) 12 Mart 1938'de gerçekleşti. On beş yıldır mücadele ettiği ağız kanseri yüzünden ağır hasta olan Freud, ölme tehlikesiyle karşı karşıyaydı; Gestapo'nun, kızı Anna'yı (1895-1982) ürkütücü bir sorguya çağırması, ailesinin de başında aynı tehlikenin bulunduğunu anlamasını sağladı. Ernest Jones'un yardımıyla ve öteden beri finansal meleği olan Prenses Marie Bonaparte'ın (1882-1962) Nazilerce istenen kaçış vergisini ödemesiyle, hastalıklı halde Londra'ya doğru yola çıkmayı başardı; yanında karısı Martha, kızı Anna, bir hizmetçi ve bir doktor vardı.

Hampstead'deki sürgün yaşamında, 20 Maresfield Gardens adresindeki evde Viyana muayenehanesini yeniden açmasıyla, Freud hastalarına bakmaya devam etti (Resim 41). Ama sağlık durumu sürekli kötüye gitti ve ağrıları dayanılmaz hale geldi. Kanser, yüzünü kemirdi. Sarkan etlerin pis kokusu yüzünden, ev köpeği bile ondan uzak durur oldu. Çektiği ıstırap, metanetiyle tanınan Freud'a gına getirdi. Uzun süreden beri hekimliğini yapan Max Schur'a (1897-1969) son anda yardımcı olması yönündeki sözünü hatırlattı. "Artık işkenceden başka bir şey değil ve bir anlamı yok." Schur 21 Eylül 1939'da Freud'a ilk kez morfin verdi. 22 Eylül'de tekrar iğne yaptı. Ertesi gün Freud öldü.

Freud'un ölümü, İkinci Dünya Savaşı'nın ilk salvolarının bir ay kadar sonrasına denk geldi. Birçok analizci Kıta Avrupası'ndan kaçmıştı. Kaçamayanların çoğu Nazi yönetimine eşlik eden kıyımda can verdi. ABD'ye mülteci akını, mesleklerini icra etmeye çalışan psikanalizcilerin sayısını kaçınılmaz

---

21 New York'ta ve diğer birkaç kent merkezinde toplanma eğilimi, sadece bütün göçmen topluluklara özgü köklü alışkanlıkların değil, o zamanki kırk sekiz eyaletten yalnızca yarım düzinesinin yabancı tıp doktorlarına mesleklerini icra etme iznini vermesinin sonucuydu.

22 Bu gelişmeler için bkz. George Makari, 2012.

olarak epeyce artırdı. Öte yandan gerginlikleri de yükseltti. Orta Avrupalılar Amerikalı meslektaşlarını, hatta Freudcu katı çizgiye makul ölçüde uyum sağlamış olanlarını pek önemsemediler. Onları düşünsel ve kültürel bakımdan düşük sayarak, bu doğrultuda davrandılar. Duygular kabardı ve psikanaliz içinde hep var olmuş hizipçi görüşler gittikçe belirginleşti. İnançlı camianın dışında pek ilgi görmese de, ayrılıklar ve ağız dalaşları patlak verdi. İşin garip tarafı, psikanalizin Orta Avrupa'nın göbeğindeki varlığını yok eden savaş, ekoller arasındaki kavgalara rağmen, sonuçta ABD'de başarı şansını çarpıcı biçimde genişletecekti.

Freud ömrü boyunca, bölünmelere kendince katkılarda bulunmuştu. Aykırı düşüncelere karşı hoşgörüsüzlüğü ve olağanüstü kindarlığı dillere destandı; ona ters düşenler genellikle yakın çevreden uzaklaştırılır ve ebedi sürgüne mahkûm edilirdi.[23] Ama böyle kavgalar, dışarıdan bakanlara genel tablo içinde pek önemli değilmiş gibi görünürdü. Freud'un öldüğü sırada, dünya bir kez daha yıllarca sürecek savaşa boğulmak üzereydi ve çatışmalar atomun korkunç gücünün masum sivillerin üstüne salınmasıyla son bulacaktı. Alman akıl hastalarını yok etmek için ellerinden geleni yapmış olan Naziler, artık bu personeli ve donanımı Yahudileri, "aşağı ırktan" diğer toplulukları ve siyasal muhalifleri yok etmeye yönelik kamplara aktarma sürecindeydi. Uygarlık cilası sıyrılıp dökülme yolundaydı. Karanlık ve yıkıcı kuvvetler yeniden işbaşındaydı; hizmetlerindeki modern tıbbın ve bilimin gücü insan eseri bir cehennem, daha doğrusu çok sayıda cehennem yaratmaya yöneltildi.

TOPYEKÛN SAVAŞ VE SONUÇLARI

Kötümserliğin peygamberi Freud dahi, dünyanın başına gelen barbarlığı görecek kadar yaşasaydı, durum karşısında irkilebilirdi. Ancak bu korkunç savaş, psikanaliz davasını ileriye götürmeye her şeyden daha fazla katkıda bulundu. Britanya'da sınırlı ölçekte kalan atılım, Freud'un bakışının bir versiyonunun çeyrek küsur yüzyıl boyunca psikiyatriye hâkim olduğu, psikanaliz fikirlerinin ve kavramlarının popüler kültüre bile sindiği ABD'de çok daha geniş ve daha kalıcı bir ölçeğe vardı. Deliliğin anlam yüklü olduğunu, aslında deliliğin kökeninde anlamlar yattığını savunan, çatlaklığın kaynağını açıklayan ve iyileştirilme yolunu gösteren bu yaklaşım, birçok kişiye tartışmasız doğru gibi geldi.

---

23 Takipçilerinden birinin ifadesi şöyleydi: "Daß Freud allzeit ein grimmer Hasser war. Stets hat er weitaus mächtiger hassen als lieben können". [Freud her zaman büyük bir kindardı. Nefreti sevgisinden çok daha güçlü olabilirdi.] Isidor Sadger, 2005 (ilk yayımlanışı *Sigmund Freud: Persönliche Erinnerungen*, 1929). Sadger daha 1895'te Freud'un konuşmalarını dinleyen ilk üç kişi arasında yer almış ona bağlı bir öğrenci ve daha sonra Çarşamba Psikoloji Derneği'nin de sadık bir müdavimiydi. Nazi tehdidinden kaçamayanlardan biri olarak, Theresienstadt toplama kampında 21 Aralık 1942'de öldürüldü.

Sözde uygar dünyayı saran yeni çatışma, endüstriyel ve mekanize savaş ile askerlerin psikolojik dengesinin çoğu kez bağdaşmaz olduğuna ilişkin yeni kanıtlar sundu – tabii bunun için kanıta gerek olduğu söylenebilirse. Aynı ders daha sonra Kore Savaşı'nda, Vietnam'da, mahut Soğuk Savaş'ı ve sonrasını belirleyen ve lekeleyen sonu gelmez askeri çatışmalar dizisinde ve iki Körfez Savaşı'nda acılı biçimde yeniden alınacaktı. Vietnam'dan sonra Amerikalı eski muhariplerin siyasal etkisi, travma sonrası stres bozukluğu diye yeni bir nozoloji kategorisinin oluşturulmasını getirecek ve bu hastalık çok geçmeden başta cinsel türden olmak üzere diğer şiddet biçimlerinin mağdurlarını kapsayan bir genişliğe varacaktı. Ama askerler arasındaki psikiyatrik sorunlar, 20. yüzyıl sonlarında psikiyatrinin siyasallaşmasını beklemedi. İkinci Dünya Savaşı sırasında orduların karşı karşıya kaldığı kaçınılmaz bir gerçeklikti bu.

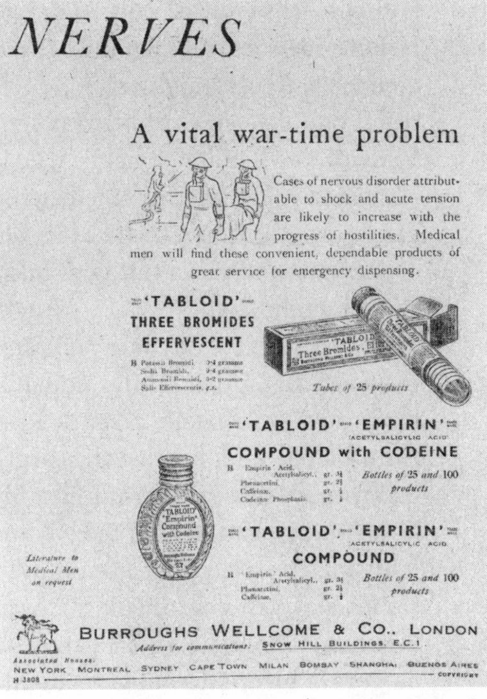

Savaş döneminde sinirler. İlaç şirketi Burroughs Wellcome savaş dönemi baskılarının beraberinde bir sürü asap bozukluğu getireceğini önceden tahmin ederek, kimyasal bir deva sunmak için hemen harekete geçti.

Nazilerin soruna buldukları basit bir çözüm vardı. Akıl hastalarını katletmekte nasıl duraksamadılarsa, sinir krizi geçiren askerlere karşı da yarım yamalak tedbirlere başvurmadılar. Deliren Wehrmacht askerlerinin kurşuna dizilmemelerinin tek yolu disiplinli olmaktı.[24] Alman psikiyatrlar arasındaki konsensüs, Birinci Dünya Savaşı'ndaki mermi şoku mağdurlarının yalandan hastalar ve korkaklar oldukları ve onlara hastalıklı kişiler gibi yaklaşma hatasının tekrarlanmaması gerektiği yönündeydi. Alman Başkomutanlığı bu görüşü şevkle onayladı. Özellikle Doğu Cephesi'nde sinir krizleri yine de yaşandı; ama savaş nevrotiklerini anında idam mangalarının karşısına dikme ya da zorla cepheye sürme gibi sert yaptırımlar uygulandığında bile resmen görmezlikten gelindi.

24 Birinci Dünya Savaşı'nda sadece 48 Alman askeri kurşuna dizilmişti. Buna karşılık, İkinci Dünya Savaşı'nda infaz edilenlerin sayısı 1944 sonunda on bine ulaştı ve 1945'in ilk dört ayında beş bin kişi daha bir disiplin tedbiri olarak öldürüldü. Ben Shephard, 2000, s. 305. Acı veren Kaufmann "tedavi"leri de yeniden gündeme geldi.

İngilizler kendi askerlerini kurşuna dizmeye o kadar düşkün olmamakla birlikte, mermi şoku salgınının tekrarlanmasından kaçınma konusunda aynı ölçüde kararlı davrandılar. Önde gelen İngiliz psikiyatrlarının geliştirdikleri resmi politika, nevrotik arazlar sergilemeyle elde edilecek "her türlü ödül beklentisi"ni bertaraf etmekti. "Hiç kimse nevroz gerekçesiyle ordudan çıkarılmamalı ve böylelerine emekli aylığı ödenmemeli"ydi."[25] Askerde, kendini hasta görme eğilimini teşvik edeceği için karmaşık tedaviden kaçınılmalı, onu cephe hatlarına yakın tutma ve birliğine olabildiğince erken geri gönderme yoluna gidilmeliydi.

Ne var ki, savaş boyunca psikiyatrik zayiat arttı. Bütün savaş cephelerinde çarpışma alanından tahliye edilen hastaların ve yaralıların ortalama % 5'i ila % 30'u psikiyatrik zayiattı. Resmi istatistikler sorunun büyüklüğünü rutin olarak küçük gösterdi; çarpışmaların en şiddetlendiği durumlarda, psikiyatrik sinir krizlerinin görülme sıklığı en yüksek düzeydeydi. Dunkirk ricatı sırasında tıbbi tedavi altına alınanların sadece % 10'una resmen "çatışma stresi" teşhisi konuldu;[26] ama bu muhtemelen sorunun gerçek çapını gizleyen çok düşük bir orandı, çünkü tahliye edilenlerin birçoğu Britanya'ya dönüşte askeri psikiyatri koğuşlarına yatırıldı.[27] Savaş sırasında göreve elverişsiz bulunan İngiliz askerlerin % 40'ının terhis gerekçesi psikiyatrik sebeplerdi.[28]

İtalya'da 1944'te bir Kanada tümeni art arda iki muharebede çok sert çarpışmalara girdi. Psikiyatrik zayiat oranı, tümeni oluşturan dokuz birlikte değişkendi: Birincisinde % 17,4 ila 30,5; ikincisinde % 14,6 ila 30 arasındaydı. Ama ikinci muharebeden önce komutanlara, "gevşeklikten ya da zayıflıktan kaynaklandığı kanaati doğrultusunda, psikiyatrik zayiata karşı sıkı bir disiplin tavrını benimseme" talimatının verilmesine karşın, tümendeki toplam psikiyatrik zayiatın yüzdesi % 22,1'den % 23,2'ye çıktı. Normandiya istilası sırasında İngiliz ve Kanadalı askerlerde psikiyatrik zayiat en azından aynı ölçüde yüksekti; tedavi edilenlerin ancak küçük bir kesimi, % 20'den azı, daha sonra muharip göreve döndü.[29] Savaşın ardından ünlü bir İngiliz komedyen olarak adını duyuracak Spike Milligan (1918-2002) bunlardan biriydi. İtalya'nın Monte Cassino yöresindeki şiddetli çarpışmada ilk sinir krizini geçirdi. Hattın gerisinde üç gün tedavi gördükten sonra birliğine gönderildi. Ama bir hafta boyunca çatışma seslerini duyduğunda ağlaması,

---

25 Ben Shephard, 2000, s. 166.

26 R. J. Phillips, "Psychiatry at the Corps Level", Wellcome Tıp Tarihi Kütüphanesi, Londra, GC/135/ BI/109.

27 Edgar Jones ve Simon Wessely, 2001.

28 Ben Shephard, 2000, s. 328.

29 Edgar Jones ve Simon Wessely, 2001, s. 244-245.

kekelemesi ve yere yatıp sinmesi sonunda komutanlarının sabrını taşırdı. Bu sefer çarpışma alanından çok uzaktaki üs kampına gönderildi ve orada psikiyatri bölümünün yazıcısı olarak görevlendirildi (Kim demiş ki, ordularda bir ironi duygusu olmaz). Onun için savaş bitmişti ve başka birçok psikiyatri mağduru gibi, "[utanç] duygusunu asla üzerinden atamadı" ve cepheden çekildiği günü "hayatındaki en hüzünlü günlerden biri" saydı.[30]

Japonların 7 Aralık 1941'deki Pearl Harbor baskınına kadar savaşın dışında kalan Amerikalılar için durum güya farklı olacaktı. Dışa kapanmanın en bağnaz savunucuları dışında herkes, savaşın yaklaşmakta olduğunun farkındaydı. Amerikan psikiyatrisi, askeri makamları Birinci Dünya Savaşı'ndaki sorunlardan kaçınmanın en emin yolunun bütün asker adaylarını taramadan geçirme ve psikiyatrik açıdan uygunsuz olanları eleme olduğuna ikna etmek için seferber oldu. Böylece büyük çapta ruhsal zayiatla bağlantılı lojistik ve moral sorunlardan kaçınılabilirdi. Yeni politika büyük bir başarı sayıldı. Yaklaşık 1.750.000 asker adayı ayıklandı; bu ürkütücü bir rakamdı ama en azından ordu, cephedeki sinir krizlerinin beraberinde getirdiği sorunlardan kesinlikle kurtulmuş olacaktı.

Gelgelelim, öyle olmadı. Daha 1942'de, yani ABD'nin savaşa girmesinden sadece birkaç ay sonra, sanki ön tarama hiç yapılmamış gibi, askerler arasında psikiyatrik zayiat tırmanışa geçti. Muharebe alanı dehşeti, hatta bazen muharebe alanı dehşetini yaşama ihtimali, kitleler halinde yeni psikiyatrik zayiat yarattı; ordunun morali ve randımanı açısından beliren tehdide çözüm bulacak psikiyatrlara ve psikologlara dönük büyük çaplı bir talep de haliyle ortaya çıktı. Mermi şoku yerine kullanılan terimlerle, "savaş nevrozu" ya da "muharebe bitkinliği" hızla yayıldı.[31] Savaş yıllarında bir milyondan fazla kişi nöropsikiyatrik sorunlar nedeniyle Amerikan hastanelerine yatırıldı. 1944'te Avrupa cephesindeki muharip birliklerde hastaneye yatışlar binde 250 gibi olağanüstü yüksek bir orandaydı.[32] Örneğin, 1943'teki Sicilya harekâtında Amerikan psikiyatrik zayiatı tedavi için Kuzey Afrika'ya nakledildi; bunların ancak % 3'ü cepheye döndü.[33] Bu arada "ABD'nin 1942 yazında ve sonbaharında Guadalcanal'daki büyük çaplı Pasifik harekâtında tahliyeyi gerektirecek kadar ağır zayiat içinde psikiyatrik vakaların oranı % 40'ı buldu."[34] Üstelik psikiyatrik bozukluklardaki yükseliş, çatışmanın hemen ardından bir azalma belirtisi göstermedi. 1945'te askeri hastanelerin koğuşlarında yatan 50.662 nöropsikiyatri hastasına, terhis edilen ve psikiyatrik maluliyet nedeniyle

30 Spike Milligan, 1980, s. 276-288, akt. Ben Shephard, 2000, s. 220.
31 Roy S. Grinker ve John P. Spiegel, 1945; Abram Kardiner ve Herbert Spiegel, 1947.
32 Gerald Grob, 1990, s. 54.
33 Ben Shephard, 2000, s. 219.
34 Ellen Herman, 1995, s. 9.

1947'ye kadar Eski Muharipler İdaresi'nden aylık alan 475.397 askeri de eklemek gerekir.[35]

Savaş öncesi psikiyatride Freudcuların marjinal konumu açısından garip sayılacak bir gelişmeyle, gerek İngiliz gerekse Amerikan ordusu savaş dönemindeki psikiyatri hizmetlerinin komutasını psikanalize yakınlık duyan kişilere teslim etti: İngiliz ordusunda Tavistock Kliniği'nden J. R. Rees (1890-1969), Amerikan ordusunda ise Kansas'ın Topeka kentindeki Menninger Kliniği'nden William Menninger (1899-1966). Bu belki de Birinci Dünya Savaşı'ndan çıkarılan dersin, psikiyatrik zayiatın psikolojik stresten kaynaklandığı görüşünün bir yansımasıydı. Sebep ne olursa olsun, psikiyatrik insan gücündeki vahim açık, hekimlerin hızla yetiştirilip işe koşulmasını zorunlu kıldı. (1940'ta Amerikan Psikiyatri Birliği'nin sadece 2.295 üyesi vardı, bunlar çoğunlukla akıl hastanelerinde çalışmaktaydı ve ordu 1945'e kadar en azından buna yakın sayıda kişiyi işe alacaktı.) Menninger'in öncülük ettiği bu eğitim somatik tedavilere değil, psikoterapiye dayalıydı. Vakaların çokluğu karşısında, bireysel psikoterapi imkânsız olduğundan, grup tedavisi öne çıktı.

AMERİKAN TARZI PSİKANALİZ

Savaşın ardından, daha eklektik İngiliz psikiyatrlar, edindikleri tecrübelerden tedavi topluluğu fikrine vardılar ve sivil akıl hastanelerini bu doğrultuda yeniden düzenlemeye çalıştılar. Sosyal ve psikolojik etkenlere, iyileşmeyi teşvik edecek bir ortam yaratmak üzere hem hastaları hem de personeli seferber etmeye ağırlık verildi. Ancak yaklaşımı geliştirmede Wilfred Bion (1897-1979), John Rickman (1891-1951), Harold Bridger (1909-2005) ve S. H. Foulkes (1898-1977) gibi bir dizi İngiliz psikanalizcinin ağırlıklı rol oynamasına karşın, sunulan psikoterapi bireysel analize değil, grup seanslarına dayalıydı. Gerçeğe yansıma ideal düzeyinde kalsa bile mevki ve statü ayrımlarını silmeyi ya da en aza indirmeyi amaçlayan tedavi topluluğunun daha "demokratik" yapısı, savaş sonrası Britanya'nın daha eşitlikçi kültürüne çok uygundu ve grup psikoterapisi bireysel psikanalizden haliyle çok daha ucuzdu.[36]

Genelde savaş İngiliz psikiyatrları yola getirdi ve Tavistock Kliniği'nin resmi tarihi, çarpışmalar sırasında "travmatik nevrozların tedavisine pek de önemli bir yeni katkıda bulunulmadığını" teslim etti.[37] Eski askeri üstlerinin tamamen paylaştığı makul bir değerlendirmeydi bu. Savaşın sonunda, İngiliz subaylar aşağılayıcı bir tabirle *trick cyclists* ["dalavere çevirenler"] adını

35 Ben Shephard, 2000, s. 330.
36 Bkz. D.W. Millard, 1996; T. P. Rees, 1957; Edgar Jones, 2004.
37 H.V. Dicks, 1970, s. 6.

taktıkları psikiyatrları "toy, tecrübesiz, askeri gerçeklerden bihaber ve aşırı dogmatik" sayıp küçümsediler.[38] Savaşın bitmesiyle psikiyatri hizmetlerine artık pek gerek ya da istek kalmayınca, ordunun mesleğe dönük köklü horgörüsü tekrar açığa çıktı.

İngiliz psikiyatrisinin Amerikan meslektaşları ise daha zengin ve uysal bir piyasa ve belki hünerlerini safdil bir kamuoyuna pazarlamada daha becerikli olmaları sayesinde, tabelalarını astılar ve bireysel psikoterapiyi uyguladılar. Daha 1947'de, savaş öncesi teamüllerden dikkat çekici bir kopuşla, Amerikalı psikiyatrların yarısından fazlası artık özel hekim olarak ya da polikliniklerde çalışmaktaydı; mesleklerini geleneksel eyalet hastanelerinde icra edenlerin oranı 1958'de % 16'ya kadar düştü. Dahası, mesleğin çekim merkezindeki bu hızlı kayış psikiyatr sayısının mutlak olarak olağanüstü arttığı bir bağlamda gerçekleşti. Amerikan Psikiyatri Birliği'nin 1948'de 5.000'in altında olan üye sayısı 1976'da 27 bini aştı.[39] Yeni aldığı rütbeyle Tuğbay William Menninger 1948'de, daha sonra aynı görevi üstlenecek birçok psikanalizcinin ilki olarak başkanlığa seçildi. *Time* dergisi bu olayı, kapağında bir anahtarın ve anahtar deliğinin eklendiği bir insan beyni resmiyle birlikte onun portresine yer vererek kutladı. Deliliğin sırlarını çözme süreci artık hızla ilerleyebilirdi.

1960'lara varıldığında, ABD'de çoğu üniversitenin psikiyatrik bölümünde kürsü başkanı, eğitim ve meslek itibariyle analizciydi;[40] disiplinin başlıca ders kitaplarında ağırlıklı olarak psikanaliz perspektifleri öne çıktı[41] (Avrupa'da buna benzer bir değişim yaşanmamıştı). Amerikan psikiyatrisi stajyerlik ve uzmanlık için gittikçe artan sayıda başvuru aldı; bunların en iyileri gördükleri üniversite öğrenimini tıp okullarından ayrı ve uzak olan güçlü analiz enstitülerinde didaktik analizlerle takviye ettiler. Psikanaliz eğitimi Amerika'da akademik psikiyatride başarılı bir kariyerin bileti ve hatta belki olmazsa olmaz şartı haline geldi; yüksek statülü hekimlik büyük ölçüde muayenehane psikoterapisine dayanır oldu. Varlıklı seans müşterilerini daha çok tercih eden mesleğin elit tabakası, ağır ve kronik akıl bozukluğu biçimleri olan hastaları çoğunlukla dışladı ve göz ardı etti.

---

38 Ben Shephard, 2000, s. 325.

39 Nathan Hale, Jr, 1998, s. 246.

40 Psikanalizciler alanın en itibarlı mevkiilerine hâkim oldu. 1961'e gelindiğinde, Boston yöresinin tıp okullarındaki 44 profesörlüğün 32'si onların elindeydi ve bu, ülke çapında geçerli bir yönelimdi. Ülkedeki 91 tıp okulunun 90'ı psikanaliz dersleri vermekteydi; en iyi stajyerlerin hemen hepsinin gözü psikanaliz eğitimindeydi; 1962'de 89 psikiyatri bölümünden 52'sinin başında bir psikanaliz enstitüsüne bağlı biri vardı. Nathan G. Hale, Jr, 1998, s. 246-253.

41 En yaygın kullanılan ders kitapları Arthur P. Noyes ve Lawrence Kolb (1935), ardından metni 1950'lerden önce Adolf Meyer'in öğretilerini yansıtırken, Freudcu bir tutumu benimseyecek şekilde değiştirilmiş R. Ewalt, Edward A. Strecker ve Franklin G. Ebaugh'du (1957). Silvano Arieti'nin yayımladığı ve ilk kez 1959'da iki ciltlik bir versiyonla çıkan *American Handbook of Psychiatry*, diğer teorilere ve yaklaşımlara göndermeler de içermekle birlikte temelde bir psikanaliz metniydi.

William Menninger, Kansas'ın Topeka kentinde bulunan Menninger Kliniği'ndeki muayenehanesinde.

Klasik psikanaliz tedavisi için para, hem de çok para gerekliydi. Ancak Amerikan yüksek burjuvazisinin geniş kesimleri bir süre için, buna değdiğine inandılar; New York, Boston, Chicago, Los Angeles, San Francisco ve başka kentlerde terapistlerin görkemli bir hayat sürmelerine yetecek sayıda kişi psikanaliz kanepesine akın etti. Bir süre sonra, en azından teoride, psikanaliz tedavisi psikoz tedavisinde bile işe yarayabilir olarak görüldü ve Menninger Kliniği, Chestnut Lodge, Austen Riggs, McLean Hastanesi gibi bazı şatafatlı özel kurumlarda şizofrenleri konuşma tedavisiyle iyileştirmeye dönük çabalar gösterildi.[42]

O yıllar ABD'de psikanalizcilerin altın çağıydı. Sağlam statüye sahip oldukları için, hâlâ eyalet hastanelerinde tıkılı kalan ve artık birçoğu mecburen yurtdışından getirtilen "yönlendirici-organik" psikiyatrları hor gören bir tutum içindeydiler. Medyan gelirleri bu meslektaşlarının 1954'te ancak ulaşabildiği 9 bin dolarlık düzeyin iki katını aşan bir miktarla 22 bin dolardı.

42 Nathan G. Hale Jr, 1998, özellikle Bölüm 14; Joel Paris, 2005.

Cazip yanlar sırf maddi kazançla sınırlı değildi. Çok zengin kişilere hizmet veren az sayıdaki küçük kurum bir yana bırakılırsa, kurumsal psikiyatrlar, yokluktan ve köhnelikten dolayı basbayağı pis kokan kırsal ve ücra akıl hastanelerinde alt sınıflara mensup çok sayıda kronik hastanın ağırlıkta olduğu bir sistem [içinde] sıkışıp kalmış durumdaydı. Analizci meslektaşları ise aynı kültürel birikime sahip, zengin, konuşkan ve eğitimli bir kitleyle muhatap olmakta ve belki de onlar için gurur vesilesi olacak şekilde, Amerika'nın en canlı ve çekici kentsel merkezlerinde yaşamaktaydı.

PATOLOJİK MUMYALAR

Psikanaliz perspektifleri geniş kültürde de gittikçe artan bir itibar gördü. Savaş sonrası dönemdeki coğrafi hareketlilik, yeni anneleri çocuk yetiştirme konusunda tavsiyeye muhtaç hale getirdi. Bu boşluğu psikanaliz eğitimi görmüş ilk çocuk doktoru olan Dr. Benjamin Spock (1903-1998) doldurdu. 1946'da yayımlanan *The Common Sense Book of Baby* [Bebek ve Çocuk Bakımı] kitabı ilk altı ayda yarım milyon satıldı. Spock'un öldüğü 1998'de satış miktarı 50 milyonu aşmış ve otuzu aşkın dile çevrilmişti. Savaş sonrası Amerika'sında Kitabı Mukaddes'in ardından en çok satılan kitaptı. Çocuk yetiştirme ve olgunlaşma konusundaki açıklamalarında ağırlıklı olarak yararlandığı Freudcu kavramları samimi ve dostça bir tarzda sunması, ortak kültürel anlayışlar dizisinin parçası haline gelmesini sağladı.[43]

İngilizler Dr. Spock'u pek içtenlikle benimsemediler; ama tanınmış iki psikanalizci John Bowlby (1907-1990) ve Donald Winnicott (1896-1971) sayesinde, psikanaliz fikirleri İngiliz çocuk yetiştirme usullerine ve hatta çocuk suçlarının kaynaklarına ilişkin fikirlere geniş çaplı bir etkide bulundu. Bowlby'nin çalışmalarının odak noktası, anne ile çocuk arasındaki bağlılık kavramı ve anne yoksunluğundan kaynaklanıyormuş gibi görünen sorunlardı.[44] Savaş sırasında Alman bombardımanları üzerine, birçok çocuk Londra'dan ve diğer kentsel merkezlerden tahliye edilmişti. Bazı çocuklar da annelerinin savaş seferberliğine katkıda bulunabilmesi için toplu kreşlere yerleştirilmişti. Ayrıca Nihai Çözüm dehşetinden kaçırılmış mülteci Yahudi çocukları vardı.

Tahliye edilmiş çocuklara dönük çalışmalar yürüten Winnicott, güzel bir çocukluk dönemi sağlamada oyuna ve sevgiye büyük önem verdi. Klasik Freudcu düşünceye göre, ebeveyn ile çocuk arasındaki ilişkiler rahatsız ediciydi, çatışmayla doluydu; bilinçaltıyla, pek bastırılmamış cinsel özlemlerle ve

43 Bkz. A. Michael Sulman, 1973.

44 Bowlby'nin Dünya Sağlık Örgütü'nün (WHO) görevlendirmesiyle yazdığı etkili rapor *Maternal Care and Mental Health* 1951'de yayımlandı.

duygularla iç içeydi. Buna karşılık, Winnicott'un yaklaşımı iç rahatlatıcıydı: Anneler (ve genelde ebeveyn figürleri) ulaşılamayacak bir mükemmellik peşinde koşmak yerine, "alışılagelmiş ölçüde bağlı" ve "yeterince iyi" olmakla yetinmeliydi. Böyle ebeveynler, çocuklarına sağlıklı bir bağımsızlığa ve yetişkinliğe varmada yol gösterebilirlerdi. Winnicott'un "genç anneleri [...] doğal eğilimlerine güven duymaları yönünde destekleme"ye[45] ağırlık verişi, anlaşılabilir bir gelişmeyle onlardan rağbet görmesini sağladı.

Buna karşılık Freud'un, teorilerindeki erotik ve daha sert unsurları önemsemeyişi, geleneğe daha bağlı psikanalizciler tarafından her zaman hoş karşılanmadı. Sonuç olarak, Britanya'da yetişkin psikanalizi psikiyatrinin çeperinde sıkışıp kalırken, bu hafifçe değiştirilmiş (bana kalırsa ehlileştirilmiş) çocuk psikanalizi, Ulusal Sağlık İdaresi'nin çocuk doktorlarını psikanalize yönlendirmeyi destekleyici bir tutum takınmasının da yardımıyla şaşırtıcı bir etki düzeyine ulaştı.[46] Britanya'da tıp camiası dışındaki birçok eğitimli insanın psikanaliz fikirlerine hâlâ itibar edişi de bu yazılar etkisiyle açıklanabilir.

Ne var ki, aile yaşamına ilişkin psikanaliz yorumlarının hepsi böylesine yumuşak değildi. Freud'un teorileri psikopatolojinin köklerini aile ortamına dayandırmıştı ve Amerikalı takipçileri ailelerin başına bir sürü sorun sardı. Özellikle öne çıkan nokta, analizcilerin Amerika'daki anneleri sürekli genişleyen bir hastalık ve zafiyet yelpazesinin görünürdeki kaynağı, hatta ulusun sağlığı için bir tehdit unsuru olarak suçlamalarıydı.

O zamana kadar akıl hastalığı sayılmış durumlara bakmakla yetinmeyen psikanaliz, tavsiyelerinin çok daha geniş bir bozukluk kategorisini anlamada ve tedavi etmede de işe yarayabileceğini ileri sürmeye başlamıştı. Daha önce histeride olduğu gibi, mermi şoku ve savaş nevrozu da çoğu kez zihinsel gerginliklerin görünüşte bedensel arazlara dönüşmesiyle ilişkilendirildi. Berlin'den Chicago'ya göç eden psikanalizci Franz Alexander (1891-1964) daha 1930'larda psikosomatik bozukluklardan söz etmeye başlamıştı. Zihnin ve bedenin bir şekilde örtüşebileceği ve iç içe geçebileceği fikri başka çevrelerde de büyük bir ilgi gördü. Özellikle Rockefeller Vakfı'nın yetkilileri 1930'ların başlarında sağlığa dönük hayır işlerinde psikiyatriyi önemli bir odak haline getirmeye karar verdiler. Alexander'ın da yararlandığı bağışlar, kısa bir süre sonra bir Alman aristokratı gibi yaşamaya hevesli "Bay Doktor Profesör"ün gelen paranın çoğunu cebe indirdiğinin anlaşılmasıyla kesildi. Chicago Psikanaliz Enstitüsü her nasılsa varlığını sürdürdü ve İkinci Dünya Savaşı'nı izleyen yıllarda Alexander'ın psikosomatik hastalıklara ilişkin fikirleri gittikçe rağbet gördü. Psikosomatik kökleri olan bozukluklar yel-

45 Donald Winnicott, 1964, s. 11.

46 E. Rous ve A. Clark, 2009.

pazesi hızla genişledi ve analizciler zihindeki sorunların bedensel arazlar olarak nasıl açığa çıktığına dair daha ayrıntılı bir modeli ortaya koydular. Alexander şunu ileri sürdü: "Mide kaynaklı nevroz arazlarının duygusal duruma bağlı ishalden ya da kabızlıktan çok farklı bir psikolojisi vardır; kalp vakaları psikolojik geçmiş bakımından astım vakalarından farklılık gösterir."[47]

Evet, belki farklıydı, ama "anne" değişmez etkendi. Yıkımın perde arkasındaki faili oydu. Sözgelimi, analizcilere göre, astımın kökleri "astıma yatkın bir anne"de yatmaktaydı. Burada ikircimli, suçluluk duygusuyla dolu, düşmanca ve reddedici tavırlı ebeveynin bu bilinçaltı duyguları gamsızca yadsıması ve koruyucu (aslından patolojik açıdan aşırı koruyucu) bir sahte görünüşe büründürmesi söz konusuydu.[48] Apaçık akıl bozukluklarının ortaya çıkışında ebeveynlerin ve özellikle annelerin rolü daha da yıkıcıydı: "Sınırdaki tipler" (nevroz ve psikoz arasındaki sınırda dolaşanlar); şizofrenler; ilk kez 1943'te Johns Hopkins Üniversitesi çocuk psikiyatrisi profesörlerinden Leo Kanner'ın (1896-1961) saptadığı bir bozukluğun mağduru olan otizmli çocuklar.[49]

Bütün bu bozukluklar huysuz annelikten ya da belki yetersiz ebeveynlerin bir bileşiminden kaynaklanıyormuş gibi algılandı: Psikolojik bakımdan yetersiz, pasif ve içe kapanık bir erkeği eş olarak seçmiş baskıcı, uzlaşmaz ve saldırgan bir anne. Kanner 1949'da otizmli çocukların "başından itibaren ebeveyn soğukluğuna, saplantılılığına ve sırf maddi ihtiyaçları gözeten mekanik ilgiye" maruz kalarak, patolojik bir aile ilişkiler ağında sıkışıp kaldığını ileri sürdü. "Bunlar bir türlü çözülmeyen buzdolaplarında muntazaman tutulmuş kişilerdir."[50] Kanner on yılı aşkın bir süre sonra geniş ilgi gören bir röportajda aynı mecazı kullanarak, otizmli çocukların duygusal bakımdan donmuş ebeveynlerin talihsiz bir gelişmeyle "çocuk sahibi olmaya yetecek süreyle çözülmeleri"nin ürünü olduğunu belirtti.[51] Görüşleri coşkuyla benimsendi ve Viyanalı göçmen psikanalizci Bruno Bettelheim (1903-1990) tarafından Chicago Üniversitesi'ne bağlı Ortojeni Okulu'nda uygulamaya geçirildi. Maryland eyaletindeki psikanaliz eğilimli Chestnut Lodge Akıl Hastanesi'nde buzdolabı annelerin ürünü olarak gördükleri şizofrenleri tedavi eden meslektaşları gibi, Bettelheim da çocukları ebeveynlerinden tam tecrit etmeye dayanan "parentektomi" adlı bir çözüme yöneldi. Yüksek satışa ulaşan *The Empty Fortress* [Marquis de Sade'ın da, 1967] gibi kitaplarında,

47 Franz Alexander, 1943, s. 209; konuya ilişkin önceki fikirleri için bkz. Franz Alexander 1933.

48 Krş. Franz Alexander, 1950, s. 134-35; Margaret Gerard, 1946, s. 331; Harold Abramson (ed.), 1951, özellikle s. 632-654.

49 Leo Kanner, 1943.

50 Leo Kanner, 1949.

51 "The Child is Father", *Time*, 25 Temmuz 1960. Sonraki yıllarda Kanner bu görüşleri inkâr edecek ve otizmin bir bakıma "doğuştan" bir bozukluk olduğuna her zaman inandığını ileri sürecekti.

daha çok bir toplama kampına benzer bir aile ortamını geliştirdiklerini ileri sürdüğü anne babaları suçladı.[52]

Yale Üniversitesi'nin Aydınlanma tarihçisi ve Freud hayranı Peter Gay (d. 1923), *New Yorker* dergisine yazdığı bir makalede Bettelheim'ı ve çalışma arkadaşlarını "kahraman" olarak nitelendirdi ve bir otorite havasıyla, "Bettelheim'ın çocuk otizmine ilişkin teorisinin rakiplerine her bakımdan çok üstün olduğunu" belirtti.[53] Ne var ki çift sarmalı buluşçularından biri olarak Nobel Ödülü kazanan ve şizofren bir oğlu olan genetik uzmanı James D. Watson (d. 1928), yıllar sonra Bettelheim'ı "20. yüzyılın Hitler'den sonraki en habis kişisi" olarak suçlaması, hiç kuşkusuz birçok ebeveynin görüşünü yansıtır nitelikteydi.[54] Ama böyle bir öfke o dönemde nadiren açıkça dile getirildi çünkü Bettelheim popülerliğinin doruğundaki psikanaliz biliminin otoritesiyle konuşmaktaydı. Hem akıl hastası bir çocuk sahibi olmanın hem de delilikten sorumlu tutulmanın çifte damgası altında ezilen ebeveynler, çoğunlukla utançtan suskunluğa gömüldü.

FREUDCU HEGEMONYA

Freud'u yaşarken savunan muhafız birliğinin kurulmasını sağlayan vazgeçilmez öğrencisi Ernest Jones, 1953'te hocasının üç ciltlik biyografisini yayımlamaya başladı. Son cilt 1957'de çıktı. Jones güvenilir bir aziz biyografisi yazarı olarak, Freud'a "ihanet" etmiş ve art arda psikozlu heretik diye dışlanmış kişilerle bir sürü hesabı görmek üzere, onun mektuplarına ve belgelerine ulaşmadaki tekelini kullandı. Ama çağdaşlarının ilgisini çeken asıl şey, yalnız cesur aydın, akıl biliminin Kopernik, Galileo ve Darwin'le aynı panteona mensup dev siması şeklindeki Freud portresiydi. *New Yorker* dergisinin bu anlatımı "çağımızın en harika biyografisi"[55] sayması, Freud'un önemine ilişkin aynı ölçüde abartılı bir anlayışı yansıtır nitelikteydi; ama o dönemin aydın çevrelerinde yaygın biçimde paylaşılan bir değerlendirmeydi.

Freud'un ölümü üzerine, W. H. Auden (1903-1973) onun dünyadan göçüşünü şu dizelerle anıtlaştırdı: "O bizim için artık bir kişi değil / farklı hayatlar sürdürmemize temel oluşturan / bütünsel bir düşünce iklimi."[56] Freud'un belli edebiyat ve sanat çevrelerinde edindiği statünün uygun bir

52 Bruno Bettelheim, 1967 ve 1974. Bettelheim'ın şöhreti 1990'daki ölümünden sonra, sürekli saldırıya maruz kaldı. Ahlaksız ve şiddete eğilimli bir çocuk tacizcisi ve akademik geçmişi konusunda tahrifatlar yapmış bir seri yalancı olduğu gerekçesiyle kınandı. Çevresinde yer alan ve ona destek veren akademik topluluk bir dehşet döneminin yardakçısı olmakla suçlandı. Oysa otuz yılı aşkın bir süre büyük bir klinik uzmanı ve insanlığın kusursuz bir örneği olarak dünya genelinde itibar görmüştü.

53 Peter Gay, 1968.

54 Akt. Andrew Solomon, 2012, s. 22.

55 *The New Yorker* 32, 28 Nisan 1956, s. 34.

56 W. H. Auden, "In Memory of Sigmund Freud" (1940).

yansımasıydı bu. Freud, Breuer'le birlikte kaleme aldığı ilk psikanaliz metni *Histeri Üzerine Çalışmalar*'da, psikolojik yüklü bir dizi skeç şeklinde yazdığı vaka incelemelerinin "kısa hikâyeler gibi" okunabileceğini teslim etmişti. Bu bakımdan "ciddi bilim damgası"nı taşımamaları hayıflandığı bir konuydu.[57] Böyle bir düşünce içine dert olduğu için, "Benim bir tercihimden ziyade, konunun mahiyetinden kaynaklandığı besbelli bir durum" savıyla, hemen acının keskinliğini köreltmeye çalıştı. Ama ne kadar ıstırap verici bulursa bulsun, bu derin kavrayışlı bir saptamaydı. Düzyazı, şiir ya da resim yoluyla hikâyeler anlatmayı meslek edinmiş kişilerin daha sonraları onun eserlerine karşı sergilediği coşkunun kaynağı belki de bir ölçüde buydu. Bu unsurun ve dile, sembollere, hafızaya, rüyalara, çarpıtmalara ve sekse ilginin yanı sıra, Freud'un ruhsal yaşama damga vurduklarını ileri sürdüğü aşırılıklar ve baskılar, başkalarının öteden beri anlamsız parazit sayıp görmezlikten geldiği davranışlara, düşüncelere ve duygulara yüklemeyi başardığı anlamlar da etkili rol oynadı.

Auden İkinci Dünya Savaşı'nın bitmesinden hemen sonra, sürgündeki Rus besteci Igor Stravinsky'nin (1882-1971) delilik ve aşırılık konulu bir operasına libretto yazması için onu seçmesiyle, böyle bir hikâye anlatıcılığının içine doğrudan çekildi. Stravinsky 1947'de Chicago'da Hogarth'ın *Bir Hovardanın Sergüzeşti* eserlerinin yer aldığı bir sergiyi görmüştü. Gravürler dizisinin 20. yüzyılın ortalarında bir Hollywood filmine temel oluşturabilecek görsel senaryo taslağını böylesine andırması ona çok ilginç geldi. Böylece Tom Rakewell'in başından geçenleri bir operaya dönüştürme fikrine kapıldı. Prömiyeri 1951'de yapılan bu yegâne uzun operası, savaş sonrası dönemin belirli bir düzenlilikle sahnelenen az sayıdaki operalarından biri oldu; bu rağbette bir 18. yüzyıl hikâyesine harikulade uygun düşen neoklasik partisyonunun herhalde küçümsenmeyecek payı vardı.[58]

Ama operanın çarpıcılığı ve çekiciliği elbette Stravinsky'nin libretto için seçtiği kişiye çok şey borçluydu. Geniş bir kesimce 20. yüzyılın en büyük yazarlarından biri sayılan W. H. Auden[59] librettoyu vefasız sevgilisi Chester Kallman'la birlikte yazdı. Güzel sanatların başka bir önemli siması David Hockney'nin (d. 1937) çeyrek yüzyıl sonra olsa bile, sağladığı katkı da başka bir açıdan önemliydi. Onun 1975'te Glyndebourne'daki *Bir Hovardanın Sergüzeşti* gösterimi için hazırladığı sahne dekorlarının neredeyse Hogarth'ın orijinal eserlerine yakın bir timsal statüsü kazandığı söylenebilir (Resim

57 Josef Breuer ve Sigmund Freud, 1957 [1895], s. 160.

58 Jonathan Miller'ın partisyonunu sürekli sahneleyen James Levine'in ve Metropolitan Operası'nın gözde bir eseridir.

59 *Guardian*'ın tiyatro eleştirmeni Philip Hensher'e göre, Auden'in "İngilizcede Tennyson'dan sonraki en büyük şair olduğu artık açık gibi"dir. *Guardian*, 6 Kasım 2009.

40). Hockney bilinçli bir yaklaşımla, Tom Rakewell'in düşünü yansıtmada ilham kaynağı olarak Hogarth'ın renkli tablolarını değil, ilk gravürlerini seçti; hem dekor, hem kostüm tasarımlarında temel olarak, bu mecradan alınma kesit taramayı ve diğer teknikleri kullandı ve Hogarth'ın başka eserlerinden incelikli alıntılar yaptı. Bu tercihler Bedlam'deki son sahnenin dekorunda oldukça belirgindir; Hogarth'ın arketip delileri ayrı bölmelerinden ya da hücrelerinden seyircilere bakan bir dizi meczup kafasına dönüştürülmüştür ve onların sol üst tarafında Hogarth'ın dinsel şevki ve deliliği birbirine bağladığı daha sonraki bir yergili resminden (bkz. s. 175) alınma cehennem haritasının yeniden işlenmiş bir versiyonu yer alır.[60] Hockney'nin görüntülerinin çizgisel yapılarıyla örtük biçimde işaret ettiği Stravinsky'nin partisyonu ve Auden'in librettosu gibi, ortaya çıkan sonuç gözle görülür biçimde modern olduğu kadar, 18. yüzyıldaki ilham kaynağına gözle görülür biçimde borçlu sanattır.

Stravinsky'nin eseri, savaşın hemen sonrasındaki yıllarda akılsızlığın uç noktalarıyla cilveleşen tek opera değildi. Benjamin Britten'in (1913-1976) savaş sırasında bestelediği ve ilk kez Londra'da 7 Haziran 1945'te, yani Avrupa'da çatışmanın sona erişi ile Japonya'nın teslim oluşu arasındaki bir tarihte sahnelen *Peter Grimes* beklenmedik bir başarıya ulaştı. Her ikisi de o dönemde ağır ahlaki kınamaya ve hukuki baskıya davetiye çıkaracak barışçılık ve eşcinsellik yönleriyle tanınan birinin eseri olmasına karşın, hemen bir şaheser olarak övüldü ve üç yıl içinde Budapeşte, Hamburg, Stockholm, Milano, New York, Berlin ve en az sekiz kentte daha sahnelendi.

Freudcu anlamda baskı, gerek sadizm ve oğlancılık imalarıyla, gerekse dönemin eşcinsellik korkusunu pek gizlemeksizin kınayışıyla, librettonun bir ana motifiydi. Suffolk kıyısındaki Aldeburgh'da büyüyen Britten, operayı hayat arkadaşı Peter Pears'la birlikte İngiltere'den ayrılmış olmanın hasretiyle yanarak, California'nın Escondido kentinde kaldıkları sırada tasarlamıştı. Doğuştan dengesiz olan ve aralarında yaşadığı köylülerin düşmanlığıyla azgın deliliğe ve sonunda ölüme sürüklenen Suffolk balıkçısının hikâyesi (operanın en heyecanlı son bölümünde onu bulup saldırmak için toplanan güruh "Kim ki bizden nefret eder, bizi yok edecektir," diye şarkı söyler), kesinlikle Britten'in kafasından atamadığı ötekilik ve dışlanmışlık duygusuna dayanmaktaydı. Ne de olsa en mahrem ilişkisi, sanatçılığını övenler tarafından yalnız bırakılmasına, baskı altına alınmasına ve kovuşturulmasına her an yol açabilecek türdendi.

Britten artık kalbinin teklediği son yıllarında, Thomas Mann'ın kısmen otobiyografik olan 1912 tarihli kısa romanı *Venedik'te Ölüm*'ün bir versiyonunda, bastırılmış eşcinsel özlemler, sevgi, saplantı ve ölüm temalarına

60 Hogarth, *Credulity, Superstition and Fanaticism: A Medley* (1762); bkz. s. 175.

yeniden değindi. Bu son operası ilk kez 1973'te sahnelendi. O sırada İngiliz hukuku eşcinsel ilişkilere dönük yasal tehdidi 1967 tarihli Cinsel Suçlar Yasası'yla kısmen kaldırmış olsa da, kamuoyunun bu ilişkileri kınayışı neredeyse eskisi kadar sertti. Bu önyargı, başta Freudcular olmak üzere, dönemin birçok psikiyatrının geyliği fiilen akıl hastalığı saymasında aynı şekilde açıktı. Sembolizmle dolu operanın partisyonu, yine iç içe ördüğü dürtü ve baskı unsurlarını, bu sefer aşağılanmanın kahredici korkusuna, gizlemenin ağır bedeline ve güzel bir oğlanla kaçınılmaz olarak yaşanan hayal kırıklığına ve ölümle sonuçlanan yakıcı bir saplantıya bağlar. Britten'in delikanlılara karşı (anlaşıldığı kadarıyla asla tükenmeyen) özleminin yansımaları, durumunu bilen seyircilerce açıkça görülür ve kâh lirik, kâh taşkın, kâh acılı, kâh vahşi, kâh meşum havadaki müziği belirleyen gerilimlerle ve kendini paralayıcı unsurlarla abartılı bir özdeşlemeye belki de katkıda bulunur.[61] Burada delilik *Peter Grimes* (hatta Venedik'in siparişiyle bestelediği ve ilk kez kentin 1954 bienalinde sahnelenen *The Turn of the Screw* [Kötülüğün Döngüsü] operasına kıyasla daha örtük ve kararsız olsa bile, imkânsız aşk tasvirine eşlik eden sıkıntının ve perişanlığın gölgeli suretinde gizlice dolanır. Opera boyunca tutku ve akılsızlık, akılla ve zihinle boğuşur ve sonuç ölüm olur; bu belki de daha eski bir opera geleneğinin, Wagner'in *Liebestod* (Aşk / Ölüm) kavramının[62] ve Freud'un son yıllarında *Eros* ve *Todestrieb* ya da *Thanatos* (ölüm itkisi ya da içgüdüsü) unsurlarına gittikçe ağırlık vermesinin bir bilinçaltı yansımasıdır.[63]

Psikanaliz güzel sanatların başka alanları için de hayatın gizemlerine yaklaşım konusunda olağanüstü zengin bir yeni kavram hazinesi sundu. Görsel sanatlarda ve edebiyatta Freud'un etkisi yaygındı. Rüyalara ilgi duyan gerçeküstücü sanatçıların tablolarında çarpıtmalar, sekse ve bilinçaltına göndermeler bolca yer alır oldu.[64] "Otomatik" resim ve yazı denemelerinin çoğalması, düzene ve gerçeğe ilişkin başat kavramlaştırmaları sarsarak, rüyaya dalış ve uyanıklık hali arasındaki sınırları bulandırdı. Romancıların ve oyun yazarlarının psikolojik içebakışa daha büyük ağırlık vermeleriyle, cinsel

61 Donald Mitchell (ed.), 1987, bu opera üzerine, birçoğunu Britten'le partisyonu bestelemesi sırasında işbirliği yapmış ya da ilk sahnelenişinde görev almış kişilerin yazdığı bir dizi seçkin makale içerir.

62 Delilik Wagner'in sonraki operalarında gizlice dolanıp durur ve Bayreuth villasına *Wahnfried* ("Delilikten Azade") adını vermiş olması tesadüf. Bunu şöyle ifade etmişti: "Hier wo mein Wähnen Frieden fand -Wahnfried- sei dieses Haus von mir benannt." ("Hezeyanlarım burada huzur bulduğuna göre, adı da Delilikten Azade olsun.")

63 İlk kez 1920 tarihli *Beyond the Pleasure Principle* (Freud, 1922) denemesinde karşımıza çıkan bu tezat, 1930 tarihli *Civilization and Its Discontents* (Freud, 1961) [Uygarlığın Huzursuzluğu] denemesinde daha da ayrıntılı işlenir. Freud'un hiç kullanmadığı *Thanatos* terimi, öğrencisi Wilhelm Stekel (1868-1940) tarafından ortaya atıldıktan sonra, Freudcuların tezatı belirlemesinde standart yaklaşım haline gelmiştir.

64 Örneğin bkz. David Lomas, 2000.

temaları kullanmada içtenlik ve dürüstlük arttı. Bu gelişmelerin hepsi doğrudan Freud'un etkisine bağlanamaz. Cinsel temaları İngiliz sansürcülerin hoşgörü sınırının ötesine taşıyan D. H. Lawrence (1885-1930) psikanalizi düpedüz aşağıladı ve bu uğraştan tiksindiğini açıkça belirtti.[65] Başka birçok yazarda Freudcu etki gözden kaçmasa bile, ancak çıkarsamayla anlaşılır düzeydeydi. Üstattan "travma kondüktörü" diye söz eden, [Freud ve Jung adlarını çağrıştıracak İngilizce kelime oyunlarıyla] ensesti "sahtekârlık dolu hata" (*freudful mistake*) olarak nitelendiren ve karakterlerinden birini "genç ve kolayca aldanır" (*yung and easily freudened*) olarak tarif eden James Joyce (1882-1941) kadar açık değildi herkes.[66]

Tennessee Williams'ın (1911-1983) 1940'lı ve 1950'li yıllardaki en iyi eserleri, çocukluk dönemi travmalarına otobiyografik göndermelerle doluydu: Babasının evi terk edişi; nevrotik ve histerik annesi; ruhsal yapısı kırılgan olan, zamanla şizofren teşhisi konulan ve (feci biçimde) lobotomi işlemine maruz kalan kız kardeşi Rose. Hoşgörüsüz bir çağda eşcinsel oluşu, durumunu daha da zorlaştırdı ve sürekli nükseden depresyonu, ayrıca gittikçe artan uyuşturucu ve alkol bağımlılığı, yazılarına damga vuran etkenler oldu. Duygusal çalkantı, çekilmez anne, aile baskıları, fiziksel ve sembolik şiddet, her bakımdan aykırı bir tipin gizli cinsel eğilimleri ve tecavüz, *Sırça Kümes* (1944), *İhtiras Tramvayı* (1947), The Rose Tattoo [Gül Dövmesi, 1951] ve *Kızgın Damdaki Kedi* (1955) gibi oyunlarının ana motifleridir. Örneğin, Blanche Dubois'i kim unutabilir? Sosyal züppeliğin ve cinsel dürüstlüğün bir örneğini sergiler ve eniştesi Stanley'yi maymun diye alaya alır. Aslında, Kowalski çiftinin yanına, bir erkekle seks yaparken yakaladığı kocasının intiharıyla ortaya çıkan rezaletten kaçmak için sığınmıştır; komşularının ona "hafifmeşrep kadın" yaftası vurmasına yol açan bir dizi anlamsız gönül ilişkisine girmesi sosyal utancını artırmıştır. Akıbeti de korkunç olur. Doğum yapan kız kardeşi evde yokken, ayyaş Stanley'nin tecavüzüne uğrar, akıl hastanesine kaldırılır; ilk başta direnir, ardından gerçeklikle temasını yitirince, "Hep yabancıların şefkatine muhtaç olmuşumdur" diye bildirir.

Ne var ki, *Orpheus Descending* [Orpheus'un Düşüşü, 1957] oyunundan itibaren yeni oyunları ticari fiyaskoyla sonuçlanan ve şöhreti hızla inişe geçen[67] Williams, kişisel psikanalize başvurdu. Bunun bir yarar sağlamamasında, gösteri dünyasındaki müşterileri sayesinde bir servet kazanan ve eşcinselliği psikanaliz tedavisi gerektirecek bir hastalık sayan tanınmış New Yorklu analizci Lawrence Kubie'ye (1896-1973) yönlendirilmesinin küçümsenmeyecek

---

65 Örneğin bkz. 4 Aralık 1921 ve 19 Şubat 1924 tarihli mektuplar, *The Letters of D. H. Lawrence*, 1987, c. 4.

66 James Joyce, *Finnegan's Wake*, 1939, s. 378, 411.

67 *Orpheus'un Düşüşü* Broadway'de sadece 68 gösterimden sonra repertuvardan çıkartıldı.

İhtiras Tramvayı (1951) oyununun film versiyonunda Blanche Dubois rolündeki Vivien Leigh ve Stanley Kowalski rolündeki Marlon Brando. Sinema eleştirmeni Pauline Kael, "Vivien Leigh merhamet ve dehşet duygusu uyandırdığı gerçekten söylenebilecek performanslarından birini ortaya koyuyor" yorumunda bulunmuştu.

payı vardı. (Kubie daha önce gösteri dünyasından hastalar arasında bulunan Kurt Weill ile Moss Hart'ı tanıştırmıştı; ikilinin birlikte yazdığı *Lady in the Dark* [Karanlıktaki Kadın] müzikalini Broadway'e öneren bizzat Sigmund Freud'du.) Williams analizden geçtiği sırada *Suddenly Last Summer* [Geçen Yaz Birdenbire, 1958] oyununu yazdı. Oyunda New Orleanslı ürkütücü bir yaşlı kadın olan Violet Venable, hayatındaki karanlık sırrı, ölmüş oğlu Sebastian'la olan enseste yakın ilişkisini ifşa etme tehdidinde bulunan ve ayrıca yatmak istediği genç erkekleri çekmek için onu cinsel yem olarak kullanmasına kızan yeğeni Catherine'e bir lobotomi yaptırmak için tertibe girişir. Ameliyatın "bu iğrenç hikâyeyi beyninden çıkarıp atacağını" ummaktadır. Williams'ın kız kardeş Rose'un geçirdiği lobotomiye göndermesi aşikârdır ama psikanaliz izleri oyun boyunca karşımıza çıkar. Hatta Catherine'in anılarını silmeye kalkışan psikiyatrın (okurlarına Leh dilinde şeker anlamına geldiğini bildirdiği) soyadı Cukrowicz'e kadar uzanır. Williams'ın bu göndermeyle dalga geçtiği kişi kendi psikanalizcisidir.

Yazarların gittikçe daha fazla kullandığı Freudcu temalar, edebiyat uzmanları tarafından daha da büyük bir şevkle benimsendi. Kendi edebiyat anlayışlarının üstünlüğünü haklı gösterecek "teori" arayışı içindeki akademisyenler, Freud'un eserlerine sarıldılar. Freud sözgelimi Hamlet'i ve Lear'i değerlendirirken, sanki bunu öngörmüş gibiydi; Sophokles'ten Oidipus hikâyesini alarak, insanın ruhsal-cinsel gelişimine ilişkin sonraki teorilerinin kilit unsuru haline getirdiği komplekse anne-oğul ensesti temalı oyundaki karakterin adını vermesinde de aynı şey söz konusuydu. I. A. Richards (1893-1979), Kenneth Burke (1897-1993) ve Edmund Wilson (1895-1972) gibi önemli eleştirmenlerin hepsi psikanalizin düşünce tarzından yararlandılar. 1950'lerden itibaren New York edebiyat çevresinin ana figürleri Lionel Trilling (1905-1975) ve Steven Marcus (d. 1928) Freud'un fikirlerini hevesle benimsediler. İlki Freud'un *Uygarlığın Huzursuzluğu* (1929) kitabına ve ömrünün sonunda benimsediği *Todestrieb* kavramına tutkuyla bağlanırken, ikincisi Dickens'ın eserlerinin büyük bir bölümüyle ilgili Freudcu bir yorumu[68] ve Victoria dönemi pornografisi üzerine psikanaliz fikirlerinden büyük çapta yararlandığı bir araştırmayı sundu.[69] İki adamın psikanalize yoğun yatırımı, Ernest Jones'un Freud biyografisinin editörlüğünü birlikte üstlenmelerine yansır. Amerika'nın öbür kıyısında, heybetli Frederick Crews (d. 1933) bir ara şunu belirtti: "Psikanaliz, edebiyatı okuma tarzımızı ciddi biçimde değiştiren tek psikolojidir. [...] Edebiyat güdülerden hareketle yazılır ve güdüleri konu alır; insanoğlunun güdüler konusunda geliştirdiği yegâne

68 Steven Marcus, 1965.
69 Steven Marcus, 1974.

kusursuz teori psikanalizdir."[70] (Daha sonraları pişman olarak, Freud'u sahte bir peygamber ve psikanalizi sahte bir bilim sayıp bir tarafa attı.)[71]

Sadece edebiyat eleştirmenleri değil, kamuoyunda tanınan diğer aydınlar da 1950'lerde ve 1960'larda psikanalizi açıkça benimsedi. Norman O. Brown (1913-2002) tarihi psikanalizle açıklamaya çalıştı ve bir sürü hevesli öğrenciyi nutuklar verdiği Santa Cruz'a çekti. Çok satılan *Life against Death: The Psychoanalytical Meaning of History* [Ölüme Karşı Hayat: Tarihin Psikanalitik Anlamı, 1959] kitabında, bireylerin ve toplumun tutsak düştükleri Freudcu bastırma güdüsünden, hayatı olumlayarak kurtulmaları gerektiği görüşünü ortaya attı. Bunun devamı niteliğindeki *Love's Body* [Aşkın Bedeni, 1966] kitabında ise erotizm ile toplum arasındaki mücadeleye odaklandı. İskoç anti-psikiyatr R. D. Laing gibi, şizofrenlerin hiç hastalığı olmayanlardan daha aklı başında olabileceğini ileri sürdü. 1960'ların karşı-kültürü bu anlayışa balıklama daldı.[72]

Muhafazakâr sağ eğilimli Philip Rieff (1922-2006) psikolójik insanın ortaya çıkışından ve tedavi yaklaşımının zaferinden söz etti.[73] Radikal sol eğilimli Herbert Marcuse (1898-1979) kendine has Marx ve Freud karışımını sundu.[74] Freud'u belki de en geniş çapta benimseyen aydın kesimi antropologlar oldu; Margaret Mead (1901-1978), Ruth Benedict (1887-1948), Clyde Kluckhohn (1905-1960) ve Melford Spiro (1920-2014) gibi kişiler çalışmalarında psikanaliz fikirlerini esas aldılar. O dönemde Karl Popper'ın (1902-1994) Londra İktisat Okulu'ndaki kürsüsünden dile getirdiği eleştiri, yani psikanalizin çürütülebilir olmadığı ve dolayısıyla her şeyi açıklar görünürken hiçbir şeyi açıklamayan sahte bir bilim olduğu yolundaki görüşü, bilim felsefecisi meslektaşları dışında pek yakın ilgi görmedi.

DELİLİK VE FİLMLER

İkinci Dünya Savaşı sonrası dönemde Amerikan psikiyatrisinde psikanaliz fikirlerinin artan etkisi, yüksek kültürün geniş bir kesiminde ve sanat dallarında karşılığını bulurken, psikanaliz teorisinin en azından sansürden geçirilmiş bir versiyonunu kitlelere ulaştırmada hepsini aşan öneme sahip son bir alan vardı. 20. yüzyılın başlıca kültürel yeniliklerinden biri filmdi ve bir konu olarak delilik, sinema için tam biçilmiş kaftandı. Birinci Dünya Savaşı'ndan hemen sonra, akıl hastalığını konu alan ilk klasik sessiz film Almanya'da çekildi. *Dr. Caligari'nin Muayenehanesi*'nin (1920; yön. Robert Wiene) şok yaratıcı bir girişi vardı. Deli bir akıl hastanesi doktorunun hipnotizmayla

---

70 Frederick C. Crews, 1975, s. 4.

71 Frederick C. Crews (ed.), 1998.

72 Norman O. Brown, 1959 ve 1966.

73 Philip Rieff, 1959 ve 1966.

74 Herbert Marcuse, 1955.

uyurgezer hale getirdiği bir hasta, dışarıdaki topluluk içinde dolaşır ve talimat üzerine insan öldürür. Seyircideki şaşkınlık duygusu, şiddetin ve yabani deliliğin kol gezdiği kâbus gibi bir dünya yaratmak üzere keskin açılara ve çarpık perspektiflere yer verilmiş boyalı dekorlar önünde geçen sahnelerle doruğa çıkar. Manevi ve maddi bozukluğun gerçeküstü tarzda karşılıklı yansımasıyla, tehditkâr, çirkin ve tuhaf şeylerin görsel bir çağlayanı, film kahramanlarının çıldırmışlığını çağrıştırır. Derken, son anda (ve sonradan akla gelen bir düşünceyle), olay örgüsü tamamen tersyüz olur: Merkezinde gaddar ve vicdansız psikiyatrın yer aldığı bütün hikâyenin bir hezeyan, bir akıl hastasının delice hayal gücünün sinemasal tasviri olduğu anlaşılır.

Amerikan sinema endüstrisi, Güney California'ya göçüne 1910'da başlamıştı ve Hollywood filmleriyle 1920'lere doğru her alandan daha fazla para kazandırır oldu. İzleyen yıllarda sanatsal bakımdan olmasa bile ticari anlamda dünya genelinde başat güç haline geldi. Kitleleri eğlendirerek muazzam servetler edinen sinema patronları, çalıştırdıkları (ve yıllarca stüdyo sistemiyle denetim altında tuttukları) kişiler ve yaptıkları filmlerin birçoğu başından itibaren Freudcu fikirlerden şöyle ya da böyle etkilendi. Daha 1924 sonbaharında Samuel Goldwyn (1879-1974) Atlantik'in öbür yakasına geçti ve elinde çek defteriyle Viyana'ya vardı. Tasarısı Sigmund Freud'a Hollywood'da "çalışmalarını ticarileştirmesi ve beyazperdeye uygun bir hikâye yazması" için 100 bin dolar önermekti. "Gerçekten harika bir aşk hikâyesi"ni Freud'dan daha iyi kim yazabilirdi ki? Görüşme isteği geri çevrilen Goldwyn, kulağı bükülerek sepetlendi.[75]

Hollywood patronları densiz ve çıkarcı tiplerdi. Genç yıldız adaylarının yatağa atılmalarına ilişkin mahrem hikâyelerin acımasız bir sömürü gerçekliğine dayandığı bir ortamda, kamuoyuna karşı namuslu geçinmelerine karşın, en azından seksin ve şiddetin edep sınırları içinde tutulması kaydıyla para getirdiğinin farkındaydılar. Onların gözünde yetenekler, yeri doldurulabilir onca insan çöpü gibi kullanılıp atılabilecek ve ancak gişe getirileri iyi olduğu sürece değer verilecek kişilerdi. Oyunculuk ve yönetmenlik kariyerleri, bütün narsist eğilimleriyle ve belirsizlikleriyle, nevrozların ve iptilaların yayıldığı bir sera kültürü yarattı. Yapımcılar, yönetmenler, senaryo yazarları, oyuncular, yani Hollywood'un bütün bileşenleri, bir süre sonra küçülmeleri gerektiğine karar verdiler. Böylece psikanaliz en kazançlı alanı oluşturdu. Patronların obur iştahlarını doyuranlar ve yapay yanılsamaları yaratan yaralı ruhlar, gelirlerinin, New York sosyetesinin güllerini kapanların kazandıkları meblağları bile aştığını gördüler.

75 Ernest Jones, 1953-57, c. 3, s. 114. Bir kaynağa göre, Freud'un bu cömert meblağı reddedişi New York'ta bir sansasyon yarattı. Anlaşıldığı kadarıyla, Freud'un gayet iyi belgelenmiş dolar tutkusunun sınırları vardı ya da belki Goldwyn'ın besbelli ki farkında olmadığı bir şekilde, ondan pek Hollywood senaryo yazarı çıkmayacağının farkındaydı.

Dr. Caligari'nin Muayenehanesi (1920): Cesare hipnotize ediliyor ve canice azgınlıkları arasında tutulduğu tabuta benzer dolabına tekrar konuluyor.

Görünüşe bakılırsa, Hollywood'da herkesin bir analizcisi vardı. Bizzat kanepeye yatma yolunu seçmeyen tek tük patronlar dahi, ihmal ettikleri çocuklarını ve ihanet ettikleri eşlerini sıkıntılarını dökmeye ve yaldızlı ama sorunlu hayatları için belki bir ölçüde avuntu bulmaya gönderdiler.[76] Sinema endüstrisine su gibi akan paranın büyük bir miktarı, Freud'un cebine olmasa bile Freudcu ceplere aktı. Ancak Hollywood sahnesinin bu yanı, ara sıra stüdyoların dürtüklediği dedikodu köşesi yazarlarınca biraz ortalığa saçılmanın dışında, o çevre içinde kaldı.

Amfetamin müptelası, iflah olmaz derecede kumarbaz, zampara ve başkalarını denetleme konusunda saplantılı bir adam olan David O. Selznick (1902-1965), dönemin en yüksek finansal başarısını yakalayan *Rüzgâr Gibi Geçti* (1939) filmini yaptıktan sonra depresyona yakalanınca, kısa bir sü-

---

76 Samuel Goldwyn ve Joseph Mankiewicz gibi patronlar analiz kanepesinde çok sayıdaki günahlarından arınmaya çalıştılar ancak görünüşe bakılırsa davranışları zerre kadar değişmedi. Yönetmenler aynı ölçüde gösterişçi tüketicilerdi. Cary Grant'tan Jason Robards'a ve Montgomery Clift'e, Judy Garland'dan Jennifer Jones'a ve Vivien Leigh'a kadar uzanan (ve tabii Marilyn Monroe'nun unutulmaması gereken) oyuncular listesi ise neredeyse sonu gelmez gibi görünür. Bazı rahatsız edici ayrıntılar için bkz. Stephen Farber ve Marc Green, 1993.

reliğine analize girdi. Çok geçmeden eski ortağı, amansız rakibi ve daha da güçlü patronlardan Louis B. Mayer'in (1884-1957) kızı olan karısı Irene'in (1907-1990) de analizcisi May Romm'la seanslarına katılması için ısrar etti. Çok çabuk bıktığı bu işi bıraktı. Seansları sürdüren karısı ise, belki de durumuna ilişkin bir perspektif edinmenin sonucu olarak, onu terk etti ve tiyatro menajerliği yeni bir kariyere yöneldi. Selznick buna tepki olarak, en son sevgililerinden aktris Jennifer Jones'la evlendi. İhanet ettiği kocasından bu uğurda boşanmak zorunda kalan Jones, bir süre sonra Irene'yle dönüşümlü olarak Dr. Romm'un kanepesine yatar oldu. Irene'in babası Louis B. Mayer, sinir krizinin eşiğine gelen karısı Margaret'in bir akıl hastanesine kapatılması ve boşanması üzerine, bu curcunalı dansa kısa süreliğine katıldı. Böylesine güçlü referanslarla donanan Dr. Romm, aralarında Eva Gardner, Joan Crawford, Robert Taylor ve Edward G. Robinson gibi gişe yıldızlarının da bulunduğu bir sürü tanınmış hanıma ve beye hizmet vermeye başladı.

Bu arada Romm'un rakipleri Hollywood camiasının benzer simalarının ruhsal yaralarını sarmakla ilgilendi. William Menninger'in kardeşi Karl Menninger (1893-1990) düzenli aralıklarla Omaha'dan Hollywood'a uçarak, yıldızlarla geyik muhabbetine girdi. New York'tan Lawrence Kubie "yaratıcı sanatçı"lardan oluşan bir müşteri kadrosu edindi. Yerel düzeyde Ernst Simmel (1882-1947), Martin Grotjahn (1904-1990), Judd Marmor (1910-2003), Ralph Greenson (1911-1979) ve bir Dickens kahramanının adını taşıyan Frederick Hacker (1914-1989) gibi kişiler, kuklalık ettikleri gözde şöhretler ve madrabazlar sayesinde servetler edindiler.

Pek şaşırtıcı olmayan bir gelişmeyle, psikoloji jargonu çok geçmeden beyazperdeye yansıdı ve Freud'un (daha doğrusu Hollywood versiyonunun) öngördüğü temel gerçek, Amerika genelinde ve gittikçe küreselleşen Hollywood sinema endüstrisinin ulaşabildiği her yerde kolektif bilinçaltına girdi. Analizci ile sinemanın güçlü simalarının görüntüsü 1940'lardan 1960'lara, hatta 1970'lerin başlarına kadar genellikle son derece rağbet gördü. Freud'un fikirleri ve klinik uygulamaları Hollywood'un ihtiyaçlarına uyacak şekilde rutin olarak basitleştirildi; ama hastalarını dizginlemek için şoka uğratıp sakatlayan, saldırgan, buyurgan psikopatlar gibi sunulan somatik psikiyatr portrelerinden oldukça farklı bir biçimde, psikanalizciler basında gayet olumlu gösterildi.

Metni Moss Hart'a, şarkı sözleri Ira Gershwin'e ve müziği Kurt Weill'e ait başarılı 1941 Broadway müzikaline dayanan ve 1944'te gösterime giren *Karanlıktaki Kadın*, psikanalizle kaynaşmış filmler dizisinin ilk örneği oldu. Her yerde hazır ve nazır Joseph Mankiewicz (1909-1993) geçmişte Karl Menninger'e ilettiği, "Önümüzdeki dönem genel olarak psikiyatriye, özel olarak psikanalize edebiyat, tiyatro ve sinema malzemesinin bir kaynağı olarak büyük önem kazandıracaktır"[77] şeklindeki öngörüsünün doğru çıkması için elinden geleni yaptı. Ama bu konuda bolca yardım gördü. Sipariş üzerine çekilmiş bir film olan *Dangerous Moonlight* [Tehlikeli Mehtap, 1941] savaş yorgunluğu hiçbir şeyi hatırlayamamasına yol açacak kadar köklü bir karakteri konu aldı. Dönemin başka bir dizi filmi (*Blind Alley* [Çıkmaz Sokak], *Now, Voyager* [Aşk Yolcuları], *Kings Row* [Acı Günler], *Home of Brave* [Cesurların Vatanı]) psikiyatrları aksiyonun merkezine oturttu. Hatta Fred Astaire *Carefree* [Gamsız, 1938] filminde step dansı yapan bir psikyatrı canlandırdı.[78] Eve dönen Zach Morgan adlı bir eski muharibin savaşta aldığı psikolojik yaraların duygusal bir tasvirini sunan I will be Seeing You [Seni Göreceğim, 1944] filminin yapımcısı David O. Selznick, İngiliz yönetmen Alfred Hitchcock'a çektirdiği ve Freud'u kitlelere ulaştırmaya dönük en açık girişim sayılabilecek filmi 1946'da piyasaya sürdü.

Spellbound [Öldüren Hatıralar] adlı bu film, Dr. Constance Petersen adlı soğuk bir Freudcu analizci rolündeki Ingrid Bergman ile Green Manors Akıl Hastanesi'ne Dr. Anthony Edwardes kimliğiyle gelen, ama hafızasını yitirmiş ve muhtemelen tehlikeli bir eski muharip olduğu anlaşılan John Ballantyne rolündeki Gregory Peck'i bir araya getirdi. Perdede giriş jeneriği akarken, seyirciler birazdan izleyecekleri gizemin nihayet zihnin "kilitli kapılarını açmayı" başaran "modern bilim" psikanalizin gücünü yansıttığını öğrenirler. Filmde "bir zamanlar hastaları rahatsız eden komplekslerin açığa çıkarılıp yorumlanışı, hastalığın ve kafa karışıklığının ortadan kaldırılışı [...] ve akılsızlık cinlerinin insan ruhundan kovuluşu" gözler önüne serilecektir.

Müzik yükselir ve melodram başlar. Selznick filmin konusuna bilim katmak için, kendi analizcisi May Romm'u danışman olarak işe aldı ve jenerikte adına yer verdi. Aşırı duygusallığı yüksek sanat olarak gördüğü şeyle örtmeyi hep gözeten biri olarak, gerçeküstücü sanatçı Salvador Dali'yi filmin rüya sekanslarında makas, gözler, perdeler, iskambil kartları, kanatlar ve çark gibi psikanaliz sembolleriyle dolu dekoru hazırlamakla görevlendirdi. (Selznick'e hadım işlemini temsil eden kerpetenin bir yakın çekimi "anlam"ına geldiği açıklandığında dekordan çıkarılan başka bazı unsurlar da vardı.) Filmde Peck'in gerçek kimliği bir çocukluk travmasına ve savaşın ruh hali üzerindeki etkilerine ilişkin bastırılmış anıları hatırlamasıyla ortaya çıkar. Psikanaliz ve gizli anlamlara dönük arayış ile suçun saptanıp çözülmesi arasındaki benzetmeler, 1940'larda ve 1950'lerde Hollywood'a damgasını vuran kara filmlerin ortak bir unsurdur.[79] Filmde gözlüğünü çıkaran Constance'ın cinsel tutkusunun (en azından sinema yönetmenliğinin elverdiği ölçüde) kabarıp açığa çıkması ve

---

77 Joseph Menninger'den Karl Menninger'e, 13 Temmuz 1944, Karl A. Menninger, 1988, s. 402.
78 Bu göndermeleri aldığım kaynak Stephen Farber ve Marc Green, 1993, s. 36.
79 Bkz. Edward Dimendberg, 2004.

Salvador Dali *Öldüren Hatıralar* (1945) filmindeki rüya sekansı için hazırlanmış bir tasarıma bakarken.

göz kamaştırıcı yeni görünümüyle Ingrid Bergman'ın önceki soğuk kişiliğinden sıyrılıp sevgilisine kucak açması buna ilave bir karakteristik hava verir.

Tuhaf bir gelişmeyle, başta Karl Menninger olmak üzere bazı psikanalizciler, filmde mesleklerinin sunuluş biçimini protesto ettiler; kızdıkları şey basitleştirmelerin yanı sıra, amansız Constance Petersen'ın sonunda caniliğini açığa çıkardığı kişinin başka bir analizci olmasıydı. Bu aptalca bir aşırı tepkiydi çünkü film çarpıcı bir gişe başarısı yakaladı ve psikanalizin delilik sırlarının ve tedavisinin anahtarını elinde tuttuğu anlayışının yayılmasına büyük katkıda bulundu. Analizi ve analizcileri sevecen bir yaklaşımla sunan bir dizi filmin ilk örneği buydu. Psikanalize saygının doruğu, John Huston'un *Freud* adlı biyografik filmi olacaktı. Huston daha önce 1946'da mermi şokuna uğramış askerler hakkında *Let There Be Light* [Biraz Işık] adıyla bir belgesel film çekmişti. Ama filmin mucizevi devalara ilişkin (tamamen uydurma) bir izlenim vermesine karşın, ABD Savaş Bakanlığı asker adayları üzerinde yıkıcı etki yaratacağı gerekçesiyle, gösterimini otuz beş yıl boyunca yasakladı.

Freud'u övücü bir film yapmaya çalışan[80] Huston, bir fikir devine başka

80 Huston'a göre, bu film "Freud'un insan ruhunun meçhul derinliklerine yolculuğunun yanında, insanoğlunun çoğu büyük serüveninin, dünya ufkunun ötesine seyahatlerinin bile sönük kaldığı yolundaki sağlam kanaate dayanan on sekiz yıllık bir saplantı"ydı. John Huston, "Focus on Freud", *New York Times*, 9 Aralık 1962.

bir devin yakışacağı düşüncesiyle, senaryoyu yazma işini Fransız varoluşçu Jean-Paul Sartre'a verdi ve Marilyn Monroe'yu Freud'un hastası Bayan Cácilie rolünde oynatmayı tasarladı. Ama Sartre'ın 1.500 sayfayı bulan senaryosu düpedüz filme çekilemez nitelikte çıkarken, babasının mirasının Hollywood tarafından küçük düşürülmemesine izin vermemekte kararlı olan Anna Freud, Marilyn'in analizcisi Ralph Greenson'la (1911-1979) bağlantılarını kullanarak, Bayan Monroe'nun filmde oynaması önerisini baltaladı. Huston'un yine de çektiği film ağır havasından dolayı, 1962'de dağıtıma girdiğinde eleştirmen tepkileri ve gişe açısından bir fiyaskoyla sonuçlandı. Ancak Hollywood'un psikanalize tapınması, 1977'de çekilen *Sana Gül Bahçesi Vadetmedim* ve Robert Redford'un 1980'deki ilk yönetmenlik denemesi *Ordinary People* [Sıradan İnsanlar] filmlerine kadar sürdü.

Joanne Greenberg'in 1964 tarihli romanına dayanan ve olayların psikozlu çok zengin kişilerin psikanalizle tedavi edildiği Chestnut Lodge adlı bir Maryland akıl hastanesinin kurgusal bir versiyonunda geçtiği *Sana Gül Bahçesi Vadetmedim*, Kathleen Quinlan'ın canlandırdığı intihara, kuruntulara, sanrılara, kendine zarar vermeye eğilimli bir genç kızın hikâyesini anlatır. Sevecen analizci Dr. Fried (aslında ufak tefek olan ve uzun boylu İsveçli aktris Bibi Andersson'ın canlandırdığı Frieda Fromm-Reichmann) genç kızın gerçekliğe olduğu gibi adım adım dönmesini sağlar. Hastaya kötü muamelenin bazı iç paralayıcı örneklerine rağmen, konuşma tedavisi konusunda ağır basan mesaj, Dr. Fried'in sebatıyla ve becerisiyle, hastasındaki sorunların travmatik köklerini açığa çıkarışı ve onu aklı başında insanlar arasına döndürüşüdür. Üst-orta sınıfa mensup bir ailenin genç oğlunun kazara ölümünü, kardeşinin geçirdiği sinir krizini ve daha çok sevdiği ilk oğluna yanan annenin buna donuk tepkisini konu alan *Sıradan İnsanlar* filminde de temeldeki baskıları ve psikopatolojinin kaynaklarını çözerek, ikinci oğlun toparlanmasını sağlayan bir analizci çıkar karşımıza. Ancak anne soğuk tavrını sürdürür ve hem beceriksiz kocasını hem de oğlunu terk ederek, kendi ailesinin soğuk avutuculuğuna sığınır.

Bu ve daha eski filmlerde analizcilerin büyük çoğunlukla olumlu portresiyle, *Guguk Kuşu* (1975) ve *Frances* (1982) filmlerindeki kurumsal psikiyatri imajından daha çarpıcı bir tezat olamaz. Bu iki Hollywood filminin yapımcılarına göre, önceki bölümde incelediğimiz biyoloji eğitimli psikiyatrlar, şoka uğratmaktan ve sakatlamaktan başka bir şey bilmeyen bir takımdı. Oysa bir süre sonra zafere ulaşan psikoloji değil, biyoloji oldu. Psikanalizin Amerikan psikiyatrisine ve kültürüne hâkim olduğu, deliliğin ona yüklenen anlamlara göre tanımlandığı ve tedavi edildiği otuz beş yıllık dönem dikkat çekici ölçüde ani bir bitişin eşiğindeydi. Freud sevdası adeta söndü.

Bölüm On İki

BİR PSİKİYATRİ DEVRİMİ Mİ?

AKIL HASTANESİ SİSTEMİNİN SONU

Venedik'e uğrayan paralı gezginin yirmi dakikalık bir tekne gezisiyle lagünü geçip San Clemente Adası'na (Resim 43) giderek, turist kalabalıklarından kaçma seçeneği vardır. Orada onu mermer koridorları ve merdivenleri, lüks bir konaklama için gerekli her türlü donanımı olan beş yıldızlı bir otel bekler. Bu otel reklamlarda eski bir manastır olarak tanıtılan bir binadadır. Napoléon'un 19. yüzyılın başlarında orayı ve diğer dinsel kurumları kapatmasına kadar gerçekten de öyleydi. İşletme sahipleri "freskleriyle ve çarpıcı Rönesans ön cephesiyle kadim çağdan kalma ortam"la övünürler ve konuklarına "ada tarihinin bütün izlerinin korunması [sayesinde] [...] Venedik kentine yukarıdan bakan davetkâr ve huzurlu bir vaha" sunmayı vaat ederler.

Birçok pazarlama metni gibi, bu da gerçeğin tamamını yansıtmaktan uzaktır. San Clemente Sarayı 1844-1992 arasında Venedik yaşamında çok farklı bir rol oynadı ve şimdiki sahipleri geçmişindeki bu dönemi gizlemek, daha doğrusu tarihten silip atma arzusu içindedir. Küçük adayı (bir şapel dışında) süsleyen yegâne yapı olarak otelin güzelliklerini tanıtan malzemelerin hiçbir yerinde, oldukça yakın dönemde Venedik'teki deli kadınların kapatıldığı akıl hastanesi işlevi gördüğüne değinilmez. Oysa orası bir zamanlar Shelley'nin Byron'la birlikte gezdiğinde şu dizelerle anlattığı San Servolo'daki tımarhanenin dengiydi:

> Ben bu sözleri söylerken,
> Uşaklar gondolun hazır olduğunu bildirdiler.
> Şakır şakır yağmurun altında kabarmış denizi
> Aşarak tımarhanenin bulunduğu adaya vardık.
> Gondoldan indik. Acılı ellerin çırpılışı,
> Azgın feryatlar ve ulumalar, keskin ağıtlar,
> Yakınmanın neşeye dönüştüğü kahkahalar,
> İnlemeler, çığlıklar, lanetler ve küfürlü beddualar
> Kulaklarımızı tırmaladı. Balçık kaplı merdivenden
> Çıkınca eski bir avluya girdik...[1]

---

1 Percy Bysshe Shelley, "Julian and Maddalo: A Conversation" (1818-1819).

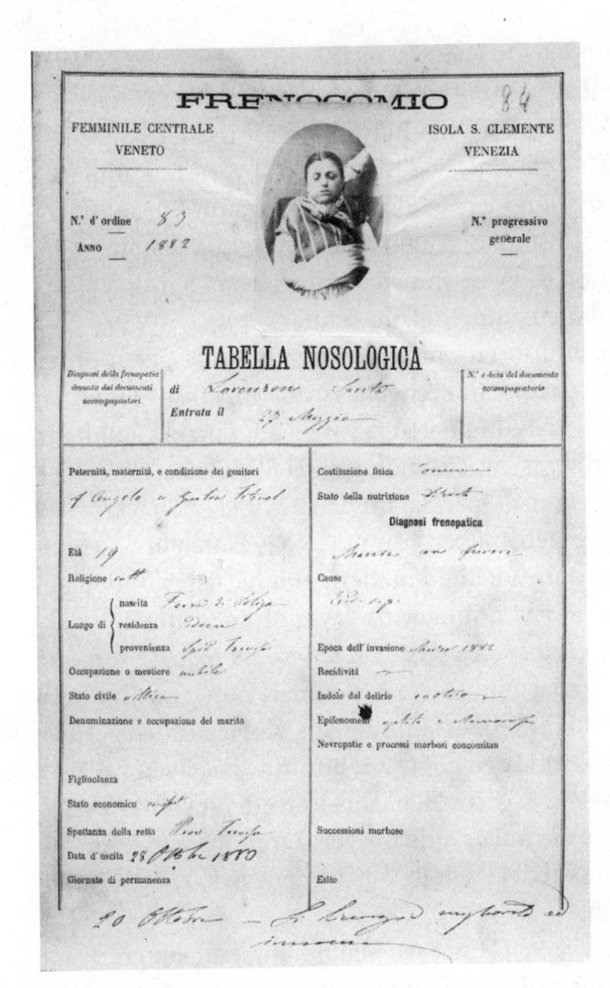

FRENOCOMIO

FEMMINILE CENTRALE VENETO — ISOLA S. CLEMENTE VENEZIA

N.° d'ordine 83

Anno 1882

N.° progressivo generale

TABELLA NOSOLOGICA

Diagnosi della frenopatia desunta dai documenti accompagnatori

di

Entrata il

N.° e data del documento accompagnatorio

Paternità, maternità, e condizione dei genitori

Età 19

Religione

Luogo di nascita / residenza / provenienza

Occupazione o mestiere

Stato civile

Denominazione e occupazione del marito

Figliuolanza

Stato economico

Spettanza della retta

Data d'uscita

Giornate di permanenza

Costituzione fisica

Stato della nutrizione

Diagnosi frenopatica

Cause

Epoca dell'invasione

Recidività

Indole del delirio

Epifenomeni

Nevropatie e processi morbosi concomitanti

Successioni morbose

Esito

Venedik'teki San Clemente Akıl Hastanesi'nde kalan bir hastanın 1880 tarihli yatırılma belgesi. Bina topluluğu şimdi lüks bir otel olarak kullanılıyor.

Kadın akıl hastanesinin aynı ölçüde ürkütücü bir şöhreti vardı. Venedikliler için "San Clemente'ye gitmek" delirmekle eşanlamlı hale gelmişti. Mussolini metresi Ida Dalser'den bıkınca, onu oradaki delilerin arasına kapattı; zavallı kadın geri kalan ömrü boyunca orada tecrit edilmiş olarak kaldı.[2] 1992'de boşaltılan tımarhane geçici bir süre Venedik'in sokak kedilerine yuva olduktan sonra, spekülatörler tarafından satın alındı ve Giudecca'daki Cipriani Hotel'e rakip olacak bir otele çevrildi. Yakın dönemde ilk sahiplerinin iflas etmesi üzerine Türk müteahhitlerin aldığı tatil yeri şu anda daha da gösterişli bir biçimde yenileniyor. Geçmişin talihsiz hortlaklarını oradan kovmak biraz zorluk çıkarıyor anlaşılan.

Kuzey Londra'da daha kalıcı lüks konut arayışı içinde olanlara 2010'da, Prenses Diana'ya atfen Princess Park Manor adı verilen yeni bir sitede bir

2 Aslında, birçok kişi evli oldukları ve Mussolini'nin her türlü kanıtı yok etmek için sıkı bir çaba gösterdiği kanısındaydı.

daire satın alma şansı sunuldu. Alıcı adaylarına "Zarif mimari meraklarına kuşaklar boyunca keyif ve ilham vermiş bir Victoria dönemi şaheserinde, [...] tarihi boyunca bir kibarlık havası taşımış İtalyan tarzı ihtişama sahip, [...] olağanüstü şık bir konutta" yaşayabilecekleri güvencesi verildi. Kampanya muazzam bir başarıya ulaştı. Şimdilerde Londra'da hatıra mülkler satın almak için kuyruğa giren yurtdışından zengin alıcıların bildik alayının yanı sıra, pop grubu One Direction'ın üyelerinin ve İngiliz birinci liginin yüksek paralar kazanan epeyce futbolcusunun ilgisini çekti.

Site yöneticileri 19. yüzyılın ortalarında Londra'nın önde gelen otuzu aşkın mimarının katıldığı bir yarışmada seçilen tasarıma göre inşa edilmiş bir binada kalma şansını tanımakla övündüler ama yarışmanın niçin yapıldığını açıklamaktan kaçındılar. Princess Park Manor aslında Middlesex'in ikinci il akıl hastanesi olarak 1851'de Prens Albert tarafından büyük tantanayla açılan ve yıllarca başkentin binlerce delisini barındıran Colney Hatch'in dönüştürülmüş halidir. O dönemde dünyadaki en modern akıl hastanesi sayılmaktaydı. Britanya'nın modern sanayi atılımlarına saygı nişanesi niteliğindeki 1851 tarihli Büyük Sergi'yi görmeye gelen ziyaretçilere, neredeyse serginin düzenlendiği Kristal Saray kadar muhteşem bir mimari hüner sayılan yeni akıl hastanesini gezmeleri için bir rehber sunulmuştu. Colney Hatch sürüyle çaresiz insanın tıka basa doldurulduğu koğuşları birbirine bağlayan yaklaşık on kilometrelik koridorlarıyla çok geçmeden daha kasvetli bir şöhret kazandı ve "Hatch'e düşmek" delirme anlamında bir yerel argo ibareye dönüştü. Londra'nın yeni zenginlerine sitedeki daireleri girişimiyle pek uyuşmayacağı için, bütün bunlar es geçildi.

Ama San Clemente Sarayı ve Princess Park Manor, kural olmaktan ziyade istisnalardır. Victoria dönemi akıl hastanelerinin büyük bölümü çok farklı bir akıbete uğradı. Dökülmekte olan rahatsız edici ve tekinsiz yıkıntıları, Avrupa ile Kuzey Amerika'nın her yerinde ve hatta Batı dünyasının geçmişte sömürgeleştirdiği uzak köşelerde görülür. Bomboş geniş alanlarda hantal binaların çöküşü, önceki kuşakların şevkinden vazgeçilişine sessizce tanıklık eder. Birçoğu arsa maliyetinde tasarruf amacıyla ücra kırsal beldelerde inşa edilmiş yapıları yeniden imara açmak için çok az teşvik vardır. Bu yerleri hâlâ yuva olarak anan az sayıdaki kayıp ruh kadar metruk, virane ve harap haldeki Victoria dönemi delilik müzeleri hızla yok olup gidiyor.

"Topraktan geldin ve yine toprağa döneceksin," der bize Tekvin Kitabı. Yüz yılı aşkın bir süre boyunca akıl hastaneleri imparatorluğunun görünüşteki sınırsız yayılışına yatırılan muazzam fikri ve maddi sermaye son elli küsur yılda harcanıp gitmiş durumda. Havanın, böceklerin ve hayvanların yıkım işini bitirmesiyle birlikte, akıl hastanesinin özgün manevi mimarisi de er geç yok olacak (Resim 42).

Middlesex'in ikinci il akıl hastanesi Colney Hatch'in geçmişte kapladığı geniş alan.

Georgia eyaletinin Milledgeville kentindeki Merkez Eyalet Hastanesi 1960'lar gibi geç bir tarihte, hâlâ barındırdığı 12 bini aşkın hastayla, dünyadaki en büyük akıl hastanesiydi.[3] Yaklaşık 800 hektarlık alana yayılmış 200 binası şimdi boş duruyor ve birçoğu çöküyor. Bir zamanlar koridorlarına girenleri karşılayan görüntülerle ve seslerle ya da buna benzer akıl hastanelerine damga vurmuş kendine has kokularla gelecekte hiç kimse karşılaşmayacak: Çürüyen bedenlerin ve zihinlerin, yıllarca birikmiş insan dışkısının sindiği koğuşların, kuşaklar boyunca yemek diye verilen lapanın, binaların fiziksel dokusuna pis hava gibi yapışıp kalmış yavan bulamacın unutulmaz kokusu. Dışarıdaki bakımsız bahçede binlerce mezar yarı gizli halde yatıyor; numaralı metal etiketler oraya yıllarca kapatılmış olanlardan birçoğunun nihai akıbetine işaret ediyor.

Yüzlerce kilometre kuzeyde New Jersey eyaletindeki eski Trenton Eyalet Hastanesi yer alır; diş çekiminin ve bağırsak çıkarmanın bu Kâbe'sinde bir zamanlar Henry Cotton güya akıl hastalığına yol açan odak septiseminin peşine acımasızca düşmüştü. Orası da şimdi büyük ölçüde boş, ama binaların bazı kısımlarında küçük bir kalıntı hâlâ yığın halinde duruyor. Eskiden bahçeyi süsleyen heybetli ağaçlar iç içe geçmiş, bakımsız kalmış ve otlara bürünmüş. Kasvetli gölgeleri yukarıdan baktıkları metruk binalarda rutubetli ve loş bir hava yaratıyor. Küf ve çürüme her yeri sarmış. Pencerelerdeki demir parmaklıklar, aşağıdaki taş ve tuğla yığınında kahverengi pas

3 New York eyaletine bağlı Long Island'daki Pilgrim Eyalet Hastanesi 13.875 sakiniyle ve dört ilçenin sınırları boyunca yayılan bir kampusla önceki on yılda rekoru elinde tutmaktaydı. Yakındaki Kings Park Eyalet Hastanesi ve Central Islip Eyalet Hastanesi sırasıyla 9.303 ve 10.000 hasta barındırmaktaydı. İkincisine yatırılacak hastalar Long Island Demiryolu'nun bir rampa hattında özel bir trenle taşınırdı; kaçışları için vagonların pencereleri parmaklıklarla donatılmıştı. Ama New York eyalet yönetimi hastanelerini Georgia'dan önce boşaltınca, Milledgeville Hastanesi dünyanın en büyük akıl hastanesi olmanın sağladığı şaibeli ayrıcalığı bir süreliğine elde etti.

biriktiriyor. Boşluk ve tekinsiz bir sessizlik hüküm sürüyor. İçeriye izinsiz giren ziyaretçiler, tarif edilemez tozla ve pislikle kabuk bağlamış çürük metal paravanların kısmen kapattığı kırık cam levhalardan, döşemenin, canlı ve cansız hiçbir şeyin bulunmadığı boş koğuşları görebiliyor. Bir zamanlar meraklı kişileri uzaklaştıran bekçi kulübesinde kimse yok. Delilerin ve aklı başında insanların dünyaları arasındaki dokunulmaz sınırı artık hiç kimse korumaya çalışmıyor. Kendini uygar olarak nitelendiren dünyanın her yanında böyle sahnelere rastlanabiliyor.

İngiltere'de ve Galler'de 1950'lerin herhangi bir gününde akıl hastanelerine tıkılı kişilerin mevcudu 150 binden fazlaydı; ABD'de rakam yaklaşık dört kat yüksekti. Avrupa genelinde delileri topluca kapatma 19. yüzyılın ortalarından itibaren kural haline geldi ve bu kalıp Batı uygarlığının varlığını hissettirdiği her yerde ortaya çıktı. Akıl hastanesi sisteminin çöküşünde de öyle oldu. Süreç Britanya'da ve Kuzey Amerika'da başladı ve izleyen yıllarda diğer Avrupa toplumları aynı yolu izledi.

Japonya neredeyse emsalsiz bir örnek olarak, hâlâ bu yola girmiş değil ya da henüz yolun başında. Hastaneye yatırma oranının çok düşük olduğu 1945'ten itibaren, Japon akıl hastanelerinin hasta mevcudu sonraki elli yılda çarpıcı bir artış gösterdi. Yaklaşık on binde 2 olan oran 1995'te on katın üzerine çıktı; sonraki yıllarda çok hafif bir azalmayla on binde 29'dan 27'ye indi.[4] Japon akıl hastanelerinde ortalama yatış süresi 1989'da 496 gündü, yani ABD'deki düzeyin kırk katından fazlaydı. Yirmi yılı aşkın bir süre sonra, Japon hastalar hâlâ ortalama olarak bir yıldan fazla yatmaktaydı; ancak 2011'de hükümet yatan hasta sayısını sonraki on yılda 70 bin azaltmaya dönük tartışmalı tasarısını açıkladı. Akıl hastalığının hâlâ büyük bir damga sayılmasından dolayı, birçok kişi gözetim altında bakımı tercih eder gibi görünüyor. Japon kültürü kamu düzenini bireysel haklardan üstün tutuyor; aileler de deliliği kendi akrabalarının evlilik şansı için bir tehdit, ayrıca derin utanç ve rahatsızlık kaynağı olarak görülen birini hastaneye kapatma yoluna gidiyorlar. Japon hükümeti ise özellikle emsali görülmemiş sayıda yaşlının akıl hastanelerine yatırılmasından dolayı maliyetin yükselmesinden korkuyor.[5] Bu çatışan baskıların nasıl çözüleceği oldukça belirsiz görünüyor; ama belirtilere bakılırsa, akıl hastanesini esasen Avrupa'dan ve Kuzey Amerika'dan yüz yıl sonra benimseyen Japonya, onlardan elli yıl sonra sistemin gerileyişine sahne oluyor gibi görünüyor.[6]

---

4 Keio Üniversitesi'nden Akihito Suzuki'ye, Ando Miçihito'nun ve Goto Motoyuki'nin derlediği, bu rakamlar sağlamasından dolayı minnettarım.

5 E. Landsberg, 2011. Ayrıca bkz. Hiroto Ito ve Lloyd I. Sederer, 1999.

6 19. yüzyıl başlarının Avrupasında ailelerin hastaları saklamaları, o dönemde reformcuların yorumlarına konu olan bir şeydi; yani, Japon 20. yüzyıl uygulamalarının daha eski tarihsel benzerleri vardı.

Massachusetts'in Grafton kentindeki metruk eyalet hastanesinin hidroterapi birimi. Bir zamanlar ağır branda örtülerin güvenle suyun içinde tuttuğu inatçı hastalar sadece başlarını sert kumaştaki bir delikten dışarıya çıkarabilirlerdi.

Birleşik Krallık'ta ve ABD'de akıl hastanesi sayımlarının sonuçları 1950'lerin ortalarından itibaren, ilk başta neredeyse sezilemeyen bir azalma sürecine girdi. Tempo 1960'ların ortalarından sonra çarpıcı biçimde hızlandı ve her iki ülkede yatan hasta sayısı neredeyse bitiş noktasına doğru gerilemeye yüz tuttu. ABD en ağır akıl hastalarını 1955'teki oranla kapatmayı sürdürmüş olsaydı, 2013'te akıl hastaneleri neredeyse 1,1 milyon kişiyi barındırıyor olacaktı. Oysa böyle kurumlarda şimdi 50 binin epey altında ufak bir kesim kalıyor.

Bu her açıdan olağanüstü bir değişimdir. Devlet destekli akıl hastanesi sisteminin 19. yüzyılda sahneye çıkışından sonra, böyle yerlere kapatılanların mevcudu yıllarca amansız biçimde arttı. Savaş zamanlarında bu yönelimde geçici ve az sayıda tersine dönüşler oldu. Örneğin, İngiltere'de Birinci Dünya Savaşı'nda akıl hastanelerinin personelinden birçok kişi başka görevlere kaydırıldı ve zaten kıt bütçeleri kısıldı. Öngörülebilir bir gelişmeyle, hastalar bundan zarar gördü ve birçoğu açlıktan öldü. Sözgelimi, Buckinghamshire iline ilişkin rakamlar, ölüm oranının savaş boyunca sürekli arttığını ve 1918'de hastaların üçte biri düzeyine vardığını gösterir. Hastaneyi yönetenler "tasarruf adına hasta tayınlarını hayatta kalmayı sağlayacak miktarının altına indirmişlerdi. [...] Beslenme [düzeninin] 1919'da (epeyce maliyetli olsa bile) iyileşmesiyle birlikte, ölüm oranı düştü."[7]

İkinci Dünya Savaşı'nda işgal altındaki Fransa'da tahminen 45 bin psikiyatri hastası açlıktan ve bulaşıcı hastalıklardan öldü; akıl hastanelerindeki ölüm oranının neredeyse üçe katlandığı bu süreç bazılarınca bir "yumuşak imha" programı olarak nitelendirildi.[8] Yatan hasta sayısı geçici olsa bile hızlı bir düşüşle 115 binden 65 bine indi. Daha doğrudan davranan Naziler, "işe yaramaz yiyiciler" olarak nitelendirdikleri delileri katlettiler.

Ne var ki, bu olağandışı şartlar bir yana bırakılırsa, kurumda yatan hasta sayısındaki amansız artış 20. yüzyılın ortalarında psikiyatri sahnesinin köklü bir unsuruydu. Dahası, İkinci Dünya Savaşı'nın sonunda bütün belirtiler hemen her yerde psikoza standart tepkiye dönüşmüş tutumun süreceğine işaret ediyor gibiydi. Savaşın hemen ardından çoğu Amerikan eyaleti "deli" yaftasını "akıl hastası" olarak değiştirdi. Britanya'da 1930 tarihli yasa "meczup" sıfatının yerine daha uzun "akıl sağlığı bozuk kişi" terimini geçirmişti. Fransa Halk Sağlığı Bakanlığı (1838'den beri resmi belgelerde kullanılan) *aliénés* teriminden 1948'de vazgeçti ve yerine *malades mentaux* [akıl hastası] terimini geçirdi. İtalyanlar *infirmi di mente* [zayıf zihinli] yerine *alienati di menti* ibaresini kullanmayı seçti. Çeşitli ülkelerdeki değişik adlarıyla artık akıl hastanesi diye anılır oldu.[9] Ama aklını kaçıranların kuruma yatırılması gerektiği önermesine bağlılık, sözlü yüzeysel değişikliklere rağmen sürdü.

Savaşın hemen sonrasında İngiliz hükümeti "[akıl sağlığı] hizmetinin karşı karşıya olduğu en büyük sorunlardan birinin akıl hastanelerinde daha fazla yatak sağlamak olduğunu" ileri sürdü.[10] ABD genelinde eyalet yönetimleri benzer sonuçlara vardı. Skandal haber peşinde koşan gazeteciler ve savaşmaktan kaçınmanın cezası olarak eyalet hastanelerinde bakıcılıkla görevlendirilmiş vicdani retçiler, mevcut akıl sağlığı hizmetlerinin yetersizliklerini teşhir etmek için yarıştılar.[11] Bu eleştirmenlerin en ünlüsü, ABD'de akıl hastalığı tedavisinin ilk tarihini yazmış ve mesleğin bir şükran nişanesi

7 John Crammer, 1990, s. 127-128.
8 F. Chapireau, 2009; Marc Masson ve Jean-Michel Azorin, 2002.
9 Simon Goodwin, 1997, s. 8.
10 ABD Sağlık Bakanlığı, 1952, s. iv.
11 Vicdani retçiler hakkındaki raporlar için bkz. Frank L. Wright (ed.), 1947.

olarak Amerikan Psikiyatri Birliği'nin onursal üyeliğine seçilmiş olan Albert Deutsch (1905-1961) adlı bir muhabirdi. Amerikan akıl hastanelerinde koşullar üzerine yazdığı ve etkili fotoğrafların eşlik ettiği makaleleri önce kavgacı York gazetesi *PM*'in sayfalarında çıktı ve ardından *The Shame of the States* [Eyaletlerin Ayıbı, 1948] adıyla kitap halinde yayımlandı.

Bir süre önce Alman ölüm kamplarını gezmiş olanların yazdığı başka birçok makale ve Harold Orlansky'nin "Bir Amerikan Ölüm Kampı" makalesi, Amerika'daki akıl hastanelerinin arka koğuşlarındaki durumu Dachau, Belsen ve Buchenwald'a açıkça benzetti. Bu arada Deutsch, Philadelphia'nın Byberry Eyalet Hastanesi'nde idrarını tutamayan erkeklerin kaldığı koğuşu "Dante'nin cehenneminden alınma bir sahne" gibi nitelendirdi. "Üç yüz çıplak adam çığlıkların, homurtuların ve korkunç kahkahaların yükseldiği bu boş odada çömelmiş ve yere yayılmış halde duruyordu. [...] Bazıları çıplak zeminde kendi dışkıları içinde yatıyordu. Pislikle kaplı duvarlar çürüyordu."[12]

Gelgelelim, bu reformcular kuşağı birçok eyalet akıl hastanesindeki yaşamın sarsıcı gerçeklerini görmekle birlikte, kurumların kaldırılması çağrısında bulunmadı. Onlara göre, saptadıkları sorunların kaynağı halkın aldırışsızlığı ve politikacıların cimriliğiydi. Onların sunduğu türden dolaysız haberler, halk adına işlenen dehşeti açığa vurarak, uyuşuk bir yurttaş kitlesini sarsmaya ve seçmenlerin akıl hastanelerine düzgün bakım için yeterli para verilmesini talep etmelerini sağlamaya yönelikti. Alfred Maisel'in (1909-1978) *Life* dergisinde belirttiği gibi, gerçekleri gün ışığına çıkarmanın gayesi eyalet yönetimlerini utandırıp yeterli kaynak aktarmalarını sağlamaktı. Bu adım "hastane kisvesindeki toplama kamplarına son vermek ve kapatma yerine iyileştirmeyi hedef haline getirmek" için yeterli olacaktı.[13]

Savaş sonrası Avrupa'da, akıl hastanesi çözümüne bağlılık pek sarsılmamış gibiydi. Hitler'in T-4 imha programıyla işbirliğine girmiş Alman psikiyatrların çoğu eski görevinde kaldı ve akıl hastanelerini dolduracak yeni bir akıl hastası kuşağı ortaya çıktı. 1960'lara varıldığında, Batı Almanya'da her biri ortalama 1.200 yataklı 68 eyalet akıl hastanesi vardı. Fransa'da akıl hastaneleri daha da büyüktü ve bazılarının yatak kapasitesi 4.000'e yakındı; 1982 gibi geç bir tarihte bile, İtalya'daki 20 akıl hastanesinin her birinde bini aşkın hasta kalmaktaydı. Fransız yetkililer 1950'lerde ve 1960'larda acilen mevcut kurumlardaki aşırı kalabalıklığı yeni kurumlar açarak hafifletmeye çalıştılar. Bu dönemin sonlarında bile Fransız hükümeti psikiyatri hastaları için 20 bin yatak eklemeyi tasarladı. Franco'nun faşist rejimi altında ve onun 1975'teki ölümünden birkaç yıl sonra, İspanya akıl hastanesi sektörünü genişletmeyi

12 H. Orlansky, 1948.
13 Alfred Q. Maisel, 1946.

Pennsylvania'nın Philadelphia kentindeki Byberry Eyalet Hastanesi'nde idrarını tutamayan erkeklerin kaldığı koğuş. Hastanenin bu görüntüsü ve diğer görüntüleri, bakıcı olarak görevlendirilmiş bir Quaker vicdani retçi olan Charles Lord tarafından 1944'te gizlice çekilmişti. Lord'un ve meslektaşlarının "ölüm evi" olarak andığı bitişikteki koğuşta azgın deliler kalmaktaydı.

sürdürerek, 1950'de 54 olan kurum sayısını iki katlık artışla 1981'de 109'a, yatan hasta mevcudunu 24.586'dan 61.474'e çıkardı. Siyasal yelpazenin karşıt ucunda yer alan İsveç'in ve Danimarka'nın sosyal demokrat rejimleri altında akıl hastanesi mevcudu 1970'ler boyunca arttı. Bütün bu ülkelerde ve ayrıca öbürlerinde akıl hastanesine kapatmaktan vazgeçme eğilimi ancak zamanla ortaya çıktı. Buradaki dökümün açıkça gösterdiği üzere, İngilizce konuşulan ülkelerdeki hızlı ilerleyişe aşinalığın uyandırabileceği kanaatten ziyade, geniş bir karşılaştırmalı perspektiften bakıldığında, akıl hastanesinin miadını dolduruşu sürüncemeli bir seyir izledi.

TEKNOLOJİK BİR DÜZELTME Mİ?

Amerikan ve İngiliz akıl hastanesi mevcudundaki gerileme, başlıca akıl hastalıklarına dönük ilk modern ilaç tedavisinin devreye girişiyle neredeyse tam çakışacak şekilde, 1950'lerin ortalarında başladı. ABD'de Thorazine'de ve Avrupa'da ve başka yerlerde ("geniş etkili anlamında") Largactil adıyla pazarlanan klorpromazinin satışı ABD Gıda ve İlaç İdaresi tarafından (aşağıda daha ayrıntılı anlatılacak bir süreçle) 1954'te onaylandı. On üç ay sonra tek başına bu ülkede ilacın verildiği kişi sayısı iki milyona ulaştı. Çoğu psikiyatr bunu tedavide atılım olarak övgüyle karşıladı. Camia çeşitli şok tedavilerini kapsayan kaba ampirik tedavilere ya da lobotomi denen daha da kaba cerrahi müdahaleye bel bağlamak yerine, artık modern hekimliğin klasikleşmiş sembolik donanımını, yani ilaçları salık verip uygulayabilirdi.

İngiliz ve Amerikalı gözlemcilere göre, Thorazine'in devreye girişinin ve akıl hastanesi mevcudunda yukarıya doğru yönelimin tersine dönüşünün zamanlama bakımından çakışması, akıl hastanesi çağının sona erişine basit bir teknolojik açıklama sunmaktaydı. ABD Kongresi'nin beş yıl önce kurmuş olduğu Akıl Hastalığı ve Sağlığı Ortak Komisyonu 1961'de şunu bildirdi: "Sakinleştirici ilaçlar Amerikan akıl hastanelerinde psikozlu hastaları tedavide bir devrim yaratmıştır ve yatan hasta yükünde yukarıya doğru sarmalın tersine dönüşünde muhtemelen en büyük paya sahiptir."[14] Margaret Thatcher'ın birinci hükümetinde sosyal hizmetlerden sorumlu devlet bakanı olan Sir Keith Joseph'in yirmi yıl sonraki açıklaması daha da vurguluydu. *Akıl Hastalarına Dönük Hastane Hizmetleri* başlığını taşıyan 1971 tarihli resmi raporu sunarken şunu ileri sürdü: "Psikoz, nevroz ve şizofreni tedavisi ilaç devrimiyle tamamen değişmiştir. İnsanlar akıl bozuğu şikâyetiyle hastaneye gittiklerinde iyileştiriliyorlar."[15] Ama durum ilaçların akıl hastanesinin yerini tutacağı kadar basit olsaydı, (klorpromazini asıl geliştiren) Fransızlar, Almanlar, İtalyanlar, Hollandalılar, İspanyollar, İsveçliler ve Finlilerin de hızla aynı yolu izlemesi gerekirdi. Oysa Kıta Avrupası'ndaki akıl sağlığı sistemlerinin akıl hastanelerini boşaltmaya başlaması çeyrek küsur yüzyılı buldu. Görünüşe bakılırsa, ilaçlar akıl hastanesinden vazgeçmeye tek başına yeterli değildi.

Özellikle insanın başka alanlarda varmak istediği bir sonucu pekiştirir göründüklerinde, istatistiklere kanmak kolaydır. Bağıntıyı ve sebebi karıştırmak, istatistik işine yeni giren herkesin uyarıldığı ve yine de birçoğumuzun sürekli kapıldığı bir dürtüdür. Modern psikofarmakolojinin akıl hastalığının gidişatını etkileme gücü büyük çapta abartılmıştır; Thorazine ve peşinden gelen ilaçlar hiç de psikiyatrinin penisilini değildir. Ancak reçeteli hapların psikiyatri uygulamasında çığır açtığı ve akıl hastalığına ilişkin genel kültürel anlayışları gittikçe etkilediği doğrudur. Dünya genelinde milyonlarca insan her gün psikotropik ilaçları tüketiyor. Bu ilaçların satışından çok büyük kârlar elde eden ilaç endüstrisi, onların yararını ve akıl hastalığının biyolojik kaynaklı oluşunu "kanıtladıkları" anlayışını yoğun biçimde pazarlıyor. Psikotropik ilaçların devreye girişinin psikiyatri hastalarını taburcu etmeyi körüklediği anlayışına Anglo-Amerikan çevrelerinin kolayca kanmalarına pek şaşırmamak gerekir.

---

14 Akıl Hastalığı ve Sağlığı Ortak Komisyonu, 1961, s. 39.

15 Sağlık ve Sosyal Güvenlik Dairesi [İngiltere], 1971.

Gelgelelim, diğer toplumlardan karşı-örnekler olmasa bile, İngiliz ve Amerikan verilerine daha dikkatli bir bakış, ilaç devriminin hastaneden taburcu etmeye katkısının çok abartıldığını görmeye yeterlidir. Bir bütün olarak, yani ulusal düzeyde akıl hastanesi mevcudunun iniş yönelimine ancak 1950'lerin ortalarında geçtiğinin doğru olmasına karşın, birçok yerde böyle gerilemeler daha 1947-48'de, yani yeni ilaçların sahneye çıkışından çok önce gözlemlenebilir. İngiliz psikiyatr Aubrey Lewis'in (1900-1975) işaret ettiği gibi, akıl hastanesi mevcuduna ilişkin ulusal rakamlar tek başına ele alındığında, akıl hastanesinden vazgeçme sürecinin fiilen ne zaman başladığına yol gösterme açısından ciddi biçimde yanıltıcı olabilir.[16] Bu veriler genelde yerel düzeyde ortaya çıkan önceki değişimleri ve toplam sayıdaki düşüşün, mevcut yönelimlerden bir kopuşu değil, bir sürekliliği ne ölçüde yansıttığını örter. Yeni ilaçların devreye girişi, on yılı aşkın bir süre sonra ABD'de çok sayıda yaşlının niçin birdenbire taburcu edildiğini ya da ondan beş yıl sonra yatan hasta sayısında hızı azalış kalıbının niçin daha genç yaş gruplarını kapsayacak şekilde yayıldığını da açıklayamaz. Elbette psikotropik ilaçlar devreye girişlerinde on ya da on beş yıl sonra öyle birdenbire daha etkili hale gelmediler. 1960'ların sonlarında yaşlılarda daha etkili ve 1970'lerin başlarında daha genç hastalarda sonuçları iyileştirici yeni bileşiklerin devreye girişinde de aynı şey geçerliydi.

İlaçlar, devreye girişlerini izleyen ilk on yılda hastanelerden bazılarınca geniş çapta, bazılarınca da ihtiyatla kullanıldı. Yaş, cinsiyet ve teşhis açısından farklı hastalar muhtemelen ilaç tedavisini farklı biçimlerde gördüler. İlaçlar ve hastane mevcudundaki gerileme arasındaki bağlantıyı pekiştirmek için çalışmaları genellikle kaynak gösterilen New Yorklu psikiyatrlar Henry Brill (1906-1990) ve Robert E. Patton (1921-2007) bile 1957'de, "belirli bir hastanede veya verili bir kategoride ilaç tedavisi gören hastaların yüzdesi ile taburcu sayısındaki ilerleme düzeyi arasında hiçbir nicel bağıntı gösterilemeyeceğini" kabul ettiler.[17] Beş yıl sonra, (ilk örneği klorpromazin olan) fenotiyazinleri reçeteye yazmada önceleri büyük değişkenlik göstermiş California eyalet hastaneleri üzerine geçmişe dönük bir incelemede, ilaç tedavisi gören ve görmeyen hastalar doğrudan karşılaştırıldı. İlaç tedavisinin aslında hastanede daha uzun süreli yatışla bağlantılı olduğu sonucuna varıldı ve ilk yatışlarında Thorazine'le tedavi edilen şizofrenik hastaların en yüksek yüzdeye ulaştığı akıl hastanelerinde taburcu etme oranının ilaç kullanma düzeyi çok daha düşük hastanelere kıyasla düşük olduğu saptandı.[18] Kısa bir

16 Aubrey Lewis, 1959.

17 Henry Brill ve Robert E. Patton, 1957. Bu ve sonraki makalelerinde, Brill ve Patton ilaç tedavisinin devreye girişi ile yatan hasta sayısındaki düşüş arasında zamansal çakışmanın ötesinde bir şey ortaya koyamadılar.

18 Leon J. Epstein, Richard D. Morgan ve Lynn Reynolds, 1962. Başka uzmanların Washington, DC'ye ve Connecticut'a ilişkin veriler üzerindeki eşzamanlı araştırmaları bu bulguları yansıtır nitelikteydi.

süre sonra reçeteye fenotiyazin yazmak öylesine rutinleşti ki bu türden daha kapsamlı araştırmaları yürütmek zor ya da imkânsız hale geldi. Ama eldeki bulguları sistematik biçimde inceleyen çeşitli uzmanlar benzer sonuçlara vardı: Yeni ilaçların akıl hastanesinden vazgeçmeye etkisi olsa olsa dolaylı ve sınırlıydı; sosyal politikadaki bilinçli değişiklikle akıl hastanelerinin boşalmasında çok daha önemli bir etkendi.[19]

ÖLÜME MAHKÛM KURUMLAR

Britanya'da Macmillan hükümetinin sağlık bakanı olan Enoch Powell 1961'de Akıl Sağlığı Ulusal Birliği'ne yaptığı konuşmada, kendine has açık sözlülüğüyle, akıl hastanelerinin "ölüme mahkûm kurumlar" olduğunu bildirdi. Hükümetin onları azaltma tasarısında "acımasızlıktan çekinmemesi"ni önerdi. Geleneksel akıl hastanelerinin artık yararlı olmaktan çıkması nedeniyle, bizzat "cenaze ateşini tutuşturacak meşaleyi yakmaya" hazır olduğunu açıkladı.[20] Sağlık Bakanlığı'nın bu konuşmayı izleyen genelgesinde, bölgesel hastane yönetim kurullarına şu talimat verildi: "On ya da on beş yıl içinde gerekli olmaktan çıkacak akıl hastanelerini iyileştirmeye ya da yenilemeye hiç para harcanmaması sağlanmalıdır; [...] büyük, ücra ve yetersiz binaları kapatmak hemen her zaman doğru çözüm olacaktır."[21] Maddi dokuya harcamaların kısıtlanması kaçınılmaz olarak daha birçok akıl hastanenin "yetersiz" ve dolayısıyla kapatılması gereken kurumlar arasına girmesini getirdi.

ABD'de akıl hastalarının bakımı öteden beri federal yönetimden ziyade eyalet yönetimlerinin sorumluluğundaydı. Eyalet akıl hastanelerinin köhneleşmesi zamanlama ve kapsam açısından büyük değişkenlik gösterdi, çünkü bütün eyaletler aynı tempoyla hareket etmedi. ABD'de akıl hastanesinden vazgeçme sürecinin başka yönleri de Amerika'nın siyasal yapısından etkilendi. Bu süreç başladığında, Amerikalıların 19. yüzyıldan devraldığı yıkık dökük baraka şeklindeki akıl hastaneleri özellikle zor bir durumdaydı. Büyük Bunalım beraberinde daha fazla hastanın yatırılmasını getirirken, savaşın gerekleri bu görünüşte tedavi ortamlarında görev yapan az sayıdaki vasıflı tıp personelinin, doktorların ve hemşirelerin çekilmesine yol açmıştı.[22]

Akıl hastanesi çözümüne en yoğun yatırımı yapmış olan New York, Massachusetts, Illinois ve California gibi "ilerici" eyaletler, ama hastaneleri geliştirme talepleri karşısında en büyük potansiyel mali güçlüklerle de kar-

---

19 Andrew Scull, 1977; Paul Lerman, 1982; William Gronfein, 1985; Gerald Grob, 1991.

20 Enoch Powell, kaynak Akıl Sağlığı Ulusal Birliği (şimdi MIND), *Annual Report*, 1961.

21 ABD Sağlık Bakanlığı genelgesi, 1961, akt. Kathleen Jones, 1972, s. 322.

22 Eyaletlerin üst düzey yöneticilerini bir araya getiren Valiler Konferansı, sorunların kapsamını belgeleyecek bir rapor hazırlatmayı kararlaştırdı. Bkz. Eyalet Yönetimleri Konseyi, 1950.

şılaştılar.[23] İşin daha da kötüsü, savaş sonrasının daha sıkı işgücü piyasası ve (kuzey eyaletlerinde çok daha yaygın olmak üzere) kamu çalışanlarının sendikalaşması, kurumların giderlerini hızla yükseltti. Haftalık mesai süresi 1930'ların tipik düzeyi ile 65 ila 70 saatken, 45 saate ya da altına indi. Çok yüksek sermaye giderlerinin ve günlük işlemler için gerekli miktarın karşılanamayacağı ve hastanelerdeki kötü koşulların büyük ihtimalle süreceği kanaatine gittikçe varan yetkili makamlar alternatif arayışına koyuldular. Massachusetts'in akıl sağlığı kurulunda 1967'den 1972'ye kadar yer alan Milton Greenblatt (1914-1994), kendisinin ve meslektaşlarının karşı karşıya kaldığı tek seçeneğe ilişkin şu dobra saptamada bulundu: "Bir bakıma köşeye sıkışmış durumdayız. *İflasa* doğru *yavaş yavaş* gidiyoruz!"[24]

ABD'de federal düzeydeki daha geniş çaplı sosyal politika değişiklikleri, akıl hastalarını taburcu etmeye yönelişi bazı önemli açılardan kolaylaştırıp özendirdi ve belki de istenmeden, eyaletlerin bu istikamete girmeleri için yeni teşvikler yarattı. Lyndon Johnson'ın 1960'ların sonlarındaki Büyük Toplum programları çerçevesinde, kamusal yardım programlarının genişletilmesi, Medicare ve Medicaid yasalarının geçirilmesi, taburcu edilen bazı akıl hastalarına ilk kez güvenceli bir gelir sağladı. Bu federal sübvansiyonlar hâlâ akıl hastanelerinde kalan ve eyalet bütçelerine bir yük getiren hastalar için geçerli değildi. Akıl hastalarını taburcu ederek giderleri federal yönetime aktarabileceklerinin farkına varan eyaletler hızla bu yola gitti. Söz konusu teşvikler gerek 1960'ların sonlarından itibaren hastane sayım sonuçlarındaki gittikçe hızlı gerilemeyi, gerekse ilk başta taburcu edilenlerin ezici çoğunlukla yaşlı hastalar oluşunu büyük ölçüde açıklar. Eyalet hastanelerinden özel bakımevlerine ve huzurevlerine nakledilen yaşlıların ücretleri federal bütçeden karşılandı. Taburcu etme oranında ikinci bir sıçrama 1970'lerin ortalarında yaşandı; bu sefer Nixon yönetiminin Sosyal Güvence Programı'nda yaptığı değişikliklerle, ek güvence geliri çerçevesinde federal yardımların zihinsel engeli olanları da kapsamak üzere engellilere tanınması daha genç hastaların taburcu edilmelerini sağladı.[25]

Akıl hastanesinden "topluma kazandırma"ya yönelişi ileriye doğru devrimci bir adım (hayırlı bir "reform") olarak sunmada, geleneksel akıl hastanelerine dönük akademik ve eleştirel yaylım ateşi, değişimin savunucularına destek verdi. Büyük bölümünü sosyal bilimcilerin, bir bölümünü de başta

23 New York eyaletinde 1951'de idari işlemlere harcanan paranın üçte biri akıl hastanelerinin masraflarını karşılamaya yönelikti; ülke genelinde ise bu oran ortalama % 8'di. Gerald Grob, 1991, s. 161. Güney eyaletleri genelde en az parayı harcadıkları için, akıl hastanelerini boşaltmada da en ağır davranan eyaletler oldular.

24 Milton Greenblatt, 1974, s. 8, italikler yazara ait.

25 Taburcu etme oranı 1964-1972 arasında 1960-1964 dönemine kıyasla iki buçuk kat, 1972-1977 arasında iki kat arttı.

Amerikalı Thomas Szasz ve İskoç R. D. Laing olmak üzere aykırı psikiyatrların yazdığı bu incelemelerin havası genelde kötümserdi.

Texas'ta finansal desteği son derece yetersiz eyalet hastanesini inceleyen Ivan Belknap (1914-1984), bizzat akıl hastanelerinin "muhtemelen akıl hastalarının tedavisinde etkili bir program geliştirmenin önündeki engeller oldukları" sonucuna vardı. Ona göre, "eyalet hastanelerinden uzun vadede vazgeçmek en büyük insani reformlardan biri ve şimdiye kadar elde edilmiş en büyük finansal tasarruf" olabilirdi.[26] Saha araştırmalarını Ohio'daki Cleveland Eyalet Hastanesi'nde yürüten H. Warren Dunham'in (1906-1985) ve S. Kirson Weinberg'in (1912-2001) değerlendirmesi benzer biçimde iç karartıcıydı.[27] "Her normal kişinin uyum sağlamada güçlük çekeceği [...] bir ortam; [...] yapısı, personeli ve hasta topluluğu bakımından tedavi hedefini ihmal ve hatta yok etmeye yol açan çatışmaların damga vurduğu [bir organizasyon]."[28] Resmi propagandanın aksine, akıl hastanesi "akla uygun ya da akla aykırı, duyguyu belirtici ya da duygudan yoksun, olumlu ya da olumsuz yönelimli olmasına bakılmaksızın, hastanın her davranışının genelde akli dengesizliğin belirtisi sayıldığı" ve "iyileşmesine zarar verse bile hastayı denetim altında tutmaya ağırlık verilen" bir yerdi.[29]

Akıl hastanesine dönük bu sosyolojik eleştirilerin en çok bilineni ve en çok okunanı, Chicago eğitimli sosyolog Erving Goffman'ın (1922-1982) yazdığı *Asylums: Essays on the Social Situation of Mental Patients and Other Inmates* [Akıl Hastaneleri: Akıl Hastalarının ve Diğer Sakinlerin Sosyal Durumu Üzerine Makaleler, 1961] kitabıydı. Bu çalışma kısmen Akıl Sağlığı Ulusal Enstitüsü (NIMH) Sosyal Çevre Araştırmaları Laboratuvarı kadrosunda geçirdiği üç yılın ve bu arada öteden beri ülkenin en iyi ve doğrudan federal yönetime bağlı tek akıl hastanesi sayılan Washington, DC'deki St. Elizabeth Hastanesi'nde enstitü desteğiyle saha araştırması yürüttüğü bir yılın ürünüydü. Birçok yönüyle nevi şahsına münhasır olan, roman ve otobiyografi gibi türleri de kapsayacak şekilde çeşitli kaynakların eklektik bir bileşimine dayanan *Akıl Hastaneleri*, belirli bir akıl hastanesinin etnografik tarifini vermekten titizlikle kaçındı. Nitekim kitabın girişindeki teşekkür bölümünü okumaksızın, çok az kişi yazarın yegâne saha araştırmasını St.

26 Ivan Belknap, 195 6, s. xi, 212.

27 H. Warren Dunham ve S. Kirson Weinberg, 1960. İşin garip tarafı, bu monografide sözü edilen araştırma on iki yılı aşkın bir süre önce yürütülmüştü ve NIMH tarafından değil, Ohio Eyaleti Akıl Hastalıkları Dairesi tarafından desteklenmişti; bunun sebebi muhtemelen akıl hastanelerinin getirdiği mali yükler ve onların etrafında dönen tartışmalardı. Bu çalışma üzerine Haziran 1948'de tamamlanan eksiksiz taslak rapor 1960 yayınında büyük ölçüde değişmemiş olarak yer alır. Yazarlar bu hususları bildirdikten (bkz. s. 260-61) sonra, kitabın basılmasındaki uzun gecikmeye dair bir açıklama sunmazlar.

28 H. Warren Dunham ve S. Kirson Weinberg, 1960, s. xiii, 4.

29 H. Warren Dunham ve S. Kirson Weinberg, 1960, s. 248.

Elizabeth Hastanesi'nde yürüttüğünü ve akıl hastanesi yaşamıyla doğrudan tanışıklığının bundan ibaret olduğunu tahmin edebilir. Diğer sosyologların yoğun tasvirlerinden çok farklı bir şeyi ortaya koyma amacını güden Goffman, bir kategori olarak akıl hastanelerinin kendi ifadesiyle "tam gözetim kurumları", yani çalışmanın, uykunun ve oyunun aynı kısıtlayıcı ortamda gerçekleştiği yerler olduklarını göstermeye çalıştı. Ona göre, böyle şartlarda yaşamak oraya kapatılanlarda büyük çaplı hasar yaratacak nitelikteydi. Dışarıdan bakanlara patolojik görünen davranışlar, tam aksine, akıl hastanesinde yaşamanın ağır bozukluk yaratıcı etkisine gösterilen anlaşılabilir tepkilerdi. Böyle yerlerde uzun süreyle kalmanın, yakından incelenince esasen "insanı kendine yabancılaştırıcı bir manevi kölelik" olduğu; durumun "ağırlığı altında ezilen" kişilerin genelde önüne geçilemez biçimde yıprandığı ve insanlıktan çıktığı görülecekti.[30] Skandal haberciliği yapan dergiler akıl hastanelerindeki aksaklıkları daha fazla paranın sağlanmasıyla düzeltilebilir şeyler olarak görürken, Goffman böyle romantik yanılsamaları küçümseyici bir tavır takındı. Akıl hastanelerinin kusurları yapısaldı ve kaçınılmazdı. Hiçbir şey onları değiştiremezdi.

On yıl sonra Goffman'ın bu yerlere dair görüşü yumuşamış değildi:

> Psikiyatri bildirilerinde süslenerek anlatılan iflah olmaz istifleme çöplükleri [...] hastayı arazlı davranışlar sergilediği ortamdan uzaklaştırmaya yaramış, [...] ama bu işlevi doktorlar sayesinde değil, çitler sayesinde görmüşlerdir. Hastanın bu hizmet için ödediği bedel ise sivil yaşamdan epeyce kopma, kapatılmasını sağlayan yakınlarına yabancılaşma, hastane düzeni ve gözetimi sonucunda aşağılanma, hastaneye yattıktan sonra kalıcı biçimde damgalanma olmuştur. Bu sırf kötü bir iş değil, garip bir iştir.[31]

Syracuse'daki New York Eyalet Üniversitesi'nde psikiyatri eğitimi alan Macar asıllı bir Amerikalı psikanalizci Thomas Szasz, 1961'de akıl hastalığının "bir mit" olduğu yolundaki açıklamasıyla tanınmıştı.[32] Ona göre, gerçek hastalıklar bedensel kaynaklıydı; ya laboratuvar testleri ve taramaları yoluyla ya da otopsi masasında saptanabilirdi. Akıl hastalıkları ise sadece mecazi anlamda "hastalık"tı; aslında devletin ve maşalarının (psikiyatrlar) baş belası insanları yargılanma hakkı ya da bir zanlıya tanınan korumalar olmaksızın kapatmak için tedavi retoriğine başvurmalarını sağlayan aşağılayıcı yaftalardan ibaretti. Kurumsal psikiyatri düpedüz bir baskı aracıydı. Onu uygulayanlar, aksini söyleseler bile, şifacı değil, zindancıydı ve akıl hastaneleri pek de gizleneme-

30 Erving Goffman, 1961. Gözetim kurumlarının diğer örnekleri hapishaneler ve toplama kamplarıydı, s. 386.

31 Erving Goffman, 1971, Ek: "The Insanity of Place", s. 336.

32 Thomas Szasz, 1961.

yen zindanlardı. İstem dışı kapatılmaya son verilmesi ve bizzat kurumların tasfiye edilmesi için sürekli mücadele yürüten Szasz'ın 1969'da Scientology Kilisesi'yle birlikte kurduğu İnsan Hakları Yurttaş Komisyonu, psikiyatriyi "bir ölüm endüstrisi" olarak kınadı.

Szasz modern devletin tiranlığı hakkında atıp tutan özgürlükçü sağ görüşlü biriyken, İskoç psikiyatr Ronald (daha çok bilinen kısa biçimiyle R. D.) Laing kendinden menkul bir Marksistti. Aralarındaki tek çarpıcı farklılık buydu. Akıl hastalığını oldukça gerçek sayan Laing'e göre, delilik toplumun, özellikle de aile ilişkilerinin ürünüydü. Akıl hastasının birçok kesimce anlamsız olarak yorumlanan görünüşteki garip davranışları ve karışık konuşmaları aslında anlam yüklüydü; yaşadıkları sıkıntının ve çevrelerince (örneğin çocuklarıyla duygusal yakınlık için hem ısrarcı olan hem de bundan kaçınan ve onların yaptıklarını kabullenmeye yanaşmayan ebeveynlerce) dayatılan "çifte açmaz"ın bir ifadesiydi. Ama tıpkı Szasz gibi, Laing de yıkıcı bir yer olarak gördüğü akıl hastanesine hararetle karşı çıktı. Şizofreninin deli bir dünya karşısında süper akıllılığın bir biçimi olduğunu savundu.[33] Hastaları kuruma yatırmak ve ilaçla uysallaştırmak yerine, toplum içinde tutmak ve tedavi yolculuklarını tamamlamaya ikna etmek gerekirdi.[34]

Szasz ve Laing meslektaşlarınca dışlandılar ve "anti-psikiyatr" gibi bir ortak yaftayla bilim karşıtı ideologlar sayıldılar. Ama onların ve Goffman gibi kişilerin, akıl hastanesinin orada kalanlara etkisi konusunda ileri sürdükleri eleştirel görüş ana-akım psikiyatrlar arasında en azından biraz yakınlık gördü. Kent ilindeki Severalls Akıl Hastanesi'nin ve daha sonra New York'taki Rochester Psikiyatri Merkezi'nin müdürlüğünü yapan İngiliz psikiyatr Russell Barton (1924-2002), uzun süreyle kapatılmanın akıl hastası üzerindeki etkisini tanımlamak için "kurumsal nevroz" terimini ortaya attı. Londra'daki Psikiyatri Enstitüsü'nden J. K. Wing'in (1923-2010) ve George Brown'ın (d. 1930) yazdığı *Institutionalism and Schizophrenia* [Kurumsallık ve Şizofreni] adlı monografi olumlu karşılandı.[35] Kuzey Amerikalı psikiyatrlar koroya katıldı. Yale'deki psikiyatri bölümünün başkanı Fritz Redlich (1910-2004), "hastaların çocuksuluğuna [...] onlara çocuk gibi muamele edilmesinin" yol açıp açmadığını yüksek sesle sorguladı.[36] Californialı psikiyatr Werner Mendel aynı şeyi daha da güçlü şekilde vurguladı: "Ağır psikiyatri hastasını tedavi için hastaneye yatırmak daima pahalı ve verimsizdir, sıklıkla tedaviye aykırıdır ve asla tercih edilecek bir tedavi değildir".[37]

33 R. D. Laing, 1967, s. 107.

34 R. D. Laing ve Aaron Esterson, 1964.

35 Russell Barton, 1965. John K. Wing ve George W. Brown, 1970.

36 F. C. Redlich, "Preface", William Caudill, 1958, s. xi.

37 Werner Mendel, 1974.

Kurum karşıtı bu görüşler Kıta Avrupası'ndaki psikiyatrlarca gecikmeli olarak benimsendi. Örneğin, İtalya 1978'de ani bir kararla, gelecekte delileri geleneksel akıl hastanelerine yatırmayı ve ayrıca bu türden yeni kurumlar açmayı yasaklayan bir yasa çıkardı. Karizmatik solcu İtalyan psikiyatr Franco Basaglia (1924-1980), günlük konuşmadan onun adıyla anılan yasanın başta gelen mimarıydı ve tam gözetim kurumunu eleştiren Erving Goffman'dan ve diğer Amerikalı sosyologlardan açıkça etkilenmişti.[38] Bu değişim kısmen Basaglia'nın Avrupalı aydın çevrelerdeki şöhretinden, kısmen yasadaki yaklaşımın çarpıcı yalınlığından dolayı geniş ilgi gördü. Basaglia yeni yasadan sadece iki yıl sonra öldü ama tartışmalara yol açsa bile uygulanışı sürdü. İtalya'da kurumlarda yatan hasta sayısı daha 1978'den önce biraz azalmıştı; ama yeni hasta akışının kesilmesi, yasa metnini yazanların öngördüğü gibi, beraberinde sürekli bir düşüşü getirdi ve 1978'de 78.538 olan hasta sayısı 1996'da 11.803'e indi. Kalan bütün akıl hastaneleri dört yıl sonra resmen kapılarını kapattılar.[39] İtalya, delileri akıl hastanesinden çıkarıp topluma kazandırmaya yönelişte, Batı dünyasının geri kalan kesimine katılmıştı.

KRONİK AKIL HASTALARININ AKIBETİ

Ama her yerde olduğu gibi, İtalyanlar da hastanelerini ağır akıl hastalığının yarattığı sorunları ele alacak alternatif yapılar sağlamaya kafa yormaksızın kapatmışlardı. Yükün büyük ölçüde aktarıldığı aileler, karşılaştıkları sosyal güçlüklerden yüksek sesle yakınır oldular.[40] Bazı hastalar dosdoğru devlet akıl hastanelerinden, resmi makamların pek tanımadığı özel bakımevlerine nakledildiler.[41] Bazıları ise kendilerini hapiste ya da sokakta buldular.

Britanya'da ve ABD'de bu tür sorunlar, İtalyanların akıl hastalarını taburcu etmeye başlamasından çok önce baş göstermişti. Akıl hastanelerine alternatif bulmanın ve topluma dönüşün yararlarına ilişkin nefes nefese açıklamaların heyecanı içinde, anlaşıldığı kadarıyla, yeni programların ne ölçüde tasarlayıcılarının ürünü olarak kaldığını çok az kimse fark etti. Atlantik'in her iki yakasında (İngiliz politikasında çeyrek yüzyıldan beri kullanılan resmi ibareyle)[42] "zihinsel engelliler için daha iyi hizmetler" retoriğine rağmen, ağır ve kronik akıl bozukluğu biçimlerinin mağdurlarına dönük devlet destekli programları kısmanın ve hatta kaldırmanın nasıl çok daha karanlık bir gerçeğe yol açtığını kavrayanlar da epeyce bir süre fazla değil gibiydi. Toplum içinde bakım, içi boş bir kandırmacaydı.[43]

38 G. de Girolamo, vd., 2008, s. 968.

39 Marco Piccinelli, vd., 2002; Giovanna Russo ve Francesco Carelli, 2009; G. de Girolamo, vd., 2007.

40 G. B. Palermo, 1991.

41 G. de Girolamo vd., 2007, s. 88.

42 Sağlık ve Sosyal Güvenlik Dairesi [İngiltere], 1971.

43 P. Sedgwick, 1981, s. 9.

Kaldırım psikozlusu: Akıl hastanesinden vazgeçmenin ardından, evsiz akıl hastalarının birçoğu sokaklarda yaşıyor.

Akıl hastanelerinden taburcu edilenlerin bazıları, sosyal politikadaki değişimden hiç tartışmasız yararlandılar. Birçok kişinin "hastaneye yatırmada aşırılık" olarak nitelendirdiği önceki eğilimin bu kurbanları, iş ve konut bulma, sosyal bağlar kurma gibi konularda çok az sorunla karşılaşarak, neredeyse sezilemeyecek biçimde genel toplumla kaynaştılar. Ancak böyle yararlı sonuçlar, norm olmaktan uzaktı.

Bozuklukları daha belirgin biçimde sürenler arasında, ailelerinin yanına yerleştirilen eski hastaların genelde en iyi durumda görünenler olmaları şaşırtıcı olmasa gerek. Ne var ki, bu kesimde bile akıl hastanesinden vazgeçme sürecinin pürüzsüz ilerlediğini ve kesin yararlı olduğunu sanmak ciddi bir hata olur.[44] Ailelerin yakınmadaki ağzı sıkılığından dolayı epeyce sıkıntı ve perişanlık gizli kalmıştır; bu tavır doğal bir eğilim olsa bile toplum içinde tedaviye geçişin etkileri konusunda sahte bir iyimserliğin sürmesine katkıda bulunmuştur.[45] Gelgelelim, ne kadar büyük olursa olsun, bu eski hastaların ve ailelerinin çektikleri güçlükler, aileleri olmayan ya da sorumluluk üstlenmeye düpedüz yanaşmayan çok sayıda hastanın yaşadıklarının yanında hiç kalır. Kaldırım psikozlusu kentsel manzaranın bildik bir unsuruna dönüşmüş durumdadır: Evsiz, deli ve terk edilmiş.[46] Çoğunlukla kentlerin en az cazip kesimlerinde, mevcut sakinlerin karşı koyamayacak kadar yoksul ve siyasal açıdan güçsüz oldukları semtlerde kümeleşen bu kişiler, dışlanmış diğer

44 Bkz. Jacqueline Grad de Alarcon ve Peter Sainsbury, 1963; Clare Creer ve John K. Wing, 1974.

45 G. W. Brown, vd., 1966, s. 59. Bu türden İtalyan şikâyetleri için bkz. A. M. Lovell, 1986, s. 807. Kanada'daki durum için bkz. E. Lightman, 1986.

46 H. Richard Lamb (ed.), 1984; Richard C. Tessler ve Deborah L. Dennis, 1992. Danimarka için bkz. M. Nordentoft, H. Knudsen ve F. Schulsinger, 1992.

insanlar (suçlular, uyuşturucu bağımlıları, alkolikler, tam yoksul düşmüşler) arasında yaşıyorlar ve tehlikeli bir yaşama katlanıyorlar. ABD'de 1960'ların sonlarından itibaren, daha önce belirtildiği gibi, ağır akıl bozukluğu olan yaşlılara ve ardından daha genç kişilere küçük çapta olsa bile sosyal yardım ödemelerinin yapılması, çok sayıda kişinin yatırıldığı huzurevlerinin ve bakımevlerinin artmasını teşvik etti. Böylece bu tür insanların acılarından kâr sağlayan ve eyalet yetkililerinin hemen hiç denetlemediği girişimci bir sektör ortaya çıktı.

Ülke çapında araştırmalar bu hastaların % 50'sinden fazlasının 100'ü aşkın, % 15'inin de 200'ü aşkın yataklı huzurevlerine yerleştirildiğini ortaya koydu. Örneğin, New York'ta medya haberleri, taburcu edilen hastaların Long Island'ın kapatılan devasa akıl hastaneleri Pilgrim ve Central Islip çevresindeki pis ve köhne otellerde ve "yurt"larda toplandığını gösterdi. Bir zamanlar akıl hastanesi koridorlarında hortlak gibi dolaşanların pek farkına varmamış olabileceği bir ironiyle, kâr amaçlı bu kurumlar çoğu kez eski akıl hastanesi çalışanlarınca işletilmekteydi. Eyalet yönetimleri bu tür gelişmeleri ya göz ardı ettiler ya da düpedüz desteklediler. Örneğin, akıl sağlığı bürokrasisinin akıl hastanelerinden taburcu etmeyi hızlandırma yolunu seçtiği Hawaii, büyük çaplı bir yatak açığıyla karşı karşıya kaldı. Sorun ruhsatsız kurumların çoğalmasını açıkça teşvik etme yoluyla çözüldü. Nebraska ilk başta böyle bir serbestlik yaklaşımından kaçındı ve bir tür resmi denetimin gerekli olduğuna karar verdi. Delilere davar muamelesini reva gören eski âdetin müthiş özgün bir çeşitlemesiyle, akıl hastalarının kaldığı yurtların ruhsat ve teftiş işlerini eyaletin tarım dairesine verdi. Skandallar patlak verince, bu yurtlardan 320'sinin ruhsatlarını iptal etti, ama oralarda kalan hastaları kaderleriyle baş başa bıraktı. Başka eyaletler, sözgelimi Maryland ve Oregon belki de en güvenli yolu seçti: Taburcu edilenleri izlememe ve böylece akıbetlerini resmen görmezlikten gelme. Çoğu kez ortaya çıkan sonuç ise zihinsel rahatsızlığı olanların insafına bırakıldığı vurguncuların barındırma işini olabildiğince ucuza getirmeye çalışması; çünkü bu işte kâr hacmi, sakinlere harcanan parayla ters orantılı.

Eyalet hastanesine ucuz bir alternatif oluşturmaya dönük böyle kurumların köhne şebekesi ve evsizler arasında ağır zihinsel engellilerin artan varlığı, günümüzün Amerikan akıl sağlığı politikasından yakınmaya gerekçe oluşturuyor. Yeni tutucu yaklaşımın, yani "hastalığın akut evresinde kısa vadeli tedavinin ötesinde bir şeye ihtiyaç duyan akıl hastalarına dönük insanca ve sürekli bir bakım hizmetini önerme ve sağlama görevinden neredeyse topluca kaçınma"nın belki de en uç örneğini sunuyor.[47] Böylece toplumumuzun en

47 Peter Sedgwick, 1982, s. 213.

yararsız ve istenmeyen kesimleri çevre itibariyle biz geri kalanlardan ayrı ve kopuk halde, sessizce çürümeye terk edilebiliyor ve medyada çıkan haberler dışında adeta görünmez hale geliyor.

Britanya toplum içinde bakım konusunda kendinde iç karartıcı ve bunaltıcı bir tecrübe yaşadı. Örneğin, 1973-74'te hâlâ kurumsal tedavi gören akıl hastaları için 300 milyon sterlin harcanırken, "toplum içinde" huzurevi ve bakımevi hizmetlerine harcanan miktar 6,5 milyon sterlinden ibaretti. On beş yıl sonra, akıl sağlığı hizmetlerindeki duruma ilişkin resmi bir soruşturma durumun çok az değiştiğini saptadı: Toplum içinde bakım, hâlâ "herkesin uzak akrabası olan, ama hiç kimsenin evladı olmayan zavallı akraba" konumundaydı.[48]

ABD'de olduğu gibi, birbirini izleyen İngiliz hükümetleri de bu istisna dışında, olup bitenlere dair sistematik bir araştırmaya kaynak sağlamaktan gayet bilinçli biçimde kaçındılar. Doğrusu, özellikle temel istatistik verilerine erişimi kısıtlama yoluyla, böyle araştırmaları yöntemli biçimde engellemede ellerinden geleni yaptıkları söylenebilir. Rayner Raporu'nun 1981'de, "Bilgiler esas olarak yayın için [değil], [...] hükümetin kendi işlerinde gerek duyduğu ölçüde toplanmalıdır," şeklindeki dikkat çekici tavsiyesine dayanarak gerekçelendirilen bir taktiktir bu.[49] Besbelli ki hükümet, politikalarının uygulamada doğurduğu sonuçları, yani artık akıl hastanelerinde yatmayanlara ne olduğu, mevcut düzenlemenin temel ihtiyaçları karşılamada ne zaman ve nasıl aksadığı gibi hususları bilmesine gerek olmadığına karar vermiş (ya da bilmemeyi tercih etmiş) bulunuyor. Ne de olsa sistematik verilerin yokluğunda, tekil skandallar "münferit" diye geçiştirilebiliyor. Yerel makamların katlanılmaz bir yük altına girdikleri ve ihtiyacın bir kısmını bile giderecek ilave kaynaklar alamadıkları yönündeki protestoları, örtbas etmeyle ya da 1970 tarihli Kronik Hasta ve Engelli Kişiler Yasası çerçevesindeki apaçık yasal yükümlülüklerden kaçınma yoluna ilişkin tavsiyeyle karşılanabiliyor.[50]

Ama bazı akıl hastaları günlük hayatın dokusunda neredeyse dayanılmaz rahatsızlıklar yaratacak şekilde davranıyorlar. Genel adap kurallarını çiğnemeleri, fiili ya da potansiyel şiddet eğilimleri, varlıklarının işaret ettiği düzensizlik ve kargaşa, toplumun hoşgörü sınırlarını aşıyor. Bir zamanlar böyle kişileri sokaklardan çekme işlevini gören akıl hastaneleri olmadığında, bir alternatif bulmak gerekiyor. Bu alternatif de çoğu kez cezaevi oluyor.

48 *Community Care: Agenda for Action: A Report to the Secretary of State* 1988. Eylemin yakında görünen son şey olduğunu söylemeye gerek yok.

49 *Government Statistical Services* Cmnd. 8236, 1981, Ek 2, paragraf 17.

50 Bkz. Bayan Bottomley'nin bürokratlarından birinin tezkeresi, akt. ve değ. Kathleen Jones, 1993, s. 251-252 (Virginia Bottomley 1990'ların başlarında Britanya'da John Major'ın Muhafazakâr kabinesinde sağlık işlerinden sorunlu devlet bakanıydı).

Örneğin, Amerika'da ağır akıl hastaları en yüksek yoğunlukla Los Angeles İl Cezaevi'nde yatıyor; 2006'da yayımlanan tahminlere göre, ülke çapında "eyalet mahkûmlarının % 15'i ve cezaevi sakinlerinin % 24'ü [...] bir psikoz bozukluğu kriterlerine" uyuyor.[51] Fransa'daki tahminler, 63 bin olan toplam hapishane mevcudu içinde akıl hastalarının 12 bini aştığı yönünde.[52] Britanya'da Hapishaneler Dairesi'nin genel müdürüne göre, "hapishane mevcudu içinde akıl hastalığı belirtileri gösterenlerin oranı [1980'lerin sonlarından 2002'ye kadar] yedi kat yükselmiş bulunuyor. Onlar açısından, toplum içinde bakım, gözetim altında bakıma dönüşmüş durumda; [...] sorun bunaltıcı bir hal almaya yakın."[53] Delileri hapishanelere kapatmak 19. yüzyıl reformcularının vicdanlarını sarsmış ve akıl hastanesi sistemine geçişi hızlandırmıştı. Şimdi bu 19. yüzyıl kurumlarını kapatmak ise bizi dönüp dolaşıp tekrar aynı noktaya getirmiş gibi görünüyor.

İLAÇ DEVRİMİ

Yeni psikotropik ilaçlar akıl hastanesinden vazgeçmenin ilk sebebi olmasa bile, devreye girişleri psikiyatriyi ve deliliğe ilişkin genel kültürel kavrayışları dönüştürdü. Thorazine'in 1954'te piyasaya sürülüşü hiç de ilaçların akıl hastalarını tedavide ve psikiyatrik arazları gidermede ilk kullanılışı değildi. Örneğin, bazı 19. yüzyıl psikiyatrları hastalarına marihuana verme denemelerine girişmiş ancak bundan kısa sürede vazgeçmişti. Afyon, cinnet vakalarında bir uyutucu olarak kullanıldı. Sonraki yıllarda bazı hekimlerce benimsenen kloralhidratın ve bromürlerin kullanılışı 20. yüzyılın başlarına kadar sürdü.

Bromürler aşırı dozda verildiğinde psikoz arazlarına yol açan bileşiklerdi ve akıl hastanesi dışında yaygın kullanılmalarının yol açtığı toksik reaksiyonlar yüzünden epeyce kişi deli teşhisiyle akıl hastanesine yatırıldı. Kloralhidrat, etkili bir yatıştırıcı olmakla birlikte bağımlılık yaratıcıydı ve uzun süreyle kullanılması titremeli hezeyana benzer sanrılara ve arazlara yol açtı. Evelyn Waugh'un *The Ordeal of Gilbert Pinfold* [Gilbert Pinfold'un Çilesi, 1957] romanı, ortaya çıkabilen sanrıların ve akıl bozukluğunun azıcık kurgusal bir dökümünü sunar. Alkol ve fenobarbital bağımlısı olan Waugh gelişigüzel dozlarla bromürler ve kloralhidrat kullanan biriydi; romanda delirmesine ve ardından uçuruma yuvarlanmasına ramak kalan orta yaşlı Katolik romancı tasviri, "geç meczupluk" döneminde başına gelenleri yansıtır.

---

51 *Mental Health Problems of Prison and Jail Inmates*, ABD Adalet Bakanlığı, Adliye İstatistikleri Bürosu, 2006, s. 1.

52 *The Economist*, 14 Mayıs 2009.

53 Britanya Hapishaneler Dairesi, *The Mental Health of Prisoners*, Londra: Ekim 2007, s. 5.

Bazı hidroterapi kurumları manik hastaların gerginliğini yatıştırır gibi görünen lityum tuzlarını sinir hastalarını tedavide kullandılar. Ama lityum kolayca toksik etki yaratarak, iştahsızlığa, depresyona, hatta kalp-damar sisteminin çöküşüne ve ölüme yol açabilirdi. Avustralyalı psikiyatr John Cade (1912-1980) İkinci Dünya Savaşı'ndan sonra bu bileşiklerin yararlı olduğunu savunacak ve bunların cinnet üzerindeki sakinleştirici etkileri Avrupa'da ve Kuzey Amerika'da klinik ilginin bir ölçüde sürmesine yol açacaktı.

1920'ler bir deva sağlayacağı umuduyla akıl hastalarını kimyasal yoldan geçici uykuya yatırma girişimlerini de kapsamak üzere barbitüratlarla deneylere sahne oldu. Ama barbitüratların da önemli sakıncaları vardı: Bağımlılık yaratıcı olduklarından aşırı dozlar kolayca ölümcül sonuçlar doğurabilirdi ve kesildiklerinde ortaya çıkan yoksunluk arazları son derece nahoş ve hatta tehlikeliydi. Ayrıca, psikiyatrların daha önce verdikleri ilaçlar gibi, zihin bulanıklığının, muhakeme bozukluğunun ve yoğunlaşma güçlüğünün yanı sıra bir dizi bedensel sorunlar yaratabilirlerdi.

Savunucularının iddiasına göre farklı olan yeni antipsikotikler zamanla modern psikiyatrinin son çaresine dönüştü. Psikoterapi 20. yüzyılın ortalarında Amerikan psikiyatrisinin doruğuna kuruldu; başka ülkelerde sosyal, psikolojik ve biyolojik etkenlerin muğlak bir bileşimine eklektik bir odaklanma genel geçerlilik kazandı. Yarım yüzyıl sonra psikoterapiyi ciddiye alan psikiyatrlar azaldı ve gerek hükümetler gerekse özel sigorta şirketleri bunun masraflarını karşılamaya daha az yatkınlık gösterir oldu.

Bilişsel-davranışsal tedaviye (CBT) özgü nispeten kısa süreli müdahaleler gibi yeni türden konuşma tedavileri, klinik psikolojinin ve sosyal uzmanlığın ağırlıklı olarak kadınsı (ve daha ucuz) mesleklerinin ilgi alanına dönüşmüş durumda. Bizzat psikiyatrinin kimliği şimdi ilaç yazmadaki tekeline sıkıca bağlı ve psikiyatrların verdiği haplar kavrayış, duygu ve davranış bozukluklarına başat çözüm olarak konuşma tedavisinin yerini almış bulunuyor. Hastalar ve aileleri artık doktorlarına kimya yoluyla daha iyi yaşamayı sağlayacak sihirli iksirler için başvuruyorlar. Bu güvenceler ileride sağlam ve kalıcı bir temel kazanabilir ancak şu anda bilimden çok inanca dayanıyor. Belki de sonuç öyle olmayacak. Daha yüksek ihtimal, sadece hikâyenin bir parçası olarak kalmaları; bu durumda akıl hastalığının sosyal ve psikolojik boyutları pekâlâ erken gömülmüş olabilir.

Deliliğin bazı köklerinin sonuçta anlamlarda, belki Freudcu nitelikte olmasa bile, bir şekilde anlamlarda yattığının ortaya çıkması tamamen mümkündür. Her şeyden önce, delilik hâlâ dikkat çekici ölçüde gizemli ve kavranması zor bir şey; ancak psikiyatrideki başat ideoloji, biz geri kalanların buna inanmasını istemiyor. Biyolojik indirgemecilik ağır basıyor. İlaç endüstrisinin zenginleşmesi bir tesadüf değil.

Thorazine'in üstünlüklerini anlatan ilk reklamların birinde, kızgın kocanın karısını dövme eğilimini frenlemedeki yararı övülüyor. İlacın hastayı psikoterapiye daha açık hale getirme gücünün vurgulanışı besbelli ki o sırada Amerikan psikiyatrisine yön veren ve akıl bozukluklarını tedavide kimyasal maddeleri salık vermeye isteksiz psikanalizcilerin ilgisini çekmeye dönüktü.

Psikiyatri hekimliğinde çığır açan fenotiyazinlerin ilki olan klorpromazin, 11 Aralık 1950'de küçük Fransız ilaç şirketi Rhône-Poulenc tarafından sentezle elde edildi. Psikiyatrik amaçlı uygulamaları mutlu bir tesadüfün sonucuydu. Şirket ilk başta ilacı cerrahide gerekli anestetiklerin dozajını düşürmenin bir yolu, bir antiemetik [bulantı azaltıcı] ve ardından deri tahrişlerine karşı bir tedavi olarak denedi. O dönemde ilaç dağıtımındaki ve yeni bileşiklerle tedavi deneylerindeki denetimler oldukça gevşekti. Fransız donanma cerrahı Henri Laborit (1914-1995) ona denemesi için verilen küçük bir miktarı bazı psikiyatri hastalarında kullandı ve onlarda yarattığı etkiler karşısında şaşkınlığa uğradı. Hastalar çevrelerine ilgiyi yitiriyor ve pek uyuşukluk belirtisi olmaksızın, aşırı arazları hafifliyor gibiydi. Paris'te Saint-Anne Hastanesi'nin psikiyatrlarından Pierre Deniker (1917-1998) ve Jean Delay (1907-1987) bu çalışmayı duyunca, hastalarına ilacı vermeye başladılar. Birkaç ay içinde ilaç, Fransa'da Largactil adıyla piyasaya sürüldü.

Ne var ki Amerikalı hekimler Avrupa'daki tıbbi araştırmalara son derece kuşkuyla baktığından, Rhône-Poulenc ilacı pazarlama haklarını Amerikan şirketi Smith, Kline & French'e satma yoluna gitti. Bu şirket, Thorazine adını verdiği ilacı pazarlama onayını Gıda ve İlaç İdaresi'nden 1954'te aldı. Araş-

Depresyonda mısın? Çıkış yolu bizde! Aile yaşamının hapis ortamına kısılıp kalmış ev kadınına dönük bir hapı "annenin minik yardımcısı" diye tanıtan bir reklam.

tırma ve geliştirme için sadece 350 bin dolarlık bir ilk yatırımla çok büyük kârlar elde etti. Piyasaya sürülüşünün üzerinden henüz bir yıl geçmeden, Thorazine şirketin cirosunu üçte bir oranında artırdı; 1953'te 53 milyon dolar olan net satışlarını 1970'te 347 milyon dolara çıkaran Smith, Kline & French'in sonraki yıllarda sağladığı büyümenin önemli bir kısmı bu son derece kârlı ürüne doğrudan ya da dolaylı bağlanabilirdi.

Bu patlamalı büyüme kalıbı tesadüfi değildi. Şirketin yürüttüğü büyük çaplı, sürekli ve pahalı bir satış çabasının yansımasıydı. Yedi yıllık bir dönem boyunca hem eyalet yasama meclisleri hem de eyalet hastanelerindeki personel, incelikli bir pazarlama sağanağının bombardımanına tutuldu; amaç onları ilacın ucuz, etkili ve akıl hastalarına topluca verilmeye uygun bir tedavi yolu olarak taşıdığı avantajlara inandırmaktı. Böylece ürünün milyar doları aşan ilk ilaçlar arasına girmesi üzerine, başka ilaç şirketleri bu kârlı işten pay kapma yarışına girerek, patent almalarını sağlayacak ufak değişikliklerle kendi ilaçlarını ürettiler. Psikofarmakoloji devrimi tam anlamıyla başlamıştı.

Thorazine ve türevleri, psikiyatriye ilk kez kolay uygulanan ve genelde tıbbın kültürel otoritesini gittikçe güçlendirmiş yaklaşımla yakın benzerlik taşıyan bir tedavi tarzı sağladı. Lobotomiyle ve şok tedavisiyle tezat açıktı.

Nitekim Smith, Kline & French neredeyse hemen yeni iksirinin başlıca avantajlarından birini şöyle tanıttı: "Thorazine elektroşok tedavisi gereğini azaltır."[54] Ancak piyasaya ilk sürülüşlerinin yarattığı heyecana rağmen yeni ilaçlar psikiyatrik arazları azaltmanın ötesine geçemedi. Bu epeyce cazip gelse bile temelde yatan hastalığı iyileştirmek söz konusu değildi.

Çok geçmeden ilaç endüstrisi psikoaktif ilaçların başka sınıflarını piyasaya sundu. Birincisi, hafif sakinleştiricilerdi: Kullanıcıları uyutan Miltown ve Equanil (meprobamat), daha sonra böyle bir etki yaratmadığı ileri sürülen Valium ve Librium (benzodiyazepin). Bu ilaçların devreye girmesiyle, günlük yaşamın sorunları rahatlıkla psikiyatri hastalıkları olarak yeniden tanımlandı. Ev kadınının can sıkıntısına, bunalan annelerin kederine ve her iki cinsin sönük ruhlu orta yaşlılarına bir çözüm sunan haplardı bunlar. Daha 1956'da, istatistiklere göre, her yirmi Amerikalıdan biri sakinleştirici alır oldu. Görünüşe bakılırsa, endişe, gerginlik, mutsuzluk ilaçla giderilebilirdi. Ancak bu yararların bir bedelinin olduğu bir kez daha görüldü. İlaç alanların birçoğu kullanmayı kesmenin artık zor ya da imkânsız hale geleceği ölçüde bedensel alışkanlık kazandı; çünkü hapları bırakmak ilk başta kullanma kararını almaya yöneltmiş olanlardan daha kötü arazlara ve ruhsal sızıya davetiye çıkarmaktı. Rolling Stones "minik sarı hap", "yorucu ecel gününe" kadar "[ev kadınını] ayakta" tutan "annenin minik yardımcısı" üzerine meşum bir şarkı okudu. Ama tüketicilerin artan rağbetiyle, uyarıcı ve yatıştırıcı reçeteli haplar kısa sürede evlilerin ve orta yaşlıların tekelinden çıktı. Rock yıldızları ve yeniyetemeler de onları yuttu.

1950'lerin sonlarında insanın ruh halini değiştiren başka bileşikler geliştirildi. Piyasaya 1957'de çıkan Iproniazid adlı monoamin oksidaz inhibitörünü, sırasıyla 1958'de ve 1961'de trisiklik antidepresanlar Tofranil ve Elavil izledi.[55] Belki kısmen birçok kişinin sessizce katlanması nedeniyle, depresyonun nispeten nadir olduğu inancı sürdü. Prozac'ın 1990'lardaki başarısı bu anlayışı hepten değiştirdi. Depresyon artık salgın boyutunda

54 Thorazine reklamı, *Diseases of the Nervous System* 16, 1955, s. 227.

55 Iproniazid 1952'de vereme dönük bir tedavi olarak piyasaya sürülmüştü ama daha sonra merkezi sinir sistemini uyardığı saptanınca, ruh halini güçlendirici bir ilaç olarak kullanılmaya başladı. Psikiyatrik hastalıklarda tedavi edici etkisinin beyinde yeniden emilimi önleyerek, monoamin düzeyini yükseltmesinden kaynaklandığı varsayıldı. Ona ve yakın ilaçlara monoamin oksidaz inhibitörleri adı verildi. Bazen aşırı tansiyon yükselmelerine ve hatta ölümcül kafatası içi kanamalara yol açmalarının beslenmeyle ya da diğer ilaçlarla etkileşimlerden kaynaklandığı daha sonra saptandı. Trisiklikler farklı bir ilaç sınıfıdır. Onların da bulunması büyük ölçüde tesadüf eseriydi. Farklı olan etkileme yolları, sinir ileticileri norepinefrinin (noradrenalin) ve serotoninin gerialımını engellemeye dayalıydı. Zamanla bir dizi farklı yan etkilerinin oldukları görüldü: Terleme, kabızlık ve bazen zihin bulanıklığı. Her iki ilaç sınıfının da yerini 1990'larda Prozac gibi seçici serotonin gerialım inhibitörlerinin (SSRI'lar) alması büyük ölçüde ilaç endüstrisinin ustaca pazarlaması sayesindeydi; çünkü SSRI'ların üstün etkili olduğu görüşü efsanedir.

bir hastalık. Auden'in Freud'la ilgili ünlü saptamasına (s. 345) göndermede bulunan Amerikalı psikiyatr Peter Kramer'ın (d. 1948) yorumu şöyle: "Sanırım, zamanla modern psikofarmakolojinin, Freud dönemindeki gibi, farklı hayatlar sürdürmemize temel oluşturan bütünsel bir düşünce iklimine dönüştüğünün farkına varacağız."[56] Ve öyle de oldu.

PSİKİYATRİYİ YENİDEN YAPILANDIRMA

Önceki bölümde görüldüğü üzere, İkinci Dünya Savaşı'ndan önce çoğu Amerikalı psikiyatr, başka ülkelerdeki meslektaşları gibi, akıl hastanelerinde çalışmaktaydı. 20. yüzyılda bir muayenehane ortamında daha az sorunlu hastalara bakarak geçimlerini sağlayan az sayıda hekimin ortaya çıkmasına karşın, 1940'ta psikiyatri dışlanan ve küçümsenen bir uzmanlık alanıydı ve psikiyatrların çoğu hâlâ gözetime dayalı hastanelerine kısılıp kalmış durumdaydı.

Bu durum savaş sırasında ve hemen sonrasında hızla değişti. Daha 1947'de dikkate değer bir gelişmeyle, Amerikalı psikiyatrların yarısından fazlası özel hekim olarak ya da polikliniklerde çalışır duruma geldi; mesleklerini geleneksel eyalet hastanelerinde icra edenlerin oranı 1958'de % 16'ya kadar düştü. Dahası, mesleğin çekim merkezindeki bu hızlı kayış, psikiyatr sayısının mutlak olarak olağanüstü arttığı bir bağlamda gerçekleşti.[57] Üstelik birçoğu katı ya da basitleştirilmiş biçimiyle psikanalizi uyguladı.

Sözde dinamik psikiyatrlar ve mesleğin bu yeni elit tabakasının küçümseyici ifadesiyle "yönlendirici-organik psikiyatrlar" (yani hastalarına yola gelmelerini bildiren ve bu uyarıları şok tedavisiyle ve başka bedensel müdahale biçimleriyle takviye eden hekimler) arasında ayrımlar, kurumsal psikiyatri ile muayenehane psikiyatrisi arasındaki ayrımı tam yansıtır nitelikte değildi. Ama oldukça yakın sayılırdı. Muayenehanede tedaviye rağbet eden akıl hastaları daha varlıklı olmanın yanı sıra doğal olarak çoğunlukla daha az sorunluydu. Peki, Freudcular ve yol arkadaşları yeni ilaçlarla ilgili söylemlere nasıl tepki verdiler?

Birçoğu ilk başta ilaç devalarını görmezlikten geldi. Onlara göre böyle ilaçlar sadece psikiyatrik arazları iyileştirmekteydi, hastalardaki sorunların psikodinamik özüne ulaşmaktan uzaktı. Bir deva değil, bir yara bandıydı. Ama ilaçların hem sayı hem de çeşit bakımından çoğalmasıyla bu taktiği sürdürmek zorlaşınca, birçoğu alternatif bir yaklaşımı benimsedi: Evet, ilaçlar yararlı bir tamamlayıcıydı; dengesiz, sanrılı, kuruntulu hastaları sakinleştiren ve böylece psikoterapiye açık hale getiren bir araçtı. Gerçek tedaviyi sağlayan

56 Peter Kramer, 1993.
57 Nathan G. Hale Jr, 1998, s. 246.

psikoterapiydi. Satış yapacakları kesimlerin tercihlerini ve önyargılarını gözeten ilaç şirketleri, pazarlama metinlerini buna uydurdular ve dönemin ilaç reklamlarında antipsikotiklerin psikoterapiyi tamamlayıcı yönü öne çıkarıldı.

1960'ların çoğu Amerikalı analizcisine göre, psikiyatri mesleği üzerindeki hegemonya sağlama alınmış gibiydi. En makbul ve kazançlı hastalar onlardaydı; gelirleri mesleğin hâlâ akıl hastanelerinde tıkılı cahil kesimine kıyasla çok daha yüksekti ve diğer tıp uzmanlık dallarındaki meslektaşlarının birçoğuyla gelir uçurumu daha da büyüktü. Analizcilerin fikirleri genel kültüre sinmiş, sanatçılar, yazarlar ve aydınlar tarafından hevesle benimsenmişti. Bizzat Freud'un insan anlayışında devrim yaratmış bir fikir devi olarak sunuluşu yaygın kabul görmekteydi. Psikanalizin hümanist ve düşünsel yanı, yetenekli öğrencileri psikiyatriye çekmekteydi ve onların okuduğu üniversite bölümlerine psikanaliz yönelimli hocalar egemendi. Nasıl bir aksilik çıkabilirdi ki? Onların üstünlüğünü ne sarsabilirdi ki? Böyle sağlam bir şey elbette buhar olup uçamazdı. Oysa öyle oldu.

Tam da psikanalizin akla ilişkin bir genel bilim olma hırsı oldukça tuhaf biçimde bir tür zaaf yarattı. Diğer psikiyatri biçimleri akıl hastalığına kategorik olarak bakarken, yani aklı başında insanların ve akıl hastalarının dünyalarını ayrı ve birbirine köklü biçimde karşıt sayarken, psikanaliz akıl hastalığına boyutlu şekilde yaklaştı. Deliler ve biz geri kalanlar arasında keskin kopukluklar görmek yerine, hepimizi bir ölçüde marazlı, kusurlu yaratıklar saydı ve akıl rahatsızlıklarının ruhlarımızdan kaynaklandığını savundu. Psikiyatrinin bir sosyal denetim aracı olarak kullanıldığına ilişkin eleştiriler ilk başta, kisve değiştirmiş bir hapishane ya da toplama kampı olarak suçlanmaya açık olan akıl hastanesine yönelikti. Ama psikanalizcilerin insan farklılıklarına tıbbi anlam yükleme ve zihinsel patolojinin sınırlarını genişletme (sözgelimi suçluların kötü değil, hasta olduklarını ve kişilik kusurlarının bir tür akıl hastalığı olduğunu ileri sürme) eğilimi, gittikçe psikiyatrinin rolü konusunda kaygılar uyandırdı. Farklılık ve gariplik tıbbi sorunlar olarak yeniden tanımlanır ve ardından zorunlu tedaviye tabi tutulursa, insan özgürlüğü açısından nasıl bir sonuç doğardı?

Psikanalizciler Kraepelin'in ve başkalarının somutlaştırdığı türden teşhis ayrımlarını pek ciddiye almamışlardı. Onlara göre, hebefrenik şizofreni, paranoit şizofreni, farklılaşmamış şizofreni, manik-depresif psikoz vb. kaba ve yararsız kategorilerdi. Asıl önemli olan birtakım soyut keyfi yaftalar değil, tedavi edilen belirli kişinin psikopatolojisiydi. Ama diğer insanların gözünde, şizofreni ve manik-depresif hastalık gibi yaftalar gerçek hastalıkları belirtmekteydi; psikiyatrların teşhis konusunda düpedüz görüş birliğine varamadıkları açığa çıkınca, mesleğin geçerliliğine dönük sıkıntı ve tehdit köklü bir hal aldı.

1960'ların sonlarındaki ve 1970'lerdeki bir dizi araştırma, psikiyatrik teşhislerin son derece güvenilmez olduğunu göstermişti.[58] Psikiyatrik rahatsızlığın en ciddi biçimlerinde bile farklı psikiyatrlar teşhis konusunda ancak yarı yarıya hemfikirdi. Birçoğunu bizzat meslekten kişilerin yürüttüğü bu araştırmaların biri, İngiliz psikiyatr John Cooper'ın ve çalışma arkadaşlarının çeşitli ülkeler arasındaki teşhis farklılıklarını ortaya koyan bir nitelikteydi.[59] Örneğin, İngiliz psikiyatrların manik depresyon teşhisini koyduğu bir vakaya, Amerikalı meslektaşları şizofreni yaftasını vurmaya yatkındı.

Kamuoyunda en çok ilgi gören ve psikiyatrinin imajını en çok sarsan çalışma ise Stanford'un sosyal psikologlarından David Rosenhan'ın (1929-2012) sahte hastaları kullanarak yürüttüğü ve sonuçlarını dünyanın en çok okunan iki bilim dergisinden biri olan *Science*'ın 1973 yılında yayımladığı bir deneydi.[60] Denekler bazı sesler duydukları şikâyetiyle bir yerel akıl hastanesine gittiler. Onlara yatırıldıktan sonra tamamen normal davranmaları bildirilmişti. Çoğuna şizofren teşhisi konuldu ve sonraki davranışları bu bakış açısıyla yorumlandı. Öyle ki koğuş yaşamındaki ayrıntıları not alan bir deneğin takip çizelgesinde "yazmaya takıntılı" olduğu belirtildi. Sahte hastaların numara yaptıklarını psikiyatrlar değil, hasta arkadaşları fark edebildi; sonunda taburcu edilen sahte hastaların birçoğu "hafif iyileşme yolunda şizofren" olarak sınıflandırıldı.

Rosenhan'ın makalesi dergide çıkar çıkmaz, etiğe aykırı ve metodoloji bakımından kusurlu olduğunu belirten psikiyatrların yüksek sesli itirazlarıyla karşılaştı. Şikâyetleri büsbütün temelsiz değildi, ama makale geniş bir çevrede meslek için bir yeni kara leke olarak görüldü. Hukuk uzmanları psikiyatrinin klinik ehliyet iddialarıyla açıkça alay etmeye başladılar. Tanınmış bir hukukçunun makalesine göre, psikiyatrik "bilirkişi" görüşü daha çok "mahkeme salonunda yazı tura atmaya" benzediği için, kesinlikle kabul edilemezdi; üstelik bunu kanıtlayacak bolca örnek sıralanmıştı.[61]

Teşhis belirsizliğinin meslek için 1970'lerin başlarına doğru gittikçe artan sorunlar yaratmasının belki daha da önemli başka bir sebebi vardı. İlaç endüstrisi akıl hastalığına dönük yeni tedavilerin muazzam potansiyel kârlar sunduğunu keşfetmişti. Ancak ilaç geliştirmenin ilerlemesi ve düzenleyici makamların yeni bir ilacı piyasaya sürme ruhsatını vermesi için, homojen hasta gruplarına erişim hayati önemdeydi. Bir tedavinin istatistiksel açıdan

58 Aaron T. Beck, 1962; Aaron T. Beck, vd., 1962; R. E. Kendell, vd., 1971; R. E. Kendell, 1974.

59 John E. Cooper, Robert E. Kendell ve Barry J. Gurland, 1972. Bulgularının özellikle çarpıcı bir örneğini vermek gerekirse, İngiliz ve Amerikalı psikiyatrlara iki İngiliz hastasına ilişkin videokasetler izletildi ve onlardaki sorunu teşhis etmeleri istendi. Amerikalı psikiyatrların % 85'i ila % 69'u şizofreni teşhisi koyarken, İngiliz meslektaşlarında bu oran % 7 ila 2'ydi.

60 David Rosenhan, 1973.

61 Bruce J. Ennis ve Thomas R. Litwack, 1974.

öbürüne üstün olduğunu göstermek, çift-kör testinin dayandığı deney ve kontrol gruplarında yer verilebilecek hasta sayısının gittikçe artırılmasını gerektirdi.[62] Hastalara güvenilir biçimde aynı teşhisin konulamaması halinde, karşılaştırmalar nasıl yapılabilirdi ki? Yeni bir bileşiğin bazı hastaları etkilerken, bazılarında etkisiz kaldığının ortaya çıkması da teşhis kesinliği konusundaki kaygının dozajını yükseltti; çünkü yararlılığın gerekli kanıtını ortaya koymak için alt topluluklar arasında ayrım yapmak zorunluydu.

Kimin deli, kimin aklı başında olduğuna nasıl karar vereceğiz? Cevap verilmesi gereken bir soruydu bu. Hiçbir röntgen, hiçbir MRG, hiçbir kan testi ya da laboratuvar bulgusu, bu en temel ayrımı yapmak durumunda olanlara destek sağlamaz. Thomas Szasz'ın yolundan giden bazıları, böyle biyolojik esaslı teşhis kriterlerinin yokluğunda, akıl hastalığının bize sorun çıkaranlara dayatılmış bir kurmacadan, yanıltıcı bir yaftadan ibaret olduğu sonucuna vardılar. Ama öbürleri çoğunlukla işin doğrusunu bildikleri kanısındaydılar: Saftirik, dengesiz, bunalımlı ya da bunak bazı hemcinslerimiz biz geri kalanların paylaşır göründüğü gerçeklikten öylesine kopuktur ki, deli (ya da daha kibar ifadeyle akıl hastası) olmaları kaçınılmaz gibi görünür. En ciddi yabancılaşma örneklerinde, konsensüsten ayrılan birinin akıl sağlığını sorgulama eğilimine muhtemelen kapılırız. Peki, o kadar belirgin olmayan örneklerde sınır nerede çizilecek? 19. yüzyıl başlarının en meşhur (ya da mahut) deli doktorlarından John Haslam'ın mahkeme salonundaki şu beyanını okuduğumuzda gülebiliriz: "Aklı başında bir insanı hiç görmedim." Ama işin doğrusu, kolayca fark edilecek kadar açık davranışın ya da akıl bozukluğunun ötesinde, normal ve marazi olan arasındaki sınır hâlâ son derece muğlak ve belirsizdir. Yine de sınırlar çiziliyor ve hayatlar sallantıda kalıyor. Kaçık mı, uçuk mu? Bu ayrım çok önemli.

Psikiyatrinin teşhis ehliyeti etrafındaki soruların bir araya gelişi, Amerikan Psikiyatri Birliği'ni teşhisi standartlaştırma çabalarına yöneltti. Oluşturulan bir çalışma grubuna, daha güvenilir bir nozoloji hazırlama yetkisi verildi. Psikanalizciler, canlarını sıkan bu girişimi umursamadılar. Çalışma grubunun başındaki Columbia Üniversitesi psikiyatrı Robert Spitzer (d. 1932), çoğu Missouri'nin St. Louis kentindeki Washington Üniversitesi'nden olan kafa dengi kişileri çarçabuk seçti.[63] Çalışma grubu üyeleri, akıl hastalığına ilişkin biyolojik modellerden yana son derece önyargılı ve kendilerini "veri

62 Bütün düzenleyici makamların gerekli saydığı istatistiksel anlamlılık, klinik anlamlılıktan (yani, bir ilacın hasta esenliğinde sahici ve oldukça büyük bir farklılık yarattığını saptama) çok farklıdır. Belirli bir tedaviyle elde edilen somut farklılık ne kadar zayıf olursa, istatistiksel anlamlılık (yani, her nasıl ölçülürse ölçülsün, tesadüfi "iyileşme"den daha iyi bir sonuç) yaratacak geniş bir örneklem kitlesine başvurmak o ölçüde gerekli olur. Geniş çaplı ve çok-alanlı denemelerin norm haline gelmesinin sebeplerinden biri budur.

63 Ronald Bayer ve Robert L. Spitzer, 1985.

yönelimli kişiler" olarak nitelendirmekten hoşlanan kişilerdi. Oysa çalışmaları bilimden ziyade siyasal cambazlığa dayalıydı.[64] Hapları, konuşma tedavisine tercih ettiler ve teşhis sürecine yönelik tamamen özgün bir yeni yaklaşım, onların elinde mesleğe yeni bir yön verme kavgasında belirleyici bir silaha dönüştü.

Akıl bozukluğunun herhangi bir önemli biçimine ilişkin inandırıcı bir sebep-sonuç zinciri ortaya koyamayan Spitzer çalışma grubu, böyle bir şeye kalkışmaktan vazgeçti. Bunun yerine, belirli bir hastayı muayene eden psikiyatrların aksaklık konusunda hemfikir kalmalarını sağlayacak hakemler arası güvenilirliği azami düzeye çıkarmaya yoğunlaştı. Böylece akıl bozukluğu farklı biçimlerini güya belirleyen araz listeleri hazırladı ve onları "her derde deva" bir teşhis yaklaşımına uyguladı. Yeni bir hastayla karşılaşan psikiyatrlar, bir dizi verili arazın varlığını ya da yokluğunu not edecek ve bir eşik sayıya varıldığında, muayene edilen kişiye belirli bir teşhis yaftası vuracaktı. Birden fazla "hastalık" teşhisi konulabilecek durumları geçiştirmek için "eşzamanlı hastalık" kavramına başvurulacaktı. Kılavuza nelerin alınacağına ilişkin görüş ayrılıkları oylama yöntemiyle çözüldü; kesme noktalarının nereye konulacağına, yani bir hastanın belirli bir hastalık biçiminden mustarip sayılması için upuzun listedeki arazların kaçını göstermesi gerektiğine ilişkin keyfi karar da öyle alındı. Geçerlilik sorunları (sıralanan "hastalık"ların yeni sınıflandırma sisteminin etiyolojik anlam taşıyan ayrımlara bir şekilde denk düşüp düşmediği) basbayağı bir tarafa bırakıldı. Teşhislerin mekanik ve öngörülebilir, tutarlı ve tekrarlanabilir hale getirilmesi yeterliydi. Böylece akıl hastalıklarının, psikanalizcilerce öteden beri temelde yatan psikodinamik kişilik bozukluklarının arazları olarak pek önemsenmeyen "yüzeydeki" tezahürleri, bilimsel göstergelere, akıl bozukluğunun farklı biçimlerini tanımlayan unsurlara dönüştü. Bu tür arazların tercihen kimyasal yoldan denetim altına alınması mesleğin yeni kutsal kâsesi oldu.

Zamanla, Teşhis ve İstatistik Kılavuzu'nun (DSM) yeni bir baskısını Amerikan Psikiyatri Birliği üyelerinin oyuna sunmak gerekti. Psikanalizciler süreci umursamamanın vahim bir hata olduğunu gecikmeli olarak kavradı. Çoğu hastanın girdiği hastalık kategorisi olan nevroz bile mesleğin resmi yafta sisteminden çıkmak üzereydi ve bunun ekonomik durumlarına etkisi kestirilebilir bir şeydi. Ama konumlarını koruma girişimleri, Robert Spitzer'in kurnazca ve alaycı bir karşı hamlesiyle engellendi: Görünüşte bir uzlaşma jesti olarak, belli teşhislerden sonra parantez içinde "nevrotik reaksiyon" teriminin eklenmesine izin verdi. Birlik olumlu yönde oy kullandı. Teşhis ve İstatistik Kılavuzu'nun 1980'de çıkan üçüncü baskısı (aslında ilk sağlam

64 Stuart A. Kirk ve Herb Kutchins, 1992; Herb Kutchins ve Stuart A. Kirk, 1999; Allan V. Horwitz, 2002.

ve anlamlı baskısı psikiyatrinin geleceğine ve akıl hastalığına ilişkin genel kültürel anlayışlara çok önemli etkilerde bulundu.[65] Kuzey Amerika dışında birçok psikiyatr, Dünya Sağlık Örgütü'nün çıkardığı daha geniş Uluslararası Hastalık Sınıflandırması (ICD) çerçevesinde farklı bir sınıflandırma sistemi tercih etti ve bazıları bunu sürdürdü. Ama çokuluslu ilaç endüstrisinin DSM teşhis kategorileri ile psikiyatrideki yeni ilaç tedavileri arasında hızla kurduğu bağlar, DSM'nin ağır basmasını ve her yerde psikiyatrların sonunda otoritesine boyun eğmesini sağladı. ICD ve DSM kategorileri gittikçe birbirine yaklaştı ve söylenenlere bakılırsa, ICD'nin yakında çıkacak on birinci baskısıyla, iki sistem arasında daha da sıkı bir uzlaşmayı getirecek.

Kılavuzun üçüncü baskısından kısa bir süre, 1987'de çıkan gözden geçirilmiş versiyon, Spitzer'in psikanalizcilere önermiş olduğu kılıfa, tam da onun daha baştan tasarladığı gibi, yer vermedi.[66] DSM'nin 900 sayfayı aşan ve yaklaşık 300 psikiyatri hastalığını saptayan 1994'teki dördüncü baskısı, tanesi 85 dolardan yüz binlerce satıldı. Her Amerikalı akıl sağlığı görevlisinin kitaplığında bir demirbaş haline geldi ve sonunda yeni Amerikan psikiyatrisinin dünya genelindeki hegemonyasını sağlayan koçbaşı oldu. Zihinsel sıkıntıyı, zihin patolojisinin resmi sınırlarını, hatta akıl hastalarının yaşamını tarif ederken kullandığımız dil ve kategoriler, bu belgenin silinmez damgasını taşır.

DSM III'ün zaferi gittikçe teşhis kategorilerini belirli ilaç tedavilerine bağlayan bir sınıflandırma sistemini ortaya çıkardı. Akıl hastalıklarını her biri farklı ilaçlarla tedavi edilebilecek özgül ve açıkça farklı hastalıklar olarak kavramlaştırmanın hem meslek camiasında hem de kamuoyunda kabul görmesinin yolunu açtı. En önemlisi, sağlık sigortası sektörünün tedavi masrafını karşılamak için bir DSM teşhisini şart koşmaya başlaması (ve tercih edilen tedavi seyrinin ve sürenin ayrı teşhis kategorilerine bağlanması) nedeniyle, DSM III göz ardı edilmesi ve onaylanmaması imkânsız bir belgeye dönüştü. Parasını almak isteyen (ve sigorta ödemeleri dışında işini yürütemeyeceği

---

65 Adından anlaşılacağı üzere, DSM III'ün bazı öncelleri vardı. Amerikalı psikiyatrların daha önce oluşturduğu iki resmi teşhis sistemi, sırasıyla 1952'de ve 1968'de küçük broşürler halinde çıkmıştı. Her ikisinde de psikozlar ve nevrozlar arasında (kabaca belirtmek gerekirse, gerçeklikten kopuşa ve daha hafif olmak üzere, gerçekliğe çarpık bir bakışa dayanan akıl bozuklukları arasında) geniş bir ayrım yapıldı. Yüz küsur akıl hastalığı çeşidinin birçoğu sözde psikodinamik etiyolojilerine uygun olarak gruplara ayrıldı. Bu anlamda, ayrımlar İkinci Dünya Savaşı sonrasının Amerikan psikiyatrisinde psikanaliz perspektiflerinin baskınlığını yansıtır nitelikteydi. Ama bu ilk iki baskının ortaya koyduğu geniş ve genel türden teşhis ayrımlar, tedavi edilen belirli hastanın dinamiklerine odaklanan çoğu analizci için pek anlamlı değildir. Dolayısıyla nadiren başvurulan ilk iki DSM pek de ağırlığı olmayan masa süsü gibi görüldü. DSM II ancak 134 sayfayı bulan ve son derece üstünkörü tanımlar eşliğinde sıralanmış yüz farklı teşhisi içeren spiral bağlı küçük bir broşürdü. Üç buçuk dolar olan fiyatı, çoğu profesyonel psikiyatrın gözünde değerinin üzerindeydi.

66 Robert Spitzer, 2001, s. 558.

besbelli) bir akıl sağlığı görevlisi için, kılavuzu benimsemekten başka bir alternatif yoktu.

Sonraki yıllarda özellikle antidepresan ilaçların 1990'larda rağbet görmesiyle, akıl hastalığıyla ilgili mesleki ve genel tartışmalara biyolojik dil sindi. Amerikan Psikiyatri Birliği'nin o zamanki başkanı Steven Sharfstein (d. 1942) sürecin vardığı noktayı akıl hastalığı konusunda "biyo-psiko-sosyo modelden [...] biyo-biyo-biyo modele" geçiş olarak nitelendirdi. Bu dönüşümün neredeyse başından itibaren, Amerikalı psikanalizciler büyük ölçüde hastalardan yoksun kalma ve psikiyatri mesleğinin doruğundan sökülüp atılma durumuna düştü.

Analizcilerin ABD'de mesleğin yeni kuşaklarını eğitmeyi düzenleme sürecinin başında aldıkları başka bir vahim kararla hızlanan bir batıştı bu. Analiz eğitimini ve mesleğe girişleri mutlak denetim altında tutmak istedikleri için, tamamen üniversite sistemi dışında enstitüler oluşturmuşlardı. Ama modern araştırma üniversitesinin ortaya çıkışı, saf bilime kaynaklık etme rolü, bilginin üretildiği ve dağıtıldığı fabrika olarak artan itibarı, böyle bir onay merciinden yoksun kesimlerin yapısal zayıflığını artırdı. Psikanalizin bu kutsal koridorlardan (önemsizmiş gibi göründüğü dönemde isteyerek ve hatta hevesle yöneldiği bir akıbetle) dışlanması, bilimden ziyade mezhep sayılıp küçümsenmesini kolaylaştırdı.

Paradoksal bir gelişmeyle, psikanaliz tam da en büyük başarıyı yakaladığı ülke olan ABD'de mesleki unutulmaya en yakın noktaya geldi. Hegemonyasını yitirmesiyle birlikte, yeniden dirilen biyolojik psikiyatri hiç hoşlanmadığı Freudcu girişimi devre dışı bırakmaya çarçabuk yöneldi. Psikanaliz ABD'de varlığını edebiyat ve antropoloji bölümlerinin koridorlarında, bir de tek tük felsefeciler arasında sürdürebildi. Çoğunlukla Yahudi ve birkaç büyük kentsel merkezle sınırlı olmak üzere, sunduğu mallara rağbet eden ufak bir pazar kaldı; ama tedaviye dönük bir uğraş olarak kısa sürede soyu tehlikede bir tür haline geldi.[67]

Psikanalizin akıbeti başka ülkelerde o kadar kötü olmadı. Asla mesleki üstünlük kuramadığı Britanya ve Fransa gibi ülkelerde, geçmişte sağladığı desteği daha fazla korudu ve birçok aydının pek azalacak gibi görünmeyen hayranlığını çekmeyi sürdürdü. Yakın zamana kadar Fransız Freud'un bir karikatüre benzediği doğrudur. Paris psikanalizi çoğunlukla Jacques Lacan'ın (1901-1981) eserlerinden türetilmiş kendine has versiyondu. 1960'larda ilgi görmeye başlayan Lacan, 1981'deki ölümüne kadar bazı çevrelerden

67 Bu değişen ortamın belirtisi, yıllarca ağır akıl bozukluğu biçimlerine dönük psikanaliz tedavisinin önde gelen merkezleri ve Amerikan psikiyatrisinde psikanaliz egemenliğinin fırlatma rampaları olan Maryland'deki Chestnut Lodge'un ve Kansas'taki Menninger Kliniği'nin batması ve kapanmasıydı.

neredeyse tapınmaya varan bir saygı gördü.[68] (Psikanaliz versiyonu öylesine tuhaftı ki, katı Freudcu analiz saflarından daha önce kovulmuştu. Örneğin, "analiz saati" bazen birkaç dakikaya, hatta daha az süreye inecek kadar kısaydı; bekleme odasındaki hastaya fısıldanan tek bir *parole* (kelime) bir tedavi seansı sayılırdı ve öyle fatura edilirdi. Bu yolla on kadar hastaya tek bir saatte bakması ve parasını alması mümkündü.[69]) Lacan'ın popülerliği başka bir şeye yaramasa da, Fransız aydınlarını bizzat Freud'la ilgilenmeye özendirdi ve Lacan izlerinin solmasına karşın, bu coşkulu ilgi bir ölçüde sürdü. Manş'ın öbür yakasındaki Britanya'da, geçmişi İkinci Dünya Savaşı'na kadar indirilebilecek iç bölünmelere ve hizipçi atışmalara (ayrıca Freud'un kızı Anna öncülüğündeki katı Freudcular ile Melanie Klein öncülüğündeki aykırı hizip arasında ortaya çıkan yeni bölünmeye) rağmen, psikanaliz kamuoyunda çok belirgin bir etkiyi sürdürüyor. Psikiyatri mesleği içinde Amerikan meslektaşları kadar şöhrete ve güce hiç ulaşamayan İngiliz psikanalizciler, bir gerileme ve yakın çöküş duygusuna belki daha az kapılıyor.

Psikanalizin marjinalleşmesi, özellikle ağır akıl hastaları söz konusu olduğunda, tedavi açısından öyle büyük bir kayıp olmayabilir. Harry Stack Sullivan (1892-1949) ve Frieda Fromm-Reichmann (1889-1957) gibi bazı Amerikalı analizciler ve İtalyan psikiyatr Silvano Arieti (1914-1981) psikoz tedavisinde biraz başarılı olduklarını ileri sürmüş[70] ve Avrupa'da Melanie Klein (1882-1960) ile Jacques Lacan'ın takipçileri psikanaliz tekniklerini son derece dengesiz hastaları tedaviye uyarlama ihtimalini ortaya atmış olsalar bile, geçmişte olduğu gibi şimdi de samimi inançlılar dışında çok az kimse bu savlara fazla [rağbet] ediyor.[71]

Ama deliliğin bir anlam taşıdığı yönündeki psikanaliz savı, bireye ilgi göstermeyi özendirdi; psikiyatrları, hastalardan onlar için akıl bozukluğunun psikolojik anlamını dinleyip bilgi edinmeye yöneltti ve çektikleri eziyetleri dikkatle gözlemlemenin yararında ısrarcı olmalarını sağladı. DSM teşhislerinin ve neredeyse genel ilaç tedavilerinin hızla uygulandığı bir dönemde,

---

68 Lacan ve entrikaları konusunda, ona hayran bir öğrencinin yazdığı eleştirellikten uzak bir görüş için bkz. Elisabeth Roudinesco, 1990; kitaba ve tanıttığı adama ilişkin sert ve müthiş eğlenceli bir değerlendirme için bkz. Raymond Tallis, 1997. Lacan ekolünün hizipçi kavgalara düşerek çöküşüne ilişkin bir değerlendirme için ayrıca bkz. Sherry Turkle, 1992, son bölüm.

69 Lacan'ın aslında 1970-80 arasındaki klinik hekimliği sırasında saatte *ortalama* on hastaya baktığı aktarılır; bu da çoğu zaman bundan daha fazlasını sıradan geçirmiş olması gerektiği anlamına gelir.

70 Silvano Arieti, 1955. Gözden geçirilmiş 1974 baskısı bilim dalında bir Ulusal Kitap Ödülü kazandı.

71 Örneğin bkz. Kim T. Mueser ve Howard Berenbaum, 1990. Vardıkları sonuç açıkça olumsuzdur. Psikanalizin etkilerini test etme girişimlerini incelediklerinde, işe yaradığının hiçbir kanıtını bulamadılar; aslında durumu kötüleştirdiğini gösteren bazı ipuçları, onları şu iddiada bulunmaya yöneltti: "Psikanalizin 'etki profili'ne sahip bir ilaç kesinlikle reçeteye yazılmaz ve hiç kimse onu 'tarihin çöp kutusu'na atmada en ufak vicdan azabı çekmez." Psikanalizin delilikten kurtuluşunun anahtarı olduğunda ısrar eden bir hastanın aykırı görüşü için bkz. Barbara Taylor, 2014.

psikopatolojiye özgü fenomenoloji neredeyse ölümcül ihmale uğramıştır ve bunun büyük bir kayıp olduğu kesindir. Bu iş öyle bir noktadır ki, uzun süre *American Journal of Psychiatry*'nin editörlüğünü yapan seçkin nörolog Nancy Andreasen (d. 1938), şu uyarıda bulunma gereğini duymuştur: "Kişinin sorunlarına ve sosyal bağlamına dönük titiz klinik değerlendirmeyi öğretmede sürekli bir gerileme var. [...] Öğrencilere [karşılaştıkları akıl hastalıklarındaki] karmaşıklıkları öğrenmekten ziyade DSM'yi ezberlemeleri öğütleniyor. [...] [Teşhis kılavuzu] psikiyatri hekimliğini robotlaştırıcı bir etki yaratmıştır."[72] Sözü edilmeyen, ama kesinlikle daha da önemli nokta, bu gelişmelerin mesleki ilginin hedefinde olan hastalar üzerindeki robotlaştırıcı etkisidir.

Evrensel ve nesnel bir sınıflandırma ortaya koyma ve her bireyin psikopatolojisini sığdırmanın mümkün ve zorunlu olacağı tek tip bir yatak sağlama hamlesiyle birlikte, DSM paradigması çerçevesinde çalışanların ana hedefi, tekil klinik değerlendirmeyi ve onun değişkenliğinden kaçınılmaz olarak doğan bütün görüş ayrılıklarını ortadan kaldırmak ve daha genel düzeyde insan öznelliğini söküp atmaktır. Psikiyatrların buna odaklanışı hızlı, rutin ve tekrarlanabilir yaftalamayı mümkün kılıyor. Hastaların sorunlarına genelde yarım saatten az bir sürede teşhis konuluyor; böyle karar alma süreçlerinin çoğu kez yol açtığı hayat değiştirici sonuçlar göz önünde tutulunca, bazılarının açıkça şaibeli bulabileceği ilginç bir atılım bu. Bizzat DSM yaklaşımının mantığı, karmaşıklığa ve her vakanın kendine has özelliklerine ciddi şekilde dikkat etmeyi gayet bilinçli biçimde engelliyor. Mesleki değerlendirmeyi kararlı hale getirmeyi sağlayan bu yararlı yanı, delilik dediğimiz insan ıstırabının büyük çeşitliliğine böyle kaba ve mekanik bir perspektifle bakmanın geçerliliği sorgulandığında ise kusurlu yanını oluşturuyor.

BİYOLOJİNİN ÖFKELİ TEPKİSİ

19. yüzyılın sonlarında, dünya genelinde psikiyatrlar akıl hastalığının bozuk beyinden ve bedenden kaynaklanan bir hastalık olduğu kanısındaydı. Akıl hastaları insan soyunun aşağı bir türü ve onlardaki kusurları açıklayan dejeneratif süreçlerin canlı timsaliydi: Duygu körelmesi, düşünce ve konuşma bozuklukları, aşırı çekingenlik ya da girişkenlik, davranışlarda şaşırtıcı bir denetim yokluğu, hezeyanlar, sanrılar, azgın cinnet, derin depresyon. 20. yüzyılın sonları benzer bir yaklaşımla biyolojiyi yeniden akıl hastalığının temeli saymaya ve diğer boyutlarını gittikçe göz ardı etmeye sahne oldu. George H. W. Bush'un 1991'de Akıl Sağlığı Ulusal Enstitüsü adına yaptığı başkanlık açıklamasında 1990'ları "beynin on yılı" olarak nitelendirmesi,

72 Nancy Andreassen, 2007.

psikiyatride ABD sınırlarını da aşacak şekilde zaten kökleşmiş bir dönüşümü onaylamaktan ibaretti.

Hastalar ve aileleri akıl hastalığını kusurlu beyin biyokimyasına, dopamin kusurlarına ya da serotonin eksikliğine bağlamayı öğrendiler.[73] Bu biyoloji lafazanlığı, yerine geçtiği psikoloji jargonu kadar yanıltıcı ve bilimsellikten uzaktı; aslında başlıca delilik biçimlerinin kökeni neredeyse eskisi kadar gizemliydi. Ama pazarlamada bu dil paha biçilmez değerdeydi.[74] Öte yandan, psikiyatri mesleği baştan çıkarıldı ve muazzam miktarda araştırma fonlarıyla satın alındı. Konuşma tedavisinin ve çocukluk dönemi cinselliği konusundaki saplantıların ana-akıma bağlı çoğu doktorun aşağılayıcı bakışını güçlendirmesi nedeniyle, bir zamanlar meslek itibarının kıyısındaki bir alacakaranlık kuşağında yer alan psikiyatrlar artık tıp fakültesi dekanlarının gözdeleriydi. Onlara verilen milyonlarca dolarlık bağış ve dolaylı mali destek, İkinci Dünya Savaşı'nı izleyen yılların dikkat çekici bir gelişmesi olan tıp-sanayi kompleksinin büyümesini finanse etmeyi sağladı.

Bu finansmanın büyük bir bölümü, son yetmiş beş yılda gelişip olgunlaşan ilaç endüstrisinden geldi. Büyük ilaç şirketleri günümüzün uluslararası bir olgusudur. Pazarlama güçleri bütün yerküreyi sarıyor. Kârlı yeni bileşiklere dönük arayışları ulusal sınırları tanımıyor, tabii sıklıkla araştırmaları yürütmek üzere, etik kısıtlamalardan kurtulmanın daha kolay olduğu ve çok-merkezli klinik denemelerden elde edilen bilgilerin şirket denetiminde daha kolay tutulduğu küresel periferiye çekildikleri durumlar dışında.[75] Ekonominin diğer birçok kesimini hayli aşan şaşırtıcı düzeydeki kârların çoğunlukla tıpta yarışın denetimsiz olduğu ABD gibi zengin bir ülkede kazanılması, Amerikan psikiyatrisinin artan küresel hegemonyasının başlıca sebeplerinden biridir.[76]

Psikiyatri ilaçları büyük ilaç şirketlerinin sağladığı büyümenin ve kârların ana kaynağıdır. Bunun sebebi elimizde psikiyatrinin bir penisilininin olması değildir. Tam tersine, psikofarmakolojiyi saran pazarlama abartısına rağmen, sunulan haplar ve iksirler tedavi edici değil, hafifleticidir – çoğu kez bunun da gerisindedir. Ama işin tuhaf yanı, psikotropik ilaçların bu kadar değerli olmasının ve milyar doların üzerinde kâr getirici ilaçlar safına sürekli atlamasının sebebi tam da bu nispi tedavi acizliğidir. İyileştirici

---

73 Dopamin ve şizofreni için bkz. Solomon H. Snyder, 1982; Arvid Carlsson, 1988; serotonin ve depresyon için bkz. Jeffrey R. Lacasse ve Jonathan Leo, 2005.

74 Özellikle bkz. İngiliz-İrlandalı psikiyatr David Healy, 1997, 2002 ve 2012.

75 Adriana Petryna, Andrew Lakoff ve Arthur Kleinman (ed.), 2006; Adriana Petryna, 2009.

76 Dünya genelinde reçeteli ilaçların satışı 2002'de yaklaşık 400 milyar dolardı ve tek başına ABD'deki satış toplamın yarısından fazlaydı. En büyük şirketlerin sıralandığı Fortune 500 listesinde on ilaç şirketi yer alır. Bu on şirketin o yılki kârları (35,7 milyar dolar), diğer 490 şirketin toplam kârlarını (33,7 milyar dolar) aşmaktaydı.

36 ÜSTTE *ABD'nin Michigan eyaletinde zengin sinir hastalarının kaldığı Battle Creek Sanatoryumu. Büyük Bunalım'ın bir kazazedesi olarak 1933'te yediemine devredildi.*

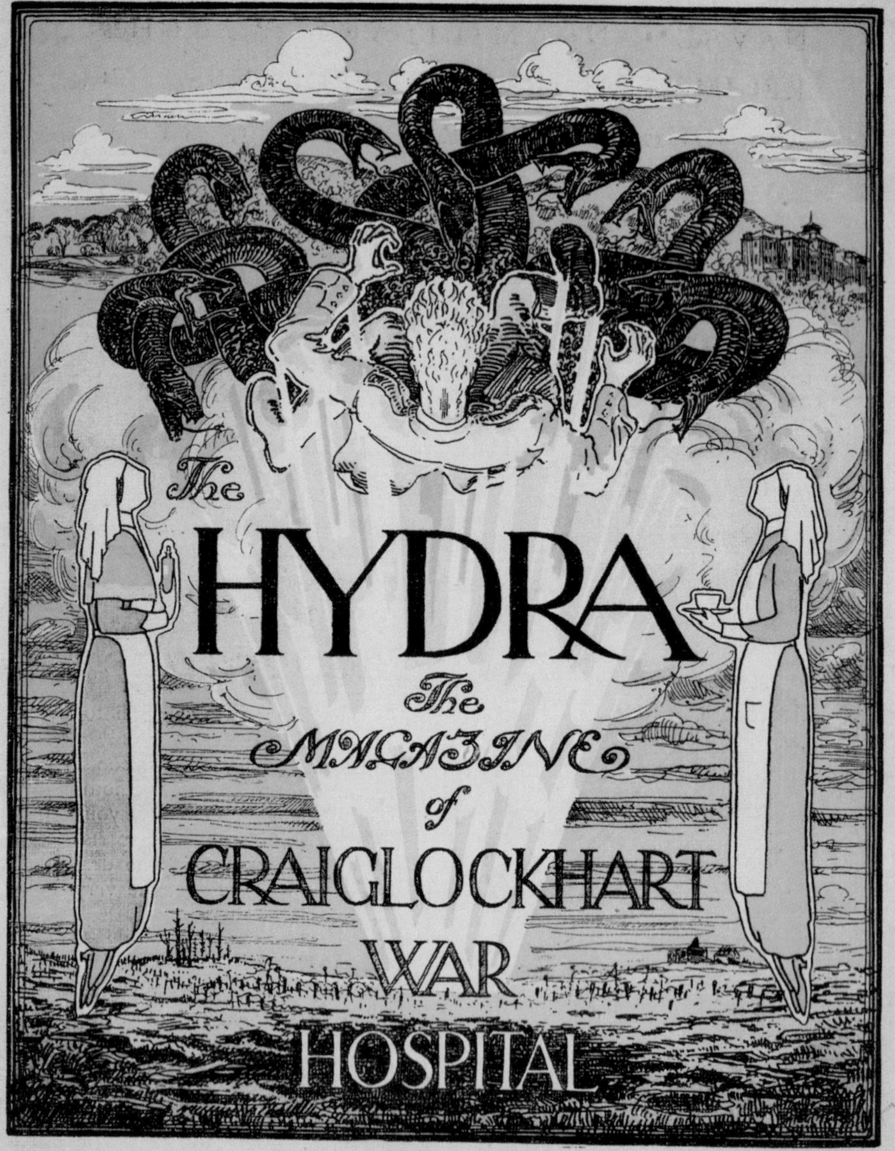

No. 1 NEW SERIES November 1917

The HYDRA

The MAGAZINE of CRAIGLOCKHART WAR HOSPITAL

H. & J. Pillans & Wilson, Printers, Edinburgh

37 ÜSTTE *Birinci Dünya Savaşı'nda aralarında Siegfried Sassoon'un ve Wilfred Owen'ın da bulunduğu mermi şokuna uğramış subayların tedavi gördüğü Craiglockhart Askeri Hastanesi'nde hastaların çıkardığı* The Hydra *dergisi.*

38 KARŞI SAYFADA ÜSTTE *Max Beckmann'ın* Gece *(1918-1919) tablosu, üç işkencecinin bulunduğu küçük bir odada şiddetin karanlık yüzünü yansıtır. Bir adam boğuluyor, tecavüze uğramış bir kadın direğe bağlanıyor ve bir çocuk sürüklenerek işkenceye ya da ölüme götürülüyor; her türlü düzen ya da perspektif duygusu bir kötülük ve delilik dünyası içinde çöküyor. Beckmann eseriyle "insanoğluna akıbetinin bir resmini" sunmak istediğini belirtmişti.*

39 ÖNCEKİ SAYFADA ALTTA *Otto Dix'in* Savaş Triptiği *(1929-1932) tablosunun orta panosu. Bir siperde şişmiş Alman cesetleri çürüyor; birinin bacakları kurşun delikleriyle dolu; bir ağacın üstünde kazığa oturtulmuş bir iskelet görülüyor; kızgın gökyüzü kıyameti haber veriyor. Nazilerin Dix'i, eserlerinin "Alman halkının askeri iradesini etkileyebileceği" gerekçesiyle Dresden'deki öğretim üyeliği görevinden uzaklaştırmış olmasına şaşırmamak gerekir.*

40 ÜSTTE *David Hockney'nin Glyndebourne'da Stravinsky'nin* Hovardanın Sergüzeşti *operasının son sahnesi için hazırladığı* Bedlam *(1975) adlı dekorun bir maketi.*

41 KARŞI SAYFADA *Freud'un Hampstead'deki çalışma odası. Freud 1938'de Nazi baskısından kurtulmak için Avusturya'dan Londra'ya sürgün gittiğinde, kanepesini ve kişisel eşyalarını yanına aldı; Kuzey Londra'nın Maresfield Gardens semtindeki evinde Viyana'dakine benzer bir çalışma ortamı yarattı. Oda Freud Müzesi'nin bir parçası olarak günümüze kadar korunmuştur.*

42 KARŞI SAYFADA *Massachusetts'te 1973'te kapatılan Grafton Eyalet Hastanesi'nin bir koridoru. Bir zamanlar binlerce kişiyi barındıran böyle akıl hastanelerinin birçoğu şimdi boş ve bakımsız ve harabeye dönmüş halde.*

43 ÜSTTE *Venedik'te şimdi lüks bir otel kompleksinin bulunduğu San Clemente Adası'nın havadan görünüşü. Ama burası her zaman böyle çekici bir konaklama yeri değildi; 1844-1992 arasında kentteki deli kadınların kapatıldığı akıl hastanesi olarak kullanılmıştı.*

44 ÜSTTE *Kanadalı sanatçı, aktivist ve kendi ifadesiyle "doğal saralı" Billiam James'in hazırladığı ciddi mesajlı muzip bir reklam (2014). Görsel ilhamı 17. yüzyıl Kama Sutra ve Ragamala resimlerinden, sözel ilhamı ise Jefferson Airplane adlı rock topluluğundan almıştı.*

ilaçlar hasta için harikayken, ilaç şirketleri için her zaman öyle değildir. Örneğin, antibiyotikler en azından aşırı kullanımla etkisiz hale gelene kadar, bakteriyel enfeksiyonları çabucak iyileştirirler. Yüz yıl önce ağır ve hatta ölümcül olan hastalıklara şimdi rutin olarak tek bir tedavi kürü yetiyor. Her ne kadar ciro yabana atılmayacak kârlar sağlasa da, ilk heyecanın yatışmasından sonra bu alanda fazla para yoktur. Dolayısıyla denetlenebilen ama iyileştirilemeyen hastalıklar idealdir: Tip 1 ve tip 2 diyabet, yüksek tansiyon, kanda lipit birikimi ve damarların kolesterolle tıkanışı, artrit, astım, asit reflüsü ve HIV enfeksiyonları. Bu durumlar yıllarca sürer ve muazzam potansiyel kârlara kaynaklık eder. Elbette paten süreleri dolunca kârlar düşer ama bir formülde ince ayarlar yapmanın, bir patent varyantını, belki yeni bir ilaç sınıfını yaratmanın yolu her zaman vardır. Kronik durumlar, kronik kârlılık demektir.

Psikiyatrik bozukluklar zor tanımlanabilir ve bazen tartışmalı, etiyoloji bakımından hâlâ gizemli ve pek anlaşılmamış olabilirler ama birçoğu kalıcı, güçten düşürücü ve can sıkıcıdır. Anlaşılmaları ve tedavi edilmeleri zor olsa bile göz ardı edilmeleri imkânsızdır. Bir ölçüde arazları gideren (ya da öyle olduğu ileri sürülen) yeni ilaç sınıfları ortaya çıktığında, potansiyel pazar muazzam olur.

Öyle de oldu. Antipsikotikler ve antidepresanlar yeryüzünde satılan en kârlı ilaçlar arasındadır. Sakinleştiriciler çok geride değildir. Bristol-Meyers Squibb'in imal ettiği bir antipsikotik olan Abilify yılda 6 milyar dolar satılmaktadır. Eli Lilly'nin bir antidepresan ve antianksiyete hapı olan Cymbalta dünya genelinde 5,2 milyar dolarlık satışa ulaşmayı tasarlıyor. Depresyon ya da şizofreni tedavisinde kullanılan Zoloft, Effexor, Seroquel, Zyprexa ve Risperdal 2005'te 2,3 ila 3,1 milyar dolar arası satış hacmine sahipti ve uzun süre çok yüksek kârlar getirdi. Gerek antipsikotikler gerekse antidepresanlar ABD'de ciro itibariyle sürekli ilk beş ilaç sınıfı içinde yer alıyor.[77] 2010'da toplam küresel satış bakımından antipsikotik ilaçlar 22 milyar dolara, antidepresanlar 20 milyar dolara, anti-anksiyete ilaçları 11 milyar dolara, uyarıcı ilaçlar 5,5 milyar dolara, bunamayı tedavide kullanılan ilaçlar 5,5 milyar dolara ulaştı. Üstelik bu rakamlarda antikonvülsan ilaçların yer aldığı birçok reçetenin bipolar bozukluk teşhisi konulmuş hastalar için yazıldığı hesaba katılmış değil.[78]

Ama çoğu kez (yanlış biçimde) iktisatçı Milton Friedman'a atfedilen ölümsüz deyişle "bedava yemek diye bir şey yoktur" ve her türlü tıbbi tedavinin, en etkili olanlarının bile bir yan etki riski taşıdığı unutulmamalıdır (Resim

---

77 ABD'de antidepresanların satışı 1997'de 5,1 milyar dolar düzeyindeyken, 2004'te 12,1 milyar dolara çıktı.

78 Steven E. Hyman, 2012.

44). Psikofarmakoloji devrimini ve psikiyatriye etkisini değerlendirirken bu uyarıyı akılda tutmak gerekir. Teknoloji karşıtı bir tavırla, ilerlemeyi küçümsemek ya da varlığını yadsımak doğru olmaz. Ancak psikiyatri alanında açığa çıkan sorunlar çoktur ve son derece rahatsız edicidir. Sunulan yemek doğrusu çok pahalıya patlamıştır ve birçok tüketici için yapılan masrafa değmeyecek düzeydedir.

Psikiyatrideki ilaç tedavileri maalesef her zaman pek etkili değildir ve var olan etkileri psikiyatrlarca ve yayımlanan bilimsel literatürde sürekli abartılmıştır. İlaçların sağladığı yararlar için hastaların ödemek durumunda kalabildiği bedel ise çoğu kez olduğundan düşük gösterilmiş ya da fiilen gizlenmiştir. Özellikle psikofarmakolojinin ilk yıllarında sorunun kaynağı bir ölçüde, yetersiz yaklaşımla düzenlenen ve bulguları sistematik biçimde olumlu yöne çeken araştırmaların çokluğuydu. Sonraki yıllarda ilaç endüstrisinin artan gücü ve kâr arayışında vardığı nokta, bilinçli gözlemcileri "kanıta dayalı psikiyatri" gibi görünen şeyi "önyargıya dayalı psikiyatri" olarak adlandırmanın daha doğru olabileceği endişesine sürükledi.

Psikiyatri mesleğinin gerçeği kabullenmesinin yirmi yılı bulmasına karşın,[79] birinci kuşak antipsikotiklerin, yani fenotiyazinlerin çoğu kez beraberinde köklü ve güçten düşürücü yan etkiler getirdiği anlaşıldı. Bazı hastalarda Parkinson hastalığını andıran arazlar ortaya çıktı. Bazıları yerinde duramayacak kadar sürekli huzursuz hale geldi. Aksine bir gelişmeyle, uzun süre hareketsiz kalan hastalar da görüldü. En ciddi araz daha sonraları "yavaş gelişen diskenzi" ya da "geç başlangıçlı diskenzi" adı verilecek bir durumdu. İlaç alınırken çoğu kez gizli kalan bu bozukluk, dudak emme ve şapırdatma hareketlerine, kolları ve bacakları sallamaya ve denetimsizce oynatmaya yol açmaktaydı – işin ironik yanı, sıradan insanların bunları çoğu kez akıl bozukluğunun belirtileri olarak yorumlamasıydı. Yavaş gelişen diskenzi özellikle uzun süreli tedavi gören geniş bir kesimi (çok farklı tahminlere göre % 15'i ila 60'ını) etkiledi ve çoğu vakada geri döndürülmesi zor, iyatrojenik (yani doktor kaynaklı) bir durumdu.

Birinci kuşak fenotiyazinler birçok hastada belirgin arazları sahiden azaltarak, hayatlarını yakınları için daha çekilir ve daha katlanılır hale getirdi. Ancak oldukça büyük bir kesimi oluşturan bazıları, ilaç tedavisine hiçbir yanıt vermedi. Birinci kesimdeki hastaların hepsi için olmasa bile birçoğu için, yan etkiler ile araz giderme arasındaki denge sıkıntıya değerdi. Yanıt vermeyenlerde öyle olmadığı kesindi ve her iki kesimdeki çok sayıda hastanın karşılaştığı yan etkiler ciddi, güçten düşürücü, damga vurucu ve çoğu kez kalıcıydı.

---

79 George Crane, 1973.

Bu ciddi yan etkilerin zamanla kavranması, bazılarını "toksik psikiyatri"[80] adını taktıkları anlayışı kınamaya yöneltti ve kendi tuhaf tedavi biçimlerini pazarlayan Scientology tarikatı Hollywood'da "Psikiyatri: Bir Ölüm Endüstrisi" adıyla bir müze açtı. Böyle bir abartmayı kabul eden tarafsız gözlemciler çok az sayıdadır. Yeni ilaç tedavilerinin asla yararlı olmadığını, aslında hep zararlı olduğunu ileri sürmek saçmadır. Böyle savlara ancak aksi yöndeki epey inandırıcı kanıtları görmezlikten gelerek inanılabilir. Ancak bu durum ilaç endüstrisinin ve psikiyatri mesleğindeki yandaşlarının aynı ölçüde tek yanlı ve abartılı iddialarına eleştirisiz inanmayı da gerektirmez.

Birinci kuşak psikotropik ilaçların belirlediği kalıp, onu izleyen bütün ilaçlar için geçerlidir. Çeşitli antidepresanların ortaya çıkışı, depresyon teşhisi konulanların sayısında büyük çaplı bir artışı ateşledi ve depresyonu psikiyatrinin nezlesine dönüştürdü. Yirmi yıl önce piyasaya sürülen "atipik antipsikotikler" farklı kimyasal özellikler taşıyan ve fenotiyazinleri zor duruma düşürmüş ciddi yan etkilerin birçoğuna yol açmadığı ileri sürülen hapların heterojen bir yelpazesiydi. Prozac'ın insanları "halliceden daha iyi" yapacağı söylendi ve ardından öyle olmadığı anlaşıldı. Prozac ve seçici serotonin gerialım inhibitörleri (SSRI'lar) olarak bilinen benzer antidepresanlar hiç de her derde deva değildir. Bu ilaçların yarattığı sorunların olumlu etkileri çoğu kez ağır basar;[81] bir dizi araştırma ağır depresyonlar dışında, plasebodan pek üstün olmadıklarını göstermiştir.[82] Harvard psikiyatrlarından Steven E. Hyman'ın görüşü, durumun iç karartıcılığını özetler niteliktedir: "1950'lerden beri geliştirilen çok sayıda antidepresan ilacın [...] hiçbiri [birinci kuşak ilaçların] etki düzeyini daha yukarıya çıkarmamış, birçok hasta sınırlı yarar görmüş ya da hiç görmemiştir."[83]

SSRI'lar çocukları tedavide kullanılmaya başladığında, (ilaç endüstrisinin uzun süre gizleyip yadsıdığı bir yan etki olan) intihar düşüncesi ve intihar riskindeki artışı kamuoyuna ilk kez psikiyatrlar değil, BBC için çalışan araştırmacı gazeteciler duyurdu.[84] Yeni tedavilerin klinik yararını değerlendirmekle görevli bir İngiliz hükümet kuruluşu olan Sağlık ve Klinik Mükemmellik Ulusal Enstitüsü (NICE) çocuklarda SSRI'ları kullanmayı onaylamanın eşiğindeyken fikrini değiştirdi ve 2004'te aksi yönde görüş belirtti. Başka olum-

---

80 Peter Breggin, 1991.

81 Bunlar arasında cinsel işlev bozukluğu, uykusuzluk, gerginlik ve kilo kaybı sayılabilir.

82 NICE, 2010; A. John Rush, vd., 2006. J. C. Fournier, vd., 2010; Irving Kirsch, vd., 2008; J. Horder, P. Matthews ve R. Waldmann, 2011; Irving Kirsch, 2010.

83 Steven E. Hyman, 2012.

84 Ortaya çıkan sonuç çoğunlukla Shelley Joffre'nin araştırmalarına dayanan bir dizi Panorama programı oldu. Tıp öğrenimi görmemiş bir gazeteci olan Joffre, denemelerin iç yüzünü kurcaladı ve Paxil'i üreten GlaxoSmithKline'ın gizlemek için çok uğraştığı bir şeyi, yani bu ilaç sınıfının beraberinde getirdiği riskleri dengeleyecek hiçbir yarar sağlamadığını açığa çıkardı. Bkz. David Healy, 2012.

suz klinik deneme verilerinin kamusal alana sızması üzerine, Amerikan Gıda ve İlaç İdaresi ilaçları piyasadan çekme öncesinde yüksek tehlikeye ilişkin en ciddi uyarı işareti olan "siyah şerit"in kullanılmasını şart koştu; Paxil ve Zoloft gibi ilaçların gençlerde kullanılması için ruhsat vermeyi reddetti. Daha sonraları SSRI'ların çocuklarda ve gençlerde depresyon tedavisinde etkili olduğunu gösteren araştırmaların "esasen olumsuz sonuçları olumlu sonuçlara dönüştürecek şekilde maniple edildiği, ilaçların işe yaramadığının gizlendiği ve tedavide karşılaşılan sorunların örtbas edildiği" ortaya çıktı.[85] İşin daha da vahimi, SSRI'lar konusunda hepsi de olumsuz sonuçlara varmış birçok araştırmanın gizli tutulduğuna ve hiçbirinin dışarıdan baskı uygulanıncaya kadar gün ışığına çıkmadığına dair kanıtlar gözler önüne serildi.[86]

Atipik antipsikotikler çoğu kez ikinci kuşak antipsikotikler olarak da anılır. Bu yanıltıcıdır, çünkü içlerinden en güçlüsü olduğu söylenen klozapin hiç de yeni bir ilaç değildi. Alman şirketi Wander tarafından 1958'de sentezle elde edilmiş, 1960'larda bir dizi klinik denemeden geçirilmiş ve ilk kez 1971'de piyasaya sürülmüş ama kullanıldığında ara sıra akyuvarlarda tehlikeli ve bazen ölümcül azalmanın, yani agranülositozun görüldüğünün anlaşılması üzerine, dört yıl sonra üreticisi tarafından geri çekilmişti.[87] Aradan on yılı aşkın sürenin geçtiği 1989'da, diğer ilaçlara yanıt vermeyen şizofrenlere dönük bir tedavi, en sıkı güvenlik tedbirlerinin eşlik etmesi gereken bir son çare tedavisi yavaş yavaş yeniden tedavüle girdi. Fiyatı yüksekti. Sandoz bir yıllık miktar için 9.000 dolar alırken, klorpromazinin (Thorazine) bir yıllık miktarının maliyeti 100 dolar civarındaydı. Ancak kısmen yavaş gelişen diskenzi gibi yan etkilerin diğer antipsikotik ilaçlara nazaran daha seyrek görüldüğü iddialarının etkisiyle, klozapin kullanımı hızla yayıldı.

Bu durum patenti alınabilen Risperdal, Zyprexa ve Seroquel gibi başka "atipik" hapların kısa sürede geliştirilmesini teşvik etti. Kimyasal açıdan heterojen olmalarına karşın, hepsini ikinci kuşak antipsikotikler olarak adlandırmak iyi bir pazarlama yöntemiydi ve yafta tuttu. Ek yararlar sağlayan ve çok daha az yan etkileri olan bir grup olarak satılmaları son derece kârlı oldu. Çok yüksek maliyetli olmalarına rağmen her yerde psikiyatrlar tarafından benimsendiler. Çok geçmeden bipolar bozukluğa da deva diye sunuldular. Ne var ki, on yıl sonra *Lancet*'in bir başyazısında "sahte bir icat" oldukları teşhir edildi: "İkinci kuşak ilaçların tipik ya da birinci kuşak antipsikotiklerden ayırıcı hiçbir özel atipik nitelikleri yoktur. Bir grup olarak daha etkili değillerdir, özgül arazları düzeltmezler, birinci kuşak antipsikotiklerden

85 David Healy, s. 146.

86 E. H. Turner, vd., 2008; C. J. Whittington, vd., 2004.

87 Ayrıca bağırsak tıkanmaları, nöbetler, kemik iliği baskılanması, kalp sorunları ve diyabet gibi hayati tehlike içeren başka bir dizi yan etki olasılığı da vardır.

açıkça farklı yan etki profilleri taşımazlar ve onlar kadar uygun maliyetli değillerdir."[88] Örneğin, beraberinde yavaş gelişen diskenzi vakalarının bildirilmediği tek ilaç klozapindir; ama "atipik" antipsikotikler kategorisini yaratmak, ilaç endüstrisinin, yapay olarak yaratılmış bu sınıftaki diğer ilaçlar için aynı şeyin geçerli olmadığı gerçeğini örtmesini sağladı.

SONSÖZ

Uygar insanlar olarak, kavramın yanıltıcı olduğunun sıklıkla ortaya çıkmasına karşın, ilerleme hayalleriyle avunmaktan hoşlanırız. Bazıları aksini ileri sürse de edebiyat ve sanat alanlarında belki ilerleme görmemiş olabiliriz; ama bilimin ileriye doğru gittiği kesindir ve sanattan ziyade bilim olduğu ölçüde tıp için de aynı şey geçerlidir. En azından gelişmiş dünyada, kültürel açıdan daha zengin ve daha mutlu olmasak bile, daha uzun ve kesinlikle daha fazla maddi bolluk içinde yaşıyoruz. Tabii deli değilsek. Modern psikiyatriye ve ilaçlarına rağmen, 21. yüzyılda ağır akıl hastalığına ilişkin daha iç karartıcı gerçeklerden biri şudur: Ondan mustarip olanlar sadece ortalama olarak daha genç yaşta (yirmi beş yıl kadar önce) ölmekle kalmıyorlar; bu kesimde ağır hastalıkların görülme sıklığı ve ölüm oranı son yıllarda hızlanmış bulunuyor.[89] Bu en temel düzeylerde geriliyor gibiyiz.

Psikiyatrinin de başı dertte görünüyor. DSM III'ün yayımlandığı 1980'de benimsenen Kraepelin tarzı yeni yaklaşım ilk başta gayet işe yaradı. Psikiyatrik teşhislerde güvenilirliğin ve tekrarlanabilirliğin artmasıyla birlikte, belirli bir hastadaki sorunun ne olduğuna ilişkin can sıkıcı anlaşmazlıklar tarihe karıştı. Freudcular yıkıcı meslek içi savaşı kesin biçimde kaybettiler ve psikiyatrlar akıl bozuklukları konusunda, ne kadar şematik kalırsa kalsın, tıptaki diğer meslektaşlarına yüzeysel olarak anlamlı gelen bir biyolojik açıklamayı yeniden benimsediler. Yeni yaklaşımı son derece cazip bulan ilaç şirketleri, psikiyatri araştırmalarına destek verdiler ve sonraki yıllarda bizzat akıl hastalığının tartışıldığı çerçeveyi, hatta dünyada var olduğu söylenen hastalık kategorilerini belirlemede gittikçe etkili oldular.

Kılavuzun birbirini izleyen her baskısı, 1987 tarihli gözden geçirilmiş üçüncü baskı, 1994 tarihli dördüncü baskı ve onun 2000 tarihli "metin düzeltmesi", psikiyatrinin 1980'de benimsediği temel yaklaşıma bağlı kaldı; ancak her seferinde yeni "hastalıklar" eklendi, psikopatoloji tanımlarında ufak değişiklikler yapıldı ve sayfa sayısı arttı. Böylece "hastalık"ların çoğal-

88 Peter Tyrer ve Tim Kendall, 2009. Benzer sonuçlar için bkz. J. A. Lieberman vd., 2005.

89 İngiliz tahminleri, ağır akıl hastalığının mahiyetine bağlı olarak, erkeklerde ortalama ömrün 8 ila 14,6 yıl, kadınlarda ise 9,8 ila 17,5 yıl kısaldığı yönündedir. C.-K. Chang, vd., 2011. ABD'de akıl hastaları ile genel nüfus arasındaki farklılıklar önemli ölçüde daha yüksektir. Bkz. J. Parks, vd. (ed.), 2006.

masıyla ve belirli bir teşhis koyma kriterlerinin gevşemesiyle birlikte, tam da yeni DSM versiyonları hazırlamaya yol açmış sorun nüksetti ve psikiyatrinin geçerliliğine dönük önemli yeni tehditler belirdi.

Teşhis kriterlerinin gevşetilmesi, akıl hastası olarak tanımlananların sayısını olağanüstü artırdı. Bu durum özellikle gençlerde belirgin olmakla birlikte, öbür kesimler için de geçerlidir. Örneğin, "çocuklarda bipolar bozukluk" sadece on yılda, 1994-2004 arasında kırk kata çıktı. Bir otizm salgını patlak verdi; bu durumun görülme oranı aynı dönemin başlarında her beş yüz çocukta birin altındayken, on yıl sonra doksana ulaştı. Adı daha sonra dikkat eksikliği hiperaktivite bozukluğu olarak değiştirilen hiperaktivitedeki durum benzerdir; şu anda Amerikalı erkek çocukların % 10'u bu "hastalık" yüzünden her gün hap kullanıyor. Yetişkinler arasında 2007 itibariyle her yetmiş altı Amerikalıdan biri zihinsel engel gerekçesiyle sosyal yardım ödemeleri alıyor.

Psikiyatrların bir teşhiste görüş birliğine varamamaları 1970'lerde maskara durumuna düşmelerine yol açarken, hayattaki bir sürü sıradan olayın psikiyatrik patoloji olarak adlandırılması aynı durumu fazlasıyla gündeme getirdi. Bu yüzden Amerikan psikiyatrisi 21. yüzyılın başlarında kılavuzun gözden geçirilmiş yeni bir versiyonunu hazırlamaya giriştiğinde, ortaya çıkacak DSM 5'in öncellerinden farklı olması öngörüldü. (Önceki Roma rakamı sisteminin değiştirilmesi, yazılım sürümlerinde olduğu gibi, kılavuzun DSM 5.1, 5.2 vs. şeklinde sürekli güncellenmesini sağlamaya yönelikti.) Girişim için görevlendirilen ekip, önceki iki baskıda esas alınan mantığı son derece kusurlu olması nedeniyle düzelteceğini duyurdu. Nöroloji ve genetik bulgularından hareketle, yetersiz sayılan araz esaslı sistemden uzaklaşılacak ve akıl bozukluklarını beyin işlevine bağlayan bir kılavuz oluşturulacaktı. Ayrıca akıl bozukluğunun kategorik değil, boyutlu oluşu göz önünde tutulacaktı: Konu akıl sağlığının bir köşede, akıl hastalığının öbür köşede olduğu siyah beyaz bir dünya yerine, şu ya da bu derecede aklı başında olma çerçevesinde ele alınacaktı. Bu büyük bir tasarıydı. Tek sorunu ise ulaşılması imkânsız bir tasarı olmasıydı. Bu hülya peşinde çırpınıp duran ekip sonunda pes etmek zorunda kaldı ve 2009'da mevcut tanımlayıcı yaklaşımı düzeltme hedefine döndü.

Çalışma ilerlerken, patolojik kumarbazlık, aşırı yeme bozukluğu, aşırı cinsellik bozukluğu, düzensiz ruh hali bozukluğu, iç içe geçmiş anksiyete ve depresyon bozukluğu, hafif sinirsel-bilişsel bozukluk ve azalmış psikoz arazları sendromu gibi şeylere sosyal anksiyete bozukluğunun, zıtlaşma bozukluğunun, okul fobisi, narsisizm ve sınırda kişilik bozukluklarının katılacağı anlaşıldı. Oysa (birçok kişinin öncelikle tıp alanına girmediğini ileri sürebileceği) bu tartışmalı teşhisler şöyle dursun, ağır psikiyatrik bozuklukların etiyolojik köklerini anlamaktan neredeyse eskisi kadar uzağız. Böyle teşhislerin psikofarmakoloji ürünleri için kazançlı yeni pazarlar sağlaması, bazı eleştirmenlerin psikiyatri evreninin genişlemesini ticari kaygıların gayrimeşru yollarla yönlendirme ihtimalini sorgulamalarına ve üstelik DSM çalışma grubu üyelerinin büyük çoğunlukla ilaç şirketlerinden bağış almalarına işaret ederek dalga geçmelerine yol açtı.

Psikiyatri, hastalıkları belirlemede sadece arazlara ve davranışlara; mutabık kalınan kategorileri hem meslek camiasına, hem de kamuoyuna dayatmada ise kurumsal şapkaya dayanmakla, neredeyse bir anda kendi saflarında bir isyanla karşı karşıya kaldı. DSM III'ün başta gelen mimarı Robert Spitzer ve DSM IV'ün baş editörü Allen Frances (d. 1942), basılmasından yıllar önce, en yeni baskının bilimsel güvenilirliğine sert eleştiriler yöneltmeye başladılar.[90] Normal insan varlığının gündelik özelliklerini patolojikleştirdiğini ve yeni yapay psikiyatri hastalığı salgınlarına yol açabileceğini ileri sürdüler. Scientology tarikatı gibi kolay geçiştirilemeyecek böyle eleştirmenler[91] DSM 5'in çıkışını geciktirmeyi iki kez başardılar.

Mayıs 2013'te DSM 5 nihayet çıktı. Bu pek de hayırlı bir başlangıç olmadı. Yayımlanmasından hemen önce, son derece nüfuzlu iki psikiyatr, hükümlerini verdiler. Akıl Sağlığı Ulusal Enstitüsü'nün (NIMH) eski müdürü Steven E. Hyman, girişimi bir bütün olarak kınadı: "[Yazarlarının] tahmin edemeyeceği kadar tamamen yanlış bir yol. Sonuçta ortaya koydukları şey kesin bir bilim kâbusu sayılır. Bir teşhis konulması gereken birçok kişiye beş teşhis konuluyor, oysa onlarda beş hastalık yok, temelde yatan tek bir durum var." Benzer bir hükme varan NIMH'nin şimdiki müdürü Thomas R. Insel'e (d. 1951) göre, kılavuz, bilimsel "geçerlilikten yoksunluk"la maluldü. "Araştırma camiası DSM'yi bir kutsal kitap saydığı sürece, asla ilerleme sağlayamayacağız. İnsanlar her şeyin DSM kriterlerine uyması gerektiğini sanıyorlar. Ama size şunu söyleyeyim ki, biyoloji asla kitap okumaz." NIMH "araştırmalarını D.S.M. kategorilerinden uzak bir yaklaşımla yeniden düzenleyecek"ti, çünkü "akıl hastalığı olanlar daha iyisine layık"tı.[92]

Insel birkaç ay önce, kamuoyuna yansıyacağını herhalde bildiği bir özel sohbette, daha da sapkın bir düşünceyi dile getirmişti. Küçümser bir tavırla, psikiyatrideki meslektaşlarının DSM'ye dayanarak teşhis koydukları hastalıkların "gerçek olduğuna basbayağı inandıklarını" belirtmişti. "Ortada

---

90 Tartışmanın gelişimine ilişkin bir döküm için bkz. Gary Greenberg, 2013.

91 Dile getirdikleri yakınmalar, önde gelen Amerikalı psikiyatrların bir karalama kampanyasıyla karşılaştı. Spitzer'in ve Frances'in kendi eserlerinin bir tarafa atılmasının kırgınlığıyla ve hatta belki, eski sınıflandırma sistemi geçersiz kılındığında, DSM IV'ün baş editörlüğünün sağladığı telif hakkından mahrum kalma ihtimalinin etkisiyle hareket ettikleri ileri sürüldü. Bkz. Alan Schatzberg, vd., 2009.

92 Her ikisini akt. Pam Belluck ve Benedict Carey, 2013.

bir gerçeklik yok. Bunlar sadece bir kurgu. Şizofreninin ya da depresyonun gerçek bir yanı yok; [...] depresyon ve şizofreni gibi terimleri kullanmaktan vazgeçmemiz gerekebilir, çünkü önümüzü tıkıyorlar, işleri karıştırıyorlar."[93] Insel, tanımlayıcı psikiyatrinin yerine biyolojik temellere dayalı bir teşhis sistemini geçirmeye hevesli. Ama mevcut bilgi düzeyimizle, bu formül boş bir fantezidir. Psikiyatri (ve akıl bozukluklarından mustarip olanların birçoğu) aksini ne kadar dilerlerse dilesinler, delilik görünüşte çözemediğimiz bir muamma, bir gizem olarak duruyor. En fazla yapabildiğimiz şey, hasarlarını hafifletmek. Son yarım yüzyılda nöroloji dikkat çekici ölçüde gelişmiş ve buluşları çoğalmıştır. Ne yazık ki, şimdiye kadar hiçbiri akıl hastalığı tedavisinde pek klinik yarar getirmiş değil. Nörologlar da henüz deliliğin etiyolojik köklerini açığa çıkarmış değil. Son yıllarda yeni görüntüleme teknolojilerinde gelişme var. İşlevsel manyetik rezonans görüntülemenin (fMRI) dijital çıktıları modern elektronik simyayla canlı renkler halinde ışıldayan beyin resimlerine dönüştürülüyor. Peki, modern bilimin bu harikaları sonunda delilik mikrobunu ortaya çıkaracak mı?

Henüz ve muhtemelen bir süre daha değil. Konuyu anlamamızdaki önemli ilerlemelere rağmen, çok basit insan eylemlerini bile insan beyninin temeldeki yapısına ve işleyişine bağlayabilmekten sahiden çok uzağız. Beynimizi oluşturan milyarlarca bağlantıyı çözmek gibi son derece karmaşık bir işin üstesinden başarıyla gelmek şöyle dursun, sirke sineği beyninin haritasını başarıyla çıkarmamıza bile daha yıllar var.

Bazı nöroloji meraklıları, sözgelimi insanlar tercihte bulunduğunda veya yalan söylediğinde, fMRI'larda belirli beyin bölgelerinde artan aktivite görülmesine fazlasıyla anlam yüklüyorlar. İdealist felsefenin savunucusu Piskopos Berkeley bile buna şaşırmazdı. Hareket ettiğimde, konuştuğumda, düşündüğümde, bir duyguyu yaşadığımda, bunlar herhalde beynimdeki fiziksel değişiklikle bağıntılıdır; ama böyle bağıntılar sebep-sonuç süreçleri açısından, belirli bir olaylar dizisinde önceki bir olayın sonraki bir olaya kaçınılmaz olarak yol açtığını göstermenin ötesinde hiçbir şeyi kanıtlamaz. *Post hoc ergo propter hoc* ("bundan sonra, demek ki bundan dolayı") temel bir mantık yanılgısıdır. Görüntülerin kabaca ölçtüğü şey, beyindeki kan akışıdır ve bu türden aktivite artışını göstermek ile insan düşüncelerinin içeriğine dönük üstün kavrayışa varmak arasında dağlar kadar fark vardır; kaldı ki deneyler tekrarlandığında sonuçlar değişkenlik ve belirsizlik gösterir.

Godot'yu (aslında deli olması gayet mümkün birini) bekleyen zavallı insanlar gibi, akıl hastalığının öteden beri rivayet edilen gizemli nöropatolojik sebeplerinin açığa çıkmasını hâlâ bekliyoruz. Eğer beklenti deliliğin kesin

93 Gary Greenberg'le röportaj, akt. Garry Greenberg 2013, s. 340.

açıklamasının burada ve sadece burada yattığıysa, bence uzun ve birden fazla düzeyde yanlış bir bekleyiş bu.

Niçin? Beyni (biyolojik indirgemeciler gibi) toplum dışı ya da toplun öncesi bir organ saymak anlamsızdır, çünkü bizzat yapısı ve işleyişi önemli açılardan sosyal ortamın bir ürünüdür. İnsan beyninin en dikkat çekici özelliği, psikososyal ve duyusal girdilere derin ve köklü biçimde duyarlı olmasıdır. Bunun anlamı ise nörolog Bruce Wexler'in (d. 1947) ifadesiyle şudur: "Biyolojimiz öylesine temel ve kapsamlı bir tarzda sosyaldir ki, ikisi arasında bir ilişkiden söz etmek dayanaksız bir ayrıma işaret eder."[94]

İnsan beyni, hayvan âleminin başka hiçbir türünde benzeri görülmeyen bir ölçekte, doğumdan sonra gelişimini sürdürür; beynin yapısını ve işleyişini en çok etkileyen çevre unsurları da insanın eseridir. İnsanlar en azından ergenlik çağına kadar dikkat çekici bir sinir esnekliği gösterirler; bu bakımdan biyoloji dışı etkenlerin, doğuştan sahip olduğumuz sinir yapılarını dönüştürmedeki ve böylece olgun beyni oluşturmadaki kritik önemini akılda tutmalıyız. Gerek beynin şekli gerekse duygularımızın ve kavrayışımızın maddi dayanaklarını bir gelişim sürecinde oluşturan sinir bağlantıları sosyal uyarımdan, kültürel ortamdan ve özellikle bu gelişmelerin gerçekleştiği aile ortamından köklü biçimde etkilenir. Beynin yapısına ve düzenine bu çerçevede ince ayar verilir. Yine Bruce Wexler'in sözleriyle belirtmek gerekirse, "normal gelişim için insan doğasının [...] çevresel girdilere izin verdiği ve gerek duyduğu"[95] oldukça açıktır. Anormal gelişim için de aynı şey söylenebilir. Üstelik gelişim çok uzun bir süre devam eder; beynin düzeninde, özellikle yan ve ön loplarda otuz yaşına kadar bağlantılar artar ve değişiklikler ortaya çıkar. Freud'un küçük yaşlardaki psikososyal ortamın psikopatolojiyle bağlantısına dair yorumları çoğumuza artık çok az akla yakın gelebilir; ama deliliğin köklerini bir ölçüde bedenimiz dışında aramamız gerektiği yönündeki temel anlayış kesinlikle yersiz değildir.

Bana göre, en gelişkin modern nöroloji şunu vurgular: Düşünme, hissetme ve hatırlama süreçleri belirli beyin bölgelerinde yer almaktan ya da tekil nöronların özellikleri olmaktan ziyade, olgunlaşırken kurduğumuz karmaşık şebekelerin ve içsel bağlantıların ürünüdür. Bu da hücrelerin seçici şekilde yaşamasına ve gelişmesine, hücreler arasındaki bağlantıların budanmasına, yani ağırlıklı olarak insan bebeğinin büyüdüğü içsel bağlantı ortamı tarafından belirlenen süreçlere bağlıdır. Söz konusu ortam, orantılı büyüklüğü diğer canlı türlerinin hepsini geçen beyin korteksinizin gelişimi açısından özellikle önemlidir; benzersiz ölçüde insan eseridir ve daha çok dil aracılığıyla etkisini

94 Bruce E. Wexler, 2006, s. 3, 13.

95 Bruce E. Wexler, 2006, s. 16. Bu paragraflar ağırlıklı olarak Wexler'in görüşlerine dayanıyor.

Yaşlı Pieter Breugel'in Dulle Griet tablousundan (yak. 1562) detay. Deli Meg şiddetin yakıp kül ettiği çılgın ve canavarca bir dünyada bizzat cehennemin kapısına saldırıyor.

gösterir. İnsan gelişimi her zaman düzgün ve kusursuz ilerlemez; deliliğin kökleri biyolojik ve sosyal yaşamın bu bulanık karışımının bir yerinde yatar.

Batı tıbbının büyük bir bölümünün yüzyıllar önce benimsediği metafizik bahis, yani deliliğin bedensel kaynaklı olduğu görüşü çoğu açıdan daha da bedel ödeyecek. Bana kalırsa, belki hiçbir zaman tam ödemeyecek. En azından zihinsel sapkınlığın en ağır biçimlerinin ortaya çıkışında biyolojinin önemli bir rol oynadığının kanıtlanmayacağını düşünmek zordur. Peki, en münzevi ıstırap ve en sosyal maraz olan delilik sonunda biyoloji ve sadece biyolojiye indirgenebilecek mi? Bu noktada insan ciddi kuşkular duymalı. Yüzyıllar boyunca süren uygarlık içinde delilik hikâyesinin böylesine vazgeçilmez bir parçası olan akıl bozukluklarının sosyal ve kültürel boyutlarının yok olması ya da insan varlığının çok evrensel bir unsuru olan arızi özelliklerden ibaret olduğunun ortaya çıkması, düşük bir ihtimaldir. Delilik sahiden anlamlar taşır, onları saptama girişimlerimizdeki gibi kaçamaklı ve gelip geçici olsa bile. Delilik hâlâ temel bir bilmecedir, akla karşı bir serzeniştir, bizzat uygarlığın kaçınılamaz bir parçasıdır.

BİBLİYOGRAFYA

Ablard, Jonathan, 2003. "The Limits of Psychiatric Reform in Argentina, 1890-1946", Roy Porter ve David Wright (ed.), *The Confinement of the Insane: International Perspectives; 1800-1965*, Cambridge: Cambridge University Press, s. 226-247.

Abramson, Harold (ed.), 1951. *Somatic and Psychiatric Treatment of Asthma*, Baltimore: Williams and Wilkins.

Adrian, E. D. ve L. R. Yealland, 1917. "The Treatment of Some Common War Neuroses", *Lancet*, 189, s. 867-872.

Africanus, Leo, 1896. *The History and Description of Africa Done Into English in the Year 1600 by John Pory, and now edited, with an introduction and notes, by Dr. Robert Brown*, 3 cilt, Londra: Hakluyt Society.

Alexander, Lranz, 1933. "Lunctional Disturbances of Psychogenic Nature", *Journal of the American Medical Association*, 100, s. 469-473.

Alexander, Lranz, 1943. "Lundamental Concepts of Psychosomatic Research: Psychogenesis, Conversion, Specificity", *Psychosomatic Medicine*, 5, s. 205-210.

Alexander, Lranz, 1950. *Psychosomatic Medicine*, New York: Norton.

Andreassen, Nancy, 2007. "DSM and the Death of Phenomenology in America: An Example of Unintended Consequences", *Schizophrenia Bulletin*, 33, s. 108-112.

Ankarloo, Bengt ve Stuart Clark (ed.), 1999. *Witchcraft and Magic in Europe: The Eighteenth and Nineteenth Centuries*, Philadelphia: University of Pennsylvania Press.

Anonymous, 1836-1837. "Review of *What Asylums Were, Are, and Ought to Be*", *Phrenological Journal*, 10 (53), s. 687-697.

Anonymous, 1857. "Lunatic Asylums", *Quarterly Review*, 101, s. 353-393.

Anonymous, 1877. "Madame Huot's Conference on Vivisection", *The Animal's Defender and Zoophilist*, 7, s. 110.

Arieti, Silvano, 1955. *The Interpretation of Schizophrenia*, New York: Brunner.

Arieti, Silvano, 1959. *American Handbook of Psychiatry*, 2 cilt, New York: Basic Books.

Arnold, William, 1786. *Observations on the Nature, Kinds, Causes, and Prevention of Insanity, Lunacy, or Madness*, 2 cilt, Leicester: Robinson and Caddell.

Athanassio, Alex, 1890. *Des Troubles trophiques dans l'hystérie*, Paris: Lescrosnier et Babé.

Bakewell, Thomas, 1805. *The Domestic Guide in Cases of Insanity*, Stafford: Yazarın yayını.

Bakewell, Thomas, 1815. *A Letter Addressed to the Chairman of the Select Committee of the House of Commons, Appointed to Enquire into the State of Mad-houses*, Stafford: Yazarın yayını.

Balbo, E. A., 1991. "Argentine Alienism from 1852-1918", *History of Psychiatry*, 2, s. 181-192.

Barr, E. S. ve R. G. Barry, 1926. "The Effect of Producing Aseptic Meningitis upon Dementia Praecox", *New York State Journal of Medicine*, 26, s. 89-92.

Barton, Russell, 1965. *Institutional Neurosis*, 2. baskı, Bristol: J. Wright.

Baum, Emily, 2013. "Spit, Chains, and Hospital Beds: A History of Madness in Republican Beijing, 1912-1938", yayımlanmamış doktora tezi, University of California, San Diego.

Bayer, Ronald ve Robert L. Spitzer, 1985. "Neurosis, Psychodynamics, and DSM III", *Archives of General Psychiatry*, 42, s. 187-196.

Beard, George M., 1880. *A Practical Treatise on Nervous Exhaustion*, New York: E. B. Treat.

Beard, George M., 1881. *American Nervousness; itsCauses and Consequences*, New York: G. P. Putnam's Sons.

Beck, Aaron T., 1962. "Reliability of Psychiatric Diagnoses: 1. A Critique of Systematic Studies", *American Journal of Psychiatry*, 119, s. 210-216.

Beck, Aaron T. - Ward, C. H. - Mendelson, M. - Mock, J. E. - J. K. Erbaugh, 1962. "Reliability of Psychiatric Diagnoses: 2. A Study of Consistency of Clinical Judgments and Ratings", *American Journal of Psychiatry*, 119, s. 351-357.

Beddoes, Thomas, 1802.*Hygeia*, c. 2, Bristol: J. Mills.

Belcher, William, 1796. *Belcher's Address to Humanity: Containing... a receipt to make a lunatic, and seize his estate*, Londra: Yazarın yayını.

Belknap, Ivan, 1956. *Human Problems of a State Mental Hospital*, New York: McGraw-Hill.

Belluck, Pam ve Benedict Carey, "Psychiatry's Guide Is Out of Touch with Science, Experts Say", *New York Times*, 6 Mayıs 2013.

Berkwitz, Nathaniel J., 1940. "Faradic Shock in the Treatment of Functional Mental Disorders: Treatment by Excitation Followed by Intravenous Use of Barbiturates", *Archives of Neurology and Psychiatry*, 44, s. 760-775.

Bernheim, Hippolyte, 1886. *De la Suggestion et de ses applications à la thérapeutique*, Paris: L'Harmattin.

Bettelheim, Bruno, 1967. *The Empty Fortress: Infantile Autism and the Birth of the Self*, New York: Free Press.

Bettelheim, Bruno, 1974. *A Homefor the Heart*, New York: Knopf.

Black, William, 1811. *A Dissertation on Insanity*, 2. baskı, Londra: D. Ridgeway.

Blackmore, Richard, 1726. A *Treatise of the Spleen and Vapours; or, Hypochondriacal and Hysterical Affections*, Londra: J. Pemberton.

Boerhaave, Hermanni, 1761. *Praelectiones academicae de morbis nervorum*, 2 cilt, ed. Jakob Van Eems, Leiden.

Bolton, Joseph Shaw, 1926. "The Myth of the Unconscious Mind", *Journal of Mental Science*, 72, s. 25-38.

Boorde, Andrew, 1547. *The Breviary ofHelthe*, Londra: W. Middleton.

Booth, William, 1890. *In Darkest England and the Way Out*, Londra: Salvation Army.

Boswell, James, 1951. *Boswell's Column*, introduction ve notes by Margery Bailey, Londra: Kimber.

Bourne, Harold, 1953. "The Insulin Myth", *Lancet*, 262, s. 964-968.

Bowlby, John, 1951. *Maternal Care and Mental Health*, Geneva: World Health Organization.

Braid, James, 1843. *Neurypnology: or the Rationale of Nervous Sleep Considered in Relation with Animal Magnetism*, Londra: Churchill.

Brant, Sebastian, *1494. DafiNarrenschyff ad Narragoniam*, Basel.

Braslow, Joel, 1997. *Mental Ills and Bodily Cures: Psychiatric Treatment in the First Half of the Twentieth Century*, Berkeley ve Londra: University of California Press.

Breggin, Peter, 1991. *Toxic Psychiatry: Why Therapy; Empathy, and Love Must Replace the Drugs, Electroshock, and Biochemical Theories of the "New Psychiatry"*, New York: St Martin's Press.

Breuer, Josef ve Sigmund Freud, 1957. *Studies on Hysteria*, çev. ve ed. James Strachey, New York: Basic Books; Londra: Hogarth Press.

Brigham, Amariah, 1833. *Remarks on the Influence of Mental Cultivation and Mental Excitement upon Health*, Boston: Marsh, Capen & Lyon.

Bright, Timothie, 1586. A *Treatise of Melancholie*, Londra: Vautrollier.

Brill, Henry ve Robert E. Patton, 1957. Analysis of 1955-56 Population Fall in New York State Mental Hospitals in First Year of Large-Scale Use of Tranquilizing Drugs", *American Journal of Psychiatry*, 114, s. 509-517.

Brown, George W., Bone, Margaret, Dalison, Bridget ve J. K. Wing, 1966. *Schizophrenia and Social Care*, Londra ve New York: Oxford University Press.

Brown, Julie V., 1981. "The Professionalization of Russian Psychiatry, 1857-1911", yayımlanmamış doktora tezi, University of Pennsylvania.

Brown, Norman O., 1959. *Life Against Death: The Psychoanalytical Meaning of History*, Middletown, Conn.: Wesleyan University Press.

Brown, Norman O., 1966, *Love's Body*, New York: Random House.

Brown, Peter, 1971. *The World of Late Antiquity*, Londra: Thames & Hudson; New York: Harcourt, Brace, Jovanovich.

Brown, Peter, 1972. *Religion and Society in the Age of Saint Augustine*, Londra: Faber and Faber; New York: Harper & Row.

Brown, Peter, 1981. *The Cult of the Saints: Its Rise and Function in Latin Christianity*, Chicago: University of Chicago Press.

Brown, Peter, 1992. *Power and Persuasion in Late Antiquity: Towards a Christian Empire*, Madison: University of Wisconsin Press.

Brown, Thomas, 1980. "'Living with God's Afflicted': A History of the Provincial Lunatic Asylum at Toronto, 1830-1911", (yayımlanmamış doktora tezi), Queen Üniversitesi, Kingston, Ontario.

Brown-Montesano, Kristi, 2007. *Understanding the Women of Mozart's Operas*, Berkeley: University of California Press.

Browne, William A. F., 1837. *What Asylums Were, Are, and Ought to Be*, Edinburgh: A. & C. Black.

Browne, William A. F., 1864. "The Moral Treatment of the *Insane*", *Journal of Mental Science*, 10, s. 309-337.

Brydall, John, 1700. Non *Compos Mentis: or, the Law Relating to Natural Fools, Mad-Folks, and Lunatick Persons*, Londra: Isaac Cleave.

Bucknill, John C., 1860, "The President's Address to the Association of Medical Officers of Asylums and Hospitals for the Insane", *Journal of Mental Science*, 7, s. 1-23.

Burdett, Henry C., 1891 .*Hospitals and Asylums of the World*, c. 2, Londra: J. & A. Churchill.

Burleigh, Michael, 1994. *Death and Deliverance: "Euthanasia" in Germany*, c. *1900-1945*, Cambridge ve New York: Cambridge University Press.

Burney, Fanny, 185 4. *Diary and Letters of Madame D'Arblay*, ed. Charlotte F. Barrett, Londra: Colburn, Hurst and Blackett.

Burnham, John C. (ed.), 2012. *After Freud Left: A Century of Psychoanalysis in America*, Chicago: University of Chicago Press.

Burrows, George Man, 1828. *Commentaries on the Causes, Forms, Symptoms, and Treatment, Moral and Medical, of Insanity*, Londra: T. & G. Underwood.

Burton, Robert, 1948 [1621]. *The Anatomy of Melancholy*, New York: Tudor.

Butler, Alban, 1799. *The Lives of the Primitive Fathers, Martyrs, and Other Principal Saints*, 12 cilt, 3. baskı, Edinburgh: J. Moir.

Bynum, William F., 1974. "Rationales for Therapy in British Psychiatry, 1780-1835", *Medical History*, 18, s. 317-334.

Bynum, William F. ve Roy Porter (ed.), 1993. *Companion Encyclopedia of the History of Medicine*, 2 cilt, Londra: Routledge.

Bynum, William F., Porter, Roy ve Michael Shepherd (ed.), 1985-88. *The Anatomy of Madness*, 3 cilt, Londra: Routledge.

Cabanis, Pierre, 1823-1825. *Rapports du physique et du moral de l'homme* (1802), reprinted in his posthumous *Oeuvres complètes*, Paris: Bossagen Frères.

Cairns, David, 2006. *Mozart and His Operas*, Berkeley: University of California Press; Londra: Allen Lane.

Carlsson, Arvid, 1988. "The Current Status of the Dopamine Hypothesis of Schizophrenia", *Neuropsychopharmacology*, 1, s. 179-186.

Carroll, Robert S. "Aseptic Meningitis in Combating the Dementia Praecox Problem", *New York Medical Journal*, 3 Ekim 1923, s. 407-411.

Cartledge, Paul, 1997. "'Deep Plays': Theatre as Process in Greek Civic Life", Patricia E. Easterling (ed.), *The Cambridge Companion to Greek Tragedy*, Cambridge: Cambridge University Press, s. 3-35.

Castel, Robert, 1988. *The Regulation of Madness: The Origins of Incarceration in France*, Berkeley: University of California Press; Cambridge: Polity.

Caudill, William, 1958. *The Psychiatric Hospital as a Small Society*, Cambridge, Mass.: Harvard University Press.

Chang, C. K. - Hayes, R. D. - Perera, G., Broadbent - M. T. M., Fernandes - A. C., Lee - W. E., Hotopf, M. - R. Stewart. "Life Expectancy at Birth for People with Serious Mental Illness and Other Disorders from a Secondary Mental Health Care Register in London", *PLoS One*, 18 Mayıs 2011, 6 (5):el9590. Doi: 10.1371/journal.pone.0019590.

Chapireau, F., 2009. "La mortalité des malades mentaux hospitalisés en France pendant la deuxième guerre mondiale: étude démographique",*L'Encéphale*, 35, s. 121-128.

Charcot, J.-M. ve Gilles de la Tourette, 1892. "Hypnotism in the Hysterical", Daniel Hack Tuke (ed.), *A Dictionary of Psychological Medicine*, 2 cilt, Londra: J. & A. Churchill, s. 606-10.

Cheyne, George, 1733. *The English Malady*, Londra: G. Strahan.

Clark, Michael, 1988. "'Morbid Introspection', Unsoundness of Mind, and British Psychological Medicine, c. 1830 – c. 1900", William F. Bynum, Roy Porter ve Michael Shepherd (ed.), *The Anatomy of Madness*, c. 3, Londra: Routledge, s. 71-101.

Clark, Stuart, 1997. *Thinking with Demons: The Idea of Witchcraft in Early Modem Europe*, Oxford: Clarendon Press.

Cobb, Stanley, 193 8. "Review of Neuropsychiatry", *Archives of Internal Medicine*, 62, s. 883-899.

Coleborne, Catherine, 2001. "Making "Mad" Populations in Settler Colonies: The Work of Law and Medicine in the Creation of the Colonial Asylum", Diane Kirkby ve Catharine Coleborne (ed.), *Law, History, Colonialism: The Reach of Empire*, Manchester: Manchester University Press, s. 106-124.

Coleborne, Catharine, baskıda. *Insanity, Identity and Empire*, Manchester: Manchester University Press.

Colton, C. W. ve R. W. Manderscheid, 2006. "Congruencies in Increased Mortality Rates, Years of Potential Life Lost, and Causes of Death Among Public Mental Health Clients in Eight States", *Preventing Chronic Disease*, 3:26, çevrimiçi, PMCID: PMC1563985

Conolly, John, 1830. *An Inquiry Concerning the Indications of Insanity*, Londra: John Taylor.

Conolly, John, 1847. *The Constmction and Government of Lunatic Asylums and Hospitals for the Insane*, Londra: John Churchill.

Conrad, Lawrence, 1993. "Arabic-Islamic Medicine", William F. Bynum ve Roy Porter (ed.), *Companion Encyclopedia of the History of Medicine*, c. 1, Londra: Routledge, s. 676-727.

Cooper, John E., Kendell, Robert E. ve Barry J. Gurland, *Psychiatric Diagnosis in New York and London: A Comparative Study of Mental Hospital Admissions*, Londra: Oxford University Press.

Cotta, John, 1612. A *Short Discoverie of the Unobserved Dangers of Several Sorts of Ignorant and Unconsiderate Practisers ofPhysicke in England*, Londra: Jones and Boyle.

Cotta, John, 1616. *The Triall of Witch-craft, Shewing the Tme and Right Methode of the Discovery*, Londra.

Cotton, Henry A., 1919. "The Relation of Oral Infection to Mental Diseases" *Journal ofDental Research*, 1, s. 269-313.

Cotton, Henry A., 1921. *The Defective Delinquent and Insane*, Princeton: Princeton University Press.

Cotton, Henry A., 1923. "The Relation of Chronic Sepsis to the So-Called Functional Mental Disorders", *Journal of Mental Science*, 69, s. 434-465.

Council of State Governments, 1950. *The Mental Health Programs of the Forty-Eight States*, Chicago: Council of State Governments.

Cox, Joseph Mason, 1813. *Practical Observations on Insanity*, 3. baskı, Londra: R. Baldwin and Thomas Underwood.

Crammer, John, 1990. *Asylum History: Buckinghamshire County Pauper Lunatic Asylum - St John's*, Londra: Gaskell.

Cranach, M. von, 2003. "The Killing of Psychiatric Patients in Nazi Germany between 1939 and 1945", *The Israel Journal of Psychiatry and Related Sciences*, 40, s. 8-18.

Crane, George E., 1973. "Clinical Psychopharmacology in Its Twentieth Year", *Science*, 181, s. 124-128.

Creer, Clare ve John K. Wing, 1974. *Schizophrenia at Home*, Londra: Institute of Psychiatry.

Crews, Frederick C., 1975. *Out of My System: Psychoanalysis, Ideology, and Critical Method*, New York: Oxford University Press.

Crews, Frederick C. (ed.), 1998. *Unauthorized Freud: Doubters Confront a Legend*, New York: Viking.

Crichton-Browne, James, 1930. *What the Doctor Thought*, Londra: E. Benn.

Cruden, Alexander, 1739. *The London-Citizen Exceedingly Injured: Or, a British Inquisition Display'd...Addressed to the Legislature, as Plainly Shewing the Absolute Necessity of Regulating Private Madhouses*, Londra: Cooper and Dodd.

Daneau, Lambert, 157 5. A *Dialogue of Witches*, Londra: R. Watkins.

Dante Alighieri, 1980. *The Divine Comedy of Dante Alighieri: Infemo*, çev. Allen Mandelbaum, New York: Random House.

Darnton, Robert, 1968. *Mesmerism and the End of the Enlightenment in France*, Cambridge, Mass.: Harvard University Press.

Deacon, Harriet, 2003. "Insanity, Institutions and Society: The Case of Robben Island Lunatic Asylum, 1846-1910", Roy Porter ve David Wright (ed.), *The Confinement of the Insane: International Perspectives, 1800-1965*, Cambridge: Cambridge University Press, s. 20-53.

Defoe, Daniel, 1728. *Augusta Triumphans: Or, the Way to Make London the Most Flourishing City in the Universe*, Londra: J. Roberts.

de Girolamo, G., Barale, F., Politi, P. ve P. Fusar-Poli, 2008. "Franco Basaglia, 1924-1980", *American Journal of Psychiatry*, 165, s. 968.

de Girolamo, G., Bassi, M., Neri, G., Ruggeri, M., Santone, G. ve A. Picardi, 2007. "The Current State of Mental Health Care in Italy: Problems, Perspectives, and Lessons to Learn", *European Archives of Psychiatry and Clinical Neuroscience*, 257, s. 83-91.

Delgado, Honorio F., 1922. "The Treatment of Paresis by Inoculation with Malaria", *Journal of Nervous and Mental Disease*, 55, s. 376-389.

Della Seta, Fabrizio, 2013. *Not Without Madness: Perspectives on Opera*, çev. Mark Weir, Chicago: University of Chicago Press.

Department of Health and Social Security [England], 1971. *Better Services for the Mentally Handicapped*, Cmnd 4683, Londra: HMSO.

Diamant, Neil, 1993. "China's 'Great Confinement'?: Missionaries, Municipal Elites and Police in the Establishment of Chinese Mental Hospitals", *Republican China*, 19:1, s. 3-50.

Dicks, H. V., 1970. *Fifty Years of the Tavistock Clinic*, Londra: Routledge & Kegan Paul.

Dimendberg, Edward, 2004. *Film Noir and the Spaces of Modernity*, Cambridge, Mass. ve Londra: Harvard University Press.

Dix, Dorothea Lynde, 1843. *Memorial to the Legislature of Massachusetts*, Boston: Monroe and Francis.

Dix, Dorothea Lynde, 1845. *Memorial to ... New Jersey*, Trenton: yayınevi bilgisi yok.

Dix, Dorothea Lynde, 1845. *Memorial Soliciting a State Hospital for the Insane, Submitted to the Legislature of Pennsylvania*, Harrisburg: J. M. G. Lescure.

Dix, Dorothea Lynde, 1850. *Memorial Soliciting Adequate Appropriations for the Construction of a State Hospital for the Insane, in the State of Mississippi*, Jackson, Miss.: Fall and Marshall.

Dodds, Eric R., 1951. *The Greeks and the Irrational*, Berkeley: University of California Press.

Dols, Michael W., 1987a. "Insanity and its Treatment in Islamic Society", *Medical History*, 31, s. 1-14.

Dols, Michael W., 1987b. "The Origins of the Islamic Hospital: Myth and Reality", *Bulletin oftheHistory of Medicine*, 61, s. 367-390.

Dols, Michael W., 1992. *Majnun: The Madman in Medieval Islamic Society*, Oxford: Clarendon Press.

Donkin, Horatio B., 1892. "Hysteria", Daniel Hack Tuke (ed.), *A Dictionary of Psychological Medicine*, 2 cilt, Londra: J. & A. Churchill, s. 618-627.

Doob, Penelope, 1974. *Nebuchadnezzar's Children: Conventions of Madness in Middle English Literature*, New Haven: Yale University Press.

Dowbiggin, Ian, 1985a. "French Psychiatry, Hereditarianism, and Professional Legitimacy, 1840-1900", *Research in Law, Deviance and Social Control*, 7, s. 135-165.

Dowbiggin, Ian, 1985b. "Degeneration and Hereditarianism in French Mental Medicine, 1840-1890 - Psychiatric Theory as Ideological Adaptation", William F. Bynum, Roy Porter ve Michael Shepherd (ed.), *The Anatomy of Madness*, c. 1, Londra: Tavistock, s. 188-232.

Driver, J. R., Gammel, J. A. ve L. J. Karnosh, 1926. "Malaria Treatment of Central Nervous System Syphilis. Preliminary Observations", *Journal of the American Medical Association*, 87, s. 1821-1827.

Dunham, H. Warren ve S. Kirson Weinberg, 1960. *The Culture of the State Mental Hospital*, Detroit: Wayne State University Press.

Earle, Pliny, 1868. "Psychologic Medicine: Its Importance as a Part of the Medical Curriculum", *American Journal of Insanity*, XXIV, s. 257-280.

Easterling, Patricia E. (ed.), 1997. *The Cambridge Companion to Greek Tragedy*, Cambridge: Cambridge University Press.

Edelstein, Emma J. ve Ludwig Edelstein, 1945. *Asclepius: A Collection and Interpretation of the Testimonies*, 2 cilt, Baltimore: Johns Hopkins University Press.

Edington, Claire, 2013. "Going In and Getting Out of the Colonial Asylum: Families and Psychiatric Care in French Indochina", *Comparative Studies in Society and History*, 55, s. 725-755.

Eichholz, D. E., 1950. "Galen and His Environment", *Greece and Rome*, 20(59), s. 60-71.

Elgood, Cyril, 1962. "Tibb ul-Nabbi or Medicine of the Prophet, Being a Translation of Two Works of the Same Name", *Osiris*, 14, s. 33-192.

Eliot, T. S., 1932. *Selected Essays*, Londra: Faber and Faber; New York: Harcourt, Brace.

Ellenberger, Henri F., 1970. *The Discovery of the Unconscious: The History and Evolution of Dynamic Psychiatry*, New York: Basic Books.

Engstrom, Eric J., 2003. *Clinical Psychiatry in Imperial Germany: A History of Psychiatric Practice*, Ithaca: Cornell University Press.

Ennis, Bruce J. ve Thomas R. Litwack, 1974. "Psychiatry and the Presumption of Expertise: Flipping Coins in the Courtroom", *California Law Review*, 62, s. 693-752.

Epstein, Leon J., Morgan, Richard D. ve Lynn Reynolds, 1962. "An Approach to the Effect of Ataraxic Drugs on Hospital Release Dates", *American Journal of Psychiatry*, 119, s. 36-47.

Erasmus, Desiderius, 1979 [1511]. *The Praise of Folly*, ed. Clarence Miller, New Haven: Yale University Press.

Ernst, Edzard, 2002. "Ayurvedic Medicines", *Pharmacoepidemiology and Drug Safety*, 11, s. 455-456.

Ernst, Waltraud, 1991. *Mad Tales from the Raj: The European Insane in British India, 1800-1858*, Londra: Routledge.

Ernst, Waltraud, 2013. *Colonialism and Transnational Psychiatry: The Development of an Indian Mental Hospital in British India, c. 1925-1940*, Londra: Anthem Press.

Esquirol, J.-É. D., 1805. *Des Passions, considérées comme causes, symptômes et moyens curatifs de l'aliénation mentale*, Paris: Thèse de médecin.

Esquirol, J.-É. D., 1818. "Maison d'aliénés", *Dictionnaire des sciences médicales*, c. 30, Paris: Panckoucke, s. 47-95.

Esquirol, J.-É. D., 1819. *Des Établissments des aliénés en France et des moyens d'améliorer le sort de ces infortunés*, Paris: Huzard.

Esquirol, J.-É. D., 1838. *Des Maladies mentales considérées sous les rapports médical, hygiénique et médico-légal*, 2 cilt, Paris: Baillière.

Ewalt, Jack R., Strecker, Edward A. ve Franklin G. Ebaugh, 1957. *Practical Clinical Psychiatry*, 8. baskı, New York: McGraw-Hill.

Exhibition Catalogue, 1992. *Otto Dix 1891-1969*, Londra: Tate Gallery.

Fahd, Toufic, 1971. "Anges, démons et djinns en Islam", *Sources orientales*, 8, s. 153-214.

Farber, Stephen ve Marc Green, 1993. *Hollywood on the Couch: A Candid Look at the Overheated Love Affair Between Psychiatrists and Moviemakers*, New York: W. Morrow.

Ferenczi, Sândor, 1985. *The Clinical Diary ofSdndorFerenczi*, ed. J. Dupont, Cambridge, Mass.: Harvard University Press.

Feros, Antonio, 2006. *Kingship and Favoritism in the Spain ofPhilipIII, 1598-1621*, Cambridge ve New York: Cambridge University Press.

Ferriar, John, 1795. *Medical Histories and Reflections*, c. 2, Londra: Cadell and Davies.

Fiamberti, A. M., 1937. "Proposta di una tecnica operatoria modificata e semplificata per gli interventi alia Moniz sui lobi prefrontali in malati di mente", *Rassegna di Studi Psichiatrici*, 26, s. 797-805.

Finucane, Ronald C., 1977. *Miracles and Pilgrims: Popular Beliefs in Medieval England*, Londra: J. M. Dent.

Flaherty, Gloria, 1995. "The Non-Normal Sciences: Survivals of Renaissance Thought in the Eighteenth Century", Christopher Fox, Roy Porter ve Robert Wokler (ed.), *Inventing Human Science: Eighteenth-Century Domains*, Berkeley: University of California Press, s. 271-291.

Fletcher, Richard, 1997. *The Barbarian Conversion: From Paganism to Christianity*, New York: Holt.

Foucault, Michel, 1964. *Madness and Civilization: A History of Insanity in the Age of Reason*, New York: Pantheon; Londra: Tavistock.

Foucault, Michel, 2006. *History of Madness*, ed. Jean Khalfa, çev. Jonathan Murphy. Londra: Routledge.

Fournier, J. C. - DeRubeis, R. J. - Hollon, S. D. - Dimidjian, S. - J. D. Amsterdam, 2010. Antidepressant Drug Effects and Depression Severity ", *Journal of the American Medical Association*, 303, s. 47-53.

Freeman, Hugh ve German E. Berrios (ed.), 1996.*150 Years of British Psychiatry*, *c. 2: The Aftermath*, Londra: Athlone.

Freud, Sigmund, 1922. *Beyond the Pleasure Principle*, Londra ve Viyana: The International Psycho-Analytical Press.

Freud, Sigmund, 1961. *Civilization and Its Discontents*, çev. ve ed. James Strachey, New York: W. W. Norton.

Freud, Sigmund, 1963. *An Autobiographical Study*, çev. James Strachey, New York: W. W. Norton.

Gabbard, Krin ve Glen O. Gabbard, 1987. *Psychiatry and the Cinema*, Chicago: University of Chicago Press.

Gall, Franz ve Johann Spurzheim, 1812. *Anatomie et physiologie du système nerveux en general*, c. 2, Paris: Schoell.

Gardner, Edmund G. (ed.), 2010. *The Dialogues of Saint Gregory the Great*, Merchantville, NJ: Evolution Publishing.

Garton, Stephen, 1988. *Medicine and Madness: A Social History of Insanity in New South Wales, 1880-1940*, Kensington NSW: New South Wales University Press.

Gay, Peter, 1968. "Review of Bruno Bettelheim, *TheEmpty Fortress*", *The New Yorker*, 18 Mayıs, s. 160-172.

Gay, Peter, 1988. *Freud: A Life for Our Time*, New York: Norton.

Gerard, Margaret W., 1946. "Bronchial Asthma in Children", *Nervous Child*, 5, s. 327-331.

Gifford, George, 1587. *A Discourse of the Subtill Practises of Devilles by Witches and Sorcerers*, Londra: Cooke.

Gilman, Sander L., 1982. *Seeing the Insane*, New York ve Londra: John Wiley.

Gilman, Sander L., King, Helen, Porter, Roy, Showalter, Elaine ve G. S. Rousseau, 1993. *Hysteria Beyond Freud*, Berkeley: University of California Press.

Girard [de Cailleux], H. 1846, "Rapports sur le service des aliénés de l'asile de Fains (Meuse), 1842, 1843 et 1844 par M. Renaudin", *Annales médico-psychologiques*, 8, s. 136-148.

Glanvill, Joseph, 1681. *Sadducismus triumphatus: or, a full and plain evidence concerning witches and apparitions*, Londra.

Goetz, Christopher G., Bonduelle, Michel ve Toby Gelfand, 1995 *Charcot: Constructing Neurology*, New York ve Oxford: Oxford University Press.

Goffman, Erving, 1961. *Asylums: Essays on the Social Situation of Mental Patients and Other Inmates*, Garden City, New York: Anchor Books.

Goffman, Erving, 1971. *Relations in Public: Microstudies of the Public Order*, New York: Basic Books.

Goldstein, Jan, 2001. *Console and Classify: The French Psychiatric Profession in the Nineteenth Century*, gözden geçirilmiş baskı, Chicago: University of Chicago Press.

Gollaher, David, 1995. *Voice for the Mad: The Life of Dorothea Dix*, New York: Free Press.

Goodell, William, 1881. "Clinical Notes on the Extirpation of the Ovaries for Insanity", *Transactions of the Medical Society of the State of Pennsylvania*, 13, s. 638-643.

Goodwin, Simon, 1997. *Comparative Mental Health Policy: From Institutional to Community Care*, Londra: Sage.

Götz, Aly, Chroust, Peter ve Christian Pross, 1994. *Cleansing the Fatherland: Nazi Medicine and Racial Hygiene*, çev. Belinda Cooper, Baltimore: Johns Hopkins University Press.

Grad de Alarcon, Jacqueline ve Peter Sainsbury, 1963. "Mental Illness and the Family", *Lancet*, 281, s. 544-547.

Granville, Joseph Mortimer, 1877. *The Care and Cure of the Insane*, 2 cilt, Londra: Hardwicke and Bogue.

Graves, Thomas C., 1919. "A Short Note on the Use of Calcium in Excited States "*Journal of Mental Science*, 65, s. 109.

Gray, John P., 1871. *Insanity : Its Dependence on Physical Disease*, Utica ve New York: Roberts.

Green, John R., 1994. *Theatre in Ancient Greek Society*, Londra: Routledge.

Greenberg, Gary, 2013. *The Book of Woe: TheDSM and the Unmaking of Psychiatry*, New York: Blue Rider Press.

Greenblatt, Milton, 1974. "Historical Factors Affecting the Closing of State Hospitals", Paul I. Ahmed ve Stanley C. Plog (ed.), *State Mental Hospitals: What Happens When They Close*, New York ve Londra: Plenum Medical Book Company, s. 9-20.

Greenslade, William, 1994. *Degeneration, Culture, and the Novel, 1880-1940*, Cambridge: Cambridge University Press.

Greville, Robert F., 1930. *The Diaries of Colonel the Hon. Robert Fulke Greville*, ed. Frank M. Bladon, Londra: John Lane.

Grinker, Roy S. ve John P. Spiegel, 1945. *War Neuroses*, Philadelphia: Blakiston.

Grob, Gerald, 1990. "World War II and American Psychiatry", *Psychohistory Review*, 19, s. 41-69.

Grob, Gerald, 1991. *From Asylum to Community: Mental Health Policy in Modem America*, Princeton: Princeton University Press.

Gröger, Helmut - Eberhard, Gabriel - Siegfried Kasper (ed.), 1997. *On the History of Psychiatry in Vienna*, Viyana: Verlag Christian Brandstätter.

Gronfein, William, 1985. "Psychotropic Drugs and the Origins of Deinstitutionalization", *Social Problems*, 32, s. 437-454.

Guarnieri, Patrizia, 1994. "The History of Psychiatry in Italy: A Century of Studies", Mark S. Micale ve Roy Porter (ed.), *Discovering the History of Psychiatry*, New York ve Oxford: Oxford University Press, s. 248-259.

Guislain, Joseph, 1826. *Traité sur l'aliénation mentale*, Amsterdam: J. van der Hey.

Gutas, Dimitri, 1998. *Greek Thought, Arabic Culture: The Graeco-Arabic Translation Movement in Baghdad and Early Abbasid Society*, Londra: Routledge.

Hale, Nathan G. Jr, 1971 .*Freud and the Americans: The Beginnings of Psychoanalysis in the United States, 1876-1917*, Oxford: Oxford University Press.

Hale, Nathan G. Jr, 1998. *The Rise and Crisis of Psychoanalysis in the United States: Freud and the Americans, 1917-1985*, New York: Oxford University Press.

Hallaran, William Saunders, 1810. An *Enquiry into the Causes Producing the Extraordinary Addition to the Number of Insane*, Cork: Edwards and Savage.

Hallaran, William Saunders, 1818. *Practical Observations on the Causes and Cure of Insanity*, Cork: Hodges and M'Arthur.

Halliday, Andrew, 1828. A *General View of the Present State of Lunatics, and Lunatic Asylums in Great Britain and Ireland...*, Londra: Underwood.

Hameed, Hakim A. ve A. Bari, 1984. "The Impact of Ibn Sina's Medical Work in India", *Studies in the History of Medicine*, 8, s. 1-12.

Harcourt, Countess of, 1880. "Memoirs of the Years 1788-1789 by Elizabeth, Countess of Harcourt", Edward W. Harcourt (ed.), *The Harcourt Papers*, c. 4, Oxford: Parker, s. 25-28.

Hare, Edward, 1983. "Was Insanity on the Increase?", *British Journal of Psychiatry*, 142, s. 439-455.

Harsnett, Samuel, 1599. A *Discovery of the Fraudulent Practises of John Darrel, Bachelor of Artes, In His Proceedings Concerning the Pretended Possession and Dispossession of William Somers... Detecting In Some Sort the Deceitful Trade in These Latter Dayes of Casting Out Deuils*, Londra: Wolfe.

Harsnett, Samuel, 1603. A *Declaration of Egregious Popish Impostures, To Withdraw the Harts of Her Maiesties Subjects from... the Truth of the Christian Religion... Under the Pretence of Casting out Deuils*, Londra: Roberts.

Haskell, Ebenezer, 1869. *The Trial of Ebenezer Haskell...*, Philadelphia: Yazarın yayını.

Haslam, John, 1809. *Observations on Madness and Melancholy*, Londra: J. Callow.

Haywood, Eliza, 1726. *The Distress'd Orphan, or Love in a Mad-house*, 2. baskı, Londra: Roberts.

Healy, David, 1997. *The Anti-Depressant Era*, Cambridge, Mass.: Harvard University Press.

Healy, David, 2002. *The Creation of Psychopharmacology*, Cambridge, Mass.: Harvard University Press.

Healy, David, 2008. *Mania: A Short History of Bipolar Disorder*, Baltimore: Johns Hopkins University Press.

Healy, David, 2012. *Pharmaggedon*, Berkeley: University of California Press.

Healy, D., Harris, M., Tranter, R., Gutting, P., Austin, R., Jones-Edwards, G. ve A. P. Roberts, 2006. "Lifetime Suicide Rates in Treated Schizophrenia: 1875-1924 and 1994-1998 Cohorts Compared", *British Journal of Psychiatry* 188, s. 223-228.

Heartz, Daniel, 1992. *Mozart's Operas*, Berkeley: University of California Press.

Herman, Ellen, 1995. *The Romance of American Psychology: Political Culture in the Age of Experts, 1940-1970*, Berkeley: University of California Press.

Hershkowitz, Debra, 1998. *The Madness of Epic: Reading Insanity from Homer to Statius*, Oxford ve New York: Oxford University Press.

Hervey, Nicholas, "Advocacy or Folly: The Alleged Lunatics Friend Society, 1845-63", *Medical History*, 30, 1986, s. 245-275.

Hill, Charles G., 1907. "Presidential Address: How Can We Best Advance the Study of Psychiatry", *American Journal of Insanity*, *64*, s. 1-8.

Hill, Robert Gardiner, 1839. *Total Abolition of Personal Restraint in the Treatment of the Insane. A Lecture on the Management of Lunatic Asylums*, Londra: Simpkin, Marshall.

Hippocrates, 1886. *The Genuine Works of Hippocrates*, c. 2, (ed.) Francis Adams, New York: William Wood.

Hippocrates, 1950. *The Medical Works of Hippocrates*, çev. John Chadwick ve W. N. Mann, Oxford: Blackwell.

Hoare, Frederick R. (çev. ve ed.), 1954. *The Western Fathers*, New York ve Londra: Sheed and Ward.

Hobbes, Thomas, 1968. *Leviathan*, Harmondsworth: Penguin.

Hobbs, A. T., 1924. "A Survey of American and Canadian Psychiatric Opinion as to Focal Infections (or Chronic Sepsis) as Causative Factors in Functional Psychoses", *Journal of Mental Science*, *70*, s. 542-553.

Horder, J., Matthews, P. ve R. Waldmann, 2011. "Placebo, Prozac, and PLoS: Significant Lessons for Psychopharmacology", *Journal of Psychopharmacology*, 25, s. 1277-1288.

Horwitz, Allan V., 2002. *Creating Mental Illness*, Chicago: University of Chicago Press.

Hume, David, 2007. A *Treatise of Human Nature*, Oxford: Clarendon.

Hunter, Richard ve Ida Macalpine, 1963. *Three Hundred Years of Psychiatry*, *1535-1860*, Londra: Oxford University Press.

Hyman, Steven E., "Psychiatric Drug Discovery: Revolution Stalled", *Science Translational Medicine*, *4*, 155, 10 Ekim 2012.

Ito, Hiroto ve Lloyd I. Sederer, 1999. "Mental Health Services Reform in Japan", *Harvard Review of Psychiatry*, 7, s. 208-215.

Jackson, Stanley W., 1986. *Melancholia and Depression: From Hippocratic Times to Modem Times*, New Haven: Yale University Press.

Joint Commission on Mental Illness and Health, 1961. *Action for Mental Health*, New York: Basic Books.

Jones, Colin, 1980. "The Treatment of the Insane in Eighteenth- and Early Nineteenth-Century Montpellier", *Medical History*, 24, s. 371-390.

Jones, Edgar, 2004. "War and the Practice of Psychotherapy: The UK Experience 1939-1960", *Medical History*, 48, s. 493-510.

Jones, Edgar ve Simon Wessely, 2001. "Psychiatric Battle Casualties: An Intra- and Interwar Comparison", *British Journal of Psychiatry*, 178, s. 242-247.

Jones, Ernest, 1953-1957. *TheLifeand Work of Sigmund Freud*, 3 cilt, New York: Basic Books.

Jones, Kathleen, 1972. A *History of the Mental Health Services*, Londra: Routledge and Kegan Paul.

Jones, Kathleen, 1993. *Asylums and After*, Londra: Athlone Press.

Jorden, Edward, 1603. A *Briefe Discourse of a Disease Called the Suffocation of the Mother*, Londra: Windet.

Joyce, James, 1939. *Finnegan's Wake*, New York: Viking.

Kaempffert, Waldemar. "Turning the Mind Inside Out", *Saturday Evening Post*, 213, 24 Mayıs 1941, s. 18-74.

Kanner, Leo, 1943. "Autistic Disturbances of Affective Contact", *Nervous Child*, 2, s. 217-250.

Kanner, Leo, 1949. "Problems of Nosology and Psychodynamics of Early Infantile Autism", *American Journal of Orthopsychiatry*, 19, s. 416-426.

Karcher, Eva, 1987. *Otto Dix*. New York: Crown.

Kardiner, Abram ve Herbert Spiegel, 1947. *War Stress and Neurotic Illness*, New York: Hoeber.

Katzenelbogen, Solomon, 1940. "A Critical Appraisal of the Shock Therapies in the Major Psychoses and Psychoneuroses, III - Convulsive Therapy", *Psychiatry*, 3, s. 409-420.

Keller, Richard, 2007. *Colonial Madness: Psychiatry in French North Africa*, Chicago: University of Chicago Press.

Kelly, Henry A., 1985. *The Devil at Baptism: Ritual*", *Theology and Drama*, Ithaca: Cornell University Press.

Kendell, R. E., 1974. "The Stability of Psychiatric Diagnoses", *British Journal of Psychiatry*, 124, s. 352-356.

Kendell, R. E., Cooper, J. E., Gourlay, A. J., Copeland, J. R., Sharpe, L. ve B. J. Gurland, 1971. "Diagnostic Criteria of American and British Psychiatrists", *Archives of General Psychiatry*, 25, s. 123-130.

Kirk, Stuart A. ve Herb Kutchins, 1992. *The Selling of DSM: The Rhetoric of Science in Psychiatry*, New York: Aldine de Gruyter.

Kirsch, Irving, 2010. *The Emperor's New Drugs: Exploding the Antidepressant Myth*, New York: Basic Books.

Kirsch, Irving, Deacon, B. J., Huedo-Medina, T. B., Scoboria, A., Moore, T. J. ve B. T. Johnson, 2008. "Initial Severity and Antidepressant Benefits: A Meta-Analysis of Data Submitted to the Food and Drug Administration", *PLoS Medicine*, 5, s. 260-268.

Kraepelin, Emil, 1896. *Psychiatrie: Ein Lehrbuch für Studierende und Ärzte*, 5. baskı, Leipzig: Barth.

Kramer, Peter D., 1993. *Listening to Prozac*, New York: Viking.

Kühl, Stefan, 1994. *The Nazi Connection: Eugenics, American Racism, and German National Socialism*, New York: Oxford University Press.

Kuriyama, Shigehisa, 1999. *The Expressiveness of the Body and the Divergence of Greek and Chinese Medicine*, New York: Zone Books.

Kutchins, Herb ve Stuart A. Kirk, 1999. *Making Us Crazy: DSM: The Psychiatric Bible and the Creation of Mental Disorders*, New York: Free Press.

Lacasse, Jeffrey R. ve Jonathan Leo, 2005. "Serotonin and Depression: A Disconnect between the Advertisements and the Scientific Literature", *PLoS Medicine*, 2, s. 1211-1116.

Laing, R. D., 1967. *The Politics of Experience*, New York: Ballantine.

Laing, R. D. ve Aaron Esterson, 1964. *Sanity, Madness and the Family*, Londra: Tavistock.

Lamb, H. Richard (ed.), 1984. *The Homeless Mentally Ill*, Washington DC. American Psychiatric Press.

Landsberg, E. "Japan's Mental Health Policy: Disaster or Reform?", *Japan Today*, 14 Ekim 2011.

Lanteri-Laura, Georges, 2000. *Histoire de la phrenologie*, Paris: Presses universitaires de France.

Laurentius, A., 1598. *A Discourse of the Preservation of the Sight: of Melancholike Diseases; of Rheumes, and of Old Age*, çev. Richard Surphlet, Londra: Theodore Samson.

Lawlor, Clark, 2012. *From Melancholia to Prozac: A History of Depression*, Oxford: Oxford University Press.

Lawrence, Christopher, 1985. "Incommunicable Knowledge: Science, Technology and the Clinical Art in Britain 1850-1914", *Journal of Contemporary History*, 20, s. 503-520.

Lawrence, D. H., 1987. *The Letters of D. H Lawrence*, c. 4, Warren Roberts, James T. Boulton ve Elizabeth Mansfield (ed.), Cambridge: Cambridge University Press.

Lawrence, William, 1819. *Lectures on Physiology, Zoology, and the Natural History of Man*, Londra: J. Callow.

Le Goff, Jacques, 1967. *La civilisation de l'Occident médiéval*, Paris: Arthaud.

Lerman, Paul, 1982. *Deinstitutionalization and the Welfare State*, New Brunswick, NJ: Rutgers University Press.

Lerner, Paul, 2001. "From Traumatic Neurosis to Male Hysteria: The Decline and Fall of Hermann Oppenheim, 1889-1919", Mark S. Micale ve Paul Lerner (ed.), *Traumatic Pasts: History, Psychiatry and Trauma in the Modem Age, 1870-1930*, Cambridge: Cambridge University Press, s. 140-71.

Lewis, Aubrey, 195 9. "The Impact of Psychotropic Drugs on the Structure, Function and Future of the Psychiatric Services", P. Bradley, P. Deniker ve C. Radouco-Thomas (ed.), *Neuropsychopharmacology*, c. 1, 207-212. Amsterdam: Elsevier.

Lewis, Nolan D. C., Hubbard, Lois D. ve Edna G. Dyar, 1924. "The Malarial Treatment of Paretic Neurosyphilis", *American Journal of Psychiatry*, 4, s. 175-225.

Lieberman, J. A., Stroup, T. S, McEvoy, J. P., Swartz, M. S., Rosenheck, R. A., Perkins, D. O., Keefe, R. S., Davis, S. M., Davis, C. E., Lebowitz, B. D., Severe, J. ve J. K. Hsiao, 2005. "Effectiveness of Antipsychotic Drugs in Patients with Chronic Schizophrenia", *New England Journal of Medicine*, 353, s. 1209-1023.

Lightman, E., 1986. "The Impact of Government Economic Restraint on Mental Health Services in Canada", *Canada's Mental Health*, 34, s. 24-28.

Lloyd, G. E. R., 1979. *Magic, Reason and Experience: Studies in the Origin and Development of Greek Science*, Cambridge ve New York: Cambridge University Press.

Lloyd, G. E. R., 2003. *In the Grip of Disease: Studies in the Greek Imagination*, Oxford: Oxford University Press.

Lloyd, Geoffrey ve Nathan Sivin, 2002. *The Way and the Word: Science and Medicine in Early China and Greece*, New Haven: Yale University Press.

Locke, John, 1968. *Educational Writings of John Locke*, (ed.) James L. Axtell, Cambridge: Cambridge University Press.

Lomas, David, 2000. *The Haunted Self: Surrealism, Psychoanalysis, Subjectivity*, New Haven: Yale University Press.

Lovell, A. M., 1986. "The Paradoxes of Reform: Re-Evaluating Italy's Mental Health Law of 1978", *Hospital and Community Psychiatry*, 37, s. 802-808.

Lytton, Rosina Bulwer, 1880. *A Blighted Life: A True Story*, Londra: London Publishing Office.

Macalpine, Ida ve Richard Hunter, 1969. *George III and the Mad-Business*, Londra: Allen Lane.

McCulloch, Jock, 1995. *Colonial Psychiatry and "the African Mind"*, Cambridge: Cambridge University Press.

MacDonald, Michael, 1981. *Mystical Bedlam: Madness, Anxiety, and Healing in Seventeenth-Century England*, Cambridge ve New York: Cambridge University Press.

MacDonald, Michael (ed.), 1991. *Witchcraft and Hysteria in Elizabethan London: Edward Jorden and the Mary Glover Case*, Londra: Routledge.

McDonough, Stephen. "Brain Surgery Is Credited with Cure of 50 "Hopelessly" Insane Persons", *Houston Post*, 6 Haziran 1941.

McGuire, William (ed.), 1974. *The Freud / Jung Letters: The Correspondence between Sigmund Freud and C. G. Jung*, Princeton: Princeton University Press.

McKendrick, Neil, Brewer, John ve J. H. Plumb, 1982. *The Birth of a Consumer Society: The Commercialization of Eighteenth-Century England*, Bloomington: Indiana University Press.

MacKenzie, Charlotte, 1985. "'The Life of a Human Football?' Women and Madness in the Era of the New Woman", *The Society for the Social History of Medicine Bulletin*, 36, s. 37-40.

Mackenzie, Henry, 1771. *The Man of Feeling*, Londra: Cadell.

Mahone, Sloan ve Megan Vaughan (ed.), 2007. *Psychiatry and Empire*, Basingstoke: Palgrave Macmillan.

Maisel, Alfred Q., 1946. "Bedlam 1946", *Life*, 20, 6 Mayıs, s. 102-118.

Makari, George, 2008. *Revolution in Mind: The Creation of Psychoanalysis*, New York: Harper Collins; Londra: Duckworth.

Makari, George, 2012. "Mitteleuropa on the Hudson: On the Struggle for American Psychoanalysis after the Anschluß", John Burnham (ed.), *After Freud Left: A Century of Psychoanalysis in America*, Chicago: University of Chicago Press, s. 111-124.

Marcus, Steven, 1965. *Dickens: From Pickwick to Dombey*, New York: Basic Books; Londra: Chatto & Windus.

Marcus, Steven, 1974. *The Other Victorians: A Study of Sexuality and Pornography in Mid-Nineteenth Century England*, New York: Basic Books; Londra: Weidenfeld & Nicolson.

Marcuse, Herbert, 1955. *Eros and Civilization: A Philosophical Inquiry into Freud*, Boston: Beacon Press.

Masson, Jeffrey, 1985. *The Assault on Truth*, New York: Penguin.

Masson, Marc ve Jean-Michel Azorin, 2002. "La surmortalité des malades mentaux à la lumière de l'Histoire", *L'Évolution Psychiatrique*, 67, s. 465-479.

Maudsley, Henry, 1871. "Insanity and its Treatment", *Journal of Mental Science*, 17, s. 311-334.

Maudsley, Henry, 1879. *The Pathology of Mind*, Londra: Macmillan.

Maudsley, Henry, 1883. *Body and Will*, Londra: Kegan Paul and Trench.

Maudsley, Henry, 1895. *The Pathology of Mind*, yeni baskı, Londra ve New York: Macmillan.

Mead, Richard, 1751. *Medical Precepts and Cautions*, Latinceden çeviren Thomas Stack. Londra: Brindley.

Meduna, L. von, 1938. "General Discussion of the Cardiazol [Metrazol] Therapy", *American Journal of Psychiatry*, 94, s. 40-50.

Meduna, L. von ve Emerick Friedman, 1939. "The Convulsive-Irritative Therapy of the Psychoses", *Journal of the American Medical Association*, 112, s. 501-509.

Mendel, Werner, 1974. "Mental Hospitals", *Where Is My Home*, mimeographed, Scottsdale: NTIS.

Menninger, Karl A., 1988. *The Selected Correspondence of Karl A. Menninger; 1919-1945*, Howard J. Faulkner ve Virginia D. Pruitt (ed.). New Haven: Yale University Press.

Mercier, Charles, 1914.A *Text-Book of Insanity and Other Nervous Diseases*, 2. baskı, Londra: George Allen & Unwin.

Mercier, Charles, 1916. "Psychoanalysis", *British Medical Journal*, 2, s. 897-900.

Micale, Mark S. ve Paul Lerner (ed.), 2001. *Traumatic Pasts: History, Psychiatry and Trauma in the Modem Age, 1870-1930*, Cambridge: Cambridge University Press.

Micale, Mark S. ve Roy Porter (ed.), 1994. *Discovering the History of Psychiatry*, New York ve Oxford: Oxford University Press.

Midelfort, H. C. Erik, 1999. A *History of Madness in Sixteenth-Century Germany*, Stanford: Stanford University Press.

Midelfort, Hans C. Erik, 2005. *Exorcism and the Enlightenment: Johann Joseph Gassner and the Demons of Eighteenth-Century Germany*, New Haven: Yale University Press.

Millard, David W., 1996. "Maxwell Jones and the Therapeutic Community", Hugh Freeman ve German E. Berrios (ed.), *150 Years of British Psychiatry c. 2: The Aftermath*, Londra: Athlone, s. 581-604.

Miller, Timothy S., 1985. *The Birth of the Hospital in the Byzantine Empire*, Baltimore: Johns Hopkins University Press.

Milligan, Spike, 1980. *Mussolini: His Part in My Downfall*, Harmondsworth: Penguin.

Mitchell, Donald (ed.), 1987. *Benjamin Britten: Death in Venice*, Cambridge: Cambridge University Press.

Mitchell, Silas Weir, 1888. *Doctor and Patient*, Philadelphia: J. B. Lippincott.

Mitchell, Silas Weir, 1894. Address Before the Fiftieth Annual Meeting of the American Medico-Psychological Association", *Journal of Nervous and Mental Disease*, 21, s. 413-437.

Mitchell, Silas Weir, 1909. Address to the American Neurological Association", *Transactions of the American Neurological Association*, 35, s. 1-17.

Moniz, Egas, 1936. *Tentatives opératoires dans le traitement de certaines psychoses*, Paris: Masson.

Morison, Alexander, 1825. *Outlines of Lectures on Mental Diseases*, Edinburgh: Lizars.

Moynihan, Berkeley, 1927. "The Relation of Aberrant Mental States to Organic Disease", *British Medical Journal*, 2, 815-817 [Collected in Addresses on Surgical Subjects, Philadelphia ve Londra: W. B. Saunders, 1928].

Mueser, Kim T. ve Howard Berenbaum, 1990. "Psychodynamic Treatment of Schizophrenia: Is There a Future?", *Psychological Medicine*, 20, s. 253-262.

Muir, Kenneth, 1951. "Samuel Harsnett and King Lear", *Review of English Studies*, 2, s. 11-21.

Müller, Franz Carl (ed.), 1893. *Handbuch der Neurasthenie*, Leipzig: Vogel.

Munthe, Axel, 1930. *The Story of San Michele*, Londra: John Murray.

Nasar, Sylvia, 1998. *A Beautiful Mind*, New York: Simon and Schuster; Londra: Faber.

Newnham, William, 1829. "Essay on Superstition", *The Christian Observer*, 29, s. 265-275.

Ng, Vivien W., 1990. *Madness in Late Imperial China: From Illness to Deviance*, Norman: University of Oklahoma Press.

NICE, 2010. *Depression: The NICE Guide on the Treatment and Management of Depression in Adults*, Londra: Royal College of Psychiatry Publications.

Nizami, 1966. *The Story of Layla and Majnun*, Farsçadan çev. ve yay. haz. R. Gelpke, Oxford: Bruno Cassirer.

Noguchi, Hideyo ve J. W. Moore, 1913. "A Demonstration of *Treponema pallidum* in the Brain in Cases of General Paralysis", *Journal of Experimental Medicine*, 17, s. 232-238.

Nordau, Max, 1893. *Entartung*, Berlin: C. Duncker.

Nordentoft, M., Knudsen, H. ve F. Schulsinger, 1992. "Housing Conditions and Residential Needs of Psychiatric Patients in Copenhagen", *Acta Psychiatrica Scandinavica*, 85, 385-389.

Noyes, Arthur P. ve Lawrence Kolb, 1935. *Modem Clinical Psychiatry*, Philadelphia: W. B. Saunders.

Nutton, Vivian, 1992. "Healers in the Medical Marketplace: Towards a Social History of Graeco-Roman Medicine", Andrew Wear (ed.), *Medicine in Society: Historical Essays*, Cambridge: Cambridge University Press, s. 15-58.

Oppenheim, Janet, 1991. *"Shattered Nerves": Doctors, Patients, and Depression in Victorian England*, New York ve Oxford: Oxford University Press.

Orlansky, Harold, 1948. "An American Death Camp", *Politics*, 5, s. 162-168.

Osier, William, 1921. *The Evolution of Modem Medicine: A Series of Lectures Delivered at Yale University on the Silliman Foundation in April 1913*, New Haven: Yale University Press; Londra: Oxford University Press.

Padel, Ruth, 1992. *In and Out of the Mind: Greek Images of the Tragic Self*, Princeton: Princeton University Press.

Padel, Ruth, 1995. *Whom Gods Destroy: Elements of Greek and Tragic Madness*, Princeton: Princeton University Press.

Paget, George E., 1866. *The Harveian Oration*, Cambridge: Deighton, Bell and Co.

Palermo, G. B., 1991. "The Italian Mental Health Law-A Personal Evaluation: A Review", *Journal of the Royal Society of Medicine*, 84, s. 101.

Pargeter, William, 1792. *Observations on Maniacal Disorders*, *Reading*: Yazarın yayını.

Paris, Joel, 2005. *The Fall of an Icon: Psychoanalysis and Academic Psychiatry*, Toronto: University of Toronto Press.

Park, Katherine, 1992. "Medicine and Society in Medieval Europe 500-1500", Andrew Wear (ed.), *Medicine in Society: Historical Essays*, Cambridge: Cambridge University Press, 59-90.

Parker, Robert, 1983. *Miasma: Pollution and Purification in Early Greek Religion*, Oxford: Clarendon Press.

Parks, Joe, Svendsen, Dale, Singer, Patricia ve Mary Ellen Foti (ed.), 2006. *Morbidity and Mortality in People with Serious Mental Illness*, Alexandria, VA: National Association of State Mental Health Program Directors.

Parry-Jones, William LI., 1972. *The Trade in Lunacy*, Londra: Routledge.

Parry-Jones, William LI., 1981. "The Model of the Geel Lunatic Colony and its Influence on the Nineteenth-Century Asylum System in Britain", Andrew Scull (ed.), *Madhouses, Mad-Doctors, and Madmen*, Philadelphia: University of Pennsylvania Press, s. 201-217.

Pattie, Frank, 1979. "A Mesmer-Paradis Myth Dispelled", *American Journal of Clinical Hypnosis*, 22, s. 29-31.

Pearson, Veronica, 1991. "The Development of Modern Psychiatric Services in China, 1891-1949", *History of Psychiatry*, 2, s. 133-147.

Pennington, Hugh, 2003. "Can You Close Your Eyes Without Falling Over?", *London Review of Books*, 11 Eylül, 30-31.

Perceval, John T., 1838, 1840. *A Narrative of the Treatment Experienced by a Gentleman During a State of Mental Derangement*, 2 cilt, Londra: Effingham, Wilson.

Perry, Ralph B., 1935. *The Thought and Character of William James*, Boston: Little, Brown.

Peschel, Enid ve Richard Peschel, 1992. "Donizetti and the Music of Mental Derangement: *Anna Bolena, Lucia di Lammermoor*, and the Composer's Neurobiological Illness", *Yale Journal of Biology and Medicine*, 65, s. 189-200.

Petryna, Adriana, 2009. *When Experiments Travel: Clinical Trials and the Global Search for Human Subjects*, Princeton: Princeton University Press.

Petryna, Adriana, Lakoff, Andrew ve Arthur Kleinman (ed.), 2006. *Global Pharmaceuticals: Ethics, Markets, Practices*, Durham, NC: Duke University Press.

Piccinelli, Marco, Politi, Pierluigi ve Francesco Barale, 2002. "Focus on Psychiatry in Italy", *British Journal of Psychiatry*, 181, s. 538-544.

Pinel, Philippe, 1801. *Traité médico-philosophique sur l'aliénation mentale ou La manie*, Paris: Richard, Caille et Ravier.

Pinel, Philippe, 1805. "Recherches sur le traitement générale des femmes aliénées", *Le Moniteur universel*, 281, 30 Haziran, s. 1158-1160.

Pinel, Philippe, 2008 [1809]. *Medico-Philosophical Treatise on Mental Alienation. Second Edition: Entirely Reworked and Extensively Expanded (1809)*, çev. Gordon Hickish, David Healy ve Louis C. Charland, Oxford: Wiley, 2008.

Plath, Sylvia, 2005. *The Bell Jar*, New York: Harper.

Plato, 2008. *The Symposium*, ed. Frisbee Sheffield, çev. M. Howatson, Cambridge: Cambridge University Press.

Platter, Felix, Cole, Abdiah ve Nicholas Culpeper, 1662. *A Golden Practice of Physick*, Londra: Peter Cole.

Plumb, J. H., 1975. "The New World of Children in Eighteenth Century England", *Past and Present*, 67, s. 64-95.

Poirier, Suzanne, 1983. "The Weir Mitchell Rest Cure: Doctor and Patients", *Women's Studies*, 10, s. 15-40.

Porter, Roy, 1999. "Witchcraft and Magic in Enlightenment, Romantic and Liberal Thought", Bengt Ankarloo ve Stuart Clark (ed.), *Witchcraft and Magic in Europe, c. 5: The Eighteenth and Nineteenth Centuries*, Philadelphia: University of Pennsylvania Press, s. 191-282.

Porter, Roy ve David Wright (ed.), 2003. *The Confinement of the Insane: International Perspectives, 1800-1965*, Cambridge: Cambridge University Press.

Pressman, Jack D., 1998. *Last Resort: Psychosurgery and the Limits of Medicine*, Cambridge: Cambridge University Press.

Prichard, James Cowles, 1835. A *Treatise on Insanity, and Other Disorders Affecting the Mind*, Londra: Sherwood, Gilbert, and Piper.

Prioreschi, Plinio, 2001. A *History of Medicine: Byzantine and Islamic Medicine*, Omaha, Nebraska: Horatius Press.

Proctor, Robert, 1988. *Racial Hygiene: Medicine Under the Nazis*, Cambridge, Mass.: Harvard University Press.

Reade, Charles, 1864. *Hard Cash: A Matter-of-Fact Romance*, Leipzig: Tachnitz.

Rees, T. P., 1957. "Back to Moral Treatment and Community *Care*", *British Journal of Psychiatry*, 103, s. 303-313.

Renooz, Celine, 1888. "Charcot Dévoilé", *Revue Scientifique des Femmes*, 1, Aralık, s. 241-247.

Richardson, Samuel, 1741. *Letters Written to andfor Particular Friends, on the Most Important Occasions*, Londra: Rivington.

Rieff, Philip, 1959. *Freud: The Mind of the Moralist*, New York: Viking.

Rieff, Philip, 1966. *The Triumph of the Therapeutic: Uses of Faith After Freud*, New York: Harper and Row.

Rivers, William H. R., 1918. "An Address On the Repression of War Experience", *Lancet*, 96, s. 173-177.

Robinson, Michael, 2013. *Time in Western Music*, e-kitap: Acorn Independent Press.

Robinson, Nicholas, 1729. *ANew System of the Spleen, Vapours, and Hypochondriack Melancholy*, Londra: Bettesworth, Innys, and Rivington.

Rosen, George, 1968. *Madness in Society: Chapters in the Historical Sociology of Mental Illness*, New York: Harper and Row.

Rosenhan, David, 1973. "On Being Sane in Insane Places", *Science*, 179, s. 250-258.

Rosenthal, Franz, 1994. *The Classical Heritage in Islam*, çev. ve ed. J. Marmorstein, Londra ve New York: Routledge.

Roudebush, Marc, 2001. "A Battle of Nerves: Hysteria and Its Treatment in France During World War II", Mark S. Micale ve Paul Lerner (ed.), *Traumatic Pasts: History, Psychiatry and Trauma in the Modem Age, 1870-1930*, Cambridge: Cambridge University Press, s. 253-279.

Roudinesco, Elisabeth, 1990. *Jacques Lacan and Co.: A History of Psychoanalysis in France, 1925-1985*, çev. Jeffrey Mehlman, Londra: Free Association Books.

Rous, E. ve A. Clark, 2009. "Child Psychoanalytic Psychotherapy in the UK National Health Service: An Historical Analysis", *History of Psychiatry*, 20, s. 442-456.

Rousseau, George, 1993. "A Strange Pathology: Hysteria in the Early Modern World, 1500-1800", Sander L. Gilman, Helen King, Roy Porter, Elaine Showalter ve G. S. Rousseau, *Hysteria Beyond Freud*, Berkeley: University of California Press, s. 91-223.

Runciman, Steven, 1966. A *History of the Cmsades*, c. 3, Cambridge: Cambridge University Press.

Rush, Benjamin, 1947. *The Selected Writings*, ed. Dagobert D. Runes, New York: Philosophical Library.

Rush, Benjamin, 1951. *The Letters of Benjamin Rush*, ed. Lyman H. Butterfield, c. 2, Princeton: Princeton University Press.

Rush, A. John, Trivedi, M. H., Wisniewski, S. R., Stewart,

J. W., Nierenberg, A. A., Thase, M. E., Ritz, L., Biggs, M. M., Warden, D., Luther, J. F., Shores-Wilson, K., Niederehe, F. ve M. Fava, 2006. "Bupropion-SR, Sertraline, or Venlafaxine-XR After Failure of SSRIs for Depression", *New England Journal of Medicine*, 354, s. 1231-1242.

Russo, Giovanna ve Francesco Carelli. "Dismantling Asylums: The Italian Job", *London Journal of Primary Care*, 2, Nisan 2009.

Sadger, Isidor, 2005. *Recollecting Freud*, (ed.) Alan Dundes ve çev. Johanna Jacobsen Madison: University of Wisconsin Press [Originally published as *Sigmund Freud: Persönliche Erinnerungen* in 1929].

Sadowsky, Jonathan, 1999. *Imperial Bedlam: Institutions of Madness in Colonial Southwest Nigeria*, Berkeley: University of California Press.

Sakel, Manfred, 1937. "A New Treatment of Schizophrenia", *American Journal of Psychiatry*, 93, s. 829-841.

Sakel, M. J., 1956. "The Classical Sakel Shock Treatment: A Reappraisal", Arthur M. Säckler (ed.), *The Great Physiodynamic Therapies in Psychiatry*, New York: Hoeber- Harper, s. 13-75.

Sanderson, John B., 1885. "The Cholera and the Comma-Bacillus", *British Medical Journal*, 1 (1273), s. 1076-1077.

Saper, R. B., Phillips, R. S., Sehgal, A., Khouri, N., Davis, R. B., Paquin, J., Thuppil, V. ve S. N. Kales, 2008. "Lead, Mercury, and Arsenic in US-and Indian-Manufactured Ayurvedic Medicines Sold via the Internet", *Journal of the American Medical Association*, 300, s. 915-923.

Sassoon, Siegfried, 1936. *Sherston's Progress*, Londra: Faber and Faber.

Schatzberg, Alan F., Scully, James H., Kupfer, David J. ve Darrel A. Regier. "Setting the Record Straight: A Response to Frances [sic] Commentary on DSM-V", *Psychiatric Times*, 1 Temmuz 2009.

Scheflin, Alan W. ve Edward Opton Jr, 1978. *The Mind Manipulators*, New York: Paddington.

Scull, Andrew, 1977. *Decarceration: Community Treatment and the Deviant: A Radical View*, Englewood Cliffs, NJ: Prentice-Hall.

Scull, Andrew (ed.), 1981a. *Madhouses, Mad-Doctors, and Madmen: The Social History of Psychiatry in the Victorian Era*, Philadelphia: University of Pennsylvania Press.

Scull, Andrew, 1981b."The Discovery of the Asylum Revisited: Lunacy Reform in the New American Republic", Andrew Scull (ed.), *Madhouses, Mad-doctors, and Madmen: The Social History of Psychiatry in the Victorian Era*, Philadelphia: University of Pennsylvania Press, s. 144-165.

Scull, Andrew, 1984. "Was Insanity Increasing? A Response to Edward Hare", *British Journal of Psychiatry*, 144, s. 432-436.

Scull, Andrew, 2005. *Madhouse: A Tragic Tale of Megalomania and Modem Medicine*, Londra ve New Haven: Yale University Press.

Scull, Andrew, 2011. *Hysteria: The Disturbing History*, Oxford: Oxford University Press.

Scull, Andrew, MacKenzie, Charlotte ve Nicholas Hervey, 1995. *Masters of Bedlam: The Transformation of the Mad-Doctoring Trade*, Princeton: Princeton University Press.

Seaver, Paul S., 1988. *Wallington's World: A Puritan Artisan in Seventeenth-Century London*, Palo Alto: Stanford University Press.

Sedgwick, Peter, 1981."Psychiatry and Liberation", yayımlanmamış bildiri, Leeds Üniversitesi.

Sedgwick, Peter, 1982. *Psychopolitics*, Londra: Pluto Press.

Shephard, Ben, 2000. A *War of Nerves: Soldiers and Psychiatrists in the Twentieth Century*, Londra: Jonathan Cape; Cambridge, Mass.: Harvard University Press.

Shepherd, Michael, 1994. "Neurolepsis and the Psychopharmacological Revolution: Myth and Reality", *History of Psychiatry*, 5, s. 89-96.

Shorter, Edward, 1990. "Private Clinics in Central Europe, 1850-1933", *Social History of Medicine*, 3, s. 159-195.

Shorter, Edward, 1997. A *History of Psychiatry*, New York: Wiley.

Shorter, Edward ve David Healy, 2007. *Shock Treatment: A History of Electroconvulsive Treatment in Mental Illness*, New Brunswick: Rutgers University Press.

Showalter, Elaine, 1985. *The Female Malady*, New York: Pantheon.

Simonis, Fabien, 2010. "Mad Acts, Mad Speech, and Mad People in Late Imperial Chinese Law and Medicine" (yayımlanmamış doktora tezi), Princeton Üniversitesi.

Slack, Paul, 1985. *The Impact of Plague in Tudor and Stuart England*, Londra ve Boston: Routledge & Kegan Paul.

Smyth, Margaret H., 1938. "Psychiatric History and Development in California", *American Journal of Psychiatry*, 94, s. 1223-1236.

Snape, Andrew, 1718. A *Sermon Preach'd before the Right Honourable the Lord-Mayor... and Gouvenors of the Several Hospitals of the City of London*, Londra: Bowyer.

Snyder, Solomon H., 1982. "Schizophrenia", *Lancet*, 320, s. 970-974.

Solomon, Andrew, 2012. *Far From the Tree: Parents, Children and the Search for Identity*, New York: Simon & Shuster; Londra: Chatto and Windus.

Southern, Richard, 1953. *TheMakingoftheMiddleAges*, New Haven: Yale University Press; Londra: Hutchinson.

Spitzer, Robert L., 2001. "Values and Assumptions in the Development of DSM-III and DSM-IIIR", *Journal of Nervous and Mental Disease*, 189, s. 351-359.

Spitzka, Edward, 1878. "Reform in the Scientific Study of Psychiatry", *Journal of Nervous and Mental D isease*, 5, s. 201-229.

Spurzheim, Johann, 1813. *Observations on the Deranged Manifestations of Mind, or Insanity*, Londra: Baldwin, Craddock and Joy.

Stevenson, Christine, 2000. *Medicine and Magnificence: British Hospital and Asylum Architecture, 1660-1815*, New Haven: Yale University Press.

Stiles, Anne, "The Rest Cure, 1873-1925", *BRANCH: Britain, Representation and Nineteenth-Century History*. (ed.) Dino Franco Felluga. *Extension of Romanticism and Victorianism on the Net*. 2 Kasım 2012. Erişim: 9 Eylül 2013.

Strahan, S. A. K., 1890. "The Propagation of Insanity and Allied Neuroses", *Journal of Mental Science*, 36, s. 325-338.

Strickmann, Michel, 2002. *Chinese Magical Medicine*, Palo Alto: Stanford University Press.

Sulman, A. Michael, 1973. "The Humanization of the American Child: Benjamin Spock as a Popularizer of Psychoanalytic Thought", *Journal of the History of the Behavioral Sciences*, 9, s. 258-265.

Suzuki, Akihito, 2003. "The State, Family, and the Insane in Japan, 1900-1945", Roy Porter ve David Wright (ed.), *The Confinement of the Insane: International Perspectives, 1800-1965*, Cambridge: Cambridge University Press, s. 193-225.

Suzuki, Akihito, 2006. *Madness At Home: The Psychiatrist, the Patient, and the Family in England, 1820-1860*, Berkeley: University of California Press.

Swain, Gladys, 1977. *Le sujet de la folie: Naissance de la psychiatrie*, Toulouse: Privât.

Sydenham, Thomas, 1742. *The Entire Works of Dr Thomas Sydenham, Newly Made English from the Originals*, ed. John Swan, Londra: Cave.

Szasz, Thomas, 1961. *The Myth of Mental Illness*, New York: Harper and Row.

Talbott, J. H. ve K. J. Tillotson, 1941. "The Effects of Cold on Mental Disorders", *Diseases of the Nervous System*, 2, s. 116-126.

Tallis, Raymond, 1997. "The Shrink from Hell", *Times Higher Education Supplement*, 31 Ekim, 20.

Targa, Leonardo (ed.), 1831. *Aur. Cor. Celsus on Medicine*, çev. A. Lee, c. 1, Londra: Cox.

Taylor, Barbara, 2014. *The Last Asylum: A Memoir of Madness in Our Times*, Londra: Hamish Hamilton.

Taylor, Michael A., 2013. *Hippocrates Cried: The Decline of American Psychiatry*, New York: Oxford University Press.

Temkin, Oswei, 1994. *The Falling Sickness: A History of Epilepsy from the Greeks to the Beginnings of Modem Neurology*, Baltimore: Johns Hopkins University Press.

Tenon, Jacques, 1778. *Mémoires sur les hôpitaux de Paris*, Paris: Pierres.

Tessler, Richard C. ve Deborah L. Dennis, 1992. "Mental Illness Among Homeless Adults", James R. Greenley ve Philip J. Leaf (ed.), *Research in Community and Mental Health*, 7, Greenwich, Conn.: JAI Press, s. 3-53.

Tonnini, Silvio, 1892. "Italy, Historical Notes upon the Treatment of the Insane in", Daniel Hack Tuke (ed.), *A Dictionary of Psychological Medicine*, 2 cilt, Londra: J. & A. Churchill, s. 715-720.

Torrey, Edwin Fuller, 2002. *The Invisible Plague: The Rise of Mental Illness from 1750 to the Present*, New Brunswick, NJ: Rutgers University Press.

Tuke, Daniel Hack, 1878. *Insanity in Ancient and Modem Life*, Londra: Macmillan.

Tuke, Daniel Hack (ed.), 1892. *A Dictionary of Psychological Medicine*, 2 cilt, Londra: J. & A. Churchill.

Tuke, Samuel, 1813. *Description of the Retreat: An Institution near York for Insane Persons of the Society of Friends*, York: Alexander.

Turkle, Sherry, 1992. *Psychoanalytic Politics*, 2. baskı, Londra: Free Association Books.

Turner, E. H., Matthews, A. M., Linardatos, E., Tell, R. A. ve R. Rosenthal, 2008. "Selective Publication of Antidepressant Trials and Its Influence on Apparent Efficacy", *New England Journal of Medicine*, 358, s. 252-260.

Twain, Mark, 2013. *The Autobiography of Mark Twain*, c. 2, (ed.) Benjamin Griffin ve Harriet Elinor Smith, Berkeley: University of California Press.

Tyrer, Peter ve Tim Kendall, 2009. "The Spurious Advance of Antipsychotic Drug Therapy", *Lancet*, 373, s. 4-5.

Ullmann, Manfred, 1978. *Islamic Medicine*, çev. Jean Watt, Edinburgh: Edinburgh University Press.

Unschuld, Paul D., 1985. *Medicine in China: A History of Ideas*, Berkeley: University of California Press.

US Public Health Service, 1941. *Shock Therapy Survey*, Washington, D.C.: Government Printing Office.

Uwins, David, 1833.A *Treatiseon Those Disorders of the Brain and Nervous System, Which Are Usually Considered and Called Mental*, Londra: Renshaw and Rush.

Valenstein, Elliot, 1985. *Great and Desperate Cures: The Rise and Decline of Psychosurgery and Other Radical Treatments for Mental Illness*, New York: Basic Books.

Veith, Ilza, 1970. *Hysteria: The History of a Disease*, Chicago: University of Chicago Press.

Wagner-Jauregg, Julius, 1946. "The History of the Malaria Treatment of General Paralysis", *American Journal of Psychiatry*, 102, s. 577-582.

Wakefield, Edward, 1814. "Extracts from the Report of the Committee Employed to Visit Houses and Hospitals for the Confinement of Insane Persons. With Remarks. By Philanthropus", *The Medical and Physical Journal*, 32, s. 122-128.

Watt, W. Montgomery, 1972. *The Influence of Islam on Medieval Europe*, Edinburgh: Edinburgh University Press.

Wear, Andrew (ed.), 1992. *Medicine in Society: Historical Essays*, Cambridge: Cambridge University Press.

Weiner, Dora, 1994. "'Le geste de Pinel': The History of a Psychiatric Myth", Mark S. Micale ve Roy Porter (ed.), *Discovering the History of Psychiatry*, New York ve Oxford: Oxford University Press, s. 232-247.

Wesley, John, 1906. *The Journal of John Wesley*, ed. Ernest Rhys, Londra: Everyman.

Wexler, Bruce E., 2006. *Brain and Culture: Neurobiology, Ideology, and Social Change*, Cambridge, Mass. ve Londra: MIT Press.

Whittington, C. J., Kendall, T., Fonagy, P., Cottrell, D., Cotgrove, A. ve E. Boddington, 2004. "Selective Serotonin Reuptake Inhibitors in Childhood Depression: Systematic Review of Published Versus Unpublished Data", *Lancet*, 363, s. 1341-1345.

Willis, Thomas, 1674. *Cerebri anatome*, Londra: Jo. Martyn.

Willis, Thomas, 1681. *An Essay of the Pathology of the Brain and Nervous Stock*, çev. Samuel Pordage, Londra: Dring, Harper and Leigh.

Willis, Thomas, 1683. *Two Discourses Concerning the Soul of Brutes...*, çev. Samuel Pordage, Londra: Dring, Harper and Leigh.

Willis, Thomas, 1684. *The Practice of Physick*, çev. Samuel Pordage, Londra: Dring, Haper, Leigh and Martyn [Translation of *Cerebri anatome*].

Wing, John K. ve George W. Brown, 1970. *Institutionalism and Schizophrenia; A Comparative Study of Three Mental Hospitals 1960-1968*, Cambridge: Cambridge University Press.

Winnicott, Donald, 1964. *The Child, the Family and the Outside World*, Londra: Penguin.

Winter, Alison, 1998. *Mesmerized: Powers of Mind in Victorian Britain*, Chicago: University of Chicago Press.

Wise, Sarah, 2012. *Inconvenient People: Lunacy, Liberty and the Mad-Doctors in Victorian England*, Londra: Bodley Head.

Wright, Frank L. (ed.), 1947. *Outof Sight, Out of Mind*, Philadelphia: National Mental Health Foundation.

Wujastyk, Dominik, 1993. "Indian Medicine", William F. Bynum ve Roy Porter (ed.), *Companion Encyclopedia of theHistory of Medicine*, c. 1, Londra: Routledge, s. 755-778.

Wynter, Andrew, 1875. *The Borderlands of Insanity*, Londra: Hardwicke.

Wynter, Andrew, 1877. *The Borderlands of Insanity*, 2. baskı, Londra: Hardwicke.

GÖRSEL MALZEME KAYNAKLARI

Siyah-beyaz görsel malzemeler (kitaptaki sayfa numarası)

akg-images: © DACS 2015 268 (Dix); DeAgostini Resim Kütüphanesi 70; Imagno 253; Erich Lessing 378; Prisma / Kurwenal / Album 69; ullstein bild 265
Amsterdam Kent Arşivleri 120
Bethlem Sanat & Tarih Koleksiyonları Vakfı'nın izniyle 118, 119, 217
ABD Ulusal Tıp Kütüphanesi'nin izniyle, Bethesda, Maryland 142
British Library [12403.11.34(2.)] 135
ABD Holokost Anı Müzesi. Ulusal Arşivler ve Kayıtlar İdaresi'nin izniyle, College Park, Maryland 241
© Ian Ference 2010 339
Chicago Tarih Müzesi / Getty Images 306
Gespräch über die heilsamen Beschwörungen und Wunderkuren des Herrn Gassners, 1775 162
Foto Tonee Harbert 351
Kansas Eyaleti Tarih Derneği 316
Knebworth Terekesi (www.knebworthhouse.com) 224
Kobal Koleksiyonu: Selznick / United Artists © Salvador Dali, Fundaciö Gala-Salvador Dali, DACS, 2015 355; United Artists / Fantasy Films 296; Warner Bros 325
© Drew Farrell / Lebrecht Music & Arts 137
Bernard Lens ve John Sturt, "Digression on Madness", Jonathan Swift, *A Tale of the Tub*, 1710 108
Londra İli Hackney Arşivleri, Londra 129
Ulusal Galeri, Londra 111
Foto Charles Lord © Charles Lord Terekesi 342
Beinecke Nadie Kitap ve Yazma Kütüphanesi, Yale Üniversitesi, New Haven 98, 105
Harvey Cushing / John Hay Whitney Tıp Kütüphanesi, Yale Üniversitesi, New Haven 215, 256
New Jersey Eyalet Arşivleri 281
China Medical Board, Inc. Fotoğraf Koleksiyonu. Rockefeller Arşiv Merkezi'nin izniyle, New York 298
Sapere, no. 154 (Mayıs 1941) 286
Bilim Fotoğrafları Kütüphanesi: Jean-Loup Charmet 183; Otis Tarih Arşivleri, Ulusal Sağlık ve Tıp Müzesi, Maryland 273
NMPFT / Kraliyet Fotoğrafçılık Derneği / Bilim & Toplum Resim Kütüphanesi 228
Seattle Post-Intelligencer Koleksiyonu, Tarih & Sanayi Müzesi (MOHAI), Seattle. Foto Ken Harris (1986.5.25616) 288
Kent Arşivleri, 's-Hertogenbosch, Hollanda 117
Tempo (Mart 1948) 287
Kure Shuzo ve Kaida Goro, *The situation of the home-confinement of the mentally ill and the statistical observation*, Tokyo, İçişleri Bakanlığı, 1920. Foto Kure Shuzo, Komine Arşivi, Tokyo 185

Universitätsarchiv Tübingen 260
Fondazione San Servolo IRSESC, Venedik 335
Tıp Tarihi Enstitüsü, Viyana Üniversitesi 306
J. Vollweider / C. Kiefer'in bir taşbaskısından, 1865 179
Kongre Kütüphanesi, Washington, D.C. (LC-USZ62-9797) 181
Wellcome Kütüphanesi, Londra 2, 16, 31, 33, 36-37, 46, 47, 60, 77, 81,87, 125, 131, 132, 144, 148, 153, 159, 187, 191, 198, 202, 208, 213, 168, 236, 238, 251, 259, 292, 311, 337, 356
Willard Kütüphanesi Fotoğraf Arşivi, Evansville, IN 245
Arşivler ve Özel Koleksiyonlar, Clark Üniversitesi, Worcester, MA 305

Renkli Resimler (resim numarası)

© Guy Christian / hemis / agefotostock 43
akg-images 25;©DACS2015 38 (Beckmann), 39 (Dix); Florilegius 26; Erich Lessing 3, 18, 23, 28
Rijksmuseum, Amsterdam 21
Sanat Arşivi: Ashmole Müzesi 15; British Library 8; CCI / Özel Koleksiyon 30; Electa / Mondadori Portföyü / Puşkin Müzesi, Moskova 33
Walters Sanat Müzesi, Baltimore 9
Tichnor Kardeşler Koleksiyonu, Boston Public Library 36
Bridgeman Sanat Kütüphanesi: Bibliothèque des Arts Décoratifs, Paris, France / Archives Charmet 24; Foto © Zev Radovan 5
Musée Condé, Chantilly 11
© Peter Aprahamian / Corbis 41
Meadows Müzesi, Dallas 29
İskoçya Ylusal Portre Galerisi, Edinburgh 32
© Ian Ference 2010 42
© Sonia Halliday Photographs 12, 13, 14
David Hockney Vakfı Koleksiyonu © David Hockney. Foto Richard Schmidt 40
© 2014 Billiam James 44
Wellcome Kütüphanesi, Londra 7, 22, 27, 31
J. Paul Getty Müzesi, Los Angeles (Ms. 33, fol. 215v) 2
Museo del Prado, Madrid 20
Museo Arqueológico Nacional, Madrid (N.I. 11094). Foto Antonio Trigo Arnal 4
Bodley Kütüphanesi, Oxford Üniversitesi. Wilfred Owen Terekesi Mütevelli Heyeti'nin nazik izniyle 37
Scala, Floransa: DeAgostini Resim Kütüphanesi 10; Ulusal Galeri, Londra 16
NYPL / Bilim Kaynakları / Bilim Fotoğrafları Kütüphanesi 6
Tate, Londra 1, 17
Ontario Sanat Galerisi, Toronto. Dix© DACS 2015 34
Catharijneconvent Müzesi, Utrecht 19
Oskar Reinhart Koleksiyonu, Winterthur 35

DİZİN

Lâle Müldür
Nova Roma'da Gece Güneşi

Özden Toker - Mehmet Ö. Alkan
Cumhuriyet'le Özdeş Bir Yaşam: Özden Toker – İsmet İnönü'nün Kızı Anlatıyor

Hazırlayan: **Asuman Susam, Duygu Kankaytsın**
İncelikler Tarihi - Gülten Akın Şiiri

Paul Valéry
Sabit Fikir

Selçuk Demirel
Birdenbire İstanbul

André Gide
Günlük (1887-1925) 1. Cilt

Derya Bengi – Erdir Zat
100. Yılında Cumhuriyet'in Popüler Kültür Haritası – 1 (1923 – 1950) / "Her Savaştan Bir Yara"
100. Yılında Cumhuriyet'in Popüler Kültür Haritası – 2 (1950 – 1980) / "Belki Duyulur Sesim"
100. Yılında Cumhuriyet'in Popüler Kültür Haritası – 3 (1980 – 2023) / "Yollar Bize Memleket"

Kerem Eksen
Ölümden Uzak Bir Yer

Alberto Manguel
Hayali Yerlerden Yemek Tarifleri

Ethan L. Menchinger
İlk Modern Osmanlı - Ahmed Vâsıf'ın Fikri Gelişimi

Hazırlayan: **Ayşe N. Sümer**
Semahat Arsel - Kuşaktan Kuşağa

Cesare Pavese
Yalnız Kadınlar Arasında
Ay ve Şenlik Ateşleri

Hazırlayan: **Rahim Tarım**
Mehmet Rauf'un Anıları

Dag Solstad
On Birinci Roman, On Sekizinci Kitap

Margit Schreiner
İnsan Dengesi
Sevmek Dedikleri

Antonino Ferro
Afacan Bir Psikanalistin Düşünceleri

Sula Bozis
İstanbullu Rumlar

Makbule Aras Eyvazi
Başa Dönemeyiz

Fahri Güllüoğlu
Laytmotif

Doğan Yarıcı
Miyop

Cem Gürdeniz
Kültürü ve Görgüsüyle Denizcilik

Şiir Erkök Yılmaz
Uyuyamamak
Dört Oyun - Bir Darbe Masalı, Antika Bir Oyun, Komşuculuk, Hayat Öpücüğü

YAPI KREDİ YAYINLARI / YENİLERDEN SEÇMELER

Isaac Bashevis Singer
Son İblis - Toplu Öyküler 1
Bir Dans, Bir Sıçrayış - Toplu Öyküler 2
Ay ve Delilik - Toplu Öyküler 3

Daniel M. Davis
Tedavi Harikaları - Bağışıklık Sistemi ve Yeni Sağlık Bilimi

Nursel Duruel
Geyikler, Annem ve Almanya 40 Yaşında

Burak Aziz Sürük, Cengiz Çakıt
Telezzüz
Telezzüz - Savour the Flavour - Inspirational Delicacies fromTurkish Cuisine

Javier Marías
Kurt Mıntıkası
Vahşiler ve Duygusallar

Claudio Magris
Enstantaneler
Krems'te Bükülü Zaman
Bir Başka Deniz

Franz Kafka
Milena'ya Mektuplar
Kayıp [Amerika]

Hazırlayan: **Şeyda Postacı**
Psikanaliz Defterleri 8 - Çocuk ve Ergen Çalışmaları / Utanç ve Suçluluk

Anne Glenconner
Nedime - Tacın Gölgesindeki Olağanüstü Hayatım

Süreyya Ağaoğlu
Bir Ömür Böyle Geçti – Sessiz Gemiyi Beklerken

Süreyya Berfe
Yavaş Yavaş Bilemiyorum

Orhan Duru
Düşümde ve Dışımda
Kazı
Yeni ve Sert Öyküler

Bige Örer, Ahu Antmen, İz Öztat, Fatih Özgüven, Paolo Colombo, Seza Paker
Füsun Onur: Evvel Zaman İçinde

Cem Behar
Kadîm ile Cedîd Arasında - III. Selim Döneminde Bir Mevlevi Şeyhi: Abdulbâki Nâsır Dede'nin Musıki Yazmaları

Mehmet Can Doğan
Şiirin Retoriği
Ben Size Çok Geldim

Mehmet Can Şaşmaz
Korkma, Güzel Rüyalar da Var

Mehmet Erte
Sahipsiz Yüzler

Vénus Khoury-Ghata
Marina Tsvetayeva ya da Alabuga'da Ölmek
Mandelştam'ın Son Günleri

Peter Ackroyd
Bay Cadmus

Bram Stoker
Dracula

Edip Cansever
Tragedyalar

YAPI KREDİ YAYINLARI / YENİLERDEN SEÇMELER